Das Buch

Dora Conroy besitzt in Philadelphia ein Antiquitätengeschäft. Auf einer Auktion kauft sie eine Reihe von Objek-
ten, die ihr gar nicht so besonders wichtig erscheinen.
Doch sie gerät damit ins Blickfeld eines internationalen
Schmugglers, der vor nichts zurückschreckt, wenn es um
den Besitz ersehnter Antiquitäten geht.
Dora und ihr Nachbar, der ehemalige Polizist Jed Skimmerhorn, beginnen, Diebstähle und Todesfälle im Umkreis der
geheimnisvollen Lieferung zu untersuchen. Dabei entdecken sie Verbindungen zu einem skrupellosen Verbrecher.
Dora und Jed befinden sich bald in ernster Gefahr.

Die Autorin

Nora Roberts zählt zu den erfolgreichsten Autorinnen Ame-
rikas. Seit 1981 hat sie über 100 Romane veröffentlicht, die in
knapp 30 Sprachen übersetzt wurden. Für ihre internationalen Bestseller erhielt sie nicht nur zahlreiche Auszeichnun-
gen, sondern auch die Ehre, als erste Frau in die Ruhmeshal-
le der Romance Writers of America aufgenommen zu
werden. Nora Roberts lebt in Maryland.
Im Wilhelm Heyne Verlag liegen vor: *Sehnsucht der Unschuldigen* (01/8740), *Zärtlichkeit des Lebens* (01/9105), *Gefährliche
Verstrickung* (01/9417), *Verlorene Liebe* (01/9527), *Nächtliches
Schweigen* (01/9706), *Schatten über den Weiden* (01/9872), *Ver-
borgene Gefühle* (01/10013), *Dunkle Herzen* (01/10268), *Der
weite Himmel* (01/10533), *Die Tochter des Magiers* (01/10677),
Insel der Sehnsucht (01/13019), *Das Haus der Donna*
(01/13122), *Träume wie Gold* (01/13220), *Die Unendlichkeit der
Liebe* (01/13265), *Verlorene Seelen* (01/13363).
Die Roman-Trilogie: *Tief im Herzen* (01/10968), *Gezeiten der
Liebe* (01/13062), *Hafen der Träume* (01/13148).

NORA ROBERTS

TRÄUME
WIE GOLD

Roman

Aus dem Amerikanischen
von Christine Roth

WILHELM HEYNE VERLAG
MÜNCHEN

HEYNE ALLGEMEINE REIHE
Nr. 01 / 13220

Titel der Originalausgabe
HIDDEN RICHES

Umwelthinweis:
Das Buch wurde auf
chlor- und säurefreiem Papier gedruckt.

4. Auflage

Für Mom,
die Trödel und ein gelungenes
Schnäppchen über alles liebt.

PROLOG

Er wollte nicht hier sein. Nein, er hasste es geradezu, in dem eleganten alten Haus festzusitzen, wo ihn rastlose Geister quälten und alte Wunden aufrissen. Die Möbel mit weißen Laken abzudecken, die Haustür hinter sich zuzusperren und einfach davonzugehen, damit war es nicht getan. Er musste das Haus leerräumen und sich dadurch von einigen quälenden Albträumen befreien.

»Captain Skimmerhorn?«

Der Titel ließ Jed unwillkürlich zusammenzucken. Seit letzter Woche war er kein Captain mehr. Er hatte den Polizeidienst quittiert, seine Uniform an den sprichwörtlichen Nagel gehängt, empfand es aber als ausgesprochen lästig, seine Mitmenschen auf diese Veränderung aufmerksam zu machen. Er trat einen Schritt beiseite, um zwei Möbelpackern Platz zu machen, die einen Rosenholzschrank die Treppe hinunter, durch das große Foyer und hinaus in den frostigen Morgen schleppten.

»Ja?«

»Wollen Sie mal nach oben schauen und sich vergewissern, ob wir alles mitgenommen haben, was ins Lager soll? Ansonsten wären wir nämlich so weit fertig.«

»Fein.«

Er verspürte nicht die geringste Lust, diese Treppe hinaufzusteigen, durch die Räume zu gehen, die auch ohne Möbel keineswegs leer waren. Es war die quälende Erinnerung, die diese Räume immer noch beherrschte, überlegte er, ehe er widerwillig die Stufen emporstieg.

Wie von einem Magneten angezogen, trieb es ihn den Korridor entlang zu seinem alten Zimmer. Das Zimmer, in dem er groß geworden war, das Zimmer, das er auch wieder bewohnt hatte, als er allein in dem Haus lebte. Doch kurz vor der Türschwelle zögerte er. Die Hände zu Fäusten geballt und tief in den Taschen seines Jacketts vergraben, wartete er darauf, dass ihn die Erinnerungen wie Hecken-schützen aus dem Hinterhalt überfielen.

Er hatte in diesem Zimmer geweint, heimlich natürlich, und sich deshalb geschämt. Kein männlicher Skimmerhorn zeigte jemals öffentlich eine Schwäche. Und dann, als die Tränen getrocknet waren, hatte er in diesem Zimmer Rän-ke geschmiedet, sich harmlose, kindische Rachepläne aus-gedacht, die ihn stets selbst getroffen hatten wie ein unge-schickt geworfener Bumerang.

In diesem Zimmer hatte er gelernt zu hassen.

Und trotz allem war es nur ein gewöhnliches Zimmer. Ein Zimmer in einem ganz gewöhnlichen Haus. Diese Tat-sache hatte er sich immer wieder ins Gedächtnis gerufen, vor vielen Jahren, als er als erwachsener Mann zurückge-kommen war, um wieder in diesem Haus zu leben. Und war er dort nicht zufrieden gewesen?, fragte er sich jetzt. War es nicht ganz einfach gewesen?

Bis Elaine auftauchte.

»Jedidiah.«

Er fuhr zusammen. Ganz automatisch zog er die Hand aus der Jacketttasche, um nach der Waffe zu greifen, die er aber nicht mehr trug. Diese instinktive Reaktion und die Tatsache, dass er zu sehr mit seinen morbiden Gedanken beschäftigt gewesen war, um zu bemerken, dass jemand hinter ihm stand, erinnerten ihn daran, weshalb die Waffe nicht länger in dem Halfter an seiner Seite steckte.

Er atmete einmal tief durch, ehe er sich zu seiner Groß-mutter umwandte. Honoria Skimmerhorn Rodgers war in einen Nerz gehüllt, an ihren Ohren blitzte ein schlichtes Diamantgehänge, das schneeweiße Haar war perfekt fri-siert. Sie verkörperte vom Scheitel bis zur Sohle die typi-sche reiche, alte Lady, auf dem Weg zu einer Lunch-Verab-redung in ihrem Lieblingsklub. Doch in ihren Augen, die ebenso blau und lebendig waren wie die ihres Enkels, stand ernste Besorgnis.

»Ich hatte gehofft, dich davon überzeugt zu haben, dass es klüger wäre zu warten«, begann sie ruhig, während sie eine Hand ausstreckte und auf seinen Arm legte.

Unwillkürlich wich er zurück. Berührungen dieser Art waren bei den Skimmerhorns nicht üblich. »Es gab keinen Grund, noch länger zu warten.«

»Und hierfür gab es einen?« Sie deutete in den leeren Raum. »Es gab einen Grund, dein Heim leer zu räumen, dich von deinem ganzen Besitz zu trennen?«

»In diesem Haus gehört mir nichts.«

»Das ist doch absurd«, empörte sie sich und verfiel dabei in ihren Bostoner Dialekt »Es ist deins.«

»Weil ich meine Pflicht versäumt habe? Weil ich zufällig noch am Leben bin? Nein, vielen Dank.«

Wäre sie nicht so besorgt um ihn gewesen, hätte ihm seine schroffe Antwort mit Sicherheit eine saftige Rüge eingetragen. »Mein Lieber, hier geht es nicht um Versäumnis oder um irgendeine Schuld.« Als sie merkte, wie er sich zusehends in sich zurückzog, seine Miene immer teilnahmsloser wurde, hätte sie ihn am liebsten geschüttelt, wenn sie sich davon etwas hätte versprechen können. Stattdessen strich sie ihm über die Wange. »Du brauchst nur etwas Zeit.«

Jeder Muskel in seinem Körper verkrampfte sich. Er musste seine ganze Beherrschung aufbringen, um der Berührung ihrer sanften Finger nicht auszuweichen. »Möglich, aber das ist meine Art, damit umzugehen.«

»Indem du das Haus deiner Familie aufgibst?«

»Familie?« Er lachte verbittert auf.

»Wir waren nie eine Familie. Weder hier noch sonst irgendwo.«

Ihr bisher weicher, mitleidsvoller Blick verhärtete sich. »Vorzugeben, dass die Vergangenheit nicht existiert, ist genauso verhängnisvoll, wie in ihr zu leben. Was tust du hier? Alles wegwerfen, was du dir erarbeitet, was du dir selbst aufgebaut hast? Möglich, dass ich mich nicht sonderlich begeistert über deine Berufswahl gezeigt habe, aber es war deine eigene Entscheidung, und du hast Erfolg gehabt. Mit deiner Beförderung zum Captain hast du, so meine ich, dem Namen Skimmerhorn mehr Ehre gemacht als all deine Vorfahren mit ihrem Geld und ihrem gesellschaftlichen Einfluss.«

»Ich bin nicht Cop geworden, um für meinen verdammten Namen die Werbetrommel zu rühren!«

»Nein«, entgegnete sie sanft. »Du hast es allein für dich getan, gegen den massiven Druck der Familie, wobei ich mich nicht ausnehmen will.« Sie trat einen Schritt zurück und schlenderte durch die Diele. Hier hatte sie einst gelebt, vor vielen Jahren, als junge Ehefrau. Als unglückliche Ehefrau. »Ich habe mit angesehen, wie du dein Leben umgekrempelt hast, und es hat mich beeindruckt. Weil ich wusste, dass du es nur für dich und niemanden sonst getan hast. Und ich habe mich oft gefragt, woher du die Kraft dazu genommen hast.«

Sie wandte sich ihm wieder zu, musterte ihn eindringlich, den Sohn ihres Sohnes. Er hatte das unverschämt gute Aussehen der Skimmerhorns geerbt. Bronzefarbenes, vom Wind zerzaustes Haar umrahmte sein schmales, prägnant geschnittenes Gesicht, in dem sich jetzt die innere Anspannung spiegelte, die ihn plagte. Und wie alle Mütter und Großmütter machte sie sich Sorgen, weil er abgenommen hatte, obgleich seine kraftvollen Züge dadurch noch besser zur Geltung kamen. Groß und breitschultrig, strahlte er eine Stärke aus, die die männliche Schönheit seines leicht gebräunten Teints und des sensiblen Mundes unterstrich und ihr gleichzeitig trotzte. Die leuchtenden tiefblauen Augen hatte er von ihr. Diese blickten sie jetzt rastlos und herausfordernd an und weckten Erinnerungen an den kleinen, verstörten Jungen von damals.

Aber er war kein kleiner Junge mehr, und sie fürchtete, dass sie nur wenig tun konnte, um dem jetzt erwachsenen Mann zu helfen.

»Ich möchte nicht mit ansehen, wie du dein Leben noch einmal völlig auf den Kopf stellst, und das ohne triftigen Grund.« Kopfschüttelnd trat sie vor ihn hin, ehe er noch etwas erwidern konnte. »Zugegeben, ich hatte meine Bedenken, als du nach dem Tod deiner Eltern wieder allein in dieses Haus gezogen bist, aber auch das war deine eigene Entscheidung. Und für eine Weile schien es auch, als hättest du wieder die richtige getroffen. Aber ist das die richtige Art, mit dieser Tragödie fertig zu werden, indem du dein Elternhaus verkaufst und deine Karriere wegwirfst?«

Er zögerte einen Augenblick. »Ja.«

»Du enttäuschst mich, Jedidiah.«

Das saß. Diesen Satz hatte er nur ganz selten von ihr gehört, und er traf ihn härter als all die Beleidigungen, die sein Vater ihm an den Kopf geworfen hatte. »Lieber enttäusche ich dich, als die Verantwortung für das Leben eines einzigen Cops auf mich zu laden. Ich bin nicht in der Verfassung, Befehle zu geben und Entscheidungen zu treffen. Vielleicht werde ich das nie mehr sein. Und was das Haus anbelangt, das hätte schon vor Jahren verkauft werden sollen. Nach dem Unfall. Wenn Elaine einverstanden gewesen wäre, hätte ich das längst getan. Jetzt ist sie tot, und die Entscheidung liegt bei mir.«

»Ja, das stimmt«, pflichtete sie ihm bei. »Aber du triffst die falsche.«

Die unterdrückte Wut brachte sein Blut zum Sieden. Er hatte das Bedürfnis, gegen irgendetwas zu treten, seine Fäuste gegen einen anderen zu erheben. Es war ein Bedürfnis, das ihn nur allzu oft überkam. Und genau aus diesem Grund war er nicht länger Captain J. T. Skimmerhorn vom Philadelphia Police Department, sondern Zivilist.

»Begreifst du denn nicht? Ich kann hier nicht mehr leben. Ich kann hier nicht schlafen. Ich muss hier raus, verdammt noch mal! Ich ersticke in diesem Haus!«

»Dann komm mit zu mir über die Feiertage, wenigstens bis Neujahr. Nimm dir noch etwas mehr Zeit, ehe du etwas Unwiderrufliches tust.« Ihre Stimme klang wieder ganz ruhig, als sie seine verkrampften Hände nahm. »Jedidiah, es sind schon Monate vergangen, seit Elaine – seit Elaine umgebracht wurde.«

»Ich weiß ganz genau, wie lange es her ist.« Er kannte den exakten Zeitpunkt des Todes seiner Schwester. Schließlich hatte er sie umgebracht. »Ich weiß deine Einladung zu schätzen, Großmutter, aber ich habe bereits etwas vor. Ich schaue mir heute Abend ein Apartment an, drüben an der South Street.«

»Ein Apartment.« Honorias Seufzer war der Ausdruck tiefster Missbilligung. »Also wirklich, Jedidiah, zu derartigem Unsinn besteht wirklich nicht der geringste Anlass. Kauf dir ein anderes Haus, wenn es schon sein muss. Nimm dir ein paar Wochen Urlaub, aber vergrab dich um Himmels willen nicht in irgendeinem finsteren Loch!«

Dass er ein Grinsen zu Stande brachte, überraschte ihn. »In der Anzeige war die Rede von einem ruhigen Luxusapartment in erstklassiger Lage. Nach finsterem Loch klingt das eigentlich nicht. Großmutter...«, er drückte ihre Hand, bevor sie noch weitere Argumente loswerden konnte, »lass es gut sein.«

Sie seufzte wieder, diesmal resigniert. »Ich will doch nur dein Bestes.«

»Das wolltest du immer.« Er unterdrückte ein Schaudern, spürte, wie die Wände ihn zu erdrücken drohten. »Lass uns gehen.«

1. Kapitel

Einem Theater ohne Publikum wohnt eine ganz besondere Magie inne. Die Magie der tausend Möglichkeiten. Die tragenden Stimmen der Schauspieler, die ihre Texte proben, die wandernden Lichtkegel der Scheinwerfer, die Kostüme, die spannungsgeladene Energie und die egozentrischen Schwingungen, die von der Bühne bis in die hintersten Sitzreihen dringen.

Isadora Conroy saugte diese magische Stimmung ein, gab sich ganz diesem Zauber hin, während sie in der Kulisse des Liberty Theaters stand, von wo aus sie die Proben zu ›A Christmas Carol‹ verfolgte. Wie immer genoss sie das Stück, nicht nur, weil sie Dickens liebte, sondern weil die Dramatik konzentrierter Arbeit, kreativer Beleuchtung und exzellent gesprochener Texte sie über alle Maßen faszinierte. In ihren Adern floss eben Theaterblut.

Selbst als sie jetzt ganz still dastand, war dies noch zu spüren. Ihre großen braunen Augen leuchteten vor Aufregung und beherrschten das von einer goldbraunen Haarflut eingerahmte Gesicht. Es war diese Ergriffenheit, die einen Hauch von Röte auf ihre elfenbeinfarbene Haut und ein Lächeln auf ihre vollen Lippen gezaubert hatte. Klare Konturen und weiche Linien beherrschten dieses Gesicht, das trotz seines starken Ausdrucks zugleich anmutig wirkte. Ihr kleiner, aber straffer Körper steckte voller Energie.

Sie war eine Frau, die an allem, was um sie herum vorging, großes Interesse zeigte, die aber auch Fantasie besaß und in dieser schwelgen konnte. Jetzt, da sie ihrem Vater zusah, wie er mit Marleys Ketten rasselte und dem verschreckten Scroge unheilvolle Voraussagen machte, glaubte sie fest an die Existenz von Geistern. Und weil sie daran glaubte, stand in diesem Augenblick nicht mehr ihr Vater vor ihr, sondern der zum Untergang verdammte und bis in

alle Ewigkeit in den Ketten seiner Gier verstrickte Geiz-
hals.

Dann verwandelte sich Marley wieder in Quentin Conroy, den routinierten Schauspieler, Regisseur und Theater-
menschen, der jetzt von den Darstellern eine geringfügige
Änderung ihrer Positionen verlangte.

»Dora.« Während sie den Gang entlangeilte, hörte sie
Ophelia, ihre Schwester, aufgeregt rufen: »Wir haben unseren Zeitplan bereits zwanzig Minuten überzogen.«

»Wir haben keinen Zeitplan«, murmelte Dora, während
sie zustimmend nickte, denn die von ihrem Vater ge-
wünschte Änderung war ihrer Meinung nach perfekt. »Auf
meinen Einkauftrips gibt es keinen Zeitplan. Ist er nicht
fantastisch, Lea?«

Obgleich es ihrem Sinn für Pünktlichkeit und straffe Or-
ganisation widersprach, richtete Lea den Blick auf die Bühne und beobachtete ihren Vater. »Ja. Obwohl Gott allein
weiß, wie er es durchsteht, jedes Jahr die gleiche Aufführung zu inszenieren.«

»Traditionsbewusstsein«, strahlte Dora. »Das ist die
Wurzel des Theaters.« Dass sie die Bühne verlassen hatte,
hatte ihre Liebe zum Theater und die Bewunderung für
den Mann, der aus einem Text das Letzte herauszuholen
vermochte, nicht im Geringsten geschmälert. Sie hatte ihn
sich auf der Bühne in hundert verschiedene Personen ver-
wandeln sehen. Macbeth, Willie Loman, Nathan Detroit.
Sie hatte seine Triumphe miterlebt und seine Misserfolge.
Aber er beeindruckte sie immer wieder aufs neue.

»Erinnerst du dich noch an Mom und Dad als Titania
und Oberon?«

Lea verdrehte genervt die Augen, aber sie lächelte dabei. »Wer könnte das vergessen? Wochenlang ist Mutter
aus ihrer Rolle nicht herausgeschlüpft. Es war weiß Gott
nicht einfach, mit einer Feenkönigin zu leben. Und wenn
wir nicht bald machen, dass wir hier rauskommen, dann
steigt sie aus den Kulissen und hält uns einen Vortrag, was
zwei allein nach Virginia reisenden Frauen alles zustoßen
kann!«

Dora, die die Nervosität und Ungeduld ihrer Schwester spürte, legte Lea den Arm um die Schultern. »Ganz ruhig, Schätzchen. Ich halte sie schon in Schach, und Vater macht ohnehin gleich eine Pause.«

Was er wie auf ein stummes Stichwort hin auch tat. Während die Schauspieler sich in die Garderoben zurückzogen, trat Dora hinaus auf die Bühne. »Dad.« Einen langen Augenblick musterte sie ihn von Kopf bis Fuß. »Du warst großartig.«

»Danke, meine Liebe.« Er machte mit den Armen eine ausladende Geste, die sein zerrissenes Totenhemd gespenstisch flattern ließ. »Ich finde, die Maske ist diesmal sehr viel besser als letztes Jahr.«

»Absolut.« Die weiße Schminke und die kohlrabenschwarz umrahmten Augen wirkten in der Tat erschreckend echt. »Absolut schauerlich.« Sie hauchte ihm einen Kuss auf die Lippen, sorgsam darauf bedacht, das Make-up nicht zu verwischen. »Schade, dass wir die Premiere verpassen.«

»Da kann man nichts machen«, meinte er leichthin, zog dabei aber einen kleinen Flunsch. Er hatte zwar einen Sohn, der die Conroy-Tradition fortführte, seine beiden Töchter aber hatte er verloren – die eine war verheiratet, die andere selbstständige Geschäftsfrau. Was ihn freilich nicht daran hinderte, sie hin und wieder wie Kinder zu behandeln. »So, so, meine kleinen Mädchen machen sich zu einer großer Abenteuerfahrt auf.«

»Wir gehen auf Geschäftsreise, Dad, und nicht auf Expedition ins Amazonasgebiet.«

»Das ist doch Jacke wie Hose«, meinte er mit einem verschmitzten Augenzwinkern und gab Lea einen Kuss. »Hütet euch auf alle Fälle vor wilden Bestien.«

»Lea!« Trixie Conroy kam in voller Maske, komplett im Kostüm und Federhut, über die Bühne gerauscht. Die exzellente Akustik des Liberty Theaters trug ihre wohltönende Stimme ohne Schwierigkeiten bis zu den obersten Balkonen hinauf. »John ist am Telefon, Liebes. Er hat vergessen, ob Missy heute um fünf zu den Pfadfindern oder um sechs zur Klavierstunde muss«.

»Ich habe doch alles genau aufgeschrieben«, seufzte Lea. »Wie will er denn die Kinder drei Tage versorgen, wenn er nicht mal eine Liste lesen kann?«

»Ein Goldstück, dieser Mann«, kommentierte Trixie, während Lea davoneilte. »Der perfekte Schwiegersohn. Und Dora, du fährst doch vorsichtig, ja?«

»Aber sicher, Mom.«

»Natürlich. Du bist immer vorsichtig. Und Anhalter nimmst du doch auch keine mit, oder?«

»Nicht einmal, wenn sie mich auf Knien anflehen.«

»Und alle zwei Stunden machst du eine Pause, um deine Augen auszuruhen, ja?«

»Pünktlich wie ein Uhrwerk.«

Trixie, die unverbesserliche Mutter, nagte an der Unterlippe. »Trotzdem, es ist eine schrecklich lange Fahrt bis Virginia. Und es könnte Schnee geben.«

»Ich habe Winterreifen.« Um weiteren Ratschlägen vorzubeugen, gab Dora ihrer Mutter einen Kuss. »Ich habe ein Autotelefon, Mom. Jedes Mal, wenn wir eine Staatsgrenze passieren, rufe ich dich an.«

»Ja, das ist eine prima Idee.« Die Vorstellung heiterte Trixie zusehends auf. »Ach, und Quentin, Liebling, ich komme gerade von der Theaterkasse.« Sie versank vor ihrem Gatten in einen vollendeten Hofknicks. »Wir sind auf Wochen ausverkauft.«

»Selbstverständlich.« Quentin half seiner Frau auf und wirbelte sie in einer gekonnten Pirouette über die Bühne, die in einer tiefen Verbeugung endete. »Außer einer Hand voll freier Stehplätze erwartet ein Conroy stets ein volles Haus.«

»Hals- und Beinbruch.« Dora drückte ihrer Mutter einen Abschiedskuss auf die Wange. »Dir auch«, sagte sie zu Quentin. »Und Dad, vergiss nicht, dass du heute einem Interessenten das Apartment zeigen wolltest.«

»Ich vergesse nie einen Termin. Ausgangspositionen!«, rief er über die Bühne und zwinkerte seiner Tochter zu. »Gute Fahrt, mein Schatz.«

Dora hörte wieder die Ketten rasseln, als sie hinter der

Bühne verschwand. Eine bessere Verabschiedung hätte sie sich nicht wünschen können.

Doras Auffassung nach, war ein Auktionshaus einem Theater nicht so unähnlich. Auch dort gab es eine Bühne, Requisiten und Darsteller. Wie sie ihren verblüfften Eltern vor Jahren erklärt hatte, kehrte sie der Bühne nicht wirklich den Rücken. Sie veränderte nur für sich den Schauplatz. Und wann immer es an der Zeit war zu kaufen oder zu verkaufen, konnte man davon ausgehen, dass sie von dem Schauspielerblut, das in ihren Adern floss, vorteilhaft Gebrauch machte.

So hatte sie sich bewusst die Zeit genommen, die Arena der heutigen Aufführung aufs Genaueste zu inspizieren. Das Gebäude, in welchem Sherman Porter seine Auktionen durchführte und außerdem einen täglichen Flohmarkt unterhielt, war ursprünglich ein Schlachthof gewesen; und auch heute war es darin noch so zugig wie in einem Viehstall. Die zur Versteigerung angebotenen Objekte wurden auf demselben nackten, kalten Betonboden ausgestellt, über den einst Kühe und Schweine zur Schlachtbank gezerrt wurden. Jetzt gingen dort in dicke Wintermäntel und Wollschals gehüllte Menschen umher, klopften an Kristallgläser, grübelten vor Ölgemälden oder fachsimpelten über Anrichten und die Kopfbretter antiker Betten.

Zugegeben, das Ambiente ließ ein wenig zu wünschen übrig, aber andererseits hatte sie schon in weniger viel versprechenden Umgebungen gespielt.

Isadora Conroy war eine leidenschaftliche Händlerin und Verkäuferin. Sie hatte schon immer gern eingekauft und empfand das Tauschgeschäft Geld gegen Ware als höchst befriedigend. So befriedigend, dass sie gelegentlich Geld gegen Waren eingetauscht hatte, für die sie nicht die geringste Verwendung hatte. Und doch war es diese Leidenschaft fürs Handeln gewesen, die Dora dazu bewogen hatte, einen eigenen Laden aufzumachen. Ihr machte das Verkaufen ebenso viel Spaß wie das Einkaufen.

»Lea, sieh dir das an.« Dora drehte sich zu ihrer Schwester um und hielt ihr ein vergoldetes Sahnekännchen unter die Nase. Es hatte die Form eines Damenschuhs. »Ist das nicht entzückend?«

Ophelia Conroy Bradshaw warf einen kurzen, verwunderten Blick darauf. Abgesehen von ihrem märchenhaften Namen war sie eine realitätsbewusste und sehr bodenständige Person. »Du meinst wohl eher kitschig.«

»Ach komm, sieh doch mal über die vordergründige Ästhethik hinweg.« Strahlend ließ Dora einen Finger über den gewölbten Rist des Schuhs gleiten. »In unserer Welt muss es auch einen Platz für Kitsch geben.«

»Gewiss. Dein Laden, zum Beispiel.«

Dora kicherte, so etwas konnte sie nicht beleidigen. Sie stellte zwar das Sahnekännchen zurück ins Regal, hatte sich aber bereits dafür entschieden, mitzusteigern. Sie zückte ihr Notizbuch und notierte sich die Nummer des Loses. »Ich bin wirklich froh, dass du mich auf dieser Tour begleitest, Lea. Du hast die Gabe, mich immer wieder auf den Boden der Realität zurückzuholen.

»Irgendjemand muss das ja tun.« Leas Aufmerksamkeit war mittlerweile von einem farbenprächtigen Gläserset aus der Zeit der großen Depression gefesselt. Darunter waren mindestens zwei bernsteinfarbene Stücke, die sich in ihrer eigenen Sammlung recht hübsch ausnehmen würden. »Trotzdem habe ich ein schlechtes Gewissen, dass ich so kurz vor Weihnachten in der Weltgeschichte herumgondle und John mit den Kindern allein lasse.«

»Du hast dich doch danach gesehnt, mal für ein paar Tage von Küche und Kindern wegzukommen«, erinnerte sie Dora, die gerade einen zierlichen Toilettentisch aus Kirschholz bewunderte.

»Das stimmt. Deshalb plagen mich ja auch Schuldgefühle.«

»Schuldgefühle sind nie verkehrt.« Nachdem sie das eine Ende ihres roten Schals über die Schulter geworfen hatte, ging Dora in die Hocke, um sich die bronzenen Schubladengriffe aus der Nähe anzusehen. »Schätzchen, du warst gerade mal drei Tage von zu Hause weg, und wir befinden uns bereits auf dem Heimweg. Heute Abend bist du wieder mit deinen Lieben vereint, kannst deine Kinder an die Brust drücken, John verführen, und alle werden glücklich sein.«

Lea verdrehte die Augen und schenkte dem Ehepaar, das neben ihr stand, ein schwaches Lächeln. »Du hast aber auch ein Talent, die unterschiedlichsten Dinge auf den banalsten Nenner zu bringen.«

Mit einem zufriedenen Seufzer kam Dora aus der Hocke hoch, strich sich die kinnlange Mähne aus dem Gesicht und meinte nickend: »Ich glaube, fürs Erste habe ich genug gesehen.«

Nach einem kurzen Blick auf ihre Uhr stellte Dora fest, dass sich in diesem Augenblick der Vorhang für die Matinee im Liberty Theater heben musste. Tja, dachte sie im Stillen, Showbusiness ist eben Showbusiness. Sie hätte sich vor lauter Vorfreude auf die Auktion am liebsten die Hände gerieben.

»Wir suchen uns am besten bald einen Platz, bevor …, nein, warte!« Ihre braunen Augen leuchteten begeistert auf. »Sieh dir das an!«

Kaum hatte Lea sich umgedreht, da flitzte Dora schon los.

Ein Bild hatte ihre Aufmerksamkeit erregt. Es war ein relativ kleines Gemälde in einem eleganten Elfenbeinrahmen. Auf der Leinwand zeigte sich ein intensives Farbenspiel, gewagte Pinselstriche in Karmesinrot und Türkis, dazwischen ein Klecks Zitronengelb und ein smaragdblauer Wischer. Dora spürte die Kraft und das Feuer dieses Bildes, dem sie ebenso wenig widerstehen konnte wie einem Sonderangebot.

Sie lächelte den Jungen an, der das Bild gerade an die Wand lehnte. »Du hältst es verkehrt herum.«

»Was?« Der stämmige Bursche drehte sich um und wurde knallrot. Er war nicht älter als siebzehn, und Doras Lächeln brachte sein Blut in Wallung. »Äh, nein, Ma'am.« Sein Adamsapfel hüpfte vor Verlegenheit, als er das Bild umdrehte, um ihr den Haken zu zeigen.

»Mmmh.« Wenn es ihr gehörte – und das würde es mit Sicherheit am Ende des nachmittags – würde sie das ändern.

»Die, äh, die Lieferung kam gerade erst herein.«

»Verstehe.« Sie trat einen Schritt näher. »Sind ein paar recht interessante Stücke dabei«, sagte sie und hob die Skulptur eines traurig dreinblickenden Bassets hoch, der in liegender Position dargestellt war. Die Skulptur war schwerer, als sie erwartet hatte, und sie presste die Lippen zusammen, als sie diese umdrehte, um sie genauer zu betrachten. Kein Name und kein Datum, stellte sie fest, wirklich eine ausgezeichnete Arbeit.

»Kitschig genug für deinen Geschmack?«, erkundigte sich Lea.

»Gerade eben. Gäbe einen tollen Türstopper ab.« Nachdem sie den Basset wieder zurückgestellt hatte, griff sie eifrig nach der Statuette eines Walzer tanzenden und im Stil der dreißiger Jahre gekleideten Paares. Doch stattdessen traf ihre Hand auf dicke, knotige Finger. »Verzeihung«, murmelte sie, als sie zu einem älteren Mann aufblickte, der eine Brille trug und sie eindringlich musterte.

»Hübsch, nicht?«, fragte er sie. »Meine Frau hatte fast die Gleiche. Ging bei einer Balgerei unserer Kinder aber leider zu Bruch.« Er grinste und entblößte dabei zwei etwas zu weiße und zu ebenmäßige Zahnreihen. Er trug eine rote Fliege und roch wie eine Pfefferminzstange. Dora erwiderte sein Lächeln.

»Sind Sie Sammler?«

»Könnte man so sagen.« Er stellte die Statuette ab, wobei er die übrigen Exponate mit einem raschen, erfahrenen Blick überflog, Preise abschätzte, sie katalogisierte, als uninteressant abstempelte. »Ich bin Tom Ashworth, habe einen Laden in Front Royal.« Er zog eine Visitenkarte aus der Brusttasche und reichte sie Dora. »Im Laufe der Jahre hatte sich bei uns so viel Krimskrams angesammelt, dass es nur zwei Möglichkeiten gab: einen Laden aufzumachen oder ein größeres Haus zu kaufen.«

»Das kommt mir irgendwie bekannt vor. Ich bin Dora

Conroy.« Sie streckte ihre Hand aus, die sogleich kräftig geschüttelt wurde. »Ich habe einen Laden in Philadelphia.«

»Dachte mir schon, dass Sie Profi sind.« Er blinzelte sie erfreut an. »Hab' ich sofort gemerkt. Kann mich aber nicht erinnern, Sie schon einmal auf einer von Porters Auktionen gesehen zu haben.«

»Nein, ich bin zum ersten Mal hier. Es ist nicht der nächste Weg von Philadelphia, und die Fahrt hierher war eigentlich eine ganz spontane Entscheidung. Ich habe meine Schwester überredet mitzukommen. Lea, Tom Ashworth.«

»Freut mich, Sie kennen zu lernen.«

»Das Vergnügen ist ganz meinerseits.« Ashworth tätschelte Leas eiskalte Hand. »Zu dieser Jahreszeit wird es hier drinnen nie richtig warm. Schätze, Porter glaubt, dass die Versteigerung für eine etwas höhere Raumtemperatur sorgen wird.«

»Hoffentlich behält er Recht.« Leas Zehen in den dünnen Lederstiefeln fühlten sich an wie Eiszapfen. »Sind Sie schon lange im Geschäft, Mr. Ashworth?«

»Bald vierzig Jahre. Meine Frau hat damit angefangen, hat Puppen und Schals gehäkelt, und was weiß ich noch alles, und dann verkauft. Später kam dann noch Modeschmuck und so'n Firlefanz dazu, und unsere Garage wurde in einen Laden verwandelt.« Er zog eine Pfeife aus der Tasche und klemmte sie sich zwischen die Zähne. »Im Jahr dreiundsechzig hatten wir mehr Ware, als wir unterbringen konnten. So mieteten wir einen Laden in der Stadt. Haben jeden Tag gemeinsam hinter der Ladentheke gestanden, bis sie sechsundachtzig starb. Jetzt arbeitet mein Enkel im Geschäft mit. Hat eine Menge verrückter Ideen im Kopf, ist aber sonst ein ganz brauchbarer Junge.«

»Familienunternehmen sind die besten«, sagte Dora. »Lea hat gerade angefangen, halbtags bei mir im Laden mitzuarbeiten.«

»Der Herr im Himmel mag wissen warum.« Lea vergrub ihre kalten Hände in den Tiefen ihrer Manteltaschen. »Ich habe nicht die leiseste Ahnung von Antiquitäten oder Sammlerobjekten.«

»Sie müssen nur herausfinden, was die Leute wollen«, erklärte ihr Ashworth und schnippte mit dem Daumennagel über ein Streichholz, das sofort Feuer fing. »Und wie viel sie bereit sind, dafür auszugeben«, fügte er hinzu.

»Stimmt genau.« Begeistert hakte sich Dora bei ihm unter. »Sieht so aus, als ob es losgeht. Wir sollten uns besser einen Platz suchen.«

Ashworth bot Lea den anderen Arm an und geleitete sehr selbstbewusst, die beiden Frauen zu einigen freien Stühlen in der zweiten Reihe.

Dora nahm ihr Notizbuch zur Hand und bereitete sich auf ihre Lieblingsrolle vor.

Anfangs wurde zwar niedrig, aber nichtsdestoweniger energisch geboten. Und es waren die Stimmen der Mitbieter, die Doras Blut in Wallung brachte. Hier standen echte Schnäppchen zum Verkauf, und sie war entschlossen, sich ihren Anteil davon zu sichern.

Sie überbot eine dünne, heruntergekommen aussehende Frau mit verkniffenen Mundwinkeln und erhielt den Zuschlag bei der Frisierkommode; sie schnappte sich für wenig Geld ein Sahnekännchen, das die Form eines Damenschuhs hatte, und wetteiferte hartnäckig mit Ashworth um ein Paar kristallene Salzstreuer.

»Damit haben Sie mich ausgeschaltet«, sagte er, als Dora ihn überbot. »Oben im Norden bekommen Sie wahrscheinlich ein bisschen mehr dafür.«

»Ich habe einen Kunden, der Salzfässchen sammelt«, erklärte Dora. Und der das Doppelte des Einkaufspreises dafür zu zahlen bereit ist, dachte sie.

»Tatsächlich?« Ashworth beugte sich näher zu ihr, als das nächste Los zur Versteigerung kam. »Ich habe ein Sechser-Set davon im Laden aus Kobalt und Silber.«

»Wirklich?«

»Wenn Sie Zeit haben, schauen Sie doch nach der Auktion kurz bei mir herein und sehen sich die Dinger an.«

»Das könnte ich eigentlich tun. Lea, du steigerst bei den Gläsern mit, die aus der Zeit der Depression stammen.

»Ich?« Lea starrte ihre Schwester mit angstgeweiteten Augen an.

»Na klar. Sprung ins kalte Wasser nennt man das.« Lächelnd beugte sie sich zu Mr. Ashworth. »Passen Sie auf.«

Wie Dora erwartet hatte, hauchte Lea ihr Preisangebot anfangs so leise in den Raum, dass der Auktionator sie kaum verstand. Dann wurde sie aber zusehends mutiger und bekam schließlich den Zuschlag für das Los.

»Ist sie nicht großartig?« Stolz wie ein Schneekönigin legte Dora den Arm um Leas Schulter und drückte sie. »Sie war schon immer schnell von Begriff. Das macht das Conroy-Blut.«

»Ich habe alles gekauft.« Lea presste eine Hand auf ihr klopfendes Herz. »O Gott, ich habe die ganze Partie gekauft! Warum hast du mich denn nicht unterbrochen?«

»Weil es dir so viel Spaß gemacht hat.«

»Aber … aber.« Mit dem Sinken ihres Adrenalinspiegels sank auch Lea immer tiefer in ihren Stuhl zurück. »Das waren Hunderte von Dollar. Hunderte!«

»Aber gut angelegt. So, weiter im Takt.« Beim Anblick des abstrakten Gemäldes rieb sich Dora aufgeregt die Hände. »Das ist meins«, raunte sie leise.

Um drei Uhr nachmittags fügte Dora den Schätzen in ihrem Lieferwagen noch ein halbes Dutzend kobaltblaue Salzstreuer hinzu. Der kühle Wind hatte ihre Wangen gerötet, und sie schlug den Kragen ihres Mantels hoch.

»Riecht nach Schnee«, orakelte Ashworth. Er stand auf dem Gehsteig vor seinem Laden und schnüffelte, die Pfeife in die Hand geklemmt, in die Luft. »Kann gut sein, dass Sie noch eine dicke Ladung abbekommen, bevor Sie zu Hause sind.«

»Hoffentlich.« Sich das vom Wind zerzauste Haar aus der Stirn streichend, lächelte sie ihn an. »Was wäre denn Weihnachten ohne Schnee? Es hat mich sehr gefreut, Sie kennen zu lernen, Mr. Ashworth.« Sie streckte ihm nochmals die Hand hin. »Falls Sie einmal nach Philadelphia kommen, erwarte ich Ihren Gegenbesuch.«

»Darauf können Sie zählen.« Er klopfte gewichtig an die Brusttasche, in die er ihre Visitenkarte gesteckt hatte. »Also, meine Damen, passen Sie gut auf sich auf. Und fahren Sie vorsichtig.«

»Machen wir. Fröhliche Weihnachten!«

»Das wünsche ich Ihnen auch«, erwiderte Ashworth, als Dora in den Lieferwagen kletterte.

Dora winkte noch einmal, startete den Motor und fuhr an. Ihre Augen suchten den Rückspiegel, und als sie Ashworth mit der Pfeife im Mund, eine Hand zu einem zackigen Abschiedssalut erhoben, auf dem Gehsteig stehen sah, musste sie lächeln. »So ein Goldstück. Ich bin froh, dass er die Statuette bekommen hat.«

Lea zitterte vor Kälte und wartete ungeduldig, dass die Heizung warm wurde. »Ich hoffe, er hat dir nicht zu viel für diese Salzstreuer abgeknöpft.«

»Mmh. Er hat dabei bestimmt seinen Profit gemacht, ich werde meinen machen und Mrs. O'Malley vergrößert ihre Sammlung. Ein Geschäft, bei dem alle Beteiligten glücklich sein können.«

»Stimmt wohl. Aber ich kann immer noch nicht glauben, dass du tatsächlich dieses abscheuliche Bild gekauft hast. Das bringst du doch nie an den Mann.«

»Irgendwann bestimmt.«

»Wenigstens hast du nur fünfzig Dollar dafür bezahlt.«

»Zweiundfünfzig Dollar und fünfundsiebzig Cent«, berichtigte Dora.

»Umso schlimmer.« Lea drehte sich um und überflog die Kisten und Schachteln, die sich hinter ihnen auf der Ladefläche stapelten. »Du bist dir doch hoffentlich darüber im Klaren, dass für den ganzen Plunder gar nicht genug Platz in deinem Laden ist.«

»Keine Sorge, ich werde schon Platz dafür schaffen. Was meinst du, würde sich Missy über dieses Karussell freuen?«

Lea stellte sich das riesige mechanische Spielzeug im Kinderzimmer ihrer Tochter vor und erschauderte. »Bitte, nein!«

»Okay.« Dora zuckte die Schultern. Wenn sie dieses Karussell erst einmal geputzt hatte, würde sie es vielleicht für einige Zeit in ihrem eigenen Wohnzimmer aufstellen. »Aber trotzdem glaube ich, dass es ihr gefallen würde. Möchtest du nicht John anrufen und ihm sagen, dass wir auf dem Heimweg sind?«

»Ja, gleich.« Seufzend lehnte sich Lea in ihrem Sitz zurück. »Morgen um diese Zeit backe ich Weihnachtsplätzchen und rolle Teig für die Pies aus.«

»Genau das hast du doch gewollt«, erinnerte Dora ihre Schwester. »Du musstest auch heiraten, Kinder kriegen und ein Haus kaufen. Wo sollte unsere Familie sonst ihr Weihnachtsessen einnehmen?«

»Ich hätte ja nichts dagegen, wenn Mom nicht darauf bestehen würde, beim Kochen zu helfen. Ich meine, diese Frau hat in ihrem ganzen Leben noch keine richtige Mahlzeit gekocht, hab' ich Recht?«

»Absolut.«

»Und jetzt rennt sie mir jedes Weihnachtsfest in der Küche vor den Füßen rum und wedelt mit irgendwelchen Rezepten, die Alfa-Alfa-Sprossen mit Roßkastaniendressing enthalten.«

»O ja, die waren besonders scheußlich«, entsann sich Dora. »Aber immer noch besser als ihre Currykartoffeln und dieser mexikanische Bohneneintopf.«

»Erinnere mich bloß nicht daran. Und Dad ist auch keine große Hilfe, wenn er mit seinem Santa-Claus-Bart die Eier für den Eierflip noch vor dem Mittagsläuten schlägt.«

»Vielleicht kann Will sie ja ein wenig ablenken. Kommt er allein oder mit einer seiner Süßen?«, erkundigte sich Dora und dachte an die vielen Freundinnen ihres Bruders.

»Allein, wie es zuletzt hieß. Dora, pass bitte auf den Lastwagen auf!«

»Wird gemacht.« Im Eifer des Gefechts ließ Dora den Motor aufheulen und überholte den Laster mit fingerbreitem Abstand. »Wann kommt denn Will?«

»Er nimmt Heiligabend den späten Zug von New York.«

»Spät genug, um sich einen großen Auftritt zu sichern«, prophezeite Dora. »Hör zu, wenn er dir auf die Nerven geht, kann ich jederzeit ... oh, Scheiße.«

»Was ist denn?« Lea riss erschreckt die Augen auf.

»Mir fällt gerade ein, dass der neue Mieter, mit dem Dad den Vertrag gemacht hat, heute in mein Haus einziehen will.«

»Und?«

»Ich hoffe, Dad erinnert sich noch daran und ist pünktlich mit dem Schlüssel da. Dass Dad die Vermietung übernommen hat, dafür bin ich ihm wirklich dankbar. Aber du weißt ja, wie abwesend er immer während der Proben ist.«

»Ich weiß genau, wie er ist, und deshalb verstehe ich nicht, wie du ihn einen Mieter für dein Haus hast aussuchen lassen.«

»Ich hatte einfach keine Zeit«, murmelte Dora und überlegte, ob die Möglichkeit bestand, ihren Vater zwischen den Auftritten im Theater anzurufen. »Außerdem wollte es Dad gern übernehmen.«

»Dann wundere dich bloß nicht, wenn du demnächst Tür an Tür mit einem Psychopathen oder einer Mutter mit drei schreienden Kleinkindern und einem Trupp von tätowierten Liebhabern hausen wirst.«

Dora schürzte die Lippen. »Ich habe Dad ausdrücklich gesagt, dass Psychopathen und Tätowierte nicht in Frage kommen. Ich dachte vielmehr an jemanden, der gut kochen kann und seine Hausherrin damit bei Laune zu halten versucht, indem er ihr in regelmäßigen Abständen Selbstgebackenes auf den Fußabtreter stellt. Ach, weil wir gerade davon reden, hast du Hunger?«

»Ja. Ich könnte mich tatsächlich für ein letztes beschauliches Mahl erwärmen, bei dem ich niemandem das Fleisch klein schneiden muss.«

Ruckartig scherte Dora nach links aus, um abzubiegen, wobei sie einem heranbrausenden Chevy die Vorfahrt nahm. Das darauf folgende empörte Gehupe ignorierte sie lächelnd. In Gedanken war sie bereits mit dem Auspacken ihrer Errungenschaften beschäftigt. Und zuallererst würde sie einen perfekten Platz für das farbenfrohe Bild finden, beschloss sie erfreut.

Hoch oben im glitzernden Turm eines silbernen Wolkenkratzers, von wo aus er die überfüllten Straßen von Los Angeles überblicken konnte, genoss Edmund Finley seine allwöchentliche Maniküre. An der Wand gegenüber seines massiven Rosenholzschreibtisches flimmerten ein gutes Dutzend Fernsehbildschirme. *CNN-Headline News* und einer der ›Home-shopping‹-Kanäle spulten schweigend ihr Programm ab. Die anderen Bildschirme waren mit Videokameras verbunden, die in diversen Büroräumen seiner Firma installiert waren, damit er seine Angestellten ständig überwachen konnte.

Da er sich momentan nicht für die Büros interessierte, bildeten die leisen Klänge einer Mozartoper sowie das beständige Kratzen der Nagelfeile der Kosmetikerin die einzige Geräuschkulisse in den ausgedehnten Fluchten seines Büros.

Finley liebte es zu beobachten.

Das oberste Stockwerk dieses Gebäudes hatte er sich deshalb ausgesucht, weil ihm hier Los Angeles zu Füßen lag. Dieser Standort gab ihm ein Gefühl von Macht, und er brachte so manche Stunde damit zu, vor dem großen Panoramafenster hinter seinem Schreibtisch zu stehen und einfach nur das Kommen und Gehen wildfremder Menschen weit unten auf den Straßen zu beobachten.

In seinem Haus in den Bergen, hoch über der Stadt, gab es in jedem Zimmer Fernseher und Monitore. Und Fenster, jede Menge Fenster, durch die er die Lichter der Bucht von L.A. betrachten konnte. Abend für Abend stand er auf dem Balkon vor seinem Schlafzimmer und träumte davon, all das zu besitzen, was sein Auge sah.

Er hungerte förmlich nach Besitz; wobei er eine Vorliebe für das Edle und Exklusive hatte, was in seinem Büro unübersehbar zum Ausdruck kam. Wände und Teppichböden waren in Weiß gehalten, einem reinen, ungebrochenem Weiß, um als jungfräulicher Hintergrund für seine Besitztümer zu dienen: Die Ming-Vase, zum Beispiel, die ein marmorner Sockel krönte, die Skulpturen von Rodin und Denaecheau in den diversen Wandnischen; den goldgerahmten Renoir über der Louis-Quatorze-Kommode, die samtbezogene Polsterbank, auf der angeblich schon Marie Antoinette gesessen hatte, und die von zwei auf Hochglanz polierten Mahagonitischchen aus dem viktorianischen England eingerahmt wurde.

Zwei hohe Glasvitrinen beherbergten eine beeindruckende Sammlung unterschiedlichster Kunstobjekte: fein ornamentierte Schnupftabakdosen aus Lapis Lazuli und Aquamarin, Dresdner Figuren, Schmuckdöschen aus der Porzellanmanufaktur von Limoges, ein Dolch mit edelsteinbesetztem Griff aus dem 15. Jahrhundert, afrikanische Masken.

Edmund Finley kaufte. Und was er kaufte, das hortete er.

Sein Import-Export-Unternehmen lief ausgesprochen erfolgreich, sein Nebenerwerb, das Schmuggeln, nicht minder. Letzteres stellte für ihn jedoch die größere Herausforderung dar. Es verlangte eine gewisse Finesse, skrupellose Erfindungsgabe und einen sicheren Geschmack.

Finley, ein großer, außergewöhnlich gut aussehender Mann in den frühen Fünfzigern, hatte mit dem ›Warenankauf‹ als junger Dockarbeiter in San Francisco begonnen. Es war ein Kinderspiel gewesen, eine Kiste am falschen Platz abzuladen, aufzubrechen und den Inhalt zu verschachern. Mit Dreißig hatte er ausreichend Kapital angehäuft, um eine eigene Firma zu gründen, verfügte über genügend Köpfchen, um sich in den Schattenseiten des Gewerbes zu bewegen und zu gewinnen, und über genügend Kontakte, um sich einen verlässlichen Warennachschub zu sichern.

Inzwischen war er ein wohlhabender Mann geworden, der italienische Maßanzüge, Französinnen und Schweizer Franken bevorzugte. Und nach jahrzehntelangen Transaktionen konnte er sich das leisten, was er am meisten schätzte: das Alte, das Unbezahlbare.

»Sie sind fertig, Mr. Finley.« Die Kosmetikerin legte Finleys Hand sanft auf der makellos weißen Unterlage seines Schreibtisches ab. Sie wusste, dass er ihre Arbeit sorgfältig nachprüfen würde, während sie ihre Scheren, Feile und Lotionen einpackte. Einmal hatte er sie zehn Minuten lang angebrüllt, weil sie ein winziges Stück Nagelhaut an seinem Daumen übersehen hatte. Doch als sie jetzt zu ihm aufzublicken wagte, betrachtete er lächelnd seine polierten Nägel.

»Exzellente Arbeit.« Zufrieden rieb er seine Fingerspitzen aneinander. Dann zog er eine goldene Geldklammer aus der Gesäßtasche und zupfte einen Fünfziger heraus. Und mit einem seiner seltenen, entwaffnenden Lächeln legte er noch hundert Dollar drauf. »Frohe Weihnachten, meine Liebe.«

»Oh, ich danke Ihnen. Vielen, vielen Dank, Mr. Finley. Ich wünsche Ihnen ebenfalls ein frohes Fest.«

Immer noch lächelnd, entließ er sie mit einem Wink seiner polierten Fingerspitzen. Seine sporadischen Anfälle von Großzügigkeit waren für ihn so bezeichnend wie sein beständiger Geiz. Er fand an beidem Gefallen. Ehe die Tür noch hinter ihr ins Schloss gefallen war, hatte er sich in seinem Stuhl zurückgelehnt und die Hände über seiner seidenen Weste gefaltet. Und er ließ den Blick über das Panorama von Los Angeles wandern.

Weihnachten, dachte er. Was für eine wunderbare Zeit. Eine freundliche Gefälligkeit des Herrn an die Menschen. Glockengeläute und bunte Lichter. Freilich, es war auch die Zeit verzweifelter Einsamkeit, der Hoffnungslosigkeit, die Zeit der Selbstmorde. Doch solch kleine menschlichen Tragödien vermochten ihn kaum noch zu berühren. Sein Geld hatte ihn inzwischen über so heikle Bedürfnisse wie den Wunsch nach Freunden und Familie hinausgehoben. Freunde konnte er sich kaufen. Er hatte bewusst eine der reichsten Städte der Welt als Wohnsitz gewählt, wo man alles kaufen, verkaufen, besitzen konnte. Eine Stadt, in der Jugend, Reichtum und Macht mehr als alles andere zählten. Und in diesen schönsten Tagen des Jahres besaß er

Reichtum, besaß Macht. Und was die Jugend anbelangte, so ließ sich diese äußerlich ebenfalls mit Geld kaufen.

Finley ließ seine hellgrünen Augen über die Gebäude und die in der Sonne glitzernden Fenster schweifen und stellte ein wenig überrascht fest, dass er glücklich war.

Auf das Klopfen an seiner Bürotür hin drehte er sich um, ehe er »Herein« rief.

»Sir.« Abel Winesap, ein kleiner, schmalschultriger Mann mit dem gewichtigen Titel ›Geschäftsführender Stellvertreter des Präsidenten‹ räusperte sich. »Mr. Finley.«

»Kennen Sie die wahre Bedeutung von Weihnachten, Abel?« Finleys Stimme war so weich wie heißer Whisky auf Sahne.

»Äh …« Winesap fingerte verlegen am Knoten seiner Krawatte. »Sir?«

»Kaufen. Ein wunderbares Wort, Abel. Und die wahre Bedeutung dieser großartigen Festtage, finden Sie nicht?«

»Doch, Sir.« Winesap spürte, wie ihm ein Schauer über den Rücken lief. Der Grund für sein Kommen war heikel genug. Und Finleys gute Laune machte seine Mission nur noch schwieriger und gefährlicher. »Ich fürchte, wir haben ein Problem, Mr. Finley.«

»Oh!« Finley lächelte noch, doch sein Blick erstarrte zu Eis. »Und das wäre?«

Winesap schluckte heftig gegen seine Angst an. Er wusste, dass Finleys unterkühlter Zorn tödlicher sein konnte als der ungezügelte Wutausbruch jedes anderen Menschen. Es war Winesap gewesen, der dazu ausgewählt worden war, der Entlassung eines Mitarbeiters beizuwohnen. Dieser hätte Geld unterschlagen. Und er erinnerte sich nur zu gut, mit welch eiskalter Gelassenheit Finley dem Mann mit einem edelsteinbesetzten Dolch aus dem 16. Jahrhundert die Kehle aufgeschlitzt hatte.

Betrug, so befand Finley, erforderte umgehende Bestrafung, sollte aber mit angemessenem Zeremoniell ausgeführt werden.

Ferner erinnerte sich Winesap mit Verdruss, dass er die Leiche anschließend beseitigen musste.

Sichtlich nervös fuhr er fort: »Es geht um die Lieferung aus New York. Die Warensendung, die Sie erwarten.«

»Hat es Verzögerungen gegeben?«

»Nein – das heißt, in gewisser Weise doch. Die Lieferung traf heute termingerecht ein, aber der Inhalt ...« Er befeuchtete seine schmalen Lippen. »Das Paket enthält nicht das, was Sie bestellt haben, Sir.«

Finley stützte seine manikürten Hände so fest auf die Schreibtischkante, dass die Knöchel hervortraten. »Würden Sie das bitte genauer erklären.«

»Die Ware, Sir. Die Lieferung stimmt nicht mit der Bestellung überein. Offenbar hat irgendwo eine Verwechslung stattgefunden.« Winesaps Stimme nahm einen weinerlichen Klang an. »Ich dachte, es ist am besten, Ihnen gleich Bescheid zu geben.«

»Wo sind die Sachen?«, Finleys Stimme hatte seine joviale Wärme verloren, sie klang jetzt eiskalt.

»In der Warenannahme, Sir. Ich dachte ...«

»Bringen Sie das Paket rauf. Sofort!«

»Jawohl, Sir. Sofort.« Dankbar, entlassen zu werden, verließ Winesap beinahe fluchtartig das Büro.

Finley hatte eine Stange Geld für die Waren bezahlt und noch eine stattliche Summe drauflegen müssen, um sie tarnen und außer Landes schmuggeln zu lassen. Jedes einzelne Stück war gestohlen, getarnt und von den unterschiedlichsten Orten der Welt in seine New Yorker Fabrik transportiert worden. Allein die Bestechungsgelder beliefen sich auf eine sechsstellige Zahl.

Um sich zu beruhigen, schenkte sich Finley ein großes Glas Guavensaft ein.

Wenn bei der Transaktion etwas schief gelaufen war, dachte er, nun schon ein wenig ruhiger, dann musste es eben berichtigt werden. Wer immer einen Fehler gemacht hatte, würde dafür bezahlen.

Bedächtig stellte er das Glas ab und betrachtete sich in dem ovalen George-III.-Spiegel über der Bar. Er fuhr sich mit der Hand durch seine dicke schwarze Haarmähne und bewunderte den Glanz und den Schimmer der vereinzelten silbergrauen Strähnen. Sein letztes Face-lifting hatte die Tränensäcke unter seinen Augen verschwinden lassen, wie auch das beginnende Doppelkinn, es hatte die Falten geglättet, die sich tief um seine Mundpartie eingegraben hatten. Er wirkte keinen Tag älter als vierzig, stellte Finley befriedigt fest, nachdem er das Gesicht einige Male hin und hergedreht hatte, um sein Profil zu studieren. Welcher Idiot hatte gesagt, dass man Glück nicht mit Geld kaufen könne?

Das erneute Klopfen an der Tür vertrieb seine gute Laune. »Herein!«, bellte er und wartete, bis einer seiner Jungs aus der Annahme die Kiste hereingerollt hatte. »Stell sie hier ab!« Er deutete mit dem Finger in die Mitte des Raumes. »Und verschwinde! Abel, Sie bleiben. Die Tür«, setzte er hinzu, worauf Winesap auf dem Absatz herumwirbelte, um sie eiligst hinter dem jungen Burschen zu schließen.

Auf Finleys beharrliches Schweigen hin ging Winesap, aus dessen Gesicht alle Farbe gewichen war, langsam auf die Kisten zu. »Ich habe sie geöffnet, wie Sie es angeordnet haben, Mr. Finley. Und als ich die Ware prüfte, merkte ich, dass da ein Irrtum vorliegen muss.« Beherzt griff er in die mit Papierwolle gefüllte Kiste. Seine Finger zitterten, als er eine Porzellanteekanne zum Vorschein brachte, die ein Veilchenmuster zierte.

Schweigend nahm ihm Finley die Teekanne ab und drehte sie um. Sie stammte aus England. Ein hübsches Stück, gut seine zweihundert Dollar wert. Aber ein Massenprodukt. Auf der ganzen Welt wurden Tausende solcher Teekannen verkauft, für ihn also vollkommen uninteressant. Er schmetterte sie gegen die Kante seines Schreibtischs, dass die Scherben durch das halbe Büro flogen.

»Was sonst noch?«

Ängstlich steckte Winesap seine Hand ein weiteres Mal in die Kiste, um eine bunte Glasvase herauszuziehen.

Italienisch, stellte Finley nach rascher Prüfung fest. Handarbeit. Wert: hundert, höchstens hundertfünfzig Dollar. Die Vase flog knapp an Winesaps Kopf vorbei und zerschellte an der Wand.

»Dann … dann sind da noch Teetassen.« Winesaps Blick huschte zwischen der Kiste und dem versteinerten Gesicht seines Chefs hin und her. »Und etwas Silber … zwei Platten und eine Gebäckschale. Und z-zwei Sektkelche, auf die Hochzeitsglocken eingraviert sind.«

»Wo ist meine Ware?«, verlangte Finley mit scharfer Stimme zu wissen, wobei er jedes einzelne Wort betonte.

»Sir, ich weiß nicht … es ist so, ich glaube, da muss …«, seine Stimme wurde zu einem leisen Wispern, »ein Irrtum passiert sein.«

»Ein Irrtum.« Finleys Augen leuchteten wie Jade, als er die Fäuste in die Hüften stemmte. DiCarlo, dachte er und ließ das Bild von seinem Verbindungsmann in New York vor seinem inneren Augen erscheinen. Jung, intelligent, ehrgeizig. Und alles andere als dumm, ging es Finley durch den Kopf. Keinesfalls dumm genug, um ein falsches Spiel mit ihm zu versuchen. Dennoch würde er für diesen Irrtum bezahlen müssen, und das nicht zu knapp.

»Verbinden Sie mich mit DiCarlo.«

»Jawohl, Sir.« Erleichtert, dass Finleys Wut ein neues Ziel gefunden zu haben schien, eilte Winesap ans Telefon.

Während er die Nummer wählte, trat Finley wütend ein paar Porzellanscherben in den Teppich. Dann griff er in die Kiste und schlug auch noch den restlichen Inhalt kurz und klein.

2. Kapitel

Jed Skimmerhorn hatte Lust auf einen Drink. Irgendeinen Drink. Auf einen Whiskey, der ihm in der Kehle brennen würde, auf die sanfte Wärme eines Brandys oder auf ein frisches kaltes Bier. Doch damit würde er warten müssen, bis er alle Kisten die wackelige Hintertreppe hinauf in sein neues Apartment geschleppt hatte.

Nicht, dass ihre Anzahl unüberschaubar gewesen wäre. Sein alter Kollege Brent hatte ihm bereits geholfen, das Sofa, die Matratze und die schwereren Möbelstücke hinaufzutragen. Übrig geblieben waren einige Bücherkisten sowie Kartons mit Küchenutensilien und anderem Kleinkram. Er wusste eigentlich nicht genau, warum er das alles mitgenommen hatte. Es wäre doch so viel einfacher gewesen, diese Dinge ebenfalls einzulagern.

Doch das war nicht das Einzige, worüber er sich in diesen Tagen nicht im Klaren war. Er konnte es weder Brent noch sich selbst erklären, warum er ans andere Ende der Stadt ziehen wollte, raus aus dem großen alten Haus in ein kleines Apartment. Es musste irgendetwas mit einem Neubeginn zu tun haben. Und man konnte nichts Neues beginnen, solange man das Alte nicht beendet hatte.

Jed hatte in letzter Zeit etliches beendet.

Seinen Abschied einzureichen, war der erste Schritt gewesen – und wahrscheinlich der schwerste. Der Polizeichef hatte endlose Gegenargumente vorgebracht, sein Abschiedsgesuch nicht akzeptiert und ihn schließlich auf unbefristete Zeit beurlaubt. Was auf dasselbe hinauslief, fand Jed. Jedenfalls war er kein Cop mehr, konnte nie wieder einer sein. Welcher Teil von ihm auch immer hatte dienen und beschützen wollen, er war ausgebrannt.

Er war nicht deprimiert, wie er dem Psychiater seiner Dienststelle erklärt hatte. Er hatte einen Schlussstrich gezogen. Er wollte auch nicht zu sich selbst finden. Er wollte nur allein gelassen werden. Vierzehn Jahre seines Lebens hatte er der Polizei gewidmet. Das musste genügen.

Jed drückte mit dem Ellbogen die Klinke seiner Wohnungstür herunter und stellte die Kiste, die er auf dem Arm hatte, dazwischen, damit sie nicht wieder zufiel. Dann schleifte er die zweite Kiste über das Parkett ins Zimmer, bevor er wieder durch den schmalen Hausflur zur Hoftür ging, die gleichzeitig sein Eingang war.

Von seinem Nachbarn auf der gegenüberliegenden Seite des Korridors hatte er bislang noch keinen Laut gehört. Der exzentrische alte Herr, bei dem er den Mietvertrag unterschrieben hatte, hatte ihn wissen lassen, dass die Wohnung ebenfalls bewohnt, der Mieter jedoch so leise wie eine Maus sei.

Und das schien tatsächlich so zu sein.

Als Jed nun die Treppe hinunter in den Hof ging, stellte er missbilligend fest, dass das Geländer nicht einmal dem Gewicht eines unterernährten Dreijährigen Stand halten würde. Und die Stufen waren aufgrund des Schneeregens, glatt wie Schmierseife. Im Hof hinter dem Haus war es beinahe totenstill. Und obwohl seine Wohnung auf die belebte South Street hinausging, glaubte Jed nicht, dass ihn der Straßenlärm, die Geschäfte oder die vorbeiflanierenden Touristen stören würden. Die Wohnung lag nahe genug am Fluss, sodass er stets einen einsamen Spaziergang unternehmen konnte, wenn er das Bedürfnis nach Ruhe verspürte.

Jedenfalls war diese Gegend das krasse Gegenstück zu den manikürten Vorgärten am Chestnut Hill, wo die Familie Skimmerhorn zweihundert Jahre lang gelebt hatte.

Im trüben Licht konnte er die bunten Lichterketten in den Fenstern der Nachbarhäuser sehen. Ein riesiger Santa Claus aus Plastik war zusammen mit acht Rentieren auf eines der Dächer montiert worden, sodass sie jetzt Tag und Nacht dazu verdammt waren, auf die Erde herabzufliegen.

Das erinnerte Jed daran, dass Brent ihn zum Weihnachtsessen eingeladen hatte; zu einem großen, lärmenden Familienfest, das Jed als Kind nicht erlebt hatte. In seinem

Elternhaus hatte es nie derartige Familienfeste gegeben – zumindest hatten sie die Bezeichnung Fest nicht verdient.

Und nun gab es auch keine Familie mehr.

Er presste die Fingerspitzen auf seine pochenden Schläfen und zwang sich dazu, nicht an Elaine zu denken. Aber alte Erinnerungen waren so hartnäckig wie die Geister vergangener Sünden; sie holten ihn immer wieder ein und lagen ihm wie ein Stein im Magen.

Er hievte die letzte der Kisten aus dem Kofferraum und schloss dann mit so einer Wucht, dass der alte Thunderbird bis in die Reifen erzitterte. Er würde nicht an Elaine denken oder an Donny Speck, an Verantwortungen oder Reue. Er würde jetzt hineingehen, sich einen Drink einschenken und versuchen, an gar nichts mehr zu denken.

Die Augen wegen des Schneeregens zusammengekniffen, stieg er ein letztes Mal die Stufen hinauf. Die Temperatur im Hausflur lag eine halbe Thermometerlänge über der windgepeitschten Luft draußen. Der Hausherr sparte demnach nicht mit der Heizung. Ganz im Gegenteil. Aber im Grunde konnte es ihm völlig egal sein, wofür der alte Knabe sein Geld ausgab.

Ein komischer Kauz, fand Jed, mit seiner vollen Stimme, den dramatischen Gesten und dem silbernen Flachmann in der Tasche. Er hatte mehr Interesse an Jeds Meinung über das Theater des 20. Jahrhunderts gezeigt, als an den Referenzen oder dem Scheck für die Miete.

Doch wenn man so lange Polizist gewesen ist, dachte Jed, weiß man, dass sich die Menschheit aus den absonderlichsten Typen zusammensetzt.

Als er die Wohnungstür hinter sich zugemacht hatte, stellte er die letzte Kiste auf dem Eichentisch in der Essdiele ab und versenkte auf der Suche nach etwas Trinkbarem seine Hände in zerknülltes Zeitungspapier. Im Gegensatz zu den anderen Umzugskisten waren diese Kartons weder beschriftet noch mit einem erkennbaren System gepackt worden. Falls es im bei den Skimmerhorns irgendwelche praktischen Erbanlagen gegeben haben sollte, dann musste Elaine seinen Anteil mit geerbt haben.

Den erneuten Gedanken an seine Schwester verbannte er mit einem leise gezischten Fluch. Er würde sich hüten, diesen Gedanken Nahrung zu geben und seine alten, quälenden Schuldgefühle wieder aufleben zu lassen. Während der vergangenen Monate hatte er am eigenen Leib erfahren müssen, dass Schuldgefühle kalte Schweißausbrüche und ein dumpfes Gefühl von Angst verursachten.

Feuchte Hände und Angst zählten nicht zu den erwünschten Eigenschaften eines Cops, genauso wenig wie die Tendenz zu unkontrollierten Wutausbrüchen. Aber er war ja kein Cop mehr, rief Jed sich in Erinnerung. Wie er seine Zeit verbringen und was für Entscheidungen er treffen würde, das lag jetzt, wie er seiner Großmutter erklärt hatte, ganz allein in seinem Ermessen.

Die Geräusche, die er verursachte, hallten von den Wänden des beinahe leeren Apartments wider, was nur zu dem guten Gefühl beitrug, allein zu sein. Einer der Gründe für die Wahl dieser Wohnung war gewesen, dass er nur einen Nachbarn hatte, den er ignorieren musste. Der andere Grund war nicht weniger einleuchtend: Die Wohnung entsprach genau seinen Ansprüchen. Er war überzeugt, schon zu lange die schönen Seiten des Lebens genossen zu haben, um noch darauf verzichten zu können. So hartnäckig er auch behauptete, seine Umgebung bedeute ihm nichts, so wäre er in einem seelenlosen Wohnsilo todunglücklich gewesen.

Jed vermutete, dass das alte Gebäude irgendwann in den dreißiger Jahren zu Geschäften und Apartments umgebaut worden war. Dabei hatte man die hohen Zimmerdecken und weitläufigen Räume ebenso erhalten, wie die noch funktionsfähigen offenen Kamine und die schmalen, hohen Fenster. Die Fußböden, solides Eichenparkett, waren für den neuen Mieter frisch gebohnert worden. Die Wandvertäfelung bestand aus Walnussholz, schlicht und ohne geschnitzte Ornamente, die Wände waren gebrochen weiß getüncht. Der alte Mann hatte ihm versichert, er könne sie ganz nach seinen Wünschen neu streichen, doch derartige Verschönerungen waren für Jed im Augenblick uninteressant. Er würde die Räume unverändert lassen.

Aus der Tiefe der Kiste förderte er schließlich eine Flasche Jameson zutage, sie war noch dreiviertel voll. Nachdem er sie einen Augenblick betrachtet hatte, stellte er sie auf den Tisch und wühlte in dem Zeitungspapier nach einem Glas. Da hörte er Geräusche. Unwillkürlich hielten seine Hände in der Bewegung inne, verspannte sich sein Körper. Den Kopf zur Seite geneigt, drehte er sich um und versuchte, die Quelle der Geräusche festzustellen. Er glaubte, Glocken gehört zu haben, ein feines Klingeln, irgendwo weiter weg, dann Gelächter, verführerisch und feminin.

Sein Blick fiel auf die messinggefasste Abdeckung des Luftschachts neben dem Kamin. Von dort kamen Stimmen heraufgeweht, undeutlich zunächst, dann klar zu verstehen, wenn er sich die Mühe gemacht hätte zu lauschen.

Unter seiner Wohnung befand sich ein Antiquitätenladen oder so etwas Ähnliches. Die letzten Tage war er geschlossen gewesen, doch offenbar hatte er jetzt geöffnet.

Jed machte sich wieder auf die Suche nach einem Glas. Er blendete die Geräusche von unten aus.

»Ich bin dir wirklich von Herzen dankbar, dass du hergekommen bist, John. Dora stellte gerade eine neu erworbene Kugellampe neben die antike Registrierkasse.

»Kein Problem.« Er schnaufte ein wenig, als er eine weitere Kiste in den überfüllten Lagerraum schleppte. Er war ein großer Mann mit einem schlanken Knochenbau, der kein Gramm Fett ansetzte, mit einem ehrlichen Gesicht, das beinahe unscheinbar wirkte, wären da nicht die hellen Augen gewesen, die hinter dicken Brillengläsern scheu in die Welt blinzelten.

Er verkaufte Oldtimer in Landsdown und war bereits zum zweiten Mal hintereinander zum Verkäufer des Jahres gewählt worden. Der Grund dafür war sein zurückhaltendes Auftreten, das ihm angeboren war und das der Kundschaft gefiel.

Jetzt lächelte er Dora an und schob sein dunkles Brillengestell zurück, das ihm über die Nase gerutscht war. »Wie hast du es nur fertig gebracht, in der kurzen Zeit so viel Zeug einzukaufen?«

»Übung.« Sie musste sich auf die Zehenspitzen stellen, um Johns Wange zu küssen. Dann bückte sie sich und hob Michael, ihren jüngeren Neffen, hoch. »Hallo, Froschgesicht, hast du mich vermisst?«

»Nei-hein«, sang er, grinste aber dabei und schlang seine pummeligen Ärmchen um ihren Nacken.

Lea drehte sich um und überwachte mit Adleraugen ihre zwei anderen Kinder. »Richie, Hände in die Hosentaschen. Missy, hier im Laden werden keine Pirouetten gedreht.«

»Aber Mom …«

»Aah«, seufzte Lea mit einem wehmütigen Lächeln, »ich bin wieder zu Hause.« Sie streckte Michael die Arme entgegen. »Dora, brauchst du noch Hilfe?«

»Nein, mit dem Rest komme ich allein zurecht. Nochmals vielen Dank.«

»Na gut, wenn du meinst.« Zweifelnd blickte Lea sich um. Es war ihr ein Rätsel, wie ihre Schwester in dem Durcheinander arbeiten konnte, das sie ständig um sich herum kreierte. Sie waren beide im Chaos aufgewachsen, jeder heranbrechende Tag verhieß ein anderes Drama oder eine andere Komödie. Ordnung zu halten war für Lea der einzige Weg gewesen, ihre Kindheit einigermaßen unbeschadet durchzustehen. »Ich kann morgen gerne vorbeikommen.«

»Nein, morgen ist dein freier Tag, und ich rechne fest mit meinem Anteil an diesen Weihnachtsplätzchen, die du backen wolltest.« Während sie ihre Familie zur Tür schob, steckte sie Missy heimlich Süßigkeiten zu. »Aber teilen«, trug sie ihr im Flüsterton auf. »Und verrat bloß deiner Mutter nicht, von wem die sind.« Dann verwuschelte sie Richies sauber gezogenen Scheitel. »Verdufte, alte Kröte!«

Er grinste und ließ dabei eine enorme Zahnlücke sehen. »Hoffentlich kommen heute Nacht keine Einbrecher und rauben dich aus«, meinte er und hatte schon die Finger ausgestreckt, um an den langen Citrin- und Amethyst- kugeln zu spielen, die an ihren Ohren baumelten. »Wenn ich heute hier Wache schiebe, dann kann ich sie für dich erschießen.«

»Vielen Dank, Richie«, erwiderte Dora in ernstem Ton. »Ich kann dir gar nicht sagen, wie sehr ich dein Angebot zu schätzen weiß. Aber meine Einbrecher erschieße ich doch lieber selbst.« Sie schob ihre Familie sanft durch die Tür und schloss sogleich pflichtbewusst hinter ihnen ab, weil sie wusste, dass Lea so lange warten würde, bis sie jede Tür abgesperrt und die Alarmanlage eingeschaltet hatte.

Alleine im Laden, atmete sie erst einmal tief durch. Die Duftkörbchen, die sie überall im Geschäft verteilt hatte, verströmten ein angenehmes Apfel- und Tannenaroma. Wie schön, wieder zu Hause zu sein, freute sie sich und hob den Karton mit den neuen Errungenschaften hoch, weil sie ihn mit in ihre Wohnung nehmen wollte.

Sie ging durchs Lager und schloss die Tür zum Treppen- haus auf. Außer der Kiste, ihrer Handtasche und der klei- nen Reisetasche musste sie auch noch den Mantel mitneh- men, den sie vorher ausgezogen hatte. Unter missmutigem Gebrummel gelang es ihr, mit der Schulter die Treppen- hausbeleuchtung anzuknipsen.

Kurz vor ihrer Wohnung bemerkte sie den hellen Licht- schein, der durch die geöffnete Tür des Nachbaraparts- ments in den Hausflur fiel. Der neue Mieter. Sie verlagerte den schweren Karton auf den anderen Arm und trat in die Tür, die durch eine Umzugskiste offen gehalten wurde, und spähte hinein.

Sie sah ihn neben einem alten Tisch stehen. In der einen Hand hielt er eine Flasche, in der anderen ein Glas. Das Zimmer war höchst spärlich möbliert und enthielt außer dem Tisch nur ein Sofa und einen wuchtigen Polstersessel.

Aber ihr Interesse galt in erster Linie dem Mann, des- sen Profil sie sah, als er gerade das Glas an die Lippen führte und einen tiefen Schluck nahm. Seine Größe und sein athletischer Körperbau erinnerten sie an einen Boxer. Er trug ein marineblaues Sweatshirt, dessen Ärmel er bis zu den Ellbogen hochgeschoben hatte – keine sichtbaren Tätowierungen – und abgewetzte Jeans. Sein etwas unordentliches Haar, das ihm bis über den Kragen fiel, hatte die Farbe von reifem Weizen. Im Gegensatz zu seinem lässigen Aufzug war die Uhr, die er am Handgelenk trug, entweder eine verdammt gute Kopie oder tatsächlich eine echte Rolex.

Obgleich ihre Taxierung nur Sekunden gedauert hatte, spürte Dora, dass ihr Nachbar mit dem Whiskey nicht seinen Einzug feierte. Sein Gesicht mit den hohen Wangenknochen und dem Dreitagebart wirkte leicht verbittert.

Bevor sie noch einen Laut von sich geben konnte, merkte sie, wie sich sein Körper verspannte und sein Kopf herumfuhr. Dora musste gegen den instinktiven Drang ankämpfen, nicht drei Schritte zurück in Deckung zu gehen, als sie ein hartes, ausdrucksloses Augenpaar durchbohrte, das zudem noch von einem schockierenden Blau war.

»Verzeihung, Ihre Tür war offen«, murmelte sie verlegen und ärgerte sich gleichzeitig, dass sie sich entschuldigte. Schließlich befand sie sich in ihrem eigenen Hausflur.

»Hmm.« Er stellte die Flasche ab und kam mit dem Glas in der Hand auf sie zu. Und nun nahm er seinerseits eine Inspektion vor. Der größte Teil ihres Körpers wurde von dem Pappkarton verdeckt, den sie im Arm hatte. Was er sah, war ein hübsches, ovales Gesicht, am Kinn leicht spitz zulaufend, mit dem altmodisch roséfarbenen Teint, den man nicht mehr häufig begegnete. Er sah einen vollen ungeschminkten Mund, der sich zu einem Lächeln formte, große braune Augen mit einem Ausdruck freundlicher Neugier, eine aschblonde Haarmähne.

»Ich bin Dora«, erklärte sie, als er sie weiterhin wortlos anstarrte. »Von gegenüber. Brauchen Sie vielleicht ein wenig Hilfe?«

»Nein.« Jed kickte mit dem Fuß die Kiste übers Parkett und knallte ihr die Tür vor der Nase zu.

Es dauerte eine Weile, bis sie diese Reaktion verdaut hatte. »Na denn, herzlich willkommen in der Nachbarschaft«, murmelte sie verdrossen und ging zu ihrer eigenen Wohnungstür. Nachdem sie umständlich die Schlüssel hervorgekramt hatte, sperrte sie auf, trat ein und schmiss die Tür hinter sich ins Schloss. »Vielen Dank, Dad«, sagte sie laut. »Sieht so aus, als hättest du einen Volltreffer gelandet.«

Sie lud ihre Sachen auf dem buntgeblümten Sofa ab und strich sich ungeduldig das Haar aus der Stirn. Schön anzusehen war der Knabe ja, aber eigentlich hatte sie sich einen Nachbarn mit einem Funken Persönlichkeit und etwas besseren Manieren gewünscht. Sie ging zu ihrem altmodischen Telefon, denn sie wollte ihren Vater anrufen, um ihm umgehend die Meinung zu sagen.

Ehe sie noch die zweite Ziffer der Nummer gewählt hatte, entdeckte sie das Blatt Papier, auf dem ein herzförmiges, strahlendes Gesicht zu sehen war. Quentin Conroy kritzelte stets kleine Zeichnungen – die je nach Stimmung variierten – unter kurze Mitteilungen oder Briefe. Dora legte den Hörer auf die Gabel zurück, um seine Nachricht zu lesen:

Izzy, meine geliebte Tochter.

Dora zuckte zusammen. Ihr Vater war der einzige Mensch auf der Welt, der sie so nannte.

Die Tat ist vollbracht. Und bestens vollbracht, würde ich meinen. Dein neuer Mieter ist ein strammer junger Mann, der mir in der Lage zu sein scheint, dir bei allen niederen Arbeiten zur Hand zu gehen. Sein Name ist, wie du der Kopie des Mietvertrags, der noch deiner Unterschrift harrt, entnehmen kannst, Jed Skimmerhorn. Ein klangvoller Name, der mich an Gentleman-Piraten oder aufrichtige Pioniere denken lässt. Ich fand ihn faszinierend wortkarg, doch würde es mich nicht wundern, wenn unter dieser stillen Oberfläche eine heiße Quelle sprudelt. Ich könnte mir kein hübscheres Geschenk für meine geliebte Tochter denken als einen überaus interessanten Nachbarn.

Herzlich willkommen daheim, mein erstgeborenes Kind
                                   Dein dich liebender Vater.

Dora sträubte sich zwar dagegen, den Brief amüsant zu finden, musste aber trotzdem lächeln. Quentins Schachzug war leider nur zu vordergründig: Bring sie auf Tuchfühlung mit einem attraktiven Mann, und vielleicht – nur ganz vielleicht – verliebt sie sich ja in ihn, heiratet ihn und schenkt ihrem unersättlichen Vater noch mehr Enkelkinder zum Verhätscheln.

»Tut mir Leid, Dad«, flüsterte sie. »Ich glaube, da wirst du wieder eine Schlappe einstecken müssen.«

Sie legte den Zettel beiseite und suchte auf dem Mietvertrag Jeds Unterschrift, die man als lässig hingeschmiertes Gekrakel bezeichnen konnte. Sie unterzeichnete ebenfalls den Vertrag und die Kopie. Dann nahm sie das oberste Blatt, marschierte zur Tür, um gegenüber anzuklopfen.

Als die Tür aufging, streckte sie Jed den Mietvertrag äußerst schwungvoll entgegen. »Das werden Sie für Ihre Akten brauchen.«

Er nahm ihr den Vertrag ab. Sein Blick senkte sich, unterzog ihn einer schnellen Musterung, um sie dann wieder anzusehen. Freundlich war dieser Blick nicht zu nennen, eher kühl. Was ihm übrigens gut stand. »Warum hat der alte Kauz den Mietvertrag bei Ihnen deponiert?«

»Der alte Kauz«, erklärte sie in mildem Tonfall, »ist mein Vater. Und das Haus gehört mir, was mich, Mr. Skimmerhorn, zu Ihrer Vermieterin macht.« Damit drehte sie sich auf dem Absatz um und durchmaß den Flur mit zwei großen Schritten. Die Hand bereits an ihrer Türklinke, hielt sie inne und drehte sich um. »Die Miete ist am Einundzwanzigsten jeden Monats fällig. Sie können einen Scheck unter meiner Tür durchschieben, dann sparen Sie sich die Briefmarke und den Kontakt mit mir.«

Damit schlüpfte sie durch die Tür und ließ diese mit einem wohltuenden Knall ins Schloss fallen.

3. Kapitel

Als Jed die Treppe zur Haustür hinaufjoggte, hatte er seinen Kater, den er einer halben Flasche Whiskey vom Vorabend zu verdanken hatte, größtenteils wieder ausgeschwitzt. Das Fitnessstudio an der nächsten Straßenecke hatte ebenfalls zur Entscheidung für diese Wohnung beigetragen. Dort hatte Jed gerade segensreiche eineinhalb Stunden mit Gewichtheben verbracht, auf den schweren Sandsack eingedroschen und anschließend im Dampfbad seinem Brummschädel den Garaus gemacht.

Jetzt, da er sich beinahe wieder wie ein Mensch fühlte, gelüstete es ihn nach einem Becher schwarzen Kaffee und dem Mikrowellen-Frühstück, das er in seinem Tiefkühlfach entdeckt hatte. Er fischte den Schlüssel aus seiner Jogginghose und sperrte die Wohnungstür auf. Er hörte die Musik sofort. Gottlob keine Weihnachtslieder, sondern die volle, dunkle Stimme von Aretha Franklin, die Gospels sang.

Mit dem Musikgeschmack seiner Vermieterin würde er leben können, überlegte er erleichtert und wäre geradewegs in seine Wohnung gegangen, wenn ihre Tür nicht offen gestanden hätte.

Was dem einen recht ist, kann dem anderen nur billig sein, beschloss er, vergrub die Hände in den Hosentaschen und schlenderte hinüber. Er wusste sehr genau, dass er am Abend zuvor unhöflich gewesen war. Er hielt es daher für angebracht, seiner Vermieterin so etwas wie ein vorsichtiges Friedensangebot zu machen.

Er schob die Tür ein Stück weiter auf und staunte.

Ihr Apartment war ebenso geräumig wie seins, es hatte eine hohe Decke und drei große Fenster, die es sehr hell und luftig machten. Doch damit endete die Ähnlichkeit auch schon.

Obgleich er in einem Haus aufgewachsen war, in dem es an Antiquitäten und Zierrat nicht gemangelt hatte, war er doch einigermaßen verblüfft. Noch nie zuvor hatte er einen so voll gestellten Raum gesehen. Eine Wand schmückten Glasregale, die mit alten Flaschen, Gegenständen aus Zinn, Figürchen, alten Dosen und sonstigem Kleinkram beladen waren. Er sah mehrere Tische, auf denen sich weiterer Nippes aus Glas und Porzellan türmte. Ein großgeblümtes Sofa war mit bunten Kissen zugedeckt, deren Farben sich in einem ausgeblichenen Perserteppich wieder fanden. Ein ähnlicher Teppich hatte im vorderen Salon seines Elternhauses gelegen, solange er denken konnte.

In Anbetracht des bevorstehenden Festes stand neben den Fenstern ein üppiger Weihnachtsbaum, der von bunten Kugeln und Lichterketten nur so strotzte. Davor befand sich ein mit Tannenzapfen beladener Holzschlitten sowie ein Schneemann mit einem Zylinder auf dem Kopf, der ihn aus schwarzen Augen angrinste.

Eigentlich hätte ihn der ganze Plunder erdrücken müssen. Aber seltsamerweise war das nicht der Fall. Jed hatte vielmehr den Eindruck, in eine geheimnisvolle Schatztruhe hineinzusehen.

Inmitten all dieser Schätze entdeckte er seine Vermieterin – in einem scharlachroten Kostüm mit kurzem Rock und taillierter Jacke. Während sie ihm noch dem Rücken zukehrte, spitzte er die Lippen und fragte sich verwundert, in welcher Stimmung er sich am Abend zuvor befunden hatte, dass ihm dieser hübsche kleine Körper entgangen war.

Außer der tiefen, dunklen Stimme von Aretha Franklin hörte er Dora leise vor sich hinmurmeln. Jed lehnte am Türpfosten, als sie gerade das Bild, das sie in der Hand hielt, aufs Sofa stellte. Dann drehte sie sich um. Es sprach für sie, dass sie den erschreckten Aufschrei gerade noch zurückzuhalten vermochte, als sie ihn sah.

»Die Tür war offen«, erklärte er.

»Hmm«, war ihre erste Reaktion. Da Einsilbigkeit aber im Gegensatz zu ihrem Mieter nicht ihrem Naturell entsprach, meinte sie: »Ich bin heute Morgen meinen Lagerbestand durchgegangen – hier oben und unten im Laden.«

Sie fuhr sich mit den Fingern durch den Pony. »Irgendein Problem, Mr. Skimmerhorn? Leckende Abflussrohre? Mäuse?«

»Nicht, dass ich wüsste.«

»Prima.« Sie durchquerte das Zimmer, entschwand aus seinem Blickfeld, bis er sich an den anderen Türpfosten lehnte. Von dort aus sah er sie an einem runden Esstisch stehen und etwas Dunkles aus einer Porzellankanne in eine dazu passende Tasse gießen. Es duftete wunderbar nach frischem, starkem Kaffee. Dora stellte die Kanne ab und sah ihn an. Ihre Lippen, die nicht lächelten, waren so unverschämt rot wie ihr Kostüm. »Brauchen Sie etwas?«

»Einen Schluck davon könnte ich auch vertragen.«

Aha, jetzt schwenkte er doch auf die nachbarschaftliche Schiene ein, dachte Dora. Ohne etwas zu erwidern, ging sie zu einer Glasvitrine und entnahm ihr eine zweite Tasse mit Unterteller. »Zucker? Milch?«

»Schwarz.«

Da er keine Anstalten machte hereinzukommen, brachte sie ihm den Kaffee an die Tür. Er roch nach Seife, bemerkte sie. Nicht übel. Aber seine Augen hatte ihr Vater richtig beschrieben. Sie waren hart und unergründlich.

»Danke.« Er leerte die zierliche Tasse mit zwei Schlucken und gab sie ihr zurück. Seine Mutter hatte das gleiche Service besessen, erinnerte er sich. Etliche Teile waren allerdings vom ungeschickten Dienstmädchen zerbrochen worden »Der alte, äh ... Ihr Vater«, verbesserte er sich, »meinte, es sei in Ordnung, wenn ich meine Ausrüstung nebenan aufstelle. Aber da er ja nicht der Herr im Haus ist, möchte ich die Angelegenheit nochmals mit Ihnen abklären.«

»Ausrüstung?« Dora stellte seine leere Tasse auf den Tisch. »Was für eine Ausrüstung?«

»Eine Fitnessbank und einige Gewichte.«

»Oh.« Sie musterte seine Oberarme und seinen Brustkorb. »Ich glaube nicht, dass das ein Problem ist – solange Sie nicht mit den Gewichten herumpoltern, wenn der Laden offen ist.«

»Ich werde jeglichen Lärm vermeiden.« Sein Blick fiel auf das Bild auf dem Sofa, das er einen Augenblick lang eingehend betrachtete. Sehr gewagt, dachte er, wie auch die Farbe ihrer Kleidung und das Parfüm, das sie umgab. »Übrigens, das Bild steht auf dem Kopf.«

Ihr Lächeln kam blitzschnell. Sie hatte das Bild tatsächlich so aufs Sofa gestellt, wie es auf der Auktion angeboten worden war. »Der Meinung bin ich auch. Ich werde es andersherum aufhängen.

Sie ging zum Sofa und drehte es um, worauf Jed es noch einmal eingehend musterte. »Ja, so stimmt es«, meinte er zustimmend. »Es ist zwar immer noch hässlich, aber wenigstens steht es nicht mehr auf dem Kopf.«

»Über Kunst lässt sich streiten.«

»Wenn Sie meinen. Danke für den Kaffee.«

»Keine Ursache. Oh, Skimmerhorn?«

Er blieb stehen und schaute über die Schulter zurück. Der vage Anflug von Ungeduld in seinen Augen faszinierte sie mehr, als es ein freundliches Lächeln von ihm vermocht hätte.

»Falls Sie sich mit dem Gedanken tragen, Ihr neues Heim gemütlich einzurichten oder etwas aufzupeppen, dann schauen Sie doch mal in meinem Laden vorbei. Doras Antiquitäten- und Trödelladen hält für jeden Geschmack etwas bereit.«

»Ich brauche nichts. Danke für den Kaffee.«

Dora lächelte immer noch, als sie hörte, wie seine Tür, zufiel. »Falsch, Skimmerhorn«, murmelte sie, »jeder Mensch braucht hin und wieder etwas.«

Sich in einem staubigen Büro die Beine in den Bauch zu stehen und vom Gedudel der Beach Boys berieseln zu lassen, damit hatte Anthony DiCarlo diesen Morgen eigentlich nicht verplempern wollen. Er wollte Antworten, und er wollte sie gleich.

Genauer gesagt, Finley wollte Antworten, und diese am besten schon gestern. DiCarlo zupfte ungeduldig an seinem seidenen Schlips. Noch hatte er sie nicht, aber er würde sie bekommen. Der gestrige Anruf aus Los Angeles war unmissverständlich gewesen: Mach die Ware innerhalb der nächsten vierundzwanzig Stunden ausfindig oder trag die Konsequenzen.

DiCarlo hatte nicht die Absicht herauszufinden, welcher Art diese Konsequenzen sein mochten.

Er starrte die große weiße Wanduhr an und sah den Minutenzeiger von vier auf fünf nach neun hüpfen. Ihm blieben weniger als 15 Stunden. Seine Handflächen waren vor Nervosität feucht.

Durch die große Glasscheibe konnte er über ein Dutzend Speditionsangestellte emsig hin und herlaufen sehen.

DiCarlo grinste spöttisch, als der unglaublich fette Leiter der Firma mit dem schlecht sitzenden Toupet zur Tür kam.

»Mr. DiCarlo, tut mir Leid, dass ich Sie habe warten lassen.« Bill Tarkington trug ein gequältes Lächeln auf seinem teigigen Mondgesicht. »Wie Sie sich vorstellen können, herrscht um diese Jahreszeit bei uns Hochbetrieb. Aber man darf nicht klagen, Sir, nein, das darf man nicht. Das Geschäft boomt.«

»Ich warte bereits eine Viertelstunde, Mr. Tarkington«, erklärte DiCarlo mit wütender Stimme. »Ich habe keine Zeit zum Vertrödeln.«

»Wer hat das schon, so kurz vor Weihnachten?« Gleichbleibend freundlich ging Tarkington um seinen Schreibtisch herum zum Kaffeeautomaten. »Nehmen Sie Platz. Darf ich Ihnen eine Tasse Kaffee anbieten?«

»Nein. Hier ist etwas schief gelaufen, Mr. Tarkington. Ein Fehler, der unverzüglich korrigiert werden muss.«

»Nun, wir werden sehen, was sich da machen lässt. Können sie mir konkrete Einzelheiten nennen?«

»Das Frachtgut, das ich mit Ihrer Spedition an Abel Winesap in Los Angeles habe schicken lassen, ist nicht das Frachtgut, das in Los Angeles angekommen ist. Ist das konkret genug?«

Tarkington zupfte an seiner fleischigen Unterlippe. »Das ist ja ein Ding! Haben Sie die Kopie der Versandliste mitgebracht?«

48

»Selbstverständlich.« DiCarlo zog die gefaltete Liste aus der Innentasche seines Jacketts.

»Schauen wir uns die Sache mal an.« Seine fetten Wurstfinger machten den Computer an. »Also, lassen Sie mich mal sehen.« Er drückte ein paar Tasten. »Die Sendung sollte am siebzehnten Dezember rausgehen … Ah ja, da haben wir es ja. Ist termingerecht expediert worden und sollte bereits gestern angekommen sein, oder spätestens heute.«

DiCarlo fuhr sich ungehalten durch sein gewelltes schwarzes Haar. Idioten, dachte er. Er war von lauter Idioten umgeben. »Die Sendung ist angekommen, aber sie ist nicht korrekt.«

»Wollen Sie damit sagen, dass die Sendung, die in L.A. angekommen ist, falsch adressiert war?«

»Nein. Ich will damit sagen, der Inhalt war nicht korrekt.«

»Das ist komisch.« Tarkington trank schlürfend einen Schluck Kaffee. »Wurde die Kiste hier gepackt? Oh, warten Sie, warten Sie, ich erinnere mich. Wir haben die Kiste und das Packen übernommen, und Sie haben es kontrolliert. Also, wie um alles in der Welt konnte die Ware vertauscht werden?«

»Das genau ist meine Frage«, zischte DiCarlo und hieb mit der Hand auf die Schreibtischplatte.

»Moment, lassen Sie uns Ruhe bewahren.« Betont freundlich hämmerte Mr. Tarkington noch einmal auf die Tastatur. »Die Sendung ging von der Sektion drei ab. Mal sehen, wer an dem fraglichen Tag am Band gestanden hat. Ah, hier haben wir es, muss die Opal gewesen sein.« Er drehte sich um und strahlte DiCarlo an. »Zuverlässige Arbeiterin. Und eine nette obendrein. Hatte viel um die Ohren in der letzten Zeit.«

»Ihr Privatleben interessiert mich nicht. Ich will mit ihr sprechen.«

Tarkington bediente sich der Sprechanlage. »Opal Johnson, bitte in Mr. Tarkingtons Büro melden!« Während sie warteten, tastete er nach seinem Haarteil, um zu prüfen, ob es noch an Ort und Stelle saß. »Sind Sie sicher, dass Sie keinen Kaffee möchten? Einen Doughnut vielleicht?« Er klappte den Deckel einer Pappschachtel auf. »Sind mit Erdbeermarmelade gefüllt. Und Windräder gibt es auch.«

DiCarlo dankte und wandte sich ab, während Tarkington sich achselzuckend erneut einen Doughnut aus der Schachtel nahm.

DiCarlo ballte die Hände, als eine große Schwarze auf das Lagerhaus zugeschlendert kam. Sie trug hautenge Jeans und einen grellgrünen Pullover. Ihr krauses Haar hatte sie zu einem Pferdeschwanz gebunden. Das gelbviolette Veilchen unter ihrem linken Augen sah nach einer tätlichen Auseinandersetzung aus.

Sie öffnete die Tür und steckte den Kopf herein. Augenblicklich füllte sich der Raum mit dem ratternden Geräusch der Förderbänder. »Sie haben mich ausrufen lassen, Mr. Tarkington?«

»Ja, Opal. Komm mal kurz rein. Kaffee?«

»Klar, gerne.« Während sie die Tür zumachte, warf sie einen raschen Blick auf DiCarlo. Sie überlegte, warum man sie hierher zitiert hatte.

Sie würden sie entlassen. Sie würden sie feuern, weil sie letzte Woche ihre Quote nicht erfüllt hatte, nachdem Curtis sie durch die Wohnung geprügelt hatte. Der fremde Typ da war bestimmt einer der Bosse, der ihr jetzt gleich die Entlassungspapiere in die Hand drücken würde. Sie fummelte eine Zigarette aus ihrer Gürteltasche und zündete sie mit zitternden Händen an.

»Wir haben hier ein kleines Problem, Opal.«

Ihre Kehle schien sich zusammenzuziehen. »Ja, Sir?«

»Das hier ist Mr. DiCarlo. Er hat letzte Woche eine Sendung rausgeschickt, die von deinem Band kam.«

Vor Schreck verschluckte sich Opal am Rauch ihrer Zigarette. »Letzte Woche sind sehr viele Sendungen raus gegangen, Mr. Tarkington.«

»Ja, aber als das Paket am Zielort ankam, war die falsche Ware drin.« Tarkington stieß einen Seufzer aus.

Opal sah zu Boden. Das Herz klopfte ihr bis zum Hals. »Die Sendung ging an eine falsche Adresse?«

»Nein, die Adresse war richtig, doch der Inhalt war der verkehrte. Und weil Mr. DiCarlo das Packen persönlich überwacht hat, verstehen wir das nicht. Ich dachte, du würdest dich vielleicht daran erinnern.«

Ihr wurde auf einmal heiß und kalt zugleich. Der Albtraum, der sie nun schon seit einer Woche quälte, schien tatsächlich wahr zu werden. »Es tut mir Leid, Mr. Tarkington«, brachte sie mit Mühe heraus. »Es ist schwer, sich an eine einzelne Sendung zu erinnern. Ich weiß nur noch, dass ich letzte Woche drei Doppelschichten gefahren habe und mir jeden Abend ein Fußbad machen musste.«

Sie log, entschied DiCarlo. Er sah es an ihrem Blick, sah es an ihrer Haltung – und sie verschwendete seine Zeit.

»Nun, der Versuch war es wert«, meinte Tarkington und machte eine ausladende Geste mit dem Arm. »Falls dir noch was einfällt, dann sag mir Bescheid, okay?«

»Ja, Sir, das mache ich.« Sie drückte ihre Zigarette in dem verbeulten Blechaschenbecher auf Tarkingtons Schreibtisch aus und verließ umgehend den Raum.

»Wir werden der Sache sofort auf den Grund gehen, Mr. DiCarlo. Für Premium steht die Zufriedenheit des Kunden an erster Stelle. Von unserer Hand in Ihre Hand, mit einem Lächeln«, zitierte er das Motto der Firma.

»Gut.« DiCaro hatte kein Interesse mehr an Tarkington, obwohl es ihm großes Vergnügen bereitet hätte, ihm eine Faust in seinen fetten Wanst zu schmettern. »Und wenn Sie E. F. Incorporated weiterhin als Kunden behalten wollen, dann finden Sie schnellstmöglich eine Antwort.«

DiCarlo eilte durch die lärmende Versandhalle und suchte Opals Band. Die sah ihn schon kommen und wurde nevös. Als er neben ihr stehen blieb, klopfte ihr das Herz bis zu Hals.

»Wann machen Sie Mittagspause?«

Vor Überraschung hätte sie beinahe eine Kiste mit Töpfen fallen lassen. »Halb zwölf.«

»Wir treffen uns draußen vor dem Haupteingang.«

»Ich esse immer in der Kantine.«

»Heute nicht«, sagte DiCarlo leise. »Nicht, wenn Sie Ihren Job behalten wollen. Halb zwölf«, wiederholte er und eilte davon.

Sie hatte Angst, ihn zu ignorieren, und Angst, ihm verpflichtet zu sein. Punkt halb zwölf zog sie ihren olivgrünen Parka an und ging zum Personalausgang. Sie konnte nur hoffen, dass sie sich einigermaßen unter Kontrolle hatte, wenn sie das Haupttor erreichte.

Am liebsten hätte sie das Mittagessen ganz ausgelassen. Der Muffin, den sie zum Frühstück gegessen hatte, lag ihr schwer im Magen.

Nur nichts zugeben, ermahnte sie sich immer wieder auf ihrem Weg. Sie können nicht beweisen, dass du einen Fehler gemacht hast, solange du ihn nicht zugibst. Wenn sie ihren Job verlor, musste sie wieder von der Sozialhilfe leben. Ihr Stolz konnte das ja verkraften, aber bei den Kindern war sie sich da keineswegs sicher.

Opal entdeckte DiCarlo sofort. Er war nicht zu übersehen, wie er da lässig am Kofferraum eines knallroten Porsches lehnte. Der Wagen war schon atemberaubend genug, doch der Mann – groß, dunkel, gut aussehend und in einen hellgrauen Kashmirmantel gehüllt – sah aus wie ein leibhaftiger Hollywoodstar. Verschreckt, ängstlich und nervös ging sie mit gesenktem Kopf auf ihn zu.

DiCarlo sagte kein Wort, öffnete nur die Beifahrertür. Seine Lippen verzogen sich etwas bei dem leisen Seufzer, den sie ausstieß, als sie auf den ledergepolsterten Sitz rutschte. Er klemmte sich hinter das Lenkrad und startete.

»Mr. DiCarlo, ich wünschte wirklich, ich könnte Ihnen bei dieser unangenehmen Sache helfen. Ich …«

»Sie werden mir helfen.« Er legte den ersten Gang ein, und wie ein roter Blitz schoss der Porsche davon. Da er sich bereits darüber im Klaren war, wie er mit Opal verfahren wollte, schwieg er die nächsten zwei Minuten hartnäckig, um ihre Nerven noch ein wenig zu strapazieren. Als sie dann zögernd das Wort ergriff, spielte ein zufriedenes Lächeln um seine Mundwinkel.

»Wohin fahren wir?«

»Hm, einfach spazieren.«

Trotz des erregenden Gefühls, in einem sündteuren Sportwagen zu sitzen, waren ihre Lippen trocken. »Ich muss in einer halben Stunde zurück sein.«

DiCarlo verfiel wieder in Schweigen und jagte den Porsche durch die Straßen.

»Was soll das alles bedeuten?«

»Das werde ich Ihnen sagen, Opal. Ich glaube, wir können uns außerhalb der lärmenden Arbeitsatmosphäre viel besser unterhalten. Sie hatten die letzten Wochen einiges um die Ohren, kann ich mir vorstellen.«

»Sie sagen es. Der Weihnachtsstress.

»Und ich glaube, Sie wissen auch ganz genau, was mit meiner Sendung passiert ist.«

Ihr Magen reagierte nervös. »Sehen Sie, Mister, ich habe Ihnen doch bereits gesagt, dass ich nicht weiß, was damit passiert ist. Ich mache nur meine Arbeit, und die, so gut ich kann.«

Er lenkte den Wagen so ruckartig in eine scharfe Rechtskurve, dass Opal erschreckt die Augen aufriss. »Wir wissen beide, dass ich da nichts vermasselt habe, Schätzchen. Wir können die Sache auf die harte Weise klären oder aber freundlich, das liegt ganz bei Ihnen.«

»Ich … ich weiß nicht, was Sie meinen.«

»O doch.« Seine Stimme war leise, klang aber bedrohlich. »Sie wissen ganz genau, was ich meine. Also, was ist mit dem Paket passiert? Hat Ihnen der Inhalt so gut gefallen, dass Sie beschlossen, ihn mit nach Hause zu nehmen? Als verfrühte Weihnachtsgratifikation, sozusagen?«

Opal richtete sich auf, und ein Teil ihrer Angst verwandelte sich in empörten Zorn. »Ich bin keine Diebin! Ich habe in meinem ganzen Leben noch nicht mal einen Bleistift gestohlen. So, und jetzt wenden Sie diesen verdammten Wagen, Sie aufgeblasener Bonze!«

Es war genau dieses freche Mundwerk – wie Curtis ihr immer vorhielt –, das ihr gebrochene Nasen und blaue Augen einbrachte. Die Erinnerung daran ließ Opal in ihrem Sitz zusammensinken.

»Möglich, dass Sie nichts gestohlen haben«, lenkte er ein, nachdem sie wieder angefangen hatte zu zittern. »Umso mehr täte es mir dann Leid, Sie anzeigen zu müssen.«

»Anzeigen? Wieso anzeigen?«

»Ein Paket mit Waren, die mein Boss für sehr wertvoll hält, ist verschwunden. Die Polizei wird sich daher mit Sicherheit dafür interessieren, was mit der Lieferung passiert ist, nachdem sie in Ihre Hände gelangte. Auch wenn Sie unschludig sein sollten, wird ein derartiges Verhör ein dickes Fragezeichen in Ihre Personalakte malen.«

Die aufkommende Panik legte sich wie ein Schraubstock um ihren Hinterkopf. »Ich weiß nicht einmal, was in der Kiste drin war. Ich habe sie doch nur verschickt. Das ist alles.«

»Wir beide wissen, dass das eine faustdicke Lüge ist.« DiCarlo lenkte den Porsche auf den Parkplatz eines Supermarktes. Zufrieden stellte er fest, dass sie Tränen in den Augen hatte und ihre Finger nervös an dem Schultergurt ihrer Umhängetasche drehten. Sie ist gleich so weit, dachte er. Er drehte sich zu ihr um und bedachte sie mit einem kalten, mitleidlosen Blick.

»Sie wollen Ihren Job behalten, nicht wahr, Opal? Sie wollen nicht gefeuert werden – und auch nicht verhaftet, hab' ich Recht?«

»Ich habe Kinder«, schluchzte sie, als die ersten Tränen über ihre Wangen liefen. »Ich habe doch Kinder.«

»Dann sollten Sie sich mal Gedanken darüber machen, was aus denen wird, wenn Sie in Schwierigkeiten geraten. Mein Boss lässt nicht mit sich spaßen.« Sein Blick streifte viel sagend das Veilchen unter ihrem Auge. »Sie haben Erfahrung mit solchen Männern, nicht wahr?«

Abwehrend legte sie eine Hand auf ihre Wange. »Ich … ich bin gestürzt.«

»Natürlich. Geradewegs in die Faust eines anderen gestolpert, wie?« Als sie nicht antwortete, fuhr er fort, sie weiter in die Enge zu treiben. »Wenn mein Boss sein Eigentum nicht zurückbekommt, wird er seine Wut nicht an mir auslassen, sondern an Ihnen.«

Sie werden es herausfinden, dachte sie, vor Angst wie gelähmt. Sie finden immer alles heraus. »Ich habe nichts aus dem Paket genommen. Gar nichts. Ich habe nur …«

»Nur was?« DiCarlo stürzte sich wie ein Panther auf ihre letzten Worte. Er musste sich beherrschen, ihr nicht die Hände um den Hals zu legen und den Rest aus ihr herauszuquetschen.

»Ich bin schon drei Jahre bei Premium.« Schniefend kramte sie in ihrer Handtasche nach einem Kleenex. »In einem Jahr könnte ich zur Vorarbeiterin aufsteigen.«

DiCarlo unterdrückte einen zornigen Fluch und zwang sich zur Ruhe. »Hören Sie zu, ich weiß, was es heißt, die Leiter raufzuklettern. Also, wenn Sie mir da raushelfen, werde ich das Gleiche für Sie tun. Ich sehe keinen Grund, warum dieses Gespräch nicht unter uns bleiben sollte. Deshalb habe es ja auch nicht in Tarkingtons Büro führen wollen.«

Opal angelte nach einer Zigarette. Automatisch ließ DiCarlo das Seitenfenster einen Spalt runterfahren. »Sie gehen nicht wieder zu Mr. Tarkington zurück?«

»Nicht, wenn Sie mit offenen Karten spielen. Ansonsten …« Um seinen Worten Nachdruck zu verleihen, griff er unsanft nach ihrem Kinn und drehte ihr Gesicht zu sich herum.

»Es tut mir Leid. Es tut mir wirklich schrecklich Leid, dass mir das passiert ist. Ich dachte, dass ich es wieder richtig hingekriegt hätte, war mir aber nicht ganz sicher. Und ich hatte Angst. Ich habe vorigen Monat ein paar Tage nicht arbeiten können, weil mein Jüngster krank war, und letzte Woche kam ich einmal zu spät, weil ich hingefallen war, und … da war ich so in Eile, dass ich die Rechnungen durcheinander gebracht habe.« Auf eine Ohrfeige gefasst, drehte sie das Gesicht zum Fenster. »Ich habe sie fallen lassen. Ich dachte, dass ich sie wieder in der richtigen Reihenfolge aufgehoben hätte, aber wie gesagt, ganz sicher war ich mir nicht. Gestern habe ich einen Stapel mit Versandpapieren durchgesehen, und die haben gestimmt. Deshalb hatte ich gehofft, dass alles in Ordnung sei und niemand von meinem Missgeschick erfahren würde.«

»Sie haben die Rechnungen durcheinander gebracht«, wiederholte er leise. »Irgendeine idiotische Packerin kriegt das Zittern, schmeißt die Rechnungen durcheinander – und bringt mich beinahe um Kopf und Kragen!«

»Es tut mir Leid«, schluchzte sie. Vielleicht schlug er sie ja doch nicht, aber bezahlen würde er sie dafür lassen. Opal wusste, dass sie immer für etwas würde bezahlen müssen. »Es tut mir wirklich aufrichtig Leid.«

»Es wird Ihnen noch viel mehr Leid tun, wenn Sie nicht herausfinden, wo meine Sendung gelandet ist.«

»Ich bin gestern alle Papiere noch einmal durchgegangen. An dem fraglichen Tag hatten wir nur einen anderen ähnlich großen Karton, der über mein Band gelaufen ist.« Immer noch schluchzend, griff sie noch einmal in ihre Tasche. »Ich habe die Adresse aufgeschrieben, Mr. DiCarlo.« Sie kramte einen kleinen Zettel aus ihrem Geldbeutel, den er ihr sofort aus der Hand riss.

»Sherman Porter, Front Royal, Virginia.«

»Bitte, Mr. DiCarlo, ich habe doch Kinder.« Sie wischte sich die Tränen ab. »Ich weiß, dass ich Mist gebaut habe, aber bisher habe ich bei Premium meine Arbeit immer tadellos gemacht. Ich kann es mir nicht leisten, meinen Job zu verlieren.«

Er steckte den Zettel in die Tasche. »Das werde ich nachprüfen, und dann sehen wir weiter.«

Etwas erleichtert, atmete sie auf. »Dann werden Sie Mr. Tarkington also nichts davon erzählen?«

»Ich sagte, wir werden sehen.« DiCarlo startete den Motor und überlegte sich dabei den nächsten Schritt. Wenn die Sache nicht nach seinen Vorstellungen lief, würde er sich Opal noch einmal vorknöpfen. Und das würde sie dann mehr kosten als nur ein blaues Auge.

Dora stand hinter dem Ladentisch und zupfte eine große rote Schleife auf einem Weihnachtspäckchen zurecht. »Sie wird begeistert sein, Mr. O'Malley.« Zufrieden mit dem Gang ihrer Geschäfte, strich sie über das bunte Päckchen, das die kobaltfarbenen Salzstreuer enthielt. »Und die Überraschung wird auch deshalb groß sein, weil sie die Streuer noch nicht im Laden gesehen hat.«

»Ja, es war wirklich nett von Ihnen, mich anzurufen, Miss Conroy. Ich versteh' zwar immer noch nicht, was meine Hester an den Dingern findet, aber ich weiß, dass sie sich riesig darüber freuen wird.«

»Sie werden ihr Held sein«, versicherte ihm Dora, als er sich das Päckchen unter den Arm klemmte. »Und das andere Set lege ich Ihnen gern bis zu Ihrem Hochzeitstag im Februar zurück.«

»Ach, das ist nett von Ihnen. Und Sie sind sicher, dass Sie keine Anzahlung dafür möchten?«

»Nicht nötig. Frohe Weihnachten, Mr. O'Malley.»

»Das wünsche ich Ihnen auch, und Ihrer Familie ebenfalls.« Er war ein glücklicher Kunde, der mit federndem Schritt den Laden verließ.

Es waren noch mehr Kunden im Geschäft, zwei davon wurden bereits von ihrer Verkäuferin Terri bedient. Die Aussicht auf einen letzten arbeitsreichen Tag vor der üblichen Flaute nach den Feiertagen ließ Doras Herz schneller schlagen. Sie kam hinter dem Ladentisch hervor und schlenderte langsam durch den vorderen Verkaufsraum. Hilfsbereit, aber nicht aufdringlich wirken, war ihre Devise.

»Lassen Sie mich wissen, wenn Sie irgendwelche Fragen haben.

»Miss?«

Lächelnd drehte Dora sich um. Irgendwie kam ihr die stämmige Matrone mit dem schwarzen, gut frisierten Haar bekannt vor.

»Ja, Ma'am. Kann ich Ihnen behilflich sein?«

»Ich hoffe es.« Sie deutete ein wenig hilflos auf einen der Ausstellungstische. »Das sind doch Türstopper, nicht wahr?«

»Ja, richtig. Man kann sie natürlich für alles Mögliche verwenden, aber in erster Linie waren sie dafür gedacht.«

In diesem Moment öffnete sich die Ladentür, und Jed kam herein. Dora begrüßte ihn mit einem Nicken. »Etliche davon stammen aus England, viktorianische Periode«, erklärte sie ihrer Kundin. »Sie wurden vorwiegend aus Gusseisen gefertigt.« Dora nahm einen Stopper in die Hand, der schwer war. Er hatte die Form eines Obstkorbes. »Dieser hier wurde wahrscheinlich für die Salontür verwendet. Wir hätten noch einen anderen, auch sehr hübsch, aus Murano-Glas.« Der stand zwar momentan oben in ihrem Schlafzimmer, konnte aber rasch heruntergeholt werden.

Die Frau bewunderte eine auf Hochglanz polierte Messingschnecke. »Meine Nichte und ihr Mann haben gerade ihr erstes Haus bezogen. Ich habe schon etwas Persönliches für die beiden, würde ihnen aber gerne noch etwas fürs Haus schenken. Sharon, meine Nichte, kauft oft hier ein.«

»Ah ja. Sammelt sie etwas Bestimmtes?«

»Nein, sie liebt alles, was alt und ausgefallen ist.«

»Genau wie ich. Haben Sie aus einem besonderen Grund an einen Türstopper gedacht?«

»Eigentlich ja. Meine Nichte näht sehr gern und hat sich deshalb ein kleines Nähzimmer eingerichtet. Sehen Sie, es ist ein altes Haus, das sie eben neu renoviert haben, aber die Tür zu diesem Zimmer fällt immer wieder zu. Sie werden nun bald ein Baby bekommen, und da dachte ich mir, dass sie das Kleine ja hören muss, wenn sie näht. Und da wäre ein Türstopper doch sehr praktisch.« Aber sie zögerte noch ein wenig. »Vor ein paar Monaten habe ich Sharon hier zum Geburtstag eine altes Nachtgeschirr gekauft. Sie hat sich riesig darüber gefreut.«

Jetzt erinnerte sich Dora. »Ah, den Sunderland. Mit dem Frosch auf der Innenseite.«

Die Augen der Frau begannen zu leuchten. »Ja, richtig. Dass Sie sich daran erinnern?«

»Sehen Sie, ich hatte selbst eine Vorliebe für das Stück, Mrs. …«

»Lyle. Alice Lyle.«

»Mrs. Lyle, ja. Ich freue mich, dass das gute Stück ein hübsches Zuhause bekommen hat.« Dora hielt inne und überlegte. »Wenn ihr der Sunderland so gut gefallen hat, wie wäre es dann mit etwas Ähnlichem in dieser Richtung?« Sie nahm einen bronzenen Elefanten vom Tisch. »Das ist Jumbo«, erklärte sie.

»Ja.« Die Frau streckte die Hände aus und kicherte, als Dora ihr Jumbo reichte. »Oh, ganz schön schwer, der Bursche.«

»Er ist einer meiner Lieblinge.«

»Ich denke, der ist goldrichtig.« Sie schielte diskret nach dem Preisschild »Ja, doch, ganz bestimmt.«

»Soll ich ihn gleich als Geschenk verpacken?«

»Ach, das wäre nett. Und …« Sie griff nach dem schlafenden Basset, den Dora gerade erst auf der Auktion erstanden hatte. »Wäre der nicht was fürs Kinderzimmer?«

»Ja, ganz gewiss. Ein hübscher kleiner Wachhund.«

»Ich glaube, den nehm ich auch noch mit – als erstes Willkommensgeschenk für meine zukünftige Großnichte beziehungsweise meinen Großneffen. Kann ich mit Kreditkarte bezahlen?«

»Selbstverständlich. Das Verpacken dauert einen kleinen Augenblick. Wie wär's inzwischen mit einer Tasse Kaffee? Bedienen Sie sich.« Dora deutete auf ein Tischchen, auf dem sie stets Kaffee, Tee und Gebäck für ihre Kunden bereitstehen hatte. Dann trug sie die beiden Türstopper zum Ladentisch. »Weihnachtseinkäufe, Skimmerhorn?«, erkundigte sie sich im Vorbeigehen.

»Ich brauche ein … wie nennt man das? Ein Gastgeschenk.«

»Sehen Sie sich nur um. Bin gleich zurück.«

Jed wusste nicht so recht, wonach er sich umsehen sollte. Das voll gestopfte Apartment war nur ein kleiner Vorgeschmack auf das große Angebot in Doras Laden gewesen.

Angesichts der vielen zierlichen Figürchen, die hier herumstanden, kam er sich vor wie der sprichwörtliche Elefant im Porzellanladen – genau wie damals im Salon seiner Mutter. Der Unterschied war nur, dass hier keine Anfassen-Verboten-Atmosphäre herrschte. Glasflaschen in allen Größen und Farben leuchteten im warmen Sonnenlicht, das durch die Schaufenster hereinfiel, sie luden geradewegs dazu ein, in die Hand genommen zu werden. An den Wänden hingen alte Reklameschilder, die unter anderem für Magenpulver oder Schuhcreme warben. Ordentlich in Reih und Glied marschierende Zinnsoldaten kämpften neben vergilbten Drucken aus dem letzten Krieg.

Jed schlenderte durch einen schmalen Durchgang in den angrenzenden Raum, der nicht minder voll gestopft war. Teddybären, Teekannen, Kuckucksuhren und Korkenzieher standen zum Verkauf bereit. Ein ganz gewöhnlicher Trödelladen, dachte er. Die Leute mochten so etwas ›Kuriositäten‹ nennen, für ihn war es schlicht und einfach Trödel.

Gelangweilt nahm er ein kleines Emaildöschen mit Rosendekor aus einem der Regale. Das könnte Mary Pat gefallen, entschied er.

»Sie überraschen mich, Skimmerhorn.« Dora kam lächelnd auf ihn zu und deutete mit den Finger auf das Döschen. »Sie haben wirklich einen erlesenen Geschmack. Das ist ein ganz besonders hübsches Stück.«

»Was tut man da hinein? Haarnadeln oder Ringe, nehme ich an.«

»Kann man auch. Ursprünglich wurde es benutzt, um Schönheitsplaster aufzubewahren. Die damalige High Society trug diese Pflaster anfangs, um Pockennarben zu verdecken, später dann wurde daraus eine Mode. Diese Dose hier stammt aus der Grafschaft Staffordshire, circa 1770.« Sie sah ihn an und fügte mit einem Lachen in den Augen hinzu: »Für zweieinhalbtausend gehört sie Ihnen.«

»Die?« Die Dose füllte nicht einmal seine Handfläche aus.

»Ich bitte Sie, sie stammt aus der Zeit George des Dritten.«

»Ja, richtig.« Er stellte sie mit derselben Sorgfalt an ihren Platz zurück, die er einer Handgranate hätte angedeihen lassen. »Nicht ganz das, was ich mir vorgestellt habe.«

»Kein Problem. Wir haben hier für jeden Geschmack etwas. Ein Gastgeschenk, sagten Sie?«

Er murmelte etwas Unverständliches und blickte sich suchend um. Jetzt hatte er wirklich Angst, irgendetwas anzufassen. Auch fühlte er sich in seine Kindheit zurückversetzt, in den Salon des Skimmerhornschen Hauses. Und das war kein gutes Gefühl.

Fass bloß nichts an, Jedidiah. Du bist immer so ungeschickt. Und hast vor nichts Achtung.

Er blendete die Erinnerung an seine Kindheit und den untrennbar damit verbundenen Duft nach Chanel und Sherry aus.

Seinen finsteren Gesichtsausdruck dagegen wurde er nicht so schnell los. »Vielleicht sollte ich einfach ein paar Blumen mitbringen.«

»Auch eine Idee. Natürlich halten die nicht lange.« Dora gefiel dieser Ausdruck männlichen Unbehagens in seinem Gesicht. »Eine Flasche Wein ist auch stets willkommen, wenngleich nicht sonderlich originell. Passt aber immer. Warum beschreiben Sie mir nicht ein wenig Ihre Gastgeberin?«

»Weshalb?«

Das Misstrauen in seiner Stimme ließ Doras Lächeln noch breiter werden. »Damit ich mir ein Bild von ihr machen und Ihnen dann vielleicht den einen oder anderen Tipp geben kann. Ist sie mehr der sportliche Freizeittyp oder eher die begnadete Hausfrau, die ihr eigenes Brot backt?«

Möglich, dass sie es nicht direkt darauf anlegte, dass er sich dumm vorkam, aber er fühlte sich so. »Nun, sie ist die Frau meines Kollegen – ehemaligen Kollegen. Sie arbeitet als Krankenschwester auf der Unfallstation, hat Kinder und liest gerne.«

»Welche Art von Büchern?«

»Weiß ich nicht.« Warum, zum Teufel, war er nicht einfach in einen Blumenladen gegangen?

»Na schön.« Sie klopfte ihm aufmunternd auf den Arm. Er tat ihr jetzt tatsächlich ein bisschen Leid. »Sie scheint somit eine sehr beschäftigte engagierte Frau zu sein, einfühlsam und schöngeistig. Ein Gastgeschenk, hmm«, überlegte sie wieder. »Es sollte nicht zu persönlich sein. Etwas fürs Haus vielleicht.« Sie steuerte eine Ecke des Raumes an, die wie eine Küche aus Großmutters Zeiten dekoriert war. »Das zum Beispiel wäre vielleicht etwas.« Dora nahm eine messingbeschlagene Holzdose mit kleinen Füßchen vom Regal.

Jed runzelte die Stirn. Für Kunstgewerbe hatten seine Eltern nicht viel übrig gehabt. »Was ist das – eine Keksdose?«

»Klug kombiniert.« Dora schenkte ihm ein strahlendes Lächeln. »Eine Gebäckdose. Viktorianisch. Diese hier ist aus Eichenholz und stammt ungefähr aus dem Jahr 1870. Es ist ein praktisches und zugleich auch dekoratives Geschenk, das Sie vierzig Dollar kostet. So viel zahlen Sie auch für ein Dutzend langstieliger Rosen oder eine gute Flasche Wein.«

»Okay. Ich glaube, damit kann sie was anfangen.«

»Sehen Sie, war doch gar nicht so schlimm. Kann ich Ihnen sonst noch irgendwie behilflich sein? Ein Weihnachtsgeschenk auf den letzten Drücker?«

»Nein, das ist alles.« Er folgte ihr in den vorderen Verkaufsraum zurück. Der Laden roch irgendwie – heimelig, entschied er. Nach Äpfeln. Im Hintergrund spielte leise Musik. Als er die Nussknackersuite erkannte, stellte er verblüfft fest, dass er sich auf einmal wesentlich entspannter fühlte. »Wo haben Sie das alles erstanden?«

»Ach, hier und dort, auf Auktionen, Flohmärkten, Haushaltsauflösungen.«

»Und davon können Sie tatsächlich leben?«

Amüsiert nahm sie eine Schachtel in die Hand und klappte sie auf. »Viele Leute sammeln, Skimmerhorn. Selbst wenn es ihnen oft gar nicht bewusst ist. Hatten Sie als Junge denn keine Murmeln, Comic-Hefte oder Baseball-Karten?«

»Doch, sicher.« Er hatte sie verstecken müssen, aber er hatte welche.

Mit raschen, geübten Bewegungen schlug sie die Schachtel mit Seidenpapier aus. »Und haben Sie diese nicht auch getauscht?« Sie sah Jed an, der gebannt auf ihre Hände starrte.

»Klar hab ich das«, brummte er. Er hob seinen Blick, den sie auffing und hielt. Ihr beim Arbeiten zuzusehen, hatte ein seltsames Gefühl in ihm ausgelöst. »Genau wie Sie mit Puppen gespielt haben.«

»Ehrlich gesagt, ich habe ich nie mit Puppen gespielt. Ich habe sie nie richtig gemocht. Ich habe lieber mit imaginären Figuren gespielt, die konnte ich nach Belieben verändern.« Sorgfältiger als gewöhnlich befestigte sie das Kärtchen mit dem goldgeprägten Aufdruck ›Doras Antiquitäten- und Trödelladen‹ an dem Päckchen. »Worauf ich hinauswollte, ist, dass die meisten Kinder sammeln und tauschen. Und es gibt Erwachsene, die in dieser Hinsicht Kinder bleiben. Soll ich Ihnen die Dose auch als Geschenk verpacken? Ist im Preis inbegriffen.«

»Wenn das so ist, nur zu.«

Er verlagerte sein Gewicht auf den anderen Fuß und ging dann ans andere Ende des Tisches. Nicht, dass es ihn interessiert hätte, was dort ausgestellt war, nein, er brauchte Raum zum Atmen. Die sexuelle Anziehung, die er spürte, war ihm nicht neu. Doch es war das erste Mal, dass ihn schöne Hände und sehr große braune Augen erregten. Und dann war da noch dieses Lächeln. Sie sah immer so aus, als amüsierte sie sich über einen Witz.

Ganz offensichtlich war er zu lange allein gewesen, wie konnte er sich sonst von einer Frau angezogen fühlen, die sich über ihn lustig machte.

Um die Zeit totzuschlagen, betrachtete er einen baseballförmigen Gegenstand, der oben ein Loch hatte. Seitlich standen die Worte ›Mountain Dew‹. Neugierig drehte Jed das Ding hin und her. Um eine seltsame Art Trinkgefäß handelte es sich offenbar nicht, überlegte er dabei.

»Interessant, nicht?« Dora stellte die hübsch verpackte Schachtel vor ihn hin.

»Ich frage mich, was das sein soll.«

»Ein Streichholz-Anzünder.« Sie nahm den Daumen seiner Hand und legte ihn auf die raue Fläche der Rückseite. »Oben steckt man die Streichhölzer hinein, und hier zündet man sie an. Mountain Dew war ein Whiskey. Dieses antiquierte Feuerzeug stammt aus dem späten neunzehnten Jahrhundert.« Sie fing den Anflug eines Lächelns auf seinem Gesicht ein. »Gefällt es Ihnen?«

»Es ist ausgefallen.«

»Ich liebe das Ausgefallene.« Sie ließ ihre warme Hand noch einen Augenblick auf der seinen liegen. »Nehmen Sie es. Betrachten Sie es als Einzugsgeschenk.«

Der unerklärliche Charme, den dieses Objekt auf ihn ausgeübt hatte, verflog augenblicklich. »Heh, so war das nicht ...«

»Es ist nicht wertvoll, in Dollar ausgedrückt, meine ich. Akzeptieren Sie diese nachbarschaftliche Geste, Skimmerhorn, seien Sie nicht so zickig.«

»Nun, wenn Ihnen so viel dran liegt.«

Sie lachte und drückte kurz seine Hand. »Ich hoffe, Ihre Bekannte hat Freude an der Dose.« Damit verließ sie ihn, um weiter zu bedienen. Sie behielt ihn aber so lange im Auge, bis er durch die Ladentür verschwand.

Ein ungewöhnlicher Mann, war ihr Urteil. Aber das Ungewöhnliche lag ihr ja.

DiCarlo raste den Van Wyck Highway entlang in Richtung Flughafen, er wählte mit der einen Hand eine Nummer auf seinem Autotelefon an, während er mit der anderen lenkte. »DiCarlo«, meldete er sich. »Holen Sie mir Mr. Finley an den Apparat.« Nervös warf er einen Blick auf seine Armbanduhr. Er würde es schaffen. Er musste es schaffen.

»Mr. DiCarlo.« Finleys Stimme füllte das Wageninnere. »Sie bringen gute Nachrichten, nehme ich an.«

»Ich habe die Sache zurückverfolgt, Mr. Finley.« DiCarlo zwang sich zu einem geschäftsmäßigen Ton »Und den Fehler gefunden. Irgendein Idiot bei Premium hat die Papiere verwechselt und unsere Sendung nach Virginia geschickt. Aber das werde ich umgehend erledigen.«

»Verstehe.« Es folgte eine lange Pause. DiCarlo fühlte Angst. »Und was verstehen sie unter ›umgehend‹?«

4. Kapitel

»Ein ganz schönes Durcheinander, nicht wahr?« Während er diese für DiCarlo völlig überflüssige Frage stellte, kramte Sherman Porter in seinem überquellenden Aktenschrank herum.

»Normalerweise hätten wir die Verwechslung sofort gemerkt, aber wir hatten gerade eine Auktion«, fuhr Porter fort, während er achtlos das ganze Ablagesystem durcheinander brachte. »Und was für eine Auktion. Haben eine Menge unter den Hammer gebracht. Verdammt, wo tut diese Frau bloß die Papiere hin?«

Porter riss eine andere Schublade auf. »Keine Ahnung, wie ich in diesem Sauhaufen etwas finden soll! Helen hat sich eine Woche freigenommen, um ihre Tochter in Washington D.C. zu besuchen. Sie haben mich gerade noch am Hemdzipfel erwischt. Wir machen nämlich bis zum Ersten zu.«

DiCarlo sah nervös auf die Uhr. Viertel nach sechs. Er war in Eile. Und was seine Geduld anbelangte, damit war er schon seit Stunden am Ende. »Vielleicht habe ich mich nicht deutlich genug ausgedrückt, Mr. Porter. Die Rückgabe dieser Warensendung ist für meinen Chef von allergrößter Wichtigkeit.«

»O doch, Sie haben sich klar ausgedrückt. Der Mann will selbstverständlich zurückhaben, was ihm gehört. Hmmm, das hier sieht recht viel versprechend aus.« Porter förderte einen dünnen Stapel ordentlich getippter Listen zutage. »Sehen Sie, Helen führt genau Buch über alle Objekte, die wir versteigert haben, einschließlich der Losnummer und des Verkaufspreises. Die Frau ist ein Goldstück.«

»Darf ich das mal sehen?«

»Aber sicher.« Er händigte DiCarlo die Listen aus und zog eine der Schreibtischschubladen auf. Er entnahm ihr eine Flasche Four Roses und zwei verkratzte Plastikgläser.

Mit einem einfältigen Grinsen wandte er sich an seinen Besucher. »Trinken Sie einen mit? Wärmt die Knochen, außerdem haben wir Feierabend.«

DiCarlo betrachtete angewidert die Flasche. »Nein.«

»Gut, aber ich genehmige mir einen.«

DiCarlo nahm seine eigene Liste zur Hand und verglich die Posten. Es war alles aufgeführt, stellte er mit einer Mischung aus Erleichterung und Verzweiflung fest. Und alles verkauft. Der Basset, die tanzenden Porzellanfiguren, das abstrakte Gemälde, der Bronzeadler und der ausgestopfte Papagei. Die scheußliche Gipsnachbildung der Freiheitsstatue hatte ebenso einen Käufer gefunden wie die beiden Buchstützen, die die Form von Meerjungfrauen hatten.

In seiner Jackentasche hatte DiCarlo noch eine zweite Liste. Darauf war detailliert vermerkt, was sorgfältigst und für viel Geld in den jeweiligen Stücken versteckt worden war: eine gravierte Gallae-Vase, Wert circa 100.000 Dollar; ein aus einer Privatsammlung in Österreich gestohlenes Netsuke-Paar von ebenfalls sechsstelligem Wert; eine antike Saphirbrosche, die angeblich Maria Stuart, die Königin von Schottland, einst getragen hatte.

Und das war nur ein Teil der Liste. DiCarlo überlief ein kalter Schauer. Kein einziges der Stücke befand sich mehr in Porters Besitz. Verkauft, hämmerte es in seinem Kopf, alles verkauft.

»Davon ist nichts mehr da.« Seine Stimme klang leise.

»Sagte Ihnen doch, dass wir einen tollen Umsatz gemacht haben.« Zufrieden schenkte sich Porter noch einen Whiskey ein.

»Ich brauche diese Stücke.«

»Das sagten Sie bereits. Aber die Sendung kam fünf Minuten vor Eröffnung der Auktion rein, und da war keine Zeit mehr, eine Bestandsaufnahme zu machen. Wie die Dinge stehen, können Ihr Chef und ich der Firma Premium vor Gericht die Hosen ausziehen.« Diese Vorstellung veranlasste Porter dazu, sich noch einen Schluck zu genehmigen. »Wette, das wird die Burschen eine hübsche Stange Geld kosten.«

»Mr. Finley will seine Ware zurückhaben. An einem Prozess ist er nicht interessiert.«

»Das liegt bei ihm«, meinte Porter und leerte sein Glas. »Helen führt eine genaue Adressenliste von unseren Kunden. Es macht sich nämlich bezahlt, sie immer wieder zu unseren Auktionen einzuladen. Am besten gehen Sie diese Liste durch und vergleichen die Namen mit denen, die Helen neben den verkauften Stücken vermerkt hat. Dann nehmen Sie mit den Kunden Kontakt auf und erklären ihnen die Sachlage. Selbstverständlich bekomme ich dann auch meine Ware zurück. Habe schließlich dafür bezahlt, richtig?«

Es würde Tage dauern, Finleys Waren ausfindig zu machen, überlegte DiCarlo, und bei dem Gedanken wurde ihm leicht übel. »Selbstverständlich«, log er.

Porter griente genüsslich. So, wie es aussah, hatte er die fremde Partie bereits verkauft. Und jetzt würde er auch noch seine verkaufen, obwohl er nur für eine bezahlt hatte.

»Die Adressenliste.«

»Ach ja, richtig.« Sichtlich guter Stimmung, zu der auch der Four Roses beigetragen hatte, wühlte Porter sich durch eine Schublade und beförderte dann einen Metallkasten voller Karteikarten ans Tageslicht. »Hier, bitte. Nehmen Sie sich Zeit. Ich hab's nicht eilig.«

Zwanzig Minuten später verließ DiCarlo Porter, der sich inzwischen einen kleinen Schwips angetrunken hatte. Und es begleitete ihn ein winziger Hoffnungsschimmer. Wenigstens die Porzellanfigur befand sich noch in Front Royal und zwar im Besitz eines gewissen Thomas Ashworth, seines Zeichens Antiquitätenhändler. Er vertraute fest darauf, dass die schnelle Wiederbeschaffung eines der Stücke Finley einstweilen zufrieden stellte und ihm dadurch ein bisschen mehr Zeit blieb.

Während er den Mietwagen durch leichten Verkehr zu Ashworths Laden steuerte, legte DiCarlo sich seine Strategie zurecht. Er würde das Missgeschick erklären und sich freundlich und verbindlich zeigen. Da Ashworth nur 45

Dollar für die Figur bezahlt hatte, würde er sie von ihm zurückkaufen; und sie selbstverständlich mit einem angemessenen Aufschlag einverstanden erklären. Das solle relativ schnell und schmerzlos vonstatten gehen. Sobald er die Figur hatte, würde er Finley anrufen und ihm die gute Nachricht überbringen, dass alles nach Plan liefe. Mit ein bisschen Glück würde Finley einverstanden sein, dass Winesap die restlichen Personen auf der Liste aufsuchte, sodass er am Heiligen Abend zu Hause in New York unter seinem Christbaum sitzen würde.

Diese Vorstellung stellte DiCarlos gute Laune wieder so weit her, dass er fröhlich ein Lied vor sich hin summend den Wagen vor Ashworths Antiquitätengeschäft parkte. Erst als er ausgestiegen war und den halben Gehsteig überquert hatte, verschwand das Lächeln aus seinem Gesicht.

GESCHLOSSEN

Schwarz auf weiß las er das Wort auf einem großen Pappschild, das auf der Ladentür angebracht worden war.

Mit zwei Schritten war DiCarlo an der Tür, rüttelte an der Klinke, klopfte gegen die Scheibe. Das konnte doch nicht wahr sein! Heftig atmend stellte er sich vor das große Schaufenster, und presste sein Gesicht an die Scheibe. Er konnte aber nichts erkennen.

Finley würde keine Ausreden akzeptieren, das wusste er. Keine Entschuldigungen wie ›Das war schlicht und einfach Pech: Der Laden hatte zu‹ gelten lassen.

Und dann, gerade als er fluchen wollte, entdeckte DiCarlo das tanzende Paar aus Porzellan. Entschlossen ballte er die behandschuhten Hände zu Fäusten. Er war nicht gewillt, sich von einem Schloss und einer Glasscheibe aufhalten zu lassen.

Zunächst einmal musste er den Wagen umparken. Im Schritttempo fuhr er um den Block herum und hielt dabei nach Streife fahrenden Polizeiautos Ausschau. Zwei Blocks weiter stellte er schließlich den Wagen ab. Dann entnahm er dem Handschuhfach einige Utensilien, die er möglicherweise brauchen würde: Taschenlampe, Schraubenzieher und seinen Revolver. Alle Gegenstände ließ er in die Tasche seines Kaschmirmantels gleiten, dann stieg er aus.

Diesmal führte ihn der Weg nicht zum Vordereingang, sondern eine kleine Seitenstraße entlang. Er bewegte sich mit den entschlossenen, aber maßvollen Schritten eines Mannes, der genau wusste, wohin er wollte. Seine Augen wanderten dabei aufmerksam nach rechts und links.

Es war eine kleine Stadt, und an einem kalten, windigen Abend wie diesem saßen die meisten Leute gemütlich am heimischen Esstisch. DiCarlo begegnete niemandem, als er dem Hintereingang von Ashworths Antiquitätengeschäft zustrebte.

Es gab keinerlei Hinweis auf eine Alarmanlage. Mit schnellen, sicheren Handgriffen brach er unter Zuhilfenahme des Schraubenziehers die Hintertür auf. Das Geräusch von splitterndem Holz zauberte ein Lächeln auf sein Gesicht. Seitdem er sein Brot mit organisiertem Diebstahl verdiente, hatte er das Vergnügen, das ihm in früheren Jahren ein gelungener Einbruch bereitet hatte, beinahe vergessen. Lautlos schlüpfte DiCarlo durch die Tür und zog sie hinter sich zu. Er knipste die Taschenlampe an, schirmte den Lichtstrahl mit der Hand ab und leuchtete vorsichtig umher. Der kleine, voll gestellte Raum, in dem er sich befand, war offensichtlich das Büro. Um von seiner Mission abzulenken, hatte DiCarlo sich entschlossen, einen ganz gewöhnlichen Einbruch vorzutäuschen. Ärgerlich über diese Zeitverschwendung, riss er diverse Schubladen auf und verstreute den Inhalt über den Fußboden.

Als er aber dabei zufällig auf eine Plastiktasche mit dem Aufdruck einer Bank stieß, schnalzte er erfreut mit der Zunge. Er schien tatsächlich Glück im Unglück zu haben. Gut fünfhundert Dollar, schätzte er, nachdem er den Packen kleiner Scheine flüchtig durchgeblättert hatte. Zufrieden ließ er das unerwartete Geschenk in seiner Manteltasche verschwinden und schlich im Schein der Taschenlampe in den Verkaufsraum.

Ein gewisses Maß an Vandalismus schien DiCarlo gerade richtig für sein Unternehmen zu sein. Wahllos griff er sich eine Milchglaslampe und eine Capo-di-Monte-Vase und schmetterte sie auf den Boden. Er schickte spaßeshalber noch ein Tischchen mit Mokkatassen hinterher. Einer spontanen Eingebung folgend, und um den so lange vermissten Nervenkitzel, den ein Einbruch mit sich brachte, mal wieder ausgiebig genießen zu können, stopfte er sich noch eine Hand voll wertvoller Döschen in die Manteltasche.

Mit einem breiten Grinsen auf dem Gesicht griff er nach der Figur. »Du gehörst mir, Baby«, murmelte er und blieb wie angewurzelt stehen, als aus dem Treppenhaus zu seiner Rechten ein breiter Lichtstrahl in den Laden fiel. Mit einem stummen Fluch auf den Lippen quetschte sich DiCarlo zwischen einen Rosenholzschrank und eine Messingstehlampe.

»Ich habe bereits die Polizei verständigt«, hörte er einen älteren Mann sagen, der in einem grauen Flanellmorgenmantel und mit einem Golfschläger bewaffnet, langsam die Treppe herunterkam. »Sie sind schon unterwegs. Und Sie rühren sich am besten nicht vom Fleck.«

DiCarlo konnte das Alter des Mannes und seine Angst an der Stimme erkennen. Für einen kurzen Augenblick war er verwirrt, als ihm der Geruch von gebratenem Hähnchen in die Nase stieg. Der alte Mann musste im ersten Stock wohnen, er verfluchte sich für seine Dummheit, dass er wie ein Amateur Lärm gemacht hatte.

Doch für Selbstvorwürfe war jetzt keine Zeit. Die Figur unter den Arm geklemmt, sprintete er auf Ashworth zu, so wie er einst mit den Gucci-Taschen reicher alter Damen unter der Jacke die Fifth Avenue entlang gesprintet war.

Ashworth stieß einen dumpfen Laut aus, als DiCarlo sich mit seinem ganzen Gewicht gegen ihn warf. Er geriet ins Taumeln, sein abgetragener Hausmantel öffnete sich und entblößte bleistiftdünne, schneeweiße Beine. Mit pfeifendem Atem schlug er ziellos den Schläger durch die Luft und bemühte sich dabei, das Gleichgewicht nicht zu verlieren. Eher unbewusst als vorsätzlich packte DiCarlo den

Eisenkopf des Golfschlägers, als dieser haarscharf an seinem Ohr vorbeizischte. Er zog ihn mit einem kräftigen Ruck zu sich heran. Ashworth kam wie ein Pfeil hinterhergeflogen. Mit einem hässlichen, dumpfen Geräusch schlug sein Kopf auf der Kante einer gusseisernen Kohlenschaufel auf.

»Scheiße.« Angewidert drehte DiCarlo Ashworths Kopf mit der Spitze seines Schuhs herum. Im Schein der Treppenbeleuchtung sah er die Blutlache und die Augen, die ihn mit gebrochenem Blick anstarrten. Aus purer Wut trat er noch zweimal gegen den schlaffen Körper, bevor er sich abwandte.

Er hatte den Laden bereits durch die Hintertür verlassen und war schon einen halben Block weiter, als er das Heulen der Polizeisirenen hörte.

Als der Anruf kam, schaltete Finley sich gerade durch die diversen Kanäle seiner Überwachungsanlage.

»DiCarlo auf Leitung zwei, Mr. Finley.«

»Stellen Sie ihn durch.« Er drückte die Lautsprechertaste. »Und, haben Sie gute Nachrichten für mich?«, erkundigte er sich.

»Ja. Jawohl, Sir. Ich habe die Porzellanfigur bei mir sowie eine Liste, anhand derer sich genau feststellen lässt, wo sich die übrigen Stücke befinden.« DiCarlo, unterwegs zum Dulles International Airport und dabei die gesetzlich vorgeschriebene Höchstgeschwindigkeit von 55 Meilen pro Stunde peinlich genau einhaltend, sprach vom Autotelefon aus.

Finley ließ ein paar Atemzüge verstreichen, ehe er mit knapper Stimme forderte: »Einzelheiten, bitte.«

DiCarlo begann mit Porter und machte immer wieder eine Pause, um sicherzugehen, dass Finley mehr hören wollte. »Sobald ich am Flughafen bin, faxe ich Ihnen die Liste zu.«

»Ja, tun Sie das. Sie klingen ein wenig ... nervös, Mr. DiCarlo.«

»Nun ja, Sir, mit dieser Figur hat es ein kleines Problem

71

gegeben. Ein Antiquitätenhändler aus Front Royal hatte sie auf Porters Auktion ersteigert. Das Geschäft war jedoch geschlossen, als ich den Inhaber aufsuchen wollte. Und da ich wusste, dass Sie auf schnellste Wiederbeschaffung der Ware Wert legen, war ein Einbruch das Mittel der Wahl. Der Händler hatte seine Wohnung über dem Laden. Es gab einen Unfall, Mr. Finley. Er ist tot.«

»Verstehe.« Finley betrachtete seine Fingernägel. »Ich darf wohl annehmen, dass Sie sich anschließend um diesen Porter gekümmert haben.«

»Gekümmert?«

»Nun, Porter kann Sie mit diesem … Unfall in Verbindung bringen, richtig? Und eine Verbindung mit Ihnen, Mr. DiCarlo, führt unweigerlich zu mir. Ich schlage daher vor, diese Verbindung unverzüglich zu kappen, und zwar endgültig.«

»Ich – ich bin auf dem Weg zum Flughafen.«

»Dann werden Sie eben wieder umdrehen und zurückfahren, so einfach ist das. Vergessen Sie das Fax. Sobald die Dinge in Virginia zufrieden stellend erledigt sind, erwarte ich Sie hier in meinem Büro – mit der Figur. Dann werden wir die weiteren Schritte besprechen.«

»Sie erwarten mich in Los Angeles? Mr. Finley …«

»Zum Mittagsläuten, Mr. DiCarlo. Wir schließen morgen früher. Die Feiertage, Sie verstehen. Geben Sie Winesap Ihre Flugdaten durch. Man wird Sie abholen.«

»Jawohl, Sir.« DiCarlo brach die Verbindung ab und steuerte die erste Ausfahrt an. Er betete zu Gott, dass Porter noch in seinem Büro und inzwischen so betrunken war, dass er ihm ohne viel Aufhebens eine Kugel ins Gehirn jagen konnte.

Wenn es ihm nicht schleunigst gelang, diese verdammte Sache geradezubiegen, konnte er sich seinen Weihnachtsbraten zu Hause abschminken.

»Wirklich, Andrew, also wirklich, es ist absolut nicht nötig, dass du mich nach oben begleitest.« Um ihren Satz zu unterstreichen, stellte sich Dora breitbeinig vor den Treppen-

absatz. Nichts wie rein und die Tür zu, dachte sie inbrünstig. Allein in ihren vier Wänden konnte sie dann in aller
Ruhe den Kopf gegen die Wand schlagen.

Andrew Dawd, seines Zeichens öffentlich bestellter
Wirtschaftsprüfer, der die Rentabilität von Bundesschatz-
anleihen für den Gipfel spritziger Konversation hielt, ließ
eine seiner selbstgefälligen Lachsalven hören und kniff sie
dabei jovial in die Wange. »Meine Mutter hat mich gelehrt,
dass man sein Mädchen immer bis an die Tür bringt.«

»Nun, Mutter ist aber nicht hier«, stellte Dora klar und
stieg eine Stufe höher. »Außerdem ist es schon spät.«

»Spät? Es ist noch nicht einmal halb elf. Du wirst mich
doch wohl nicht ohne eine Tasse Kaffee in die kalte Nacht
hinausschicken wollen, oder?« Er zeigte seine weißen Zähne, die gerade zu richten seine geliebte Mutter Tausende
von Dollar gekostet hatte. »Weißt du überhaupt, dass du
den besten Kaffee von ganz Philadelphia kochst?«

»Naturbegabung.« Sie suchte gerade nach einer höfli-
chen Ausrede, um ihn abzuwimmeln, als die Haustür auf-
gerissen und wieder zugeschlagen wurde. Jed kam durchs
Treppenhaus geschlendert, die Hände in den Taschen seiner abgewetzten, ledernen Fliegerjacke vergraben, die trotz
des eiskalten Windes offen stand. Darunter trug er ein
Sweatshirt und abgewetzte Jeans. Der Dreitagebart unter
der Sturmfrisur harmonierte vorteilhaft mit seiner gries-
grämigen Miene.

Dora fragte sich ernsthaft, warum ihr Jed in seinem
gammeligen Aufzug plötzlich so viel sympathischer war
als der geschniegelte Wirtschaftsprüfer in seinem dreiteili-
gen Anzug.

»Skimmerhorn.«

Jed musterte Doras Begleiter mit einem schnellen Blick,
während er den Schlüssel in sein Türschloss steckte. »Conroy.« Mit der gebrummten Begrüßung, die zugleich als Verabschiedung zu verstehen war, schlüpfte er durch die Tür
und zog sie hinter sich zu.

»Dein neuer Mieter?« Andrews dunkle, gepflegte Augenbrauen zogen sich auf seiner hohen Stirn zusammen,

die, wie ihm seine Mutter versichert hatte, als Zeichen hoher Intelligenz und nicht als beginnende Glatze zu werten war.

»Ja.« Dora seufzte und sog dabei eine Wolke von Andrews Halston for Men ein, die sich mit Jeds raubtierartigem Duft, der noch im Flur hing, vermischte. Nachdem sie die Gelegenheit für eine höfliche Ausrede verpasst hatte, schloss sie ihre Tür auf und ließ Andrew herein.

»Er erscheint mir bemerkenswert … kräftig zu sein.« Die Stirn in besorgte Falten gelegt, schälte er sich aus seinem englischen Regenmantel, faltete ihn ordentlich zusammen und legte ihn dann über eine Stuhllehne. »Lebt er allein?«

»Jawohl.« Da sie im Moment nicht den geringsten Sinn für Ordnung aufbrachte, warf sie ihren Nerz auf dem Weg zur Küche achtlos aufs Sofa.

»Ich weiß natürlich sehr wohl, wie wichtig es für dich ist, das Apartement zu vermieten, Dora, aber glaubst du nicht, es wäre klüger gewesen – und alle Mal sicherer –, es einer weiblichen Person zu überlassen?«

»Was für eine weibliche Person?«, murmelte Dora und unterbrach sich, als sie die Bohnen in ihre alte Kaffeemühle schüttete, die noch mit der Hand bedient werden musste. »Nein.« Und während sie die Kurbel in Bewegung setzte, schaute sie über die Schulter Andrew an, der mit missbilligend geschürzten Lippen hinter ihr stand.

»Nein, ich lebe hier, allein. Und er lebt hier, allein.« Weil es ihr auf die Nerven ging, seinen warmen Atem in ihrem Nacken zu spüren, während sie arbeitete, meinte sie: »Warum legst du nicht ein bisschen Musik auf?«

»Musik?« Sein wohlgestaltetes, aber langweiliges Gesicht hellte sich auf. »Gute Idee. Etwas Stimmungsvolles?«

Kurz darauf vernahm sie die schnulzigen Klänge einer alten Aufnahme mit Johnny Mathis. Ach du liebe Güte, dachte sie und zuckte dann die Schultern. Wenn sie mit einem Oberbuchhalter ausging, der Brooks-Brother's-Anzüge und nach Halston roch, dann musste sie den Preis dafür bezahlen. »Der Kaffee ist in ein paar Minuten durchgelaufen«, rief sie und ging zurück ins Wohnzimmer, wo Andrew, die Hände in seine schmalen Hüften gestemmt, vor ihrem neuen Bild stand. »Das hat doch was, oder?«

Er legte den Kopf schräg, beugte ihn von rechts nach links und wieder zurück. »Mit Sicherheit ist es ausdrucksstark.« Dann wandte er sich zu ihr um und ließ seinen Blick bewundernd über ihr kurzes schwarzes, mit bunten Glasperlen besticktes Kleid schweifen. »Und es passt zu dir.«

»Ich habe es erst vor ein paar Tagen auf einer Auktion in Virginia erstanden.« Sie setzte sich auf die Armlehne eines Stuhls und schlug die Beine übereinander, ohne darauf zu achten, dass ihr Kleid durch diese Bewegung ein beachtliches Stück höher rutschte. Andrew hingegen war das nicht entgangen.

»Ich will erst einmal eine Zeit lang damit leben, bevor ich es in den Laden hänge.« Sie lächelte, doch als sie den raubvogelartigen Blick in seinen Augen wahrnahm, sprang sie rasch auf. »Ich seh mal nach dem Kaffee.«

Andrew bekam sie jedoch noch an der Hand zu fassen, schwang sie herum und zog sie in einer, wie er wohl glaubte, galanten Bewegung in seine Arme. Sie schaffte es gerade noch, einen Zusammenstoß ihres Kopfes mit seinem Kinn zu verhindern. »Wir sollten die Musik nicht so unbeachtet verklingen lassen«, meinte er und glitt mit ihr über den Teppich. Seine Mutter hatte sich seine Tanzstunden viel Geld kosten lassen, und das wollte er unter Beweis stellen.

Dora zwang sich dazu, sich zu entspannen. Er war kein übler Tänzer, sagte sie sich, als sie ihre Schritte den seinen anpasste. Lächelnd schloss sie die Augen. Sie ließ sich von der Musik und der Bewegung tragen und lachte leise, als er sie zu einer schwungvollen Rückenbeuge nach hinten drückte.

So ein schlechter Typ war er nun auch wieder nicht, überlegte sie. Er sah gut aus und konnte sich bewegen. Er kümmerte sich um seine Mutter und besaß ein solides Bankkonto. Nur weil er sie bei den letzten Treffen mit seinem Reden über Steuerersparnisse schrecklich gelangweilt hatte, hieß das noch …

Unvermittelt riss Andrew sie an sich und störte dadurch ihre sanfte Stimmung gewaltig. Nun, das konnte sie sogar verstehen und darüber hinwegsehen. Doch als sie dann ihre Hand an seine Brust legte, spürte sie die unverwechselbaren Umrisse einer Zahnbürste in der Innentasche seines Jacketts. So bedacht Andrew sonst auch war, aber dass er die Zahnbürste mit sich herumschleppte, um sich nach jeder Mahlzeit die Zähne zu putzen, das nahm sie ihm nicht ab.

Ehe sie noch etwas dazu bemerken konnte, hatten sich seine Hände unter den Saum ihres Kleids geschlichen und bewegten sich nun in Richtung ihres seidenen Slips.

»Heh!« Empört stieß sie ihn von sich. Doch kaum war es ihr gelungen, ihren Mund aus seiner Reichweite zu retten, bedeckte er auch schon ihren Hals und die Schultern mit schlabbernden Küssen.

»Dora, Dora, ich will dich.«

»Den Eindruck habe ich auch, Andrew.« Und während sie sich in seiner Umklammerung wand wie ein Aal, nutzte er die Gelegenheit dazu, ihr mit einer Hand den Reißverschluss aufzuziehen. »Aber du kriegst mich nicht. Also, reiß dich jetzt zusammen.«

»Du bist so wunderschön, so unwiderstehlich.«

Inzwischen hatte er sie seitlich gegen einen Sessel gedrückt. Dora spürte, wie sie die Balance verlor. »Verdammt, benimm dich endlich, oder ich werde grob!«, fluchte sie.

Unaufhörlich verführerische Torheiten säuselnd, stolperte er mit ihr zu Boden. Es war nicht so sehr die Würdelosigkeit, hingestreckt auf dem Fußboden unter einem wild gewordenen Buchhalter zu liegen, die sie so wütend machte, sondern der Umstand, dass sie bei diesem Manöver den Couchtisch umwarfen, und etliche ihrer Lieblingsstücke klirrend zu Bruch gingen.

Genug war genug. Mit einer schnellen Bewegung zwängte Dora ihr Knie zwischen Andrews Oberschenkel und ließ es aufwärts schnellen. Sein schmerzverzerrtes Stöhnen beantwortete sie zusätzlich mit einem wohlgezielten Schlag auf sein Auge.

»Runter!«, brüllte sie und zerrte an ihm. Stöhnend ließ er sich zur Seite rollen und blieb zusammengerollt liegen. Dora rappelte sich auf. »Wenn du nicht sofort aufstehst, dann kriegst du noch eine ab. Das ist mein Ernst!«

Ängstlich hievte er sich auf Hände und Knie. »Du bist verrückt«, presste er heraus und angelte ein blütenweißes Taschentuch aus der Hosentasche, um sein Gesicht auf Blutspuren hin zu untersuchen.

»Da hast du Recht. Absolut.« Sie nahm seinen Mantel von der Stuhllehne. »Ich glaube, ich bin nicht die richtige Frau für dich. So, und jetzt lauf nach Hause, Andrew. Ach, und leg dir einen Eisbeutel auf das Auge.«

»Mein Auge.« Er tastete es vorsichtig ab und zuckte stöhnend zurück. »Was soll ich nur Mutter erzählen?«

»Dass du gegen eine Tür gelaufen bist.« Da ihr Geduldsfaden kurz vorm Zerreißen war, half Dora ihm auf die Beine. »Und jetzt verdrück dich, Andrew!«

Um Haltung ringend, nahm er ihr den Mantel ab. »Ich habe dich zum Dinner ausgeführt. Zweimal.«

»Betrachte es als schlechte Investition. Ich bin sicher, du findest einen Weg, die Auslagen abzuschreiben.« Dora riss die Wohnungstür auf, was Jed im selben Moment auch tat. »Raus! Und wenn du jemals das Gleiche noch einmal versuchen solltest, dann hau' ich dir auch noch das andere Auge blau.«

»Verrückt.« Andrew schlich zur Tür. »Völlig den Verstand verloren, wie?«

»Komm nur zurück, dann zeige ich dir, wie verrückt ich bin.« Sie streifte ihren rechten Stöckelschuh vom Fuß und schleuderte ihn hinter ihm her. »Du bist gefeuert!« Auf einem Schuh balancierend, blieb Dora stehen und hielt die Luft an, bis Jeds leises Räuspern sie herumfahren ließ. Er grinste. Es war das erste Mal, dass sie ihn grinsen sah. Sie war aber nicht in der Stimmung, diese Veränderung zu bewundern, die sein für gewöhnlich so grimmiges Gesicht jetzt beinahe zugänglich machte.

»Finden Sie das lustig, Skimmerhorn?«

Er dachte kurz über die Frage nach. »Ja.« Und weil er

sich schon seit Ewigkeiten nicht mehr so gut amüsiert hatte, lehnte er sich an den Türstock und grinste weiter. »Interessante Verabredung, Conroy?«

»Faszinierend.« Sie humpelte in den Flur, um ihren Schuh aufzuheben. Jed rührte sich nicht von der Stelle. Dora atmete tief durch und fuhr sich mit der Hand durch das zerwühlte Haar. »Einen Drink?«

»Klar.«

Vor ihrer Türschwelle streifte sie auch den zweiten Schuh ab und warf beide in die Diele. »Brandy?«

»Gern.« Sein Blick fiel auf die Scherben, die auf dem Boden lagen. Das war also der Krach gewesen, den er vorhin gehört hatte. Aufgrund des Lärms hatte er hart mit sich gerungen, ob er sich einmischen sollte oder nicht. Auch als er seine Dienstmarke noch trug, hatte er lieber einen Gangster festgenommen, als einen häuslichen Disput zu schlichten.

Jed sah zu Dora hinüber, die gerade Brandy in zwei Kristallschwenker goss. Ihr Gesicht war noch immer gerötet, ihre Augen blickten zornig. Er musste wirklich dankbar sein, dass sein Eingreifen nicht erforderlich gewesen war.

»Wer war denn der Knabe?«

»Mein ehemaliger Buchhalter.« Dora reichte Jed ein Glas. »Erst langweilt er mich den ganzen Abend mit seinen Vorträgen über langfristige Kapitalanlagen und Steuervorteile und dann glaubt er, er kann noch mit raufkommen und mir die Kleider vom Leib reißen.«

Jed ließ seinen Blick über ihr glitzerndes schwarzes Kleid wandern. »Hübsche Klamotte«, entschied er. »Versteh' wirklich nicht, warum er seine Zeit mit langweiligen Geschichten verplempert hat.«

Dora nahm einen Schluck Brandy. »Moment mal, mir war gerade, als hätte ich da ein Kompliment herausgehört.«

Jed zuckte lässig die Achseln. »Der Knabe hat wohl den Kürzeren gezogen, wie?«

»Ich hätte ihm die Nase platt schlagen sollen.« Sie schaute verächtlich und begann dann, die Scherben aufzusammeln. »Sehen Sie sich das an!« Ihre Wut näherte sich schon wieder dem Siedepunkt. Sie hielt eine zerbrochene Tasse in die Höhe. »Das war einmal eine Derby-Tasse. Achtzehnhundertfünfzehn. Und dieser Aschenbecher war ein Manhattan.«

Jed ging neben ihr in die Hocke. »Teuer?«

»Darum geht es nicht. Das war einmal eine Hazel-Ware-Konfektschale – marokkanischer Amethyst – mit Deckel.«

»Jetzt gehört es in den Mülleimer. Lassen Sie die Scherben, Sie schneiden sich nur. Nehmen Sie lieber einen Besen.«

Vor sich hin brummend, stand sie auf und verschwand in der Küche. »Er hatte sogar seine Zahnbürste in der Jackentasche stecken.« Als sie wieder ins Wohnzimmer kam, wedelte sie mit einem ausgefransten Handfeger und einer Kehrichtschaufel in der Luft herum, als handle es sich um Schild und Speer. »Seine Zahnbürste! Ich wette, dieser Typ war früher einmal bei den Eagle-Scouts.«

»Wahrscheinlich hatte er auch noch eine frische Unterhose in der Manteltasche stecken.« Vorsichtig nahm ihr Jed den Besen aus der Hand.

»Das würde mich nicht wundern.« Dora stakste zurück in die Küche, um den Mülleimer zu holen. Ihr blutete das Herz, als Jed eine Schaufel mit zerbrochenem Glas darin versenkte. »Und ein paar Kondome.«

»Jeder verantwortungsbewusste Pfadfinder hat heutzutage Kondome in seiner Brieftasche.«

Resigniert setzte sie sich wieder auf die Armlehne. Die Vorstellung war vorbei. »Waren Sie auch dabei?«

»Wo, bitte?«

»Bei den Pfadfindern.«

Er schüttete die letzte Schaufel mit Scherben in den Mülleimer und sah sie dann mit einem langen Blick an. »Nein. Ich war ein Missetäter. Passen Sie auf Ihre Füße auf. Vielleicht habe ich ein paar Splitter übersehen.«

»Danke.« Viel zu aufgedreht, um stillzusitzen, machte sich Dora daran, die Gläser noch einmal zu füllen. »Und was tun Sie jetzt?«

»Das sollten Sie eigentlich wissen.« Jed holte eine Schachtel Zigaretten aus der Tasche und zündete sich eine an. »Ich habe doch die Formulare ausgefüllt.«

»Bislang hatte ich noch keine Zeit, sie zu lesen. Kann ich auch eine haben?« Sie zeigte auf seine Zigarette. »Ich rauche nur, wenn ich sehr gestresst oder wütend bin.«

Er reichte ihr seine Zigarette und steckte sich eine neue an. »Und, fühlen Sie sich schon besser?«

»Ein wenig.« Sie nahm einen hastigen Zug und blies den Rauch ebenso hastig wieder aus. Dora mochte den Geschmack nicht, nur die Wirkung. »Sie haben meine Frage nicht beantwortet.«

»Welche Frage?«

»Was Sie machen?«

»Nichts.« Er lächelte, doch sein Lächeln kam nicht von Herzen. »Ich bin finanziell unabhängig.«

»Oh. Ein Missetäter zu sein, scheint sich auszuzahlen.« Sie nahm noch einen Zug von der Zigarette. Der Rauch und der Brandy zeigten ihre Wirkung. Sie fühlte sich angenehm entspannt. »Und was machen Sie so den ganzen Tag?«

»Nicht viel.«

»Ich könnte Sie beschäftigen.«

Er sah sie etwas skeptisch an. »Tatsächlich?«

»Ehrliche Arbeit, Skimmerhorn. Vorausgesetzt, Sie haben geschickte Hände.«

»Geschickt genug, wie man mir sagte.« Er nahm ihren Reißverschluss, der beinahe ganz offen stand und zog ihn nach einem Moment des Zögerns zu. Dora zuckte zusammen, blinzelte verdutzt.

»Ah… danke. Was ich damit sagen wollte, war, ich brauche ein paar neue Regale für mein Lager. Außerdem gibt es hier im Haus immer das eine oder andere zu reparieren.«

»Das Treppengeländer draußen ist zum Beispiel der pure Hohn.«

»Oh.« Ihre Lippen verzogen sich zu einem Flunsch, als ob er sie gerade persönlich beleidigt hätte. »Können Sie es reparieren?«

»Denke schon.«

»Wir können es mit der Miete verrechnen, oder ich bezahle Sie stundenweise.«

»Ich werde darüber nachdenken.« Im Augenblick dachte er daran, wie gerne er sie anfassen, mit der Fingerspitze sachte die Linie ihres Halses nachziehen würde. Er wusste nicht weshalb, aber er wollte es gern; nur um festzustellen, ob sich der Pulsschlag am Ansatz dieses langen, schlanken Halses dann beschleunigen würde.

Wütend über seine Anwandlungen, stellte Jed sein leeres Glas ab, ging an ihr vorbei und nahm den Mülleimer in die Hand. »Ich trage ihn zurück in die Küche.«

»Danke.« Dora musste plötzlich schlucken. Was gar nicht so leicht war, denn sie hatte auf einmal einen Kloß im Hals. Die Art und Weise, wie dieser Mann sie ansah, verwirrte sie.

Blödsinn, wiegelte sie ab. Sie hatte nur einen langen und sehr anstrengenden Tag hinter sich. Dora folgte ihm in die Küche.

»Wirklich, vielen Dank noch mal«, sagte sie. »Wenn Sie nicht reingekommen wären, wäre ich bestimmt noch eine Stunde durch die Wohnung getobt und hätte wie eine Furie um mich geschlagen.«

»Nichts zu danken. Es hat mir gefallen, wie Sie ihn niedergemacht haben.«

Sie lächelte. »Warum?«

»Sein Anzug war nicht nach meinem Geschmack.« Er blieb in der Tür stehen und sah sie an. »Nadelstreifen kann ich nicht ausstehen.«

»Danke, das werde ich mir merken.« Sie lächelte und sah zu dem Mistelzweig über der Tür.

»Hübsch«, meinte Jed, der ihrem Blick gefolgt war. Und da er beschlossen hatte, als Mann kein Risiko mehr einzugehen, wandte er sich zum Gehen.

»Heh.« Belustigt über die Situation und die Art, wie er darauf reagierte, hielt sie ihn am Arm fest. »Pech«, meinte sie verschmitzt. Sie stellte sich auf die Zehenspitzen und hauchte ihm einen flüchtigen Kuss auf den Mund. »Es bringt Pech, wenn man das nicht tut. Und das möchte ich nicht riskieren.«

Er reagierte instinktiv auf dieselbe Weise, wie er auf einen Pistolenschuss oder ein Messer im Rücken reagiert hätte. Sein Denken setzte erst hinterher ein. Er nahm ihr Kinn zwischen zwei Finger, denn er wollte, dass sie stillhielt. »Sie riskieren mehr als nur Pech, Isadora.«

Dann küsste er sie, und es war ein Kuss, der nach Rauch und Brandy schmeckte, der eine unterdrückte Wildheit besaß, die sie ganz schwindlig machte.

O Gott. O mein Gott, war alles, was sie noch denken konnte. Oder vielleicht hatte sie es auch gestöhnt, ehe sich ihre Lippen willenlos unter den seinen öffneten. Es war ein schneller Kuss, der nur Sekunden dauerte. Doch als er sie freigab, ließ sie sich mit verwundert aufgerissenen Augen auf die Fersen zurücksinken.

Jed starrte sie einen Augenblick wortlos an, verfluchte sich im Stillen und kämpfte gegen den beinahe unwiderstehlichen Drang an, genau das zu tun, was dieser idiotische Buchhalter versucht hatte.

»An Ihrer Stelle würde ich nicht probieren, mich aus der Wohnung zu treten«, sagte er leise. »Schließ die Tür ab, Conroy.«

Er ging über den Flur in sein Apartment und machte die Tür hinter sich zu.

5. Kapitel

»Warum hast du denn so miese Laune?«, erkundigte sich Lea. Sie war ins Lager gekommen, um Dora die frohe Botschaft zu überbringen, dass sie gerade 500 Dollar umgesetzt hatte, und wurde bereits zum dritten Mal an diesem Vormittag mit einem kurzen Knurren abgefertigt.

»Ich habe keine miese Laune«, fauchte Dora. »Ich bin beschäftigt.« Sie war gerade dabei, ein vierteiliges Speiseservice mit Geißblattdekor zu verpacken. »Warum kaufen die Leute immer erst in den letzten beiden Tagen vor Weihnachten ihre Geschenke ein? Ist dir klar, dass Terri dieses Service heute Nachmittag quer durch die Stadt kutschieren muss?«

»Du hättest dem Kunden doch sagen können, dass es er selbst abholen muss.«

»Und wäre dann auf dem Kram vielleicht sitzen geblieben«, gab Dora muffig zurück. »Seit drei Jahren verstaubt dieses verdammte Geschirr jetzt schon im Laden, und ich bin heilfroh, dass ich es endlich jemandem andrehen konnte.«

»Jetzt weiß ich, dass mit dir etwas nicht stimmt.« Lea verschränkte die Arme. »Spuck's aus.«

»Quatsch, mit mir ist alles okay.« Dabei hatte sie die ganze Nacht kein Auge zugemacht. Doch um nichts in der Welt hätte sie zugegeben, dass dieser eine flüchtige Kuss sie völlig aus dem Gleichgewicht gebracht hatte. »Ich habe bloß zu viel zu tun, und die Zeit rennt mir davon.«

»Aber genau so hast du es doch gern, Dora«, erinnerte sie Lea.

»Nicht mehr. Ich habe mich geändert.« Dora wickelte die letzte Tasse in Zeitungspapier ein. »Wo ist das blöde Klebeband?« Sie drehte sich einmal um die eigene Achse und stolperte dabei gegen den Schreibtisch. In diesem Moment sah sie Jed unten an der Treppe stehen.

»Tut mir Leid«, meinte er, doch sah er nicht danach aus. »Ich wollte eigentlich nur fragen, was mit dem Geländer ist. Möchten Sie noch, dass ich es repariere?«

»Geländer? Oh … ach ja.« Sie hasste es, wenn sie jemand nervös machte. Sich zu irren, das hasste sie allerdings noch mehr. »Brauchen Sie dazu Holz oder so was?«

»Oder so was.« Er sah zu Lea hinüber, als diese sich laut und deutlich räusperte.

»Ach, Lea, das ist Jed Skimmerhorn, der neue Mieter. Jed, das ist meine Schwester Lea.«

»Freut mich, Sie kennen zu lernen.« Lea streckte ihm die Hand entgegen. »Sind Sie schon mit dem Einrichten fertig?«

»Bei mir gibt's nicht viel einzurichten. Soll ich das Geländer nun reparieren oder nicht?«

»Ja … schon. Falls Sie nicht zu beschäftigt sind.« Dora fand das Klebeband und machte sich umständlich daran, das Paket zuzukleben. Dabei hatte sie eine zündende Idee »Eigentlich könnten Sie mir einen großen Gefallen tun. Sie haben doch ein Auto, den Thunderbird, ist das richtig?«

»Und?«

»Ich müsste etwas liefern – genau genommen sind es drei Lieferungen. Und ich kann auf meine Verkäuferin heute nur schwer verzichten.«

Jed steckte seine Daumen in die Jackentaschen. »Also soll ich das Liefern übernehmen.«

»Wenn es keine allzu großen Umstände macht. Ich zahle Ihnen natürlich das Benzin und sonstige Unkosten.« Sie schenkte ihm ein sonniges Lächeln. »Möglicherweise bekommen Sie sogar noch etwas Trinkgeld.«

Er hätte ihr sagen können, sie solle sich damit zum Teufel scheren. Warum er es nicht tat, wusste er nicht. »Wie könnte ich da widerstehen?« Mit einem Anflug von Missbilligung betrachtete er das Paket, das vor ihr stand. »Wo soll das hin?«

»Habe ich alles aufgeschrieben. Dort drüben stehen die anderen beiden«, bedeutete sie ihm mit einem Nicken. »Sie können Sie hier durch den Seitenausgang zu Ihrem Wagen tragen.«

Wortlos schnappte sich Jed das erste Paket und verschwand damit nach draußen.

»*Das* ist der neue Mieter?«, wisperte Lea. Kupplerische Gedanken der unterschiedlichsten Art geisterten bereits durch ihren Kopf, als sie zur Tür eilte und hinausspähte. »Wer ist er? Was macht er?«

»Hab' dir doch gerade gesagt, wer er ist. Jed Skimmerhorn heißt er.«

»Du weißt genau, was ich meine.« Sie beobachtete, wie Jed den Karton auf den Rücksitz des Thunderbirds wuchtete, um dann wieder in den Laden zu huschen. »Er kommt zurück.«

»Das will ich doch hoffen«, erwiderte Dora trocken. »Er hat noch nicht alles eingeladen.« Sie hob die zweite Lieferung vom Boden hoch und reichte sie ihm, als er durch die Tür kam. »Vorsicht, zerbrechlich«, warnte sie und erntete als Antwort ein unverständliches Murmeln.

»Hast du seine Schultern gesehen?«, flüsterte Lea. »Nicht mal in meinen wildesten Fantasien hat John solche Schultern wie der.«

»Ophelia Conroy-Bradshaw, schäm dich. John ist ein toller Mann.«

»Das weiß ich. Ich bin ja auch total verrückt nach ihm, aber er hat einfach keine Schultern. Ich meine, klar hat er Schultern, aber die bestehen nur aus Haut und Knochen … Gott im Himmel!« Nachdem sie gesehen hatte, wie Jeds Jeans sich spannten, als er sich über den Kofferraum beugte, klopfte sie sich aufs Herz und meinte grinsend: »Es ist immer gut zu wissen, dass die sinnliche Wahrnehmung noch funktioniert. Und, was macht er?«

»Wie machen?«

»Mit … den Rechnungen«, sagte sie rasch. »Vergiss nicht, Mr. Skimmerhorn die Rechnungen mitzugeben, Dora.« Sie nahm sie vom Schreibtisch und gab sie als ihm, als Jed hereinkam, um den letzten Karton zu holen.

»Danke.« Er streifte Lea mit einem sonderbaren Blick.

Das Glitzern in ihren Augen machte ihn misstrauisch. »Soll ich auf dem Weg gleich das Holz besorgen?«

»Holz? Ach, fürs Geländer«, erinnerte sich Dora. »Ja, nur zu. Sie können mir die Rechnung unter der Tür durchschieben, falls ich nicht zu Hause bin.«

Er konnte sich nicht beherrschen. Er wusste, er sollte, konnte es aber nicht. »Wieder eine heiße Verabredung?«

Sie lächelte süßlich und riss die Tür auf. »Sie können mich mal, Skimmerhorn.«

»Hab' ich mir schon überlegt«, murmelte er. »Ja, daran habe ich in der Tat schon gedacht.« Damit ging er zu seinem Wagen.

»Erzähl schon«, drängte Lea. »Erzähl mir alles. Lass nicht die kleinste Kleinigkeit aus, so unwichtig oder nebensächlich sie auch sein mag.«

»Da gibt's nichts zu erzählen. Ich war gestern Abend mit Andrew aus, und Jed lernte ihn kennen, als ich ihn rauswarf.«

»Du hast Jed rausgeworfen?«

»Nein, Andrew, er wollte mir an die Wäsche«, erklärte Dora unwirsch, der allmählich die Geduld ausging. »Und da habe ich ihn in hohem Bogen rausgeschmissen. So, falls damit unsere kleine Klatschorgie beendet ist …«

»Gleich. Ich will nur noch wissen, was er macht. Jed, meine ich. Er muss Gewichte stemmen oder so was – bei den Schultern.«

»Ich wusste gar nicht, dass du so schulterfixiert bist.«

»Nur, wenn sie zu so einem Körper gehören. Lass mich raten: Er ist Hafenarbeiter.«

»Falsch.«

»Bauarbeiter.«

»Damit haben Sie die Reise für zwei Personen nach Maui leider verspielt. Möchten Sie es mit dem Samsonite-Kofferset versuchen?«

»Dann sag's mir halt.«

Dora hatte die Hälfte ihrer schlaflosen Nacht damit zugebracht, Jeds Mietvertrag in ihrem Papierwust zu suchen. Eine seiner Referenzen stammte von einem gewissen

James L. Riker, Kriminalkommissar des Philadelphia Police Department. Was einen Sinn ergab, da Jed zuletzt beim Philadelphia PD angestellt gewesen war.

»Er ist ein Excop.«

»Ex?« Leas Augen weiteten sich. »Heiliger Bimbam, wurde er gefeuert, weil er Bestechungsgelder angenommen oder mit Drogen gehandelt hat? Oder hat er jemanden umgebracht?«

»Schätzchen, jetzt mach mal halb lang mit deinen fantastischen Vermutungen.« Dora tätschelte ihrer Schwester die Schulter. »So wie du redest, müsstest du eigentlich mit Vater und Mutter auf der Bühne stehen«, meinte sie. »Er hat den Dienst freiwillig quittiert. Vor ein paar Monaten. Laut Dads ausführlichen Notizen, die er nach seinem Telefonat mit dem Kommissar gemacht hatte, finden sich jede Menge Belobigungen in Jeds Personalakte. Und seine ehemalige Dienststelle hält immer noch seine Dienstwaffe hübsch warm, in der Hoffnung, dass er doch wieder zurückkommt.«

»Und, warum hat er dann den Dienst quittiert?«

»Das betrachtet er offenbar als Privatangelegenheit«, erwiderte Dora knapp, obwohl sie es ebenso interessierte wie Lea. Sie ärgerte sich, ihren Vater nicht danach gefragt zu haben.

»So, und damit ist die Quizrunde beendet. Wenn wir nicht bald wieder in den Laden gehen und Terri helfen, macht mir die Gute die Hölle heiß.«

»In Ordnung. Aber ich bin froh zu wissen, dass du einen Cop im Haus hast. So brauchst du wenigstens nichts zu befürchten.« Plötzlich blieb sie wie angenagelt stehen. »O Gott, Dory, glaubst du, er hat eine Pistole unter dem Hemd stecken?«

»Ich glaube nicht, dass er eine Knarre braucht, um Geschirr auszufahren.« Damit schob Dora ihre Schwester zurück in den Laden.

Unter anderen Umständen hätte DiCarlo es lächerlich gefunden, mit einer billigen Porzellanfigur auf dem Schoß in einem eleganten Empfangsraum zu sitzen. Doch in diesem speziellen Fall kam er sich in dem mit Drucken bekannter Impressionisten und Erté-Skulpturen dekorierten Raum keineswegs lächerlich vor. Er hatte Angst. Eine Heidenangst.

Der Mord hatte ihm nicht viel ausgemacht. Nicht dass ihm das Töten viel Vergnügen bereitete, im Gegensatz zu seinem Bruder Guido. Er hatte Porter getötet, um seinen Kopf zu retten.

Auf dem langen Flug von der Ost- zur Westküste hatte er sich eine ganze Menge Gedanken gemacht. Angesichts seiner momentanen Pechsträhne musste er sich fragen, ob ihm das Schicksal nicht schon wieder einen üblen Streich spielte, und er aus irgendeinem unerfindlichen Grund doch die falsche Figur auf seinem Schoß warm hielt. Seiner Ansicht nach sah diese hier genauso aus wie die Figur, die in seiner Gegenwart bei Premium in die Kiste gepackt worden war.

»Mr. DiCarlo?«, meldete sich die Empfangsdame. »Mr. Finley lässt bitten.«

»Ah, richtig. Selbstverständlich.« DiCarlo erhob sich, klemmte sich die Statue unter den Arm und rückte mit der freien Hand den Knoten seiner Krawatte zurecht. Er folgte der Blondine durch die Doppeltüren aus massivem Mahagoniholz und zwang ein freundliches Lächeln auf sein Gesicht.

Finley behielt hinter seinem Schreibtisch Platz und beobachtete zufrieden, wie DiCarlo sichtlich nervös über den schneeweißen Teppichboden ging. Mit einem kalten Lächeln registrierte Finley die Schweißperlen auf DiCarlos Oberlippe.

»Mr. DiCarlo, Sie haben in dem großartigen Staat Virginia aufgeräumt, wie ich höre?«

»Ja, dort ist alles erledigt.«

»Exzellent.« Mit einer Handbewegung wies er DiCarlo an, die Figur auf seinen Schreibtisch zu stellen. »Und mehr haben Sie mir nicht mitgebracht?«

»Ich habe außerdem eine Liste dabei, auf der sie anderen

Objekte vermerkt sind sowie ihr momentaner Aufenthaltsort.« DiCarlo zog sie aus der Jackentasche. »Wie Sie sehen, wurden die anderen Stücke von nur vier verschiedenen Käufern ersteigert. Zwei davon sind ebenfalls Händler. Ich denke, es sollte eine Kleinigkeit sein, in die jeweiligen Läden zu gehen und die Sachen zurückzukaufen.«

»Sie denken?«, zischte Finley mit gefährlich leiser Stimme. »Wenn Sie denken könnten, Mr. DiCarlo, befände sich meine Ware bereits in meinem Besitz. Wie auch immer«, fuhr er fort, als DiCarlo schwieg, »ich bin bereit, Ihnen Gelegenheit zu geben, sie persönlich auszulösen.«

Er stand auf und fuhr mit dem Zeigefinger über das etwas zu liebliche Gesicht der weiblichen Figur. »Ein unglückseliges Stück Arbeit. Ziemlich scheußlich, finden Sie nicht?«

»Doch, Sir.«

»Und dieser Mann, dieser Ashworth, hat mit seinem guten Geld dafür bezahlt. Erstaunlich, nicht wahr, was Leute für einen schlechten Geschmack haben? Ein kurzer Blick der genügt, um zu erkennen wie krumm die Linien, wie schlecht die Farben und wie billig das Material ist. Nun ja, ›Schönheit ist nur oberfächlich‹, so sagt man doch.« Er nahm den unbenutzten, weißen Marmoraschenbecher von seinem Schreibtisch und köpfte damit die Tänzerin.

DiCarlo, der nur wenige Stunden zuvor kaltblütig zwei Männer umgebracht hatte, zuckte zusammen, als Finley auch dem Tänzer den Kopf abschlug. Die Nerven zum Zerreißen gespannt, beobachtete er wie Finley anschließend den Figuren die Arme und Beine abbrach.

»Eine viel zu hässliche Hülle«, murmelte Finley, »um wahre Schönheit zu verbergen.« Aus dem Inneren der Figur förderte er einen schmalen, in Plastikfolie eingeschlagenen Gegenstand heraus. Behutsam wickelte er ihn aus und gab dabei so sinnliche Laute von sich, als handelte es sich um seine Geliebte.

Was unter der Plastikfolie zum Vorschein kam, sah für DiCarlo wie ein goldenes Feuerzeug aus, reichlich verziert und mit Edelsteinen besetzt. Für seinen Geschmack war der Gegenstand nicht weniger hässlich als die Statue, die ihn beherbergt hatte.

»Wissen Sie, was das ist, Mr. DiCarlo?«

»Eh, nein, Sir.«

»Es ist ein Etui.« Finley lachte, als er liebevoll über das schimmernde Gold strich. In diesem Augenblick war er richtig glücklich – ein Kind mit einem neuen Spielzeug, ein Mann mit einer neuen Geliebten. »Was Ihnen selbstverständlich nichts sagt. In diesen kleinen Etuis hat man früher Sets für Maniküre oder Nähzeug aufbewahrt, vielleicht auch Stiefelknöpfe oder Tabaklöffel. Ein hübsches kleines Ding, das Ende des neunzehnten Jahrhunderts aus der Mode kam. Dieses spezielle Stück hier ist jedoch insofern etwas Besonderes, als es aus hochkarätigem Gold gearbeitet und mit Edelsteinen – Rubine, Mr. DiCarlo – besetzt ist. Und es trägt eine Gravur.« Mit einem verträumten Lächeln drehte er das Etui um. »Es war ein Geschenk von Napoleon an Josephine. Und jetzt gehört es mir.«

»Das ist großartig, Mr. Finley.« DiCarlo war zutiefst erleichtert, dass er die richtige Figur gefunden hatte, und dass sein Boss zufrieden zu sein schien.

»Finden Sie?« Finleys smaragdfarbene Augen blitzten auf. »Dieses nette Dingelchen ist nur ein Teil meines Eigentums, Mr. DiCarlo. Oh, ich bin glücklich, wenigstens das in Händen zu halten, aber es erinnert mich daran, dass meine Sendung unvollständig ist. Eine Sendung, möchte ich hinzufügen, die zusammenzustellen mich acht Monate gekostet hat und zwei weitere für den Transport. Das macht nahezu ein Jahr meiner Zeit aus, die mir sehr wertvoll ist. Ganz zu schweigen von den Unkosten.« Er zertrümmerte mit seinem Aschenbecher auch den Rest der Figur. Nadelspitze Porzellansplitter flogen wie winzige Geschosse durch die Luft. »Sie verstehen doch, dass ich ungehalten bin, oder nicht?«

»Doch, Sir.« Kalte Schweißperlen rannen DiCarlo den Rücken herab. »Natürlich.«

»Dann müssen wir zusehen, dass wir den Rest zurückbekommen. Setzen Sie sich, Mr. DiCarlo.«

Mit zitternden Fingern wischte DiCarlo einige Splitter von der beigen Ledersitzfläche eines Stuhls, und ließ sich dann vorsichtig auf der Kante nieder.

»Die Festtage stimmen mich großmütig, Mr. DiCarlo.« Finley liebkoste mit den Fingerspitzen zärtlich das Etui. »Morgen ist Heiliger Abend. Sie haben doch sicher Pläne.«

»Ja, eigentlich schon. Meine Familie, verstehen Sie …«

»Familie.« Auf Finleys Gesicht erschien ein Lächeln. »Es geht doch nichts über eine Familie unter dem Christbaum. Ich selbst habe keine, aber das ist unwichtig. Und da es Ihnen gelungen ist, mir wenigstens einen kleinen Teil meines Eigentums zurückzubringen, und das auch noch so schnell, widerstrebt es mir, Sie Weihnachten Ihrer Familie zu entziehen.«

Er nahm das Etui zwischen beide Hände. »Ich gebe Ihnen Zeit bis zum Ersten. Überaus großzügig, ich weiß, aber wie gesagt … die Feiertage. Da werde ich immer sentimental. Aber am ersten Januar will ich alles, was mir gehört, hier auf diesem Tisch haben – nein, sagen wir am zweiten.« Sein Lächeln wurde breiter. »Ich vertraue darauf, dass Sie mich nicht enttäuschen.«

»Gewiss nicht, Sir.«

»Selbstverständlich erwarte ich einen täglichen Bericht von Ihnen. Feiertage hin oder her. Sie erreichen mich hier oder unter meiner privaten Nummer. Wir bleiben in Verbindung, Mr. DiCarlo. Falls ich nicht in regelmäßigen Abständen von Ihnen höre, sehe ich mich gezwungen, Sie persönlich aufzusuchen. Und das wollen wir doch vermeiden, oder?«

»Ja, Sir.« Das unangenehme Bild, von einem tollwütigen Wolf verfolgt zu werden, drängte sich DiCarlo auf. »Ich werde mich unverzüglich an die Arbeit machen.«

»Exzellent. Oh, und bevor Sie gehen, lassen Sie Barbara eine Kopie dieser Liste für mich machen, ja?«

Warum er das tat, konnte Jed sich nicht erklären. Es hatte nicht die geringste Veranlassung bestanden, Dora an diesem Morgen in ihrem Laden aufzusuchen. Er war rundum zufrieden gewesen mit seinem Vorsatz, die nächsten Tage im Fitnessstudio zu verbringen, zu Hause seine Gewichte zu stemmen und endlich wieder einmal in aller Ruhe zu lesen. Gott allein wusste, welcher Teufel ihn geritten hatte, die Treppe hinunterzugehen und sich freiwillig anzubieten, Doras Pakete auszuliefern.

Immerhin, erinnerte er sich amüsiert, hatte er für seine Dienste ein recht ordentliches Trinkgeld eingesteckt. Es handelte sich um ein paar Dollar und in einem speziellen Fall um eine bunt bemalte Dose, die mit selbst gebackenen Weihnachtsplätzchen gefüllt war.

Genau betrachtet, war es keine große Affäre gewesen, und zudem hatte er die interessante Erfahrung gemacht, wie viel herzlicher man empfangen wurde, wenn man statt seiner Dienstmarke ein Paket mit Geschirr in der Hand hielt.

Er hätte die ganze Geschichte als lehrreiche Erfahrung abhaken können, doch jetzt stand er draußen in der Kälte und reparierte dieses verdammte Geländer. Und weil es ihm im Grunde seines Herzens auch noch Spaß machte, kam er sich noch idiotischer dabei vor.

Im Freien arbeiten musste er deshalb, weil es in Doras Haus nicht genügend Raum für diese Arbeit gab. Und da sich Doras Werkzeug auf einen einzigen Schraubenzieher und einen Spielzeughammer mit angebrochenem Griff beschränkte, hatte er unterwegs bei den Brents vorbeifahren müssen, um sich den Rest auszuleihen. Mary Pat hatte selbstverständlich die Gelegenheit beim Schopf gepackt und ihn gründlich ausgefragt. Sie begann bei seinen Essgewohnheiten und endete bei seinem Liebesleben, wobei ihn dabei Marsriegel bei Laune halten sollten. Fast eine Stunde hatte es ihn gekostet, bis er ihr, ohne unhöflich zu werden, mit einer elektrischen Handsäge entkommen konnte.

Die Ereignisse des Tages hatten Jed eine wichtige Lektion gelehrt: Von nun an würde er für sich bleiben, so wie er es vorgehabt hatte. Wenn man grundsätzlich keine Menschen mochte, gab es auch keinen einleuchtenden Grund, ihre Nähe zu suchen.

Zumindest war hier im Hinterhof niemand, der ihn belästigte, und er genoss es, mit seinen Händen zu arbeiten, das Holz zu spüren. Früher einmal hatte er vorgehabt, sich hinten an das Haus in Chestnut Hill eine kleine Werkstatt anzubauen, in der er hätte basteln und werkeln können, wann immer ihm sein Job Zeit dazu gelassen hätte. Aber das war vor Donny Speck gewesen, vor den Ermittlungen, die für ihn zu einer Obsession geworden waren.

Und – bevor Elaine den Preis dafür hatte zahlen müssen.

Ehe Jed noch diesen Gedanken verjagen konnte, nahmen die Bilder schon wieder Gestalt an. Er sah den silbernen Mercedes friedlich auf seinem Platz stehen, sah den matten Glanz der Perlenkette, die Elaine um den Hals trug. Er erinnerte sich, dass diese ein Geburtstagsgeschenk von dem ersten ihrer drei Ehemänner gewesen war. Er sah, wie ihre Augen, die genauso strahlend blau waren wie seine – wahrscheinlich die einzige Familienähnlichkeit, die sie geteilt hatten – neugierig in seine Richtung blickten. Er sah den Anflug von Verärgerung in diesen Augen, sah sich selbst über den kurz geschorenen Rasen hasten, vorbei an den blühenden Rosenbüschen, die intensiv nach Sommer geduftet hatten. Die Sonne hatte sich in den verchromten Zierleisten gespiegelt und ihn geblendet. Und ein Vogel hoch oben in einem der drei Apfelbäume hatte sich die Seele aus dem Leib gezwitschert.

Dann hatte die Explosion Jed zurückgeworfen, bis unter die Rosenbüsche, die durch die Druckwelle ihre Blütenblätter auf ihn herabregnen ließen.

Der silberne Mercedes war nur noch ein glühender Feuerball gewesen, aus dem eine schwarze, stinkende Rauchsäule in den blauen Sommerhimmel aufstieg. Er glaubte, einen Schrei gehört zu haben. Es hätte auch das Kreischen berstenden Metalls gewesen sein können. Er hoffte es. Er hoffte, dass sie nichts mehr gespürt hatte, nachdem ihre Hand den Zündschlüssel umgedreht und die Bombe zum Explodieren gebracht hatte.

Leise vor sich hin fluchend, bearbeitete Jed das neue Geländer mit Brents Schleifmaschine. Es war vorbei. Elaine war tot, und nichts konnte sie wieder lebendig machen. Donny Speck war auch tot, Gott sei Dank. Und so sehr Jed es sich auch gewünscht hätte, er konnte den Mann kein zweites Mal töten.

Und er war genau an dem Punkt angelangt, auf den er hingearbeitet hatte. Er war allein.

»Ho, ho, ho.«

Abgelenkt von einer kräftigen, tiefen Stimme, stellte Jed die Schleifmaschine ab. Er drehte sich um, und seine Augen hinter der getönten Schutzbrille musterten ärgerlich, aber auch neugierig den rotwangigen Santa Claus.

»Sie sind ein paar Tage zu früh dran, glaube ich.«

»Ho, ho, ho!«, dröhnte Santa Claus wieder und klopfte sich auf den mächtigen Bauch. »Sieht so aus, als könntest du ein bisschen Weihnachtsstimmung brauchen, mein Sohn.«

Nachdem er sich mit der Unterbrechung abgefunden hatte, holte Jed seine Zigaretten aus der Tasche. »Mr. Conroy, richtig?« Santa Claus fiel das Gesicht herunter. »Es sind die Augen«, erklärte Jed ihm und zündete ein Streichholz an. Doras Augen, dachte er. Groß, braun und voll hintergründigem Witz.

»Oh.« Quentin grübelte einen Augenblick, dann erhellten sich seine Züge. »Ich nehme an, ein Polizist ist darauf trainiert, Verkleidungen und Masken zu durchschauen, während wir Schauspieler in sie hineinschlüpfen. Im Laufe meiner Karriere habe ich mehr als einmal einen Hüter des Gesetzes gespielt.«

»Aha.«

»Aber auf Grund der Jahreszeit fiel mir heute die Rolle des Santa Claus in Tidy Toys Kindergarten zu.« Er strich sich über den seidigen weißen Bart. »Ein kleines Engagement, aber nichtsdestotrotz ein erfreuliches, gab es mir doch Gelegenheit, die beliebteste Rolle der Welt zu spielen, und das vor einem Publikum, das aufrichtig an mich glaubt. Kinder sind Schauspieler, müssen Sie wissen, und Schauspieler sind Kinder.«

Jed konnte nicht anders, als amüsiert zu nicken. »Das glaube ich Ihnen aufs Wort.«

»Wie ich sehe, hat Izzy Ihnen schon eine Arbeit verpasst.«

»Izzy?«

»Meine liebe Tochter.« Quentin wackelte mit den Augenbrauen und blinzelte verschmitzt. »Hübsches Ding, nicht?«

»Hm, sie ist ganz in Ordnung.«,

»Kochen kann sie auch. Weiß zwar nicht, wo sie das her hat – von ihrer Mutter bestimmt nicht.« Quentin beugte sich verschwörerisch zu Jed. »Nicht, dass ich mich beschweren will, aber wenn meine geliebte Gattin ein Ei kocht, feiert sie das als kulinarischen Triumph. Ihre Qualitäten liegen woanders.«

»Da bin ich mir sicher. Dora ist drinnen.«

»Klar, wo sonst? Eine engagierte Geschäftsfrau, meine Erstgeborene, ganz anders als der Rest der Familie, was das anbelangt. Obwohl sie auf der Bühne eine glänzende Karriere hätte machen können. Wirklich glänzend«, betonte er mit einem Anflug von Bedauern in der Stimme. »Aber sie hat sich für den Handel entschieden. Gene sind schon eine merkwürdige Sache, finden Sie nicht?«

»Darüber habe ich mir noch nicht den Kopf zerbrochen.« Eine Lüge, dachte er. Eine faustdicke Lüge. Er hatte sich zu diesem Thema intensive Gedanken gemacht. »Hören Sie, ich muss das hier fertig machen, bevor es dunkel wird.«

»Dann gehe ich Ihnen doch am besten ein wenig zur Hand«, sagte Quentin eifrig. Er wollte seine Ader fürs Praktische unter Beweis stellen, die ihn zu einem ebenso guten Regisseur wie Schauspieler machte.

Jed musterte den dicken Bauch, den roten Mantel und den wehenden weißen Bart. »Haben Sie denn keine Engel, die so was für Sie erledigen?«

Quentin lachte fröhlich, und sein voller Bariton füllte den windigen Hinterhof. »Die sind heutzutage alle gewerkschaftlich organisiert, mein Junge, tun keinen Handschlag mehr, die kleinen Racker, als im Vertrag festgelegt ist.«

Jeds Lippen verzogen sich zu einem Grinsen, als er die Schleifmaschine wieder in Gang setzte. »Wenn ich damit fertig bin, könnten Sie mir beim Anschrauben helfen.«

»Mit Vergnügen.«

Geduldig setzte Quentin sich auf die unterste Treppenstufe. Er hatte schon immer gern Leuten bei handwerklicher Arbeit zugesehen. ›Zugesehen‹, wohlgemerkt. Glücklicherweise hatte ihn eine solide Erbschaft davor bewahrt, seine Ausbildung zum Schauspieler mit seiner Hände Arbeit verdienen zu müssen. Seine Frau hatte er als Dreißigjährige während der Shakespeare-Aufführung, *Der Sturm*, kennen gelernt, er verkörperte Sebastian und sie Miranda. Sie hatten geheiratet, waren mit beachtlichem Erfolg von Bühne zu Bühne gereist, bis sie sich in Philadelphia niedergelassen und die Liberty Players gegründet hatten.

Jetzt, im bequemen Alter von dreiundfünfzig Jahren, hatte er die Liberty Players zu einer respektablen Schauspielertruppe gemacht, die von Ibsen bis Neil Simon alles spielten, und das meist vor ausverkauftem Haus.

Nachdem sein Leben bislang so problemlos verlaufen war, glaubte er fest an sein Glück. Er hatte seine jüngste Tochter gut und glücklich verheiratet und beobachtete wohlgefällig, wie sein Sohn erfolgreich die Familientradition auf der Bühne fortführte. Blieb nur noch Dora.

Quentin hatte bereits entschieden, dass dieser wohlhabende junge Mann mit den unergründlichen Augen die perfekte Lösung war. Mit einem selbstzufriedenen Lächeln zog er seinen Flachmann aus Santas dickem Bauch, der aus einem Kissen bestand, und genehmigte sich einen kräftigen Schluck. Und gleich noch einen.

»Gut gemacht, Junge«, meinte Quentin eine halbe Stunde später, als er sich von der Treppenstufe erhob, um das Geländer mit Kennermiene zu betätscheln. »Samtweich, wie die Wange einer Lady. Es war ein echtes Vergnügen, Ihnen bei der Arbeit zuzuschauen. Und wie wird es jetzt festgemacht?«

»Fassen Sie doch mal mit an«, schlug Jed vor. »Und gehen Sie mit Ihrem Ende nach oben auf die Treppe.«

»Wunderbare Arbeit.« Die silbernen Glöckchen an Santas Stiefeln klingelten, als er die Stufen emporstieg. »Glauben Sie nicht, ich bin handwerklich völlig unbedarft. Ich habe des Öfteren beim Bühnenaufbau mitgeholfen. Einmal haben wir einen tollen Jolly Roger für eine Peter Pan-Produktion gebaut.« Quentin zwirbelte die Enden seines weißen Schnauzbarts zusammen und setzte dabei einen bedrohlichen Blick auf. »Ich habe natürlich den Hook gespielt.«

»Darauf hätte ich gewettet. Passen Sie auf.« Mit Hilfe von Brents elektrischer Bohrmaschine fixierte Jed das Geländer an den dazugehörigen Pfosten. Und während der ganzen Prozedur plätscherte Quentins Stimme dahin wie ein fröhliches Maibächlein. Zu seiner Beruhigung stellte Jed fest, dass sich das Geplauder genauso leicht ausblenden ließ wie die Hintergrundmusik in einer Zahnarztpraxis.

»So einfach ist das.« Wieder am Fuße der Treppe stehend, rüttelte Quentin am Geländer und strahlte. »Und unverrückbar wie ein Felsen. Ich hoffe, meine Izzy weiß Ihre Arbeit zu würdigen.« Er gab Jed einen freundschaftlichen Klaps auf den Rücken. »Warum kommen Sie nicht zu uns zum Weihnachtsessen? Meine Ophelia ist eine absolute Meisterin in der Küche.«

»Ich habe schon etwas vor.«

»Natürlich.« Quentins lockeres Lächeln gab seine Gedanken nicht preis. Er hatte sehr viel sorgfältigere Nachforschungen über Jed Skimmerhorn angestellt, als irgendjemand ahnte. Und er wusste ganz genau, dass Jed außer einer Großmutter keine Angehörigen mehr hatte. »Na, dann vielleicht Silvester. Da steigt im Theater jedes Jahr eine große Party. Im Liberty. Sie sind herzlich eingeladen.«

»Danke. Ich werde es mir überlegen.«

»So, und jetzt, denke ich, nach getaner Arbeit, haben wir beide uns eine Belohnung redlich verdient.«

Er zog noch einmal seinen Flachmann aus den Tiefen seines Mantels und nickte Jed einladend zu, während er die silberne Verschlusskappe mit Whiskey füllte und sie

Jed reichte. Da dieser keinen triftigen Grund sah, die Einladung abzulehnen, kippte er den Whiskey mit einem Satz hinunter. Er schaffte es gerade noch, ein Keuchen zu unterdrücken , denn es war das reinste Feuerwasser.

»Alle Achtung!« Quentin schlug Jed noch einmal kameradschaftlich auf den Rücken. »Ich mag es, wenn ein Mann trinken kann. Hier, nehmen Sie noch einen. Auf einem Bein kann man nicht stehen.«

Jed leerte noch eine Kappe und spürte, wie die Flüssigkeit langsam die Kälte aus seinen Knochen vertrieb. »Sind Sie sicher, dass Whiskey ein angemessenes Getränk für den heiligen Santa Claus ist?«

»Mein lieber Junge, wie hätten wir sonst wohl die langen, eiskalten Nächte am Nordpol überstehen sollen? Unser nächstes Stück wird *South Pacific* sein. Nette Abwechslung, mit all den Palmen. Wir versuchen, jedes Jahr ein paar Musicals in unser Programm einzubauen. Bonbons fürs Publikum. Muss Izzy sagen, dass sie Sie mal mitnehmen soll.«

Er machte Jeds provisorisches Glas noch einmal voll und stimmte lautstark ›There is Nothin' Like a Dame‹ an.

Es musste am Whiskey liegen, entschied Jed. Ja, das war die einzig schlüssige Erklärung, warum er abends bei dieser Kälte draußen vor der Tür hockte und nichts Komisches daran fand, einem Santa Claus zuzuhören, der Songs aus Musicals in die Nacht hinausschmetterte.

Als er die nächste Kappe durch die Kehle rinnen ließ, hörte er die Tür hinter sich aufgehen und drehte sich träge um. Oben auf dem Treppenabsatz stand Dora, die Hände in die Hüften gestemmt.

Herr im Himmel, die hat ja tolle Beine, dachte er.

Dora streifte Jed mit einem vernichtenden Blick. »Ich hätte wissen müssen, dass Sie ihn dazu anstiften.«

»Ich habe nur meine Arbeit getan.«

»Aha. Auf der Treppe sitzen und mit einem Mann im Santa-Claus-Kostüm Whiskey trinken – auch eine Art von Arbeit.«

Weil seine Zunge plötzlich sehr schwer war, bemühte

Jed sich um eine besonders deutliche Aussprache. »Ich habe das Geländer repariert.«

»Gratuliere!« Dora kam langsam die Stufen hinunter und bekam ihren Vater gerade noch am Arm zu fassen, bevor dieser zu einer wirbelnden Pirouette ansetzen konnte. »Die Show ist vorbei.«

»Izzy!« Hocherfreut drückte Quentin seiner Tochter einen schmatzenden Kuss auf die Wange und umarmte sie wie ein Bär. »Dein junger Mann und ich haben uns um die Zimmermannsarbeiten an deinem Haus gekümmert.«

»Das sehe ich. Ihr beide scheint im Moment wirklich sehr beschäftigt zu sein. Du kommst jetzt mit mir rein, Dad.« Sie nahm ihm den Flachmann aus der Hand und gab ihn Jed. »Ich komme gleich wieder«, flüsterte sie ihm zu und zerrte ihren Vater die Treppe hoch.

»Ich habe doch nur meine Arbeit getan«, brummte Jed vor sich hin und verschloss mit großer Sorgfalt den Flachmann, bevor er ihn in die hintere Hosentasche schob. Als Dora zurückkam, sammelte er gerade Brents Werkzeug auf. Er tat dies mit einer Betulichkeit, als verpacke er feines Porzellan.

»So.« Jed knallte den Kofferraum zu und lehnte sich schwer dagegen. »Wo ist Santa?«

»Der schläft. Wir haben hier eine eiserne Regel, Skimmerhorn. Bei der Arbeit wird nicht getrunken.«

Jed richtete sich auf, stützte sich aber klugerweise am Wagen ab. »Ich war bereits fertig.« Mit verschleiertem Blick deutete er auf das Geländer. »Da, sehen Sie?«

»Ja.« Sie schüttelte seufzend den Kopf. »Ich kann Ihnen eigentlich keinen Vorwurf machen. Er ist einfach unwiderstehlich. Kommen Sie, ich bringe Sie rauf.«

»Ich bin nicht betrunken.«

»Sie sind ganz schön angekickt, Skimmerhorn. Ihr Körper weiß es, es ist nur noch nicht bis in Ihr Hirn vorgedrungen.«

»Ich bin nicht betrunken«, wiederholte er noch einmal, wehrte sich aber nicht, als sie einen Arm um seine Taille legte und ihn die Treppe hinaufführte. »Ich habe fünfzehn

Dollar und zwei Dutzend Weihnachtsplätzchen beim Liefern eingenommen.«

»Wie schön.«

»Verdammt gute Plätzchen.« Er rempelte sie versehentlich an, als sie nebeneinander durch den Flur gingen. »Mein Gott, Sie riechen vielleicht gut!«

»Ich wette, das sagen sie jeder Vermieterin. Haben Sie die Schlüssel?«

»Ja.« Er kramte in seinen Taschen, gab die Suche aber schnell wieder auf und ließ sich gegen die Wand fallen. Geschieht dir recht, dachte er, wenn du dir so viel Whiskey hinter die Binde kippst und nur Marsriegel im Magen hast.

Seufzend schob Dora eine Hand in seine Hosentasche. Sie ertastete einen harten Oberschenkel und eine Hand voll Kleingeld.

»Versuchen Sie's mit der anderen«, schlug er vor.

Sie sah zu ihm hoch, begegnete einem ungezwungenem und überraschend charmanten Lächeln. »Nee. Wenn Sie das so genießen, sind Sie nicht ganz so betrunken, wie ich glaubte. Fischen Sie Ihre Schlüssel selbst heraus.«

»Ich sagte Ihnen doch bereits, dass ich nicht betrunken bin.« Als er endlich die Schlüssel gefunden hatte, wusste er nicht, wie er sie in das verdammte Schloss kriegen solten, da der Boden unter seinen Füßen plötzlich anfing, Wellen zu schlagen. Dora führte seine Hand. »Danke.«

»Das ist doch das Mindeste, was ich für Sie tun kann. Finden Sie allein ins Bett?«

Er hielt sich an der Klinke fest. »Lassen Sie uns eines klarstellen, Conroy. Ich will nicht mit Ihnen schlafen.«

»Nun, das ist wenigstens eine deutliche Aussage.«

»Sie sind eine einzige Herausforderung, Baby. Diese großen braunen Augen und dieser knackige Körper. Ich will einfach nur allein sein.«

»Ich schätze, das tötet auch den winzigsten Hoffnungsschimmer in mir, jemals Ihre Kinder zur Welt bringen. Aber keine Sorge, darüber komme ich schon hinweg.« Sie manövrierte ihn zur Couch, zwang ihn, sich zu setzen, und hievte seine Beine hoch.

»Ich will dich nicht«, erklärte er mit schwerer Zunge, während sie ihm die Stiefel auszog. »Ich will niemanden.«

»Okay.« Sie sah sich nach einer Decke um und begnügte sich dann mit einigen großen Badehandtüchern, die über seiner Fitnessliege hingen. »So, jetzt haben wir's hübsch gemütlich.« Sie steckte die Handtücher sorgfältig unter ihm fest. Er sah richtig niedlich aus, dachte sie, wie er so betrunken und griesgrämig vor ihr lag und sie unter schweren Augenlidern anblinzelte. Einem spontanen Impuls folgend, gab sie ihm einen Kuss auf die Nasenspitze.

»Schlaf, Skimmerhorn. Morgen wirst du dich hundsmiserabel fühlen.«

»Geh weg«, murmelte er, machte die Augen zu und war eingeschlafen.

6. Kapitel

Sie hatte Recht gehabt. Er fühlte sich hundsmiserabel. Und seine Stimmung hob sich keineswegs, als an die Tür geklopft wurde, während er versuchte, sich in der Dusche zu ertränken. Fluchend drehte er das Wasser ab, schlang sich ein Badetuch um die Hüften und marschierte, eine nasse Spur hinter sich herziehend, zur Tür und riss sie auf.

»Was zum Kuckuck wollen Sie?«

»Guten Morgen, Skimmerhorn.« Mit einem Weidenkorb über dem Arm wehte Dora an ihm vorbei. »Gut gelaunt und fröhlich wie immer?«

Sie trug irgendetwas Kurzes in Knallblau und Gold, das seine verquollenen Augen unangenehm blendete. »Verschwinden Sie!«

»Oh, anscheinend fühlen wir uns doch scheußlich heute Morgen, wie?« Ohne im Geringsten beleidigt zu sein, packte sie den Inhalt des Korbes aus. Sie brachte eine rote Thermosflasche zum Vorschein, ein Glas mit einer gefährlich aussehenden orangenfarbenen Flüssigkeit und zwei in eine blütenweiße Serviette gewickelte Croissants. »Da mein Vater diese kleine Affäre angezettelt hat, betrachte ich es als eine Pflicht, mich heute Morgen ein wenig um Ihr Wohlergehen zu kümmern. Wir brauchen ein Glas, eine Tasse nebst Untertasse und einen Teller.« Als er sich nicht vom Fleck rührte, meinte sie: »Gut, dann hole ich die Dinge eben selbst. Wie wär's, wenn Sie sich inzwischen etwas anzögen? Sie haben mir zwar überdeutlich zu verstehen gegeben, dass Sie körperlich an mir nicht interessiert sind, doch der Anblick Ihres feuchten, halb nackten Körpers könnte unter Umständen bei mir eine zügellose sexuelle Ekstase auslösen.«

Er knirschte mit den Zähnen.

»Witzig, Conroy. Ausgesprochen witzig.« Doch dann drehte er sich um und verschwand in Richtung Badezimmer. Als er in grauen, an den Knien durchgescheuerten Trainingshosen wieder auftauchte, hatte sie auf seinem kleinen Picknicktischchen ein appetitliches Frühstück aufgebaut.

»Haben Sie es schon mit Aspirin versucht?«

»War gerade dabei.«

»Die sind erst mal das Wichtigste.« Sie hielt ihm drei Tabletten hin. »Hier, spülen Sie sie damit runter.«

Mit argwöhnischem Blick betrachtete er die dicke orange Flüssigkeit, die sie ihm einschenkte. »Was, zum Teufel, ist das?«

»Das reinste Labsal. Vertrauen Sie mir ruhig.«

Da er sich wirklich schlecht fühlte, spülte er die Tabletten mit zwei großen Schlucken hinunter. »Pfui Spinne, das schmeckt ja wie das Zeug, mit dem man Leichen einbalsamiert.«

»Oh, ich schätze, es ist auch so was Ähnliches. Aber für die Wirkung kann ich garantieren. Dad schwört darauf, und glauben Sie mir, er ist Experte auf diesem Gebiet. Hier, versuchen Sie's mal mit einem Schluck Kaffee – er wird zwar nichts gegen Ihren Kater ausrichten, aber Sie so weit wach machen, dass Sie ihn richtig genießen können.«

»Was war denn in dem Flachmann?«

»Quentin Conroys Geheimwaffe. Er hat im Keller einen Destillierapparat, mit dem er herumexperimentiert wie ein besessener Alchimist. Dad hebt ganz gern mal einen.«

»Ach ja, hätte ich nicht gedacht.«

»Ich weiß, ich sollte ihn dafür rügen, aber das fällt mir schwer. Er schadet ja niemandem damit. Nicht einmal sich selbst, glaube ich.« Dora nahm sich ein Stück von einem der beiden Croissants und knabberte daran. »Außerdem wird er nicht zänkisch oder arrogant oder unverschämt davon. Und er würde sich nie hinter das Lenkrad eines Wagens setzen – oder schwere Maschinen bedienen.« Sie zuckte die Achseln. »Manche Männer sammeln Briefmarken. Dad trinkt. Na, fühlen Sie sich schon besser?«

»Ich werd's überleben.«

»Dann ist es ja gut. Ich muss jetzt den Laden aufsperren. Sie würden sich wundern, wie viele Leute am Heiligen

Abend noch Geschenke kaufen gehen.« Sie war schon an der Tür, als sie sich noch einmal umdrehte. »Ach, und das Geländer ist wirklich toll geworden. Vielen Dank. Sagen Sie Bescheid, wenn Sie in der Stimmung sind, mir einige Regale zusammenzunageln. Und keine Angst ...« Sie warf ihm ein Lächeln zu. »Ich will auch nicht mit Ihnen in die Kiste steigen.«

Dann schloss Dora die Tür hinter sich und ging summend den Flur entlang.

DiCarlo war bester Laune; das Glück war zu ihm zurückgekehrt. Der gemietete Porsche schnurrte mit 95 Meilen die Stunde dahin. Neben ihm auf dem Beifahrersitz und sicher in einer Kiste verpackt, fuhren der Bronzeadler und die Reproduktion der Freiheitsstatue mit, die er gerade in einem Kuriositätengeschäft in Washington, D.C. erstanden hatte.

Alles war wie geschmiert gelaufen, dachte DiCarlo zufrieden. Er hatte den Laden betreten, der Form halber eine Weile herumgestöbert und war dann als stolzer Besitzer zweier Musterbeispiele amerikanischen Kitschs wieder hinausspaziert. Jetzt noch ein schneller Umweg über Philadelphia, um die nächsten beiden Objekte auf seiner Liste zu erstehen, und dann ab nach New York. Wenn alles glatt lief, konnte er um neun Uhr zu Hause sein, rechtzeitig genug, um mit seiner Familie Weihnachten zu feiern.

Am zweiten Feiertag würde er sich dann wieder an die Arbeit machen. Bei guter Zeiteinteilung, so überlegte er, würde er noch vor dem Stichtag Mr. Finleys gesamte Ware in Händen halten. Er könnte sich sogar einen Bonus verdienen.

Zum Takt der Radiomusik tippte er Finleys Privatnummer in das Autotelefon.

»Ja.«

»Mr. Finley, DiCarlo am Apparat.«

»Und, haben Sie mir interessante Neuigkeiten mitzuteilen?«

»Gewiss, Sir.« Er sang die Worte beinahe. »Ich habe zwei weitere Stücke aus D.C. mitgebracht.«

»Und lief die Aktion diesmal glatter?«

»Glatt wie Seide. Im Augenblick bin ich gerade auf dem Weg nach Philadelphia. Dort befinden sich zwei weitere Stücke, in einem Laden. Spätestens um drei werde ich dort sein.«

»Dann wünsche ich Ihnen bereits jetzt schöne Weihnachten, Mr. DiCarlo. Bis zum Sechsundzwanzigsten werde ich schlecht erreichbar sein. Falls es etwas zu berichten gibt, hinterlassen Sie Winesap eine Nachricht.«

»Ich bleibe in Verbindung, Mr. Finley. Genießen Sie die Feiertage.«

Finley legte den Hörer auf, blieb aber noch auf dem Balkon stehen und betrachtete die Dunstglocke, die über L.A. hing. Das Etui trug er an einer goldenen Kette um seinen Hals.

DiCarlo kam tatsächlich um drei Uhr in Philadelphia an. Das Glück schien ihm auch weiterhin hold zu sein, betrat er doch Doras Antiquitäten- und Trödelladen genau eine Viertelstunde vor Ladenschluss. Das Erste, worauf sein Auge viel, war eine große, schlanke Rothaarige mit einer grünen Elfenkappe auf den Kopf.

Terri Star, Doras Verkäuferin und engagiertes Mitglied der Liberty Players, schenkte DiCarlo ein strahlendes Lächeln.

»Fröhliche Weihnachten«, rief sie ihm mit ihrer glockenhellen Stimme entgegen. »Sie haben uns gerade noch erwischt. Wir machen heute etwas früher zu.«

DiCarlo versuchte sein verlegenes Grinsen. »Ich wette, Sie hassen Leute, die immer kurz vor Feierabend einkaufen gehen.«

»Machen Sie Witze? Ich liebe sie.« Sie hatte bereits den Porsche vor der Tür entdeckt und rechnete fest damit, die Tageskasse mit einem fetten Posten abzuschließen. »Suchen sie etwas Bestimmtes?«

»Eigentlich ja.« Er ließ seinen Blick durch den Laden schweifen, auf der Suche nach dem Bild oder dem Porzellanhund. »Ich bin auf dem Nachhauseweg, und mir fiel gerade ein, dass meine Tante Tierfiguren sammelt. Speziell Hunde.«

»Da kann ich Ihnen, glaube ich, weiterhelfen.« Mit ihren hohen Absätzen gut über einen Meter achtzig groß, schritt Terri an den Regalen vorbei wie ein Sergeant bei der Truppeninspektion. Angesichts DiCarlos teurem Maßanzug, seines Mantels und dem Porsche vor Tür, führte sie ihn schnurstracks zur Jadesammlung.

»Dies hier ist eines meiner Lieblingsstücke.« Sie schloss eine halbrunde Glasvitrine auf und entnahm ihr einen apfelgrünen geschnitzten Foo-Hund, eines der teuersten Objekte, die der Laden anzubieten hatte. »Hinreißend, nicht wahr?«

»Gewiss, doch ich fürchte, der Geschmack meiner Tante ist nicht ganz so erlesen.« Er setzte ein gewinnendes Lächeln auf. »Sie wissen ja, wie diese alten Damen sind, nicht wahr?«

»Sie belieben zu scherzen. Wie könnte ich so einen Laden schmeißen, wenn ich das nicht wüsste? Also, sehen wir mal weiter.« Nicht ohne eine Spur des Bedauerns stellte sie die Jadefigur in die Vitrine zurück. »Wir hätten da auch noch ein hübsches Cockerspanielpärchen aus Gips.«

»Fein. Hätten Sie etwas dagegen, wenn ich mich rasch einmal umsehe? Ich weiß, Sie möchten schleunigst raus aus dem Laden, aber vielleicht sticht mir ja etwas ins Auge, das genau Tante Marys Geschmack trifft.«

»Nein, schauen Sie sich ruhig um. Und nehmen Sie sich Zeit.«

DiCarlo sah die Gipshunde. Er sah Cloisonné-Pudel und Retriever aus mundgeblasenem Glas. Es gab Plastikdalmatiner und bronzene Chihuahuas. Aber weit und breit keinen Basset aus Porzellan.

Gleichzeitig hielt er auch nach dem Gemälde Ausschau. An den Wänden hingen Dutzende gerahmte Drucke, verblichene Portraits, Reklameschilder aus Blech. Aber kein abstraktes Ölgemälde in einem Elfenbeinrahmen.

»Ich glaube, ich habe das perfekte …« Terri trat zwei Schritte zurück, als DiCarlo auf dem Absatz herumwirbelte. Sie war eine Frau, die mit Stolz von sich behaupten konnte, den Kunden die Wünsche vom Gesicht ablesen zu können. Was sie jedoch in diesem Gesicht sah, war die reinste Mordlust. »Ich … Verzeihung. Habe ich Sie erschreckt?«

Sein Lächeln kehrte augenblicklich zurück und vertrieb das eisige Glitzern aus seinen Augen, sodass sie entschied, sich getäuscht zu haben. »Ja, das haben Sie in der Tat. Ich war wohl eben mit meinen Gedanken ganz woanders. Und was haben Sie hier?«

»Eine Keramik aus Staffordshire, eine englische Schäferhündin mit ihrem Jungen. Niedlich, nicht?«

»Hunderprozentig Tante Mary.« DiCarlo behielt das freundliche Lächeln bei, auch nachdem er das vierstellige Preisschild gesehen hatte. »Ja, das gefällt ihr ganz bestimmt«, sagte er, in der Hoffnung, etwas Zeit zu gewinnen, während sie den Hund verpackte. »Mir hatte zwar etwas anderes vorgeschwebt, aber das trifft genau Tante Marys Geschmack.«

»Zahlen Sie bar oder mit Karte?«

»Karte.« Er zog seine Kreditkarte aus der Brieftasche. »Wissen Sie, sie hatte mal einen Hund«, er folgte Terri zur Ladentheke, »so einen braun-weiß gefleckten Köter, der ausschließlich auf seiner Decke lag und vierundzwanzig Stunden am Tag schlief. Tante Mary liebte ihn. Deshalb hatte ich gehofft, irgendeinen Porzellanhund zu finden, der ihm ähnlich sieht.«

»Das ist aber nett von Ihnen.« Terri wickelte die Staffordshire-Figur in Seidenpapier ein. »Sie scheinen ein sehr aufmerksamer Neffe zu sein.«

»Nun, Tante Mary hat mich mit großgezogen.«

»Wirklich zu schade, dass Sie nicht schon ein paar Tage früher hier hereingeschaut haben. Da hatten wir genau so einen Hund, wie Sie ihn mir eben beschrieben haben. Aus Porzellan, braun-weiss gefleckt, Er stand nur einen einzigen Tag im Laden, und schon war er verkauft.«

»Verkauft?«, wiederholte DiCarlo mit einem gequälten Lächeln. »Das ist wirklich zu schade.«

»Aber er war bei weitem nicht so hübsch wie der, den Sie jetzt ausgesucht haben, Mr. DiCarlo«, setzte sie nach einem Blick auf seine Kreditkarte hinzu. »Glauben Sie mir, Ihre Tante wird Sie vergöttern.«

»Ja, die Wahl war gewiss die richtige. Wie ich sehe, verkaufen Sie auch Gemälde.«

»Eine kleine Auswahl, überwiegend Drucke und Portraits, die aus Haushaltsauflösungen stammen.«

»Nichts Modernes also? Ich richte gerade meine Wohnung neu ein.«

»Leider nicht. Wir haben zwar noch etliches im Lager, aber Gemälde sind nicht darunter.«

Während sie die Rechnung ausschrieb, stand DiCarlo da und trommelte mit den Fingerkuppen auf die Ladentheke. Er musste herausfinden, wer diesen verdammten Köter gekauft hatte. Wäre es nicht mitten am helllichten Tag gewesen – abgesehen von der großen Schaufensterscheibe in seinem Rücken – hätte er dieser hübschen Verkäuferin seine Pistole unters Kinn gehalten und sie gezwungen, den Käufer ausfindig zu machen. Anschließend hatte er sie natürlich umbringen müssen.

Er warf einen Blick durchs Schaufenster nach draußen. Nur wenig Verkehr, kaum Fahrräder oder Fußgänger. Doch er schüttelte den Kopf. Ein junges Mädchen in einem grünen Parka schoss auf Rollerblades über den Gehsteig. Nein, das war das Risiko nicht wert.

»Unterschreiben Sie bitte hier.« Terri schob ihm die Quittung und die Karte hin. »So, das wär's, Mr. DiCarlo. Ich wünsche Ihnen und Ihrer Tante ein ganz tolles Weihnachtsfest.«

Da sie ihn durchs Fenster beobachtete, verstaute er den Karton vorsichtig im Kofferraum und winkte ihr kurz zu, bevor er sich hinters Steuer setzte. Langsam rollte der Porsche davon.

Er würde sich irgendwo ein verspätetes Mittagessen genehmigen. Wenn es dann dunkel und der Laden leer war, würde er zurückkommen.

Dora stand vor Jeds Tür und klopfte an. Sie wusste, dass er sie anknurren würde – doch das ließ sich nicht ändern. Tatsache war, dass sie sich schon an sein Geraunze und Geknurre gewöhnt hatte. Und er enttäuschte sie nicht.

Sein kurzärmeliges Sweatshirt hatte dunkle, feuchte Flecke. Auf seinen Unterarmen glänzten Schweißperlen. Eigentlich hätte sie sich eine Sekunde Zeit gönnen sollen, um dieses Musterbeispiel an Männlichkeit zu bewundern, doch seine griesgrämige Miene beanspruchte ihre ganze Aufmerksamkeit.

Er packte die Enden des Handtuchs, das er um den Nacken gelegt hatte. »Was ist denn nun schon wieder?«

»Entschuldigen Sie, dass ich hier so reinplatze.« Sie spähte an seiner Schulter vorbei ins Zimmer. Auf dem Fußboden lagen Gewichte und Hanteln. »Und das ich Sie beim Stählen Ihrer Muskulatur störe, aber mein Telefon ist kaputt. Und ich muss dringend einen Anruf tätigen.«

»An der Ecke steht eine Telefonzelle.«

»Sie sind wirklich ein selten reizender Mann, Skimmerhorn. Ich verstehe gar nicht, warum eine vom Glück mehr begünstigte Frau als ich es bin, Sie sich nicht schon längst geschnappt hat.«

»Ich verscheuche sie mit einem Holzprügel.«

»Das glaube ich ihnen aufs Wort. Kommen Sie, seien Sie ein Sportsfreund, ist doch nur ein Ortsgespräch.«

Einen Augenblick lang war er versucht, ihr die Tür vor der Nase zuzuschlagen. Wieder einmal. Stattdessen öffnete er sie noch weiter und trat einen Schritt zurück. »Machen Sie es kurz«, brummte er und verschwand in der Küche.

Um sie in Ruhe telefonieren zu lassen? fragte sich Dora. Wohl kaum. Und sie hatte sich nicht getäuscht. Eine Minute später kam er, eine Flasche Wasser in sich hineinschüttend, zurück. Dora schüttelte den Apparat, klopfte leise fluchend auf die Gabel und legte den Hörer wieder auf.

»Ihr Telefon geht auch nicht.«

»Kein Wunder. Schließlich hängen wir an derselben Leitung.«

Er hatte die Tür offen gelassen, genau wie sie ihre. Aus ihrer Wohnung kam leise Musik. Weihnachtliche Musik diesmal, aber gesungen von einem mittelalterlich klingendem Chor, was ihn eher neugierig machte denn störte. Unglücklicher Weise übte Dora exakt den gleichen Effekt auf ihn aus.

»Schmeißen Sie sich immer so in Schale, wenn Sie telefonieren?«

Sie trug einen hautengen Overall aus silberner Seide, dazu hochhackige Riemchensandalen. An ihren Ohren baumelten silberne Sterne. »Ich muss heute Abend auf einigen Partys vorbeischauen. Und was machen Sie? Verbringen Sie den Heiligen Abend mit Gewichtheben?«

»Ich mache mir nichts aus Partys.«

»Nein?« Sie zuckte mit den Schultern, und die glänzende Seide raschelte zu ihren Bewegungen. »Ich liebe Partys. Den Krach und das Essen und den Tratsch. Selbstverständlich unterhalte ich mich auch gern mit anderen Menschen, was das Ganze noch schöner macht.«

»Da ich Ihnen leider keinen Weihnachtspunsch anbieten kann, sollten Sie besser zusehen, dass Sie auf Ihre Party kommen.« Er warf das Handtuch aufs Sofa und hob eine Hantel vom Boden auf. »Und passen Sie auf, dass Ihr Begleiter nicht zu tief in den Punschtopf schaut.«

»Ich gehe ohne Begleitung aus. Und da ich mich nicht darum kümmern will, wie tief ich in den Punschtopf schaue, wollte ich gerade ein Taxi rufen.« Sie saß auf der Sofalehne und schaute Jed dabei zu, wie er seine Gewichte hochstemmte. Sie sollte kein Mitleid mit ihm haben, überlegte sie. Er war gewiss der letzte Mensch auf der Welt, der Mitleid erregte. Und trotzdem missfiel ihr der Gedanke, dass er den Abend alleine zu Hause verbringen würde, nur in Gesellschaft seiner Hanteln. »Warum kommen Sie denn nicht einfach mit?«

Der lange, schweigsame Blick, den sie von ihm erntete, ließ sie hastig fortfahren.

»Das ist kein Heiratsantrag, Skimmerhorn. Nur der Vorschlag, auf einige Partys zu gehen, auf denen man sich ungezwungen amüsieren und unterhalten kann.«

»Ich amüsiere mich nicht.«

»Das habe ich schon gemerkt, aber es ist Weihnachten.

Eine Zeit der Geselligkeit und des Friedens auf Erden. Sie haben vielleicht schon davon gehört.«

»Ja, gerüchteweise.«

Dora machte eine kurze Pause. »Sie haben ›Bah, alles dummes Zeug‹ vergessen.«

»Bitte, gehen Sie, Conroy.«

»Holla, das ist ja ein echter Fortschritt im Vergleich zu heute Morgen. Die Leute werden denken, wir sind ein Liebespaar.« Sie erhob sich mit einem Seufzer. »Viel Spaß mit Ihren Gewichten, Skimmerhorn, und den Kohlen, die Santa Ihnen bestimmt in die Strümpfe stecken wird.« Sie hielt inne und legte den Kopf schief. »Was war das für ein Geräusch?«

»Welches Geräusch?«

»Das da.« Sie kniff Augen zusammen um sich zu konzentrieren. »Du liebe Güte, sagen Sie bloß, wir haben tatsächlich Mäuse.«

Jed legte die Hantel ab und spitzte ebenfalls die Ohren. »Da ist jemand unten im Laden.«

»Was?«

»Im Laden«, wiederholte er. »Das Geräusch kommt durch den Lüftungsschacht. Kennen Sie den Grundriss Ihres eigenen Hauses nicht, Conroy?«

»Ich halte mich in dieser Wohnung nicht sehr häufig auf und schon gar nicht, wenn der Laden offen ist.« Sie wollte es damit bewenden lassen, doch dann erstarrte sie zur Salzsäule. »Aber der Laden ist ja gar nicht offen.« Sie wisperte: »Da unten ist niemand.«

»Doch, irgendjemand schon.«

»Nein.« Ihre Hand legte sich um ihren Hals. »Wir haben schon vor Stunden zugemacht. Terri ist um halb vier gegangen.«

»Dann ist sie eben zurückgekommen.«

»Am Heiligen Abend? Unsinn, sie gibt eine der Partys, auf die ich gehen will.« Doras Absätze klickten aufreizend auf dem Parkettboden, als sie zur Tür stöckelte.

»Wo wollen Sie hin?«

»In den Laden, natürlich. Jemand muss die Alarmanla-

111

ge gekappt haben und eingebrochen sein. Wenn dieser jemand glaubt, sich in meinem Laden kostenlos mit Weihnachtsgeschenken eindecken zu können, dann hat er sich getäuscht.«

Jed fluchte und packte Dora am Arm. Er schubste sie unsanft in einen Sessel. »Sie bleiben hier.« Er verschwand im Schlafzimmer, und ehe Dora noch überlegen konnte, welches Schimpfwort sie ihm an den Kopf werfen sollte, kam er zurück, eine .38er in der Hand.

Ihre Augen wurden groß. »Was ist das?«

»Ein Sonnenschirm. Bleiben Sie in der Wohnung. Und schließen Sie die Tür ab.«

»Aber … aber …«

»Hiergeblieben.« Jed schloss die Tür hinter sich. Wahrscheinlich war es ihre Verkäuferin, dachte er, als er schnell und lautlos durchs Treppenhaus huschte. Oder ihre Schwester, die ein verstecktes Päckchen vergessen hatte. Oder der alte Knabe, der nach einer Flasche suchte.

Aber er war immer noch viel zu sehr Cop, um ein Risiko einzugehen. Viel zu erfahren, um die Tatsache zu übersehen, dass die Telefone tot waren und die Geräusche eher verstohlen denn sorglos klangen.

Als er die Tür, die zum Lagerraum hinunterführte, erreicht hatte, öffnete er diese vorsichtig. Von unten drang kaum Licht herauf. Er hörte wieder ein Geräusch – das Schließen einer Schublade.

Hatte sie etwa Bargeld im Laden? Er unterdrückte einen Fluch. Wahrscheinlich. In irgendeiner alten Schachtel oder Keksdose versteckt.

Eine Bewegung hinter ihm ließ ihn innehalten und herumfahren. Jed stieß eine Verwünschung aus. Drei Schritte hinter ihm stand Dora, mit einer Hantel bewaffnet und einem Gesicht, das nur noch aus großen Augen zu bestehen schien.

Jed machte mit dem Daumen eine wütende Geste nach oben. Sie schüttelte den Kopf. Er ballte die Hand zur Faust. Dora hob trotzig das Kinn.

»Sturschädel«, murmelte er.

»Selber.«

»Bleib oben, um Himmels willen.«

Er stieg die Treppe hinunter, immer noch wütend mit der Hand gestikulierend, als die dritte Stufe laut unter seinem Gewicht knarrte. Beinahe im gleichen Augenblick hallte ein mehrmaliges dumpfes Geräusch durch den Treppenaufgang, und die Wand, nur wenige Zentimeter von ihm entfernt, spuckte ihm den Verputz ins Gesicht.

Jed duckte sich, nahm die restlichen Stufen in einem weiten Sprung, rollte sich unten auf dem Boden ab und kam, die Waffe gezogen, gerade noch rechtzeitig auf die Beine, um die Hintertür zuschlagen zu sehen. Er hörte Dora die Treppe herunterklappern und brüllte sie an, stehen zu bleiben. Er rannte zur Tür, riss sie auf und war schon in geduckter Haltung draußen. Die kalte Luft ließ ihn schmerzhaft seine Lungen spüren. Aber sein Blut kochte. Von rechts hörte er sich entfernende Schritte. Ohne Doras panikartige Schreie, er solle stehen bleiben, zu beachten, nahm er die Verfolgung auf.

Es war Instinkt, der ihn trieb, und ein halbes Leben Training. Zwei Blocks weiter hörte er einen Motor aufheulen und das Quietschen von Reifen. Er wusste, dass ihm die Beute entkommen war.

Er rannte trotzdem noch einen halben Block weiter, in der vagen Hoffnung, vielleicht noch einen Blick auf den Wagen werfen zu können. Als er anschließend zum Haus zurückkehrte, stand Dora mitten auf dem schmalen, gekiesten Parkplatz und zitterte wie Espenlaub.

»Gehen Sie rein.«

»Ihre Angst hatte sich inzwischen in Wut verwandelt. »Sie bluten im Gesicht«, bemerkte sie schnippisch.

»So?« Er tastete mit den Fingern über sein Kinn und spürte, wie sie feucht wurden. »Das war der Putz.« Dann fiel sein Blick auf die Hantel, die sie immer noch in der Hand hielt. »Was hatten Sie denn damit vor?«

»Wenn er Sie gepackt und zu Boden gerissen hätte, hätte ich ihm damit eins über den Schädel gehauen.« Sie spürte einen Anflug von Erleichterung, als er seine Pistole hinten in den Hosenbund steckte. »Hätten Sie nicht Verstärkung oder so was anfordern müssen?«

»Ich bin nicht mehr bei der Polizei.«

Doch, ist er schon, dachte sie. Sie mochte zwar nicht viel Erfahrung mit den Hütern des Gesetzes haben, aber seine Augen, seine Bewegungen, ja selbst seine Stimme verrieten den Cop. Wortlos folgte sie ihm zum Hintereingang des Ladens.

»Schon mal was von einer Alarmanlage gehört?«

»Ich besitze eine, und eigentlich sollte sie ein Höllenspektakel veranstalten, wenn jemand versucht, hier einzubrechen.«

Jeds Kommentar erschöpfte sich in einem undeutlichen Gemurmel, dann sah er sich nach besagter Anlage um.

»Mickey-Mouse-Kram«, meinte er verächtlich nach einem kurzen Blick darauf.

Dora zog einen Flunsch und strich sich eine Haarsträhne aus der Stirn. »Der Typ, der sie mir verkauft hat, war da anderer Meinung.«

»Der Typ, der sie Ihnen verkaufte, hat sich beim Installieren wahrscheinlich totgelacht. Um das Ding schadlos zu machen, braucht man nur ein paar Drähte durchzutrennen.« Zur Demonstration hielt er ein loses Kabelende hoch. »Und das Telefon hat er zur Sicherheit auch noch lahm gelegt. Am Licht muss er gesehen haben, dass oben jemand ist.«

»Dann war er ganz schön blöd, oder?« Ihre Zähne klapperten. »Ich meine, er hätte warten sollen, bis wir das Haus verlassen oder uns schlafen gelegt hätten. In aller Seelenruhe den Laden dann auszuräumen, wären ein Leichtes gewesen.«

»Vielleicht hat er es eilig gehabt. Haben Sie nicht einen Mantel oder so was? Ihre Nase ist schon ganz rot.«

Beleidigt rubbelte sie an ihrer Nasenspitze herum. »Wie töricht, dass ich nicht daran gedacht habe, meinen Pelz umzulegen. Was war das für ein Geräusch, bevor Sie zu dem heroischen Sprung die Treppe hinunter ansetzten? Hat sich angehört wie platzende Luftballons.«

114

»Ein Schalldämpfer.« Jed kramte in seiner Hosentasche nach Kleingeld.

»Schalldämpfer?«, quiekte sie und griff entsetzt mit beiden Händen nach seinem Arm. »Wie in einem Gangsterfilm? Er hat auf Sie geschossen?«

»Ich glaube nicht, dass das persönlich gemeint war. Haben Sie einen Vierteldollar einstecken? Wir sollten den Einbruch melden.«

Sie ließ seinen Arm los. Die gesunde Farbe, die die Kälte auf ihre Wangen gemalt hatte, verblasste zusehends. Jed beobachtete, wie ihre Pupillen immer größer wurden.

»Wenn Sie mir jetzt auch noch in Ohnmacht fallen, werde ich wirklich sauer.« Er packte sie am Kinn und schüttelte ihren Kopf. »Es ist vorbei. Der Typ ist weg. Okay?«

»Ihr Gesicht blutet«, meinte sie.

»Das sagten Sie bereits.«

»Er hätte Sie erschießen können.«

»Und ich hätte mich heute Abend mit einer exotischen Tänzerin vergnügen können. Ich sage das nur, um Ihnen den Unterschied zwischen ›hätte können‹ und der Realität deutlich zu machen. Was ist jetzt, haben Sie Kleingeld oder nicht?«

»Ich weiß nicht …« Automatisch fuhren ihre Hände in die Taschen. »Aber ich habe ein Telefon im Wagen.«

»Das hätte ich mir denken können.« Er ging auf den Lieferwagen zu und schüttelte den Kopf, als er die Tür unverschlossen fand.«

»Da ist nichts Wertvolles drin«, wehrte sie sichtlich eingeschnappt ab. Er war froh zu sehen, dass die Farbe in ihre Wangen zurückkehrte.

»Außer einem Autotelefon und einer Stereoanlage. Noch dazu so einer.«

»Die war ein Geschenk.« Sie verschränkte die Arme vor der Brust.

»Natürlich.« Er tippte Brents Nummer ein und musste nur zwei Klingelzeichen abwarten.

»Frohe Weihnachten!«

»Dir auch, Mary Pat.« Im Hintergrund hörte er die Kinder aus vollem Halse ›Gingle Bells‹ gröhlen. »Ich muss kurz mit Brent sprechen.«

»Jed, du rufst doch nicht etwa an, um eine lahme Entschuldigung für morgen anzubringen? Ich sage dir, ich schleppe dich höchstpersönlich hierher.«

»Nein, natürlich komme ich.«

»Punkt zwei!«

»Ich werde mir den Wecker stellen. MP, ist Brent in der Nähe?«

»Steht neben mir und produziert seine weltberühmte Wurstfüllung. Warte, ich gebe ihn dir.«

Im Hörer schepperte es. Statt ›Jingle Bells‹ gröhlten die Kinder jetzt ›Rudolf‹. ›Hallo Captain. Frohe Weihnachten und so weiter.‹

»Tut mir Leid, dass ich deine Kochorgie unterbrechen muss, aber wir haben hier ein kleines Problem.«

»Jody, lass die Katze in Ruhe! Ein Problem, sagtest du?«

»Ein Einbruch. Im Laden unter meinem Apartment.«

»Ist was gestohlen worden?«

»Das muss die Besitzerin erst noch feststellen.« Er fuhr sich mit den Fingern durch sein vom Wind zerzaustes Haar und streifte Dora, die frierend neben ihm stand mit einem raschen Blick. »Mir sind ein paar Kugeln um die Ohren geflogen. Freundlicherweise schallgedämpft.«

»Scheiße! Hat er dich erwischt?«

»Nein.« Er befühlte seine Wange. Die Wunde blutete kaum mehr. »Der Bursche hatte seinen Wagen um die Ecke geparkt. Dem Klang nach war das keine Familienkutsche.«

»Bleib, wo du bist, Kimo Sabe. Ich benachrichtige das Revier und mach' mich sofort auf die Socken.«

»Danke dir.« Jed sah Dora an, die von einem Bein aufs andere hüpfte, um sich aufzuwärmen. »Vielleicht sollten Sie den Brandy wieder ausgraben. Kommen Sie.« Er nahm sie an der Hand, und weil ihre Finger eiskalt waren, rieb er sie warm, während sie in den Laden gingen. »Dabei können Sie sich gleich einmal umsehen, ob etwas fehlt.«

»Ich darf nichts anfassen, ist das richtig?«

»Sie schauen sich wohl öfter Krimis an, wie?«

»Können wir die Tür zumachen?«

»Klar.« Er warf einen kurzen Blick auf das aufgestemmte Schloss, bevor er die Tür zuzog. Nachdem er das Licht angeknipst hatte, blieb er ganz still stehen und ließ die Umgebung auf sich wirken.

Das Lager war zum Bersten voll. An einer Wand türmten sich Schachteln vom Boden bis unter die Decke. In den Regalen stapelte sich ohne jedes erkennbare System unausgepackte Ware. Und die zwei Aktenschränke, die in einer Ecke Platz gefunden hatten, waren ebenfalls mit Kartons vollgestellt.

Der Schreibtisch hingegen wirkte in dem heillosen Durcheinander wie eine Insel der Klarheit. Außer einem Telefon, einer Lampe, einem Krug mit Kugelschreibern und Bleistiften und einer Beethoven-Büste, die als Briefbeschwerer diente, war er leer.

»Es fehlt nichts«, sagte sie.

»Wie können Sie das so schnell feststellen?«

»Ich kenne mein Inventar. Sie müssen ihn verscheucht haben.«

Sie ging zu einem der Regale hinüber und tippte auf einen Gegenstand, der für Jed wie eine alter Parfumflakon aussah. »Daum Nancy, gut und gern einen Tausender wert. Und dieser Castelli-Teller auch so um den Dreh. Und das da …« Sie nahm eine Schachtel heraus, auf der das Bild eines Kinderspielzeugs klebte.

»Nando? Ein Roboter?«

»Originalverpackt legt ein Sammler dafür zweitausend Dollar auf den Tisch.« Sie schniefte und stellte die Schachtel zurück.

»Und das lassen Sie alles hier so einfach rumliegen?«

»Ich habe eine Alarmanlage. Hatte eine …«, verbesserte sie sich. »Schließlich kann ich den ganzen Krempel nicht jeden Abend in einen Safe einschließen.«

»Und was ist mit Bargeld?«

»Bis auf hundert Dollar Wechselgeld bringen wir die Einnahmen jeden Abend zur Bank.« Sie ging zum Schreibtisch und zog die oberste Schublade auf, nahm einen Umschlag heraus und zählte die Scheine nach. »Alles da. Wie gesagt, Sie müssen ihn verscheucht haben.« Als sie sich umdrehte, hörte sie Papier unter ihren Füßen rascheln. Sie bückte sich und hob einen Zettel auf. »Ein Kreditkartenbeleg«, murmelte sie. »Komisch, der gehört eigentlich in die Ablage.«

»Lassen Sie mich mal sehen.« Er schnappte ihn sich »Timothy O'Malley. Fünfundfünfzig Dollar plus Steuern, ausgestellt am einundzwanzigsten Dezember. Für Salzfässschen?«

»Seine Frau sammelt sie.«

»Fünfhundert Dollar für ordinäre Salzstreuer?«

»Fässchen«, korrigierte Dora und riss ihm die Quittung aus der Hand. »Dummkopf.«

»Halsabschneider.«

Mit grimmiger Miene drehte sie sich um, um den Beleg abzuheften. »Sehen Sie sich das an! In den Schubladen herrscht das reinste Chaos.«

Er blieb hinter ihr stehen und schaute ihr über die Schulter. »Und das sollte wohl nicht so sein?«

»Natürlich nicht. Meinen Papierkram halte ich peinlichst in Ordnung. Habe nämlich vor dem Finanzamt genauso viel Respekt wie jeder gute amerikanische Bürger. Und Lea hat erst letzten Monat eine ganze Woche damit verbracht, die Ablage auf den neuesten Stand zu bringen.«

»Demnach hatte er es also auf Ihre Buchhaltung abgesehen. Was ist denn in den Ordnern drin?«

»Nichts von Wert. Belege, Rechnungen, Adressen – und Inventurlisten, Lieferscheine. Der ganze Papierkram eben, den ein Geschäft so mit sich bringt.« Verdutzt fuhr sie sich durchs Haar. Die Sterne an ihren Ohren glitzerten im Schein der Lampe. »Wer könnte so viel Interesse an meinen Büchern haben, dass er deswegen einen Einbruch riskiert? Ein verrückter Finanzbeamter vielleicht? oder ein psychopathischer Buchhalter?«

Kaum hatte sie das ausgesprochen, biss sich Dora auch schon auf die Zunge.

»Wie hieß dieser zudringliche Kerl neulich abends nochmal?«

»Machen Sie sich nicht lächerlich. Andrew würde so etwas niemals tun.«

»Sagten Sie nicht, er sei Buchhalter oder so was Ähnliches?«

»Ja, schon, aber ...«

»Und Sie haben ihn gefeuert?«

»Das ist doch kein Grund, um ...«

»Andrew, und weiter?«

Sie holte tief Luft. »Ich schreibe Ihnen später seinen Namen, die vollständige Anschrift und Telefonnummer auf. Damit können Sie Ihre Polizistenseele füttern, ihn nach Herzenslust verhören und sein Alibi für die fragliche Nacht zerpflücken.«

»Ich bin kein Cop.«

»Wenn jemand aussieht wie ein Cop, redet wie ein Cop« – sie schnüffelte an ihm –, »riecht wie ein Cop...«

»Wie riecht denn ein Cop Ihrer Erfahrung nach?«

Sie schob trotzig das Kinn vor. »Nach Waffenöl und Schweiß. Apropos, Sie schmecken auch wie ein Cop.«

»Aha. Den Geschmack müssen Sie mir genauer erklären.«

»Lassen Sie mich überlegen.« Dora musterte betont interessiert seinen Mund und hob dann langsam wieder den Blick. »Selbstbewusst, autoritär und ein bisschen gemein.«

»Ich kann noch viel gemeiner sein.« Er machte einen Schritt auf sie zu, so dass sie zwischen ihm und dem Aktenschrank gefangen war.

»Ja, das weiß ich bereits. Habe ich Ihnen eigentlich schon von meinen Autoritätsproblemen erzählt? Die reichen zurück bis in meine Grundschulzeit, als ich gegen den Willen von Mrs. Teeswarthy in der nachmittäglichen Studierstunde immer Rabatz machte.«

Er kam noch ein wenig näher. »Nein, haben Sie nicht.« Kein Waffenöl- und Schweißgeruch, stellte er fest. Der ganze Raum schien von Doras Duft erfüllt zu sein, von diesem heißen, würzigen Duft, der einem Mann den Mund wässrig machte.

»Ich habe aber meine Probleme damit«, beharrte sie.

»Das ist einer der Gründe dafür, dass ich mich selbststän-dig machte. Ich hasse es, Anordnungen entgegenzuneh-men.«

»Darin sind Sie auch schlecht. Ich sagte Ihnen doch, Sie sollten oben bleiben.«

»Ich hatte aber dieses unbezwingbare Bedürfnis, mich an den Mann mit der Knarre zu halten.« Sie hob ihre Hand und strich mit dem Daumen über den blutigen Kratzer auf seiner Wange. »Sie haben mir Angst eingejagt.«

»Nein, Sie haben erst Angst gekriegt, als alles vorbei war.«

»Stimmt gar nicht. Ich hatte die ganze Zeit über schreck-liche Angst. Und Sie?«

»Keine Spur. Ich liebe es, wenn die Leute auf mich schie-ßen.«

»Dann sind das wahrscheinlich nur die Nachwirkun-gen, die wir spüren.« Sie legte die Arme um seinen Nacken und fand, dass er sich gut anfühlte. »Von dem Schock, mei-ne ich.«

»Ich sagte Ihnen schon einmal, dass Sie mich in Ruhe lassen sollen.«

»Dann schubsen Sie mich doch weg.« Sie lachte ver-schmitzt. »Wag es bloß nicht.«

Sie lächelte noch immer, als sein Mund sich auf ihren senkte. Dora rechnete damit, dass er grob werden würde, und war gewappnet. Sein Körper presste sie gegen den Aktenschrank, wobei sich die Griffe in ihren Rücken bohr-ten. Da sie aber damit beschäftigt war, lustvoll zu stöhnen, konnte sie sich darum nicht kümmern.

Jed wusste, dass er einen schweren Fehler machte, wusste es bereits, als er sich an ihrem Duft berauschte. Aber sie hatte ihn schon längst am Haken, und jetzt zap-pelte er wie ein Fisch an der Leine. Sie ließ sich taumelnd gegen seine Brust fallen, gab leise, erregte und irgendwie überraschte Laute von sich, die tief aus ihrer Kehle kamen. Und sie schmeckte – Gott, sie schmeckte genauso heiß und süß wie sie duftete.

Es war lange her, sehr, sehr lange her, seit er es sich erlaubt hatte, einen Kuss so zu geniessen. Er wich zurück, wollte wieder klar im Kopf werden, doch sie vergrub ihre beiden Hände in seinem Haar und zog ihn an sich.

»Mehr«, murmelte sie, während sie seinen Mund leidenschaftlich erforschte. »Ich will noch mehr.«

Bei ihm konnte sie mehr bekommen. Das wusste sie. Bei ihm würde kein fader Nachgeschmack von Halbheiten zurückbleiben. An ihm konnte sie sich laben und immer noch mehr bekommen.

Einen wilden Augenblick lang überlegte Jed, ob er sie gleich hier nehmen sollte, auf dem Fußboden des voll gestopften, staubigen Lagerraums, wo noch der Pulvergeruch in der Luft hing. Wahrscheinlich hätte er es getan, wahrscheinlich hätte er auch gar keine andere Wahl gehabt, doch er war noch so weit bei Sinnen, dass er das Rütteln an der Tür oben und das Knirschen der Kieselsteine unter den Autoreifen hörte.

»Die Polizei ist da.« Er fasste Dora an den Schultern und schob sie entschlossen zur Seite. In seinen Augen las sie das, was er standhaft verleugnete. Er war wieder ein Cop. »Warum gehst du nicht rauf und setzt Kaffee auf, Conroy? Es sieht nicht so aus, als ob du heute noch zu deinen Partys kommen wirst.«

Sie starrte auf die Treppe und wandte ihm den Rücken zu, als sie murmelte. »Und das war's?«

»Ja.« Er sehnte sich nach den Zigaretten, die er oben hatte liegen lassen. »Das war's.«

7. Kapitel

Dora trank Brandy, Jed Kaffee. Typisch Cop, dachte sie gereizt die trinken nie im Dienst – zumindest nicht im Fernsehen. Sie beschloss, ihn genauso wenig zu beachten, wie er sie, so machte sie es sich auf der Couch gemütlich und betrachtete versonnen die fröhlichen Lichter an ihrem Christbaum.

Jeds Kollegen fand sie nett. Lieutenant Brent Chapman, mit seinen verknautschten Hosen, dem bekleckerten Schlips und dem unkomplizierten Grinsen. Er roch intensiv nach Bratwürsten und Zimt und lächelte sie aus freundlichen braunen, hinter einem dicken Horngestell verborgenen Augen an. Seine Ausstrahlung wirkte so beruhigend auf sie, dass Dora sich unversehens in der Küche wiederfand, um Kaffee zu kochen und einen Teller mit Weihnachtsplätzchen herzurichten. Es schien, als ob sie liebe Gäste bewirtete und nicht in eine polizeiliche Vernehmung verwickelt war, bei der es um Einbruch verbunden mit Schusswaffen ging.

Brent stellte seine Fragen langsam und überlegt und schuf dabei fast eine entspannte Atmosphäre.

Nein, soweit sie sehen konnte, wurde nichts gestohlen.

Nein, in der Ablage befand sich nichts von finanziellem Wert.

Ja, sie hatte in den letzten Wochen sehr viele Kunden, aber nein, sie konnte sich nicht erinnern, dass sich jemand auffällig benommen oder ungewöhnliche Fragen gestellt hatte.

Feinde? Diese Frage löste ein kurzes Lachen bei ihr aus. Außer Marjorie Bowers keine.

»Bowers?« Brent spitzte sofort die Ohren, war bereit, Notizen zu machen.

»Wir waren beide auf die Hauptrolle in einem Theaterstück scharf, das in der Schule aufgeführt werden sollte.

Erstes Jahr College. Die *West Side Story* stand auf dem Programm. Beim Vorsprechen habe ich sie ausgestochen, deshalb hat sie das Gerücht in Umlauf gesetzt, ich sei schwanger.«

»Ich glaube nicht, dass das …«

»Da schließlich mein guter Ruf auf dem Spiel stand, blieb mir keine andere Wahl«, fuhr Dora eifrig fort. »Ich habe sie auf dem Heimweg aus dem Hinterhalt überfallen.« Sie warf Jed einen kurzen Blick zu, der angewidert auf den Teller mit angetrockneter Fleischpastete starrte, der auf ihrer Anrichte, stand.

»Das ist sehr interessant, aber ich glaube nicht, dass es etwas mit dem Einbruch zu tun hat.«

»Nun, sie hat mich aus tiefster Seele gehasst.« Dora griff nach ihrem Brandyglas und zuckte die Achseln. »Es war ja auch in Toledo. Nein, falsch. Junior Year muss in Milwaukee gewesen sein. Wissen Sie, wir sind damals alle naselang umgezogen.«

Brent lächelte. Jeds Vermieterin war ihm sehr sympathisch. Den meisten Leuten, die gerade einen Einbruch und eine Schiesserei erlebt hatten, ging jeglicher Sinn für Humor ab. »Eigentlich denke ich mehr an Feinde aus jüngerer Zeit.«

»Erzähl ihm doch von dem Erbsenzähler«, schlug Jed vor.

»Du meine Güte, Andrew würde nie …«

»Dawd«, fiel ihr Jed ins Wort. »Andrew Dawd. War bis vor einigen Tagen Doras Buchhalter. Als er Anstalten machte, sich ihr unsittlich zu nähern, verpasste sie ihm ein blaues Auge und gab ihm den Laufpass.« Er schickte ein niederträchtiges Grinsen zu Dora hinüber. »Und einen Tritt in den Hintern.«

»Verstehe.« Brent kritzelte den Namen auf seinen Block. Ihm war nach einem Lächeln zumute, aber das Funkeln in Doras Augen hielt ihn davon ab. »Hat er mit irgendwelchen Vergeltungsmaßnahmen gedroht?«

»Aber nein, wo denken Sie hin? Gib mir eine Zigarette, Skimmerhorn.«

Er zündete sie für sie an. »Sauer oder gestresst?«, erkundigte er sich interessiert.

»Das überlasse ich deiner Beurteilung.« Sie schnappte sich die Zigarette und nahm einen tiefen Zug. »Die heftigste Reaktion, die ich mir bei ihm vorstellen könnte, ist die, dass er nach Haus gerannt ist und sich bei seiner Mutter ausgeheult hat.«

»Es kann nichts schaden, wenn wir uns kurz mal mit ihm unterhalten«, regte Brent vorsichtig an. »Wo können wir ihn erreichen?«

Dora bedachte Jed mit einem vernichtenden Blick. »Dawd, Dawd und Goldstein, eine Steuerkanzlei Ecke Sixth und Market Street.«

Brent nickte und nahm sich eines von den Weihnachtsplätzchen, die Dora auf einem hübschen Teller angerichtet hatte. »Auch eine Art, den Heiligen Abend zu verbringen, wie?«

»Ich hatte andere Pläne.« Dora zwang ein Lächeln auf ihr Gesicht. »Tut mir Leid, dass ich Sie unterm Christbaum weggeholt habe.«

»Ach, das gehört zum Job dazu. Prima Plätzchen.«

»Danke. Ich gebe Ihnen ein paar mit. Sie haben doch Kinder, nicht wahr?«

»Drei.« Ganz automatisch griff er in die Gesäßtasche und förderte seine Geldbörse zutage, die auch Kinderfotos enthielt. Während Jed die Augen verdrehte und durchs Zimmer schlenderte, erhob Dora sich höflich, um die Bilder zu betrachten. Sie zeigten zwei Mädchen und einen Jungen, die für den Schulfotografen geschniegelt und gescheitelt worden waren.

»Die Älteste sieht Ihnen sehr ähnlich«, bemerkte Dora.

»Ja, das ist wahr. Sie heißt Charly. Ist schon zehn.«

»Ich habe eine Nichte, die auch gerade zehn geworden ist. Fünfte Klasse.«

»Charly ist ebenfalls in der Fünften. Drüben in der Bester-Schule in Landsdowne.«

»Da geht Missy auch hin.« Unter Jeds ungeduldigem Blick strahlten sich sein Freund und Dora erfreut an. »Ich wette, die beiden kennen sich.«

»Das wird doch nicht etwa Missy Bradshaw sein? Sie

hat einen kleineren Bruder, Richie heißt er, und ist eine echte …«

»Nervensäge, ja, da haben Sie Recht.«

»Missy war schon oft bei uns zu Besuch. Sie wohnt nur einen Block weiter. Ihre Eltern und wir sind in derselben Fahrgemeinschaft.«

»Möchtet ihr zwei gern allein sein?«, erkundigte sich Jed etwas ungnädig.

Die beiden warfen Jed einen mitleidigen Blick zu. »Sagen Sie, Brent, ist er immer so kratzbürstig«

»Mehr oder minder.« Er steckte seine Geldbörse ein und stand auf. Auf seinem Hemd waren Kekskrümel und auf seiner Brille Fingerabdrücke. Dora fand ihn richtig nett. »Aber er war der beste Kollege, mit dem ich je zusammengearbeitet habe. Mit ihm als Partner können Sie sich ganz sicher fühlen.«

»Danke. Ich packe ihnen noch rasch ein paar Kekse ein.« Jed bewusst übergehend, verschwand sie in der Küche.

»Das ist vielleicht eine Vermieterin!«, meinte Brent und wackelte anerkennend mit den Augenbrauen.

»Krieg dich wieder ein. Wann, glaubst du, weißt du etwas über die Kugel, die du aus dem Putz gekratzt hast?«

»Mensch, Jed, es ist Weihnachten. Gib den Jungs vom Labor ein paar Tage. Wir werden auch die Fingerabdrücke überprüfen, obwohl das bestimmt reine Zeitverschwendung ist.«

»Wenn er Profi genug ist, um einen Schalldämpfer zu verwenden, dann hat er bestimmt auch Handschuhe getragen.«

»Klug kombiniert.«

»Wie siehst du die …« Jed brach ab, als Dora mit einem in Alufolie eingeschlagenen Teller aus der Küche kam.

»Vielen Dank, Miss Conroy.«

»Dora. Sie lassen mich doch wissen, wenn Sie etwas in Erfahrung gebracht haben?«

»Darauf können Sie sich verlassen. Machen Sie sich keine Sorgen. Jed wird sich um alles weitere kümmern.«

»Fein.« Sie warf Jed einen langen, eisigen Blick zu. »Dann kann ich ja beruhigt schlafen.«

»Also dann. Frohe Weihnachten.«

»Ich bring' dich raus.« Jed nickte Dora zu. »Bin gleich zurück.«

Auf dem Weg durch den Hausflur naschte Brent noch ein Plätzchen. »Wie lange wohnst du jetzt hier, eine Woche?«

»Fast.«

»Und da hast du sie schon so vergrault?«

»Naturtalent. Hör mal, warum, meinst du, bricht ein Profi in einen Antiquitätenladen ein und wühlt sich durch die Buchhaltung?«

»Das ist die Hundert-Dollar-Frage.« Brent trat durch die Hintertür und hielt die Luft an, als ihm der eiskalte Wind entgegenschlug. »Da steht eine Menge wertvoller Krempel rum.«

»Aber auf den hatte er es nicht abgesehen, oder?«

»Kam wahrscheinlich nicht dazu. Du hast ihn dabei gestört.«

»Er sieht in der Wohnung über dem Laden Licht brennen und kappt die Telefonleitung. Er legt die Alarmanlage lahm. Aber das Daum Nancy lässt ihn kalt.«

»Das was?«

»Vergiss es«, meinte Jed säuerlich. »Er macht sich als Erstes über die Aktenordner her.«

»Weil er etwas sucht.«

»Genau.« Jed zupfte eine Zigarette aus der Packung. »Und, hat er es gefunden? Und wonach sollte dieser Jemand in der Buchhaltung eines Ladens dieser Art suchen?«

»Quittungen?«, schlug Brent vor, als er seine Wagentür aufsperrte.

»Inventurlisten, Namen, Adressen.«

»Du kannst zwar deine Uniform an den Nagel hängen, bleibst aber im Grunde deines Herzens trotzdem ein Cop.«

»Entschuldige, dass ich ein persönliches Interesse für den Kerl bekunde, der auf mich geschossen hat.«

»Kann ich dir nicht verübeln. Wir vermissen dich, Captain.«

Für Sekunden blitzte in Jeds Augen so was wie Bedauern auf. »Mein Job verfolgt mich offenbar bis in meine Bude hier.«

»Hör mal, Jed …«

»Spar's dir.« Er war nicht in der Stimmung für Belehrungen, aufmunternde Worte oder Schuldeingeständnisse. »Ruf mich an, wenn was durchkommt.«

»Du wirst der Erste sein.« Brent stieg in seinen Wagen, um gleich darauf sein Fenster herunterzukurbeln. »Ach, und pass auf deinen Allerwertesten auf. Ich könnte mir vorstellen, dass die Lady dir demnächst einen Tritt verpasst.«

Jeds Antwort war ein verächtliches Knurren. Dann ging er ins Haus zurück. Er wollte sich vergewissern, dass Dora ihre Tür ordentlich verriegelte, bevor er sich nochmal unten im Laden umsah. Aus rein nachbarschaftlichem Interesse wohlgemerkt, wie er sich einredete.

»Sind alle wieder abgerückt«, berichtete er Dora. »Du kannst dich auf Brent verlassen. Er ist übergründlich.«

»Prima. Setz dich.«

»Ich hab' noch was zu erledigen. Schließ deine Tür ab.«

»Setz dich«, wiederholte sie und deutete auf einen Stuhl. »Ich will noch deinen Schmiss versorgen.«

»Das kann ich selbst.«

»Bist du denn mit dem D-Zug durch die Kinderstube gerast, Skimmerhorn? Wenn ein Mann sich beim Verteidigen einer Dame eine Verletzung zuzieht, so ist diese moralisch dazu verpflichtet, sofort ein Antiseptikum zu zücken. Wenn ich einen Unterrock tragen würde, so müsste ich ihn jetzt für Binden in Stücke reißen.«

Jed gönnte sich einen weiteren Blick auf ihren glitzernden Overall. »Was trägst du da drunter?«

»Nur nackte Haut.« Zielstrebig schob sie ihn auf einen Stuhl. »Jetzt musst du sagen: ›Aber ich bitte Sie, gnädige Frau, es ist doch nur ein Kratzer.‹«

»Ist es ja auch.« Er schenkte ihr ein dünnes Lächeln. »Aber es hätte schlimmer kommen können.«

»Ohne Zweifel.« Ihr Anzug raschelte leise, als sie sich

neben ihn kniete und die Wunde mit einem bereitgelegten Wattebausch abtupfte. »Meine Schwester würde sagen, du hättest dein Auge verlieren können. Irgendwie hat es Lea dauernd mit ausgestoßenen oder ausgestochenen Augen. In dieser Hinsicht ähnelt sie unserer Mutter, die rechnet auch immer mit dem Schlimmsten.« Dora tunkte einen zweiten Wattebausch in eine Flüssigkeit und sagte fröhlich: »Das kann jetzt ein bisschen brennen.«

Als der kleine Kratzer tatsächlich Feuer fing, packte Jed ihr Handgelenk. »Verflucht nochmal, was ist das?«

»Alkohol. Damit reinigt man bekanntlich Wunden.«

»Ja, bis auf die Knochen«, knurrte Jed.

»Komm, stell dich nicht so wehleidig an, Skimmerhorn. Halt still.«

Er zog eine Grimasse, als sie wieder mit dem Wattebausch anrückte. »Vorhin, als du hysterisch schreiend die Treppe heruntergestürzt bist, hast du mich beim Vornamen genannt.«

»Ich schreie nie hysterisch.«

»Vorhin aber schon.« Er griente hinterhältig. »Jed! Jed! Oh, Jed!«

Dora ließ den Wattebausch in eine flache Emailschüssel fallen. »Da hatte ich auch die Befürchtung, du würdest in ein offenes Messer rennen. Leider habe ich mich getäuscht.«

Sie legte ihren Daumen an sein Kinn und drehte seinen Kopf zur Seite, um die Wunde zu inspizieren. »Willst du ein Heftpflaster?«

»Nein.« Dann leuchteten seine Augen auf einmal. »Wirst du meine Verletzung nicht küssen?«

»Nein.« Sie stand auf, nahm die Schüssel in die Hand, setzte sie aber gleich wieder ab. »Hör mal, ich muss dich was fragen. Die Antwort kenne ich allerdings schon. Du wirst sagen, ich sollte mich wegen so einer komischen Geschichte nicht aufregen. Aber ich frage trotzdem: Glaubst du, er kommt nochmal zurück?«

Jed studierte ihr Gesicht. Da war ein Ausdruck in ihren Augen, den sie bis jetzt meisterhaft verborgen gehalten hatte. Doch es gab wenig, was er tun konnte oder wollte, um ihn zu vertreiben.

»Das weiß ich nicht«, erwiderte er lahm.

»Großartig.« Dora schloss die Augen und holte tief Luft. »Ich hätte mir die Frage sparen können. Wenn du schon nicht weißt, was der Typ hier gesucht hat, wie sollst du dann wissen, ob er nochmal wiederkommt oder nicht, stimmt's?«

»Ja, in etwa.« Er hätte lügen können, überlegte Jed, beunruhigt über die Blässe, die jetzt wieder ihre Wangen überzog. Es wäre nicht so schwierig gewesen, sie so weit zu beruhigen, dass sie sich einigermaßen friedlich hätte schlafen legen können. Sie sah sehr müde aus.

»Schau.« Er stand auf und überraschte sie beide damit, dass er ihr eine Haarsträhne hinters Ohr strich, um dann sofort die Hand zurückzuziehen und in seiner Hosentasche zu vergraben. »Schau«, begann er erneut. »Ich glaube nicht, dass du heute Nacht noch irgendetwas zu befürchten hast. Was du jetzt brauchst, ist eine dicke Mütze Schlaf. Lass die Cops ihre Arbeit tun.«

»Hm.« Es lag ihr auf der Zunge, ihn zu bitten, dazubleiben. Allerdings war der Grund für diese Bitte nur zu einem geringen Teil die Angst, allein zu sein. Sie schüttelte den Kopf und rieb sich dabei die Arme, um sie zu wärmen. »Morgen werde ich nicht hier sein, ich bin bei meiner Schwester.«

»Fein. Schließ hinter mir ab, okay?«

»Darauf kannst du dich verlassen.« Sie hatte die Hand auf der Klinke, als er in den Flur hinaustrat. »Du auch. Schließ du auch ab, meine ich.«

»Klar.« Er wartete, bis sie die Tür zugemacht und verriegelt hatte. Er musste grinsen, als er das unverwechselbare Geräusch eines Stuhls hörte, der unter die Türklinke geschoben wurde. Gute Idee, Conroy, dachte er und ging hinunter in den Lagerraum, um sich dort noch einmal umzusehen.

In einem hübschen, von Eichen umgebenen Stadthaus aus der Gründerzeit saß eine wohlhabende Witwe mit einem

Glas Sherry vor dem Fernseher und sah sich Bing Crosby's White Christmas an.

Als sie leise Schritte hinter sich hörte, hob Mrs. Lyle lächelnd eine Hand. »Komm, Muriel, setz dich und schau dir die Sendung mit an«, forderte sie ihre alte Haushälterin auf. »Dieser Crosby ist immer wieder hinreißend.«

Sie schrie nicht auf, als der Schlag sie traf. Das kostbare Kristall zerbarst an der Couchtischkante und ergoss seinen blutroten Inhalt über den Aubusson-Teppich. Durch den Nebel von Schmerzen, der sie bewegungsunfähig gemacht hatte, hörte sie das Splittern von Glas und eine wütende männliche Stimme, die immer wieder brüllte: »Wo ist der Hund? Wo ist dieser Scheißhund?« Dann verlor sie das Bewusstsein.

Es war kurz vor Mitternacht, als DiCarlo mit dem Lift zu seinem Apartment in Manhatten hinauffuhr, beladen mit Kartons, die er in einem Spirituosenladen geklaut hatte. Welch ein Glück, dass er den Kaufbeleg für den blöden Köter gefunden hatte, dachte er und überlegte, wen oder was die Kugeln, die er in diesem Trödelladen abgefeuert hatte, wohl getroffen hatten.

Kein Grund zur Aufregung, beruhigte er sich. Die Waffe war nicht registriert. Außerdem machte er zweifellos Fortschritte.

Er verlagerte das Gewicht der Kartons in seinem Arm, als er aus dem Lift in den Flur hinaustrat. Er trug den bronzenen Adler, die Freiheitsstatue aus Gips und den Porzellanhund.

Und ein Rebhuhn in einem Birnbaum, dachte er und schmunzelte vergnügt in sich hinein.

»Also …« Dora knabberte an einer rohen Karotte, während Lea die Weihnachtsgans umdrehte. »Jed nimmt die Verfolgung von diesem Einbrecher auf, wild mit seiner Pistole herumfuchtelnd, indes ich dastehe wie eine typische Hollywood-Heroine und die Hände vor der Brust ringe. Gibt es irgendwo einen Dip für die Karotten?«

»Im Kühlschrank. Gott sei Dank, dass dir nichts passiert ist!« Etwas überfordert von den zahlreichen Töpfen, die auf dem Ofen standen, dem Geschrei der Kinder, die zwischenzeitlich das Wohnzimmer auf den Kopf stellten, und der berechtigten Angst, ihre Mutter könnte jeden Augenblick in die Küche gerauscht kommen, durchlief Lea ein kalter Schauder. »Schon seit Jahren mache ich mir Sorgen, dass bei dir mal jemand einbricht. Schließlich bin ich es ja auch gewesen, die dich zu dieser Alarmanlage überredet hat, erinnerst du dich?«

»Na, die hat einen Dreck genützt.« Dora tunkte einen Broccolistrunk in eine Schüssel mit Sauerrahm-Schnittlauch-Dressing. »Willst du wissen, wie Jed das gute Stück bezeichnet hat? Als Mickey-Mouse-Spielzeug.«

»Also wirklich!« Lea hielt im Rühren inne und schnalzte unwillig mit der Zunge. »Johns Cousin Ned sagte, es sei die modernste Anlage, die es momentan auf dem Markt gäbe.«

»Johns Cousin Ned ist ein Trottel. Köstlich, dein Dressing.« Sie probierte es mit einem Blumenkohlröschen. »Wie auch immer, die Cops kamen, wirbelten durch den Laden – Dad hätte die Schau genossen, die sie abgezogen haben – und stellten mir all die typischen Fragen.« Die Episode mit den Schüssen hatte Dora wohlweislich ausgelassen. Eignete sich ihrer Meinung nach nicht als weihnachtliches Gesprächsthema. »Und dann hat sich herausgestellt, dass Jeds Exkollege ein Nachbar von euch ist.«

»Oh?« Lea biss sich auf die Zunge, als Dora sich über die kandierten Süßkartoffeln hermachte.

»Charly Chapmans Vater. Sie geht mit Missy in die gleiche Schule.«

»Charly?« Während sie in Gedanken die Freunde ihrer Tochter durchging, warf sie einen prüfenden Blick in den Topf. »Ach ja. Brent und Mary Pat. Wir fahren die Kinder abwechselnd zur Schule.«

»Das habe ich gehört.« Dora schenkte sich ein Glas Wein ein, den Lea auf die Bar gestellt hatte.

»Und jetzt kommt der erfreuliche Teil der Geschichte. Sie wollen Andrew verhören.«

»Du machst Witze! Andrew?«

»Gefeuerter Buchhalter übt Rache, indem er die Ablage der Ladenbesitzerin zerstört.« Dora zuckte grinsend die Achseln und reichte ihrer Schwester auch ein Glas Wein. »Als Tatmotiv ist es genauso einleuchtend wie jedes andere. Wann ist das Essen fertig?«

»In zwanzig Minuten. Warum bringst du nicht das, was von der Rohkostplatte noch übrig ist, inzwischen schon mal rüber? Wenn wir Mom noch eine Weile …« Sie brach ab und stieß einen leisen Fluch aus, als Trixie Conroy die Küche betrat.

Trixie trat immer auf – sei es auf der Bühne oder im Obstgeschäft an der Ecke. Für das schlichte Familiendinner hatte sie sich in einen blutroten, wallenden Kaftan mit Fransenbesatz an Ärmeln und Saum gehüllt, der sich dramatisch um ihre gertenschlanke Figur bauschte. Das knabenhaft kurzgeschorene Haar hatte die Farbe eines Feuermelders, zu der ihr dank hingebungsvoller Pflege und eines diskreten Liftings faltenloser, milchweißer Teint einen eindrucksvollen Kontrast bildete. Ein dichter schwarzer Wimperkranz umrahmte ihre schönen blauen Augen, die Lea geerbt hatte. Ihre vollen, weich geschwungenen Lippen leuchteten in einem frischen Rot.

Sie kam in die Küche gerauscht, und mit ihr ihr typischer Duft – der würzige Duft einer reifen Frau.

»Meine Goldstücke!« Ihre Stimme war nicht weniger dramatisch wie alles Übrige an ihr. »Wie herrlich, euch zwei Mädchen so einträchtig zusammen in der Küche arbeiten zu sehen.« Sie schnüffelte in Richtung Herd. »Oh, und diese Wohlgerüche. Ich hoffe doch inständig, dass du meine Fleischklößchen nicht zu heiß brätst, Ophelia.«

»Ah …« Lea warf Dora einen verzweifelten Blick zu, den diese mit einem Schulterzucken beantwortete. »Nein, natürlich nicht.« Lea hatte sie überhaupt noch nicht gebraten. Sie hatte sie unter die Spüle gestellt in der stillen Hoffnung, sie später an den Hund verfüttern zu können. »Mom, weißt du eigentlich, dass sie … ganz grün sind?«

»Natürlich.« Trixie schwebte mit flatternden Lidern um

den Ofen herum. »Ich habe sie dem Anlass zu Ehren einge-
färbt. Vielleicht sollten wir sie schon jetzt servieren, als Vor-
speise.«

»Nein. Ich finde, wir sollten …« In Ermangelung einer
einleuchtenden Ausrede, opferte Lea ihre Schwester.
»Mom, hast du schon gehört, dass in Doras Laden eingebrochen worden ist?«

»Verdammt, Lea.«

Lea ignorierte Doras gemurmelten Einwand. »Gestern
Abend.«

»Oh, mein armes Baby. Mein kleines Lämmchen.« Trixie
wirbelte durch die Küche, um Doras Gesicht zwischen ihre
schwer beringten Hände zu nehmen. »Bist du verletzt?«

»Nein, natürlich nicht.«

»Warum gehst du nicht mit Mom ins Wohnzimmer,
Dora? Macht es euch gemütlich. Dann kannst du ihr alles
erzählen.«

»Ja, unbedingt, komm!« Trixie packte Dora am Handgelenk und zerrte sie zur Tür. »Du hättest mich sofort anrufen sollen, als es passierte. Ich wäre einen Lidschlag später
bei dir gewesen. Ach, mein armer Liebling. Quentin! Quentin, unsere Tochter wurde ausgeraubt!«

Dora blieb gerade noch Zeit für einen vernichtenden
Blick über die Schulter, ehe sie mit sie mit dem totalen
Chaos konfrontiert wurde.

Das bradshawsche Wohnzimmer glich einem Schlacht-
feld. Der Fußboden war mit Spielzeug aller Art übersät,
was den Weg über den aus praktischen Erwägungen heraus in Erd- und Schmutztarben gehaltenen Teppichboden
zu einem Hindernislauf gestaltete.

Unter lautem Geschrei und Gekläffe verfolgte ein fern-
gesteuerter Polizeiwagen, gelenkt von dem hochkonzen-
trierten Michael, Mutsy, den Familienhund. Will sah in
dem dunklen Seidenhemd und der paisleygemusterten
Krawatte wie ein Pianospieler aus einem New Yorker
Nachtclub aus. Er unterhielt Missy mit frivolen Weisen auf
dem Klavier. John und Richie saßen mit glasigen Augen
vor einem Nintendo Spiel, und Quentin, der bereits ein be-

achtliches Quantum Eierpunsch intus hatte, betrachtete die Szene mit heiterer Gelassenheit.

»Quentin.« Trixies Bühnenstimme ließ alle Aktivitäten abrupt ersterben. »Unser Kind wurde bedroht.«

Will, der es nicht lassen konnte, hackte einen melodramatischen Riff in die Tasten. Dora sandte ihm einen missbilligenden Blick zu.

»Ich wurde nicht bedroht, Mom.« Dora klopfte ihrer Mutter beruhigend den Rücken, manövrierte sie in einen Sessel und drückte ihr ihr Weinglas in die Hand. »Im Laden wurde eingebrochen«, stellte sie richtig, »war aber keine große Affäre. Der Einbrecher hat nichts gestohlen. Jed hat ihn offenbar bei der Arbeit gestört.«

»Ich hatte schon so einen Riecher«, Quentin tippte sich an die Nase, »einen sechsten Sinn, wenn man so will. Kam es zu Handgreiflichkeiten?«

»Nein, Jed hat ihn verjagt.«

»Ich hätte ihn totgeschossen.« Richie sprang auf die Couch und feuerte eine imaginäre Pistole ab. »Hab' ich dir doch gesagt.«

»Ja, hast du.«

»Richie, du sollst doch nicht mit den Füßen auf die Möbel steigen«, wies ihn John zurecht. »Dora, hast du die Polizei verständigt?«

»Ja. Und es ist alles in den Händen von Philadelphias erster Garde.« Sie hob Richie vom Sofa. »Und der Ermittlungsbeamte ist der Vater von deiner allerbesten Freundin, Froschgesicht. Jody Chapman.«

»Jody Chapman!« Richie machte würgende Geräusche und griff sich an die Kehle.

»Sie lässt dich übrigens herzlich grüßen.« Dora klimperte mit den Augenlidern und machte einen Kussmund. Das darauf folgende Gestöhne und hysterische Geschrei überzeugten sie, dass die Krise vorüber war.

»Willowby!« Trixie brachte das Gebrüll mit einem Wort zum Schweigen und hob eine Hand. »Du wirst heute Nacht bei Isadora bleiben. Ich habe keine Ruhe, solange ich nicht weiß, dass ein Mann bei ihr wacht.«

»Mutter.« Dora nahm ihr das Glas aus der Hand. »Ich, und damit spreche ich auch im Namen aller Feministinnen, schäme mich für dich.«

»Soziale und politische Ideale verblassen, wenn es um das Wohl meines Kindes geht«, beschied Trixie ihr mit einem hoheitsvollen Nicken. »Will, du übernachtest bei deiner Schwester.«

»Kein Problem.«

»Verzeihung, aber ich habe damit ein Problem«, meldete sich Dora zu Wort. »In meinem Waschbecken klebt dann überall Rasierschaum, außerdem führt er stundenlange obszöne Telefonate mit seinen Angebeteten in New York.«

»Okay, dann telefoniere ich eben über meine Kreditkarte.« Will grinste. »Und wenn du nicht gelauscht hättest, wüsstest du gar nicht, dass sie obszön waren.«

»Eure Mutter hat Recht.« Quentin erhob sich und bediente sich noch einmal am Eierflip. Er sah heute richtig adrett aus mit seinem gestärkten Kragen und dem Bowler. Auf dem Rückweg ging er am Sessel seiner Frau vorbei und küsste ihr die Hand. »Ich werde morgen im Laden vorbeischauen und die Situation selbst in Augenschein nehmen. Zerbrich dir nicht dein hübsches Köpfchen, mein Schatz.«

»Apropos obszön«, brummelte Will und schnitt eine angewiderte Grimasse. »Was ist denn das für ein Gestank?«

»Essen«, verkündete Lea und rauschte durch die Küchentür. »Sorry, Mom, ich glaube, ich habe deine Fleischbällchen anbrennen lassen.«

Einen Block weiter versuchte Jed, sich durch die Tür zu mogeln. Er hatte das Weihnachtsessen bei den Chapmans wider Erwarten sehr genossen. Es war schwer, die Kinder nicht ins Herz zu schließen, die immer noch mit großen Augen vor ihren Geschenken saßen. Es war unmöglich, sich Düften von Tannengrün, Truthahn und Apfelkuchen zu entziehen und der simplen Tatsache, dass er Brent und Mary Pat wirklich mochte, als Menschen, als Paar. Und je länger er in ihrem gemütlichen Heim verweilte, desto unbehaglicher wurde ihm zumute. Ohne es zu wollen, begann er, diese gemütliche Famillienszene – ein knisterndes Kaminfeuer, Kinder, die auf dem Teppich spielten – mit seinen eigenen traurigen Kindheitserinnerungen an die Schulferien zu vergleichen. Er dachte an die lautstarken Wortgefechte, oder schlimmer noch, an das eisige Schweigen. Er erinnerte sich an das Jahr, als seine Mutter das ganze Geschirr an die Esszimmerwand geschleudert hatte; an das Jahr, als sein Vater mit seiner .25er die Kristalltropfen vom Wohnzimmerlüster geschossen hatte.

Und dann das Weihnachten, als Elaine nicht nach Hause gekommen war und erst zwei Tage später mit einer aufgeplatzten Lippe und einem blauen Auge auftauchte. War das in dem Jahr gewesen, als man ihm beim Klauen in Wanamaker's Supermarkt erwischt hatte? Nein, es war ein Jahr später gewesen, er war bereits vierzehn.

Ja, so sahen seine Kindheitserinnerungen aus.

»Nimm doch bitte ein bisschen von dem Essen mit nach Hause«, bat Mary Pat. »Ich weiß ja gar nicht, wohin damit.«

»Komm, sei ein Sportsfreund«, warf Brent ein und gab seiner Frau im Vorbeigehen einen Klaps, als er sich noch ein Bier holte. »Wenn du nichts mitnimmst, kriege ich einen Monat lang Truthahn vorgesetzt. Willst du auch noch ein Bier?«

Jed schüttelte den Kopf. »Nein, ich muss fahren.«

»So früh brauchst du nun auch wieder nicht aufzubrechen«, beschwerte sich Mary Pat.

»Ich bin schon den ganzen Tag hier«, erinnerte er sie, und weil sie einer der wenigen Menschen war, in dessen Gegenwart er sich wohlfühlte, gab er ihr einen Kuss auf die Wange. »Ich gehe jetzt nach Hause und schaue mal, ob ich noch eine Portion von dem Kartoffelbrei und der Soße wegputzen kann.«

»Dass du nie auch nur ein Gramm zunimmst, macht mich ganz neidisch«, meinte Mary Pat, während sie eine Tupperwaren-Dose randvoll mit Kartoffelbrei füllte. »Warum erzählst du mir nicht ein bisschen mehr von deiner hinreißenden Vermieterin?«

»Sie ist nicht hinreißend. Sie ist okay.«

»Brent sagt, sie ist hinreißend.« Mary Pat warf ihrem Mann einen argwöhnischen Blick zu. »Und überaus sexy dazu.«

»Das sagt er bloß, weil sie ihn mit ihren Plätzchen bestochen hat.«

»Wenn sie Lea Bradshaws Schwester ist, muss sie mehr als nur okay sein.« In einer anderen Dose verschwand ein großes Stück Pastete. »Lea ist eine tolle Frau – selbst am frühen Morgen mit einer Ladung zankender Kinder im Auto. Ihre Eltern sind Schauspieler, wusstest du das? Theater«, fügte sie hinzu, indem sie das letzte Wort ehrfürchtig betonte. »Ihre Mutter habe ich auch kennen gelernt.« Sie rollte viel sagend mit den Augen. »So wie die möchte ich auch aussehen, wenn ich mal älter bin.«

»Du siehst prima aus, Schatz«, versicherte ihr Brent.

»Prima, sagt mein lieber Mann.« Kopfschüttelnd drückte Mary Pat den Deckel auf die Dose. »Er sagt nicht etwa hinreißend oder gar sexy.«

»Dann sag ich es dir.«

»Danke, Jed. Warum kommst du mit ihr nicht mal zum Essen bei uns vorbei? Oder auf einen Drink?«

»Ich zahle meine Miete an sie, ansonsten habe ich nichts mit ihr zu tun.«

»Na, immerhin hast du einen Bösewicht für sie gejagt«, argumentierte Mary Pat.

»Das war selbstverständlich. So, jetzt muss ich geben.« Er nahm ihr die Plastikdosen ab. »Vielen Dank für das tolle Essen.«

Den Arm um Brents Hüfte gelegt, winkte Mary Pat Jeds Wagen nach. »Ich glaube, ich werde demnächst mal in diesem Laden vorbeischauen.«

»Du meinst herumschnüffeln, hab’ ich Recht?«

»Wenn es sein muss.« Sie lehnte ihren Kopf an seine Schulter.

»Muss mir doch mal seine hinreißende, allein stehende Vermieterin ansehen, die so überaus sexy sein soll.«

»Das wird ihm gar nicht recht sein.«

»Werden wir ja sehen. Er braucht dringend eine Frau an seiner Seite.«

»Was er braucht, ist seine Arbeit im Revier.«

»Was hältst du davon, wenn wir uns zusammentun?« Sie drehte sich um und wartete auf seinen Kuss. »Gegen uns beide hat er keine Chance.«

Finley verbrachte den Weihnachtsabend in Los Angeles bei Mastente und Wachteleiern. Gesellschaft leistete ihm in seinem riesigen Esszimmer eine aufregende Blondine, grünäugig und gertenschlank. Sie sprach drei Sprachen und besaß ein fundiertes Wissen über Kunst und Literatur. Sie war aber nicht nur bildschön und intelligent, sondern zudem beinahe ebenso reich wie Finley. Sein Ego verlangte diese drei Attribute bei der Auswahl seiner Gesellschaft.

Während sie an ihrem Champagnerglas nippte, öffnete er die kleine, elegant verpackte Schachtel, die sie mitgebracht hatte.

»Wie aufmerksam von dir, Liebes.« Er legte den Deckel beiseite und hielt erwartungsvoll inne.

»Ich weiß doch, wie sehr du schöne Dinge liebst, Edmund.«

»Das ist in der Tat richtig.« Er schenkte ihr einen warmherzigen Blick, ehe er in das Seidenpapier griff und eine kleine, geschnitzte Elfenbeinfigur heraushob. Liebevoll platzierte er sie auf seiner Handfläche. Ein tiefes, zufriedenes Seufzen stahl sich über seine Lippen.

»Du hast sie jedes Mal bewundert, wenn du bei mir zu Gast warst, deshalb kam ich auf den Gedanken, sie dir zu Weihnachten zu schenken.« Erfreut über seine Reaktion, legte sie ihre Hand auf seine. »Es erschien mir persönlicher, dir etwas aus meiner Sammlung zu schenken.«

»Ein exquisites Stück.« Seine Augen glühten, als er die Figur aus der Nähe betrachtete. »Und ein Unikat, wie du sagtest.«

»Nun, was das betrifft, habe ich mich anscheinend leider getäuscht.« Sie griff nach ihrem Glas und bemerkte daher das plötzliche Zucken seiner Finger nicht. »Vor einigen Wochen bot sich mir ganz unerwartet die Gelegenheit, die gleiche Figur zu erstehen.« Sie ließ ein entwaffnendes Lachen hören. »Frag mich nicht, wie das möglich war, schließlich stammte sie aus einem Museum.«

»Dann ist es also kein Unikat.« Seine Freude löste sich wie Rauch in der Luft auf und machte bitterer Enttäuschung Platz. »Wie kamst du auf die Idee, ich könnte mich über etwas Gewöhnliches freuen?«

Die plötzliche Änderung seines Tonfalls ließ sie überrascht aufblicken. »Aber Edmund, das ändert doch nichts. Es ist ein außergewöhnlich Stück exzellenter Handwerkskunst und unglaublich kostbar.«

»Der Wert einer Sache ist relativ, meine Liebe.« Während sein kalter Blick unbeweglich auf ihr ruhte, schlossen sich seine Finger um die zierliche Figur. Er drückte fester und fester, bis sie mit einem trockenem Geräusch, das wie ein Schuss klang, zerbrach. Sie schrie empört auf. Auf Finleys Gesicht kehrte das Lächeln zurück. »Scheint kaputt zu sein. Wie schade.«

Achtlos ließ er die Elfenbeinteile neben seinen Teller fallen und griff nach seinem Weinglas. »Wenn du mir allerdings das Stück aus deiner Sammlung zum Geschenk machtest, würde ich das über alle Maßen zu schätzen wissen. Das wäre dann ein echtes Unikat.«

8. Kapitel

Das Letzte, was Jed erwartet hätte, als er am ersten Weihnachtsfeiertag kurz nach neun Uhr morgens an Doras Tür klopfte, war eine Männerstimme, die ihn aufforderte, verdammt nochmal eine Minute zu warten.

Darauf folgte ein dumpfer Aufschlag und ein Fluch.

Will, ein geblümtes Laken wie eine Toga um seine klapperdürre Gestalt gewickelt und mit seiner großen Zehe beschäftigt, die er sich an dem Pembroke-Tisch angeschlagen hatte, öffnete einem unfreundlichen Gesicht die Tür.

»Wenn Sie etwas verkaufen wollen«, sagte er, »dann hoffentlich Kaffee.«

Wo sie die nur alle aufliest? dachte Jed bösartig. Erst diesen nadelgestreiften Buchhalter mit Hormonüberfunktion und jetzt diese halbe Portion, kaum dem College entwachsen.

»Ist Isadora da?«, erkundigte sich Jed.

»Klar.« Will erwischte noch einen Zipfel des Lakens, das dabei war, sich selbstständig zu machen, und trat einen Schritt zurück, um Jed eintreten zu lassen. »Wo zum Teufel steckt sie wieder?«, brummelte er. »Dora!« Seine Stimme war nicht gerade leise zu nenen.

Kräftige Lungen hat der Knabe, stellte Jed anerkennend fest, ehe er die zahlreichen Kissen und Decken auf der Couch entdeckte.

»Du kommst hier nicht eher rein, bevor ich mir nicht die Haare geföhnt habe.« Dora trat aus dem Bad, in einen Frotteebademantel gehüllt und mit einem elektrischen Haartrockner bewaffnet. »Inzwischen könntest du … oh!« Bei Jeds Anblick blieb sie wie angewurzelt stehen. »Guten Morgen.«

»Ich muss kurz mit dir reden.«

»In Ordnung.« Sie kämmte sich mit gespreizten Fingern

das feuchte Haar aus der Stirn. »Hast du dich schon mit meinem Bruder bekannt gemacht?«

Bruder, dachte Jed und ärgerte sich im gleichen Moment über die Erleichterung, die er verspürte. »Nein.«

»Der Typ in dem Laken ist Will. Will, der Typ, der dringend eine Rasur braucht, ist Jed von gegenüber.«

»Der Exbulle, der den Einbrecher vertrieben hat?« Wills verschlafene Augen klärten sich. »Nett, Sie kennen zu lernen. Ich hab' mal einen Drogenhändler gespielt, in einem Stallone-Film. Haben mich zwar leider schon in der ersten Szene umgelegt, war aber trotzdem eine tolle Erfahrung.«

»Darauf wette ich.«

»Hier.« Dora drückte Will den Föhn in die Hand. »Du kannst jetzt doch duschen. Ich mache inzwischen Kaffee, aber für das Frühstück bist du zuständig.«

»Das ist ein Geschäft.« Das geblümte Laken verschwand im Badezimmer.

»Meine Mutter war der Meinung, ich brauchte nach dem Einbruch männlichen Beistand«, erklärte Dora. »Und Will war der Einzige, dessen ich habhaft werden konnte. Wir können uns in der Küche unterhalten.«

Doras Küche hatte die gleiche praktische Einrichtung wie seine, wurde aber offensichtlich mehr genutzt. Sie nahm eine Gebäckdose aus dem Regal und schüttete daraus Kaffeebohnen in eine Handmühle. Dann richtete sie das Wort an ihn.

»Und, wie war dein Weihnachten?«

»Nett. Ich habe gegen Mittag einen Spezialisten herbestellt, der dir eine neue, funktionierende Alarmanlage einbaut.«

Dora hielt mitten in der Bewegung inne. Der Duft nach frisch gemahlenem Kaffee und ihrem Duschgel ließ Jeds Körpersäfte in Wallung geraten. »Wie war das?«

»Er ist ein Freund von mir. Er weiß, was er tut.«

»Ein Freund«, wiederholte sie gedehnt und kurbelte weiter an der Kaffeemühle. »Zum einem muss ich gestehen, dass es mich sehr erstaunt, dass du so was überhaupt besitzt. Zum anderen nehme ich an, du erwartest, dass ich dir für diese Frechheit auch noch auf Knien danke, wie?«

»Ich lebe schließlich auch in diesem Haus. Und ich schätze es nicht sonderlich, wenn man auf mich schießt.«

»Meinst du nicht, dass es angebracht gewesen wäre, die Sache wenigstens vorher mit mir zu besprechen?«

»Du warst ja nicht zu Hause.« Er wartete, bis sie das Kaffeewasser aufgesetzt hatte. »Außerdem brauchst du ein paar anständige Schlösser für deine Türen. Ich kann nachher beim Eisenwarenhändler vorbeifahren und welche besorgen.«

Mit nachdenklich geschürzten Lippen löffelte Dora das Kaffeepulver in einen Handfilter. »Ich ringe noch mit mir, ob ich amüsiert, verärgert oder beeindruckt sein soll.«

»Die Schlösser stelle ich dir in Rechnung.«

Das überzeugte sie. Ihre Lippen verzogen sich zu einem Lächeln, dem ein kurzes, kehliges Lachen folgte. »Okay, Skimmerhorn. Lauf nur zu und mach unsere kleine Welt einbruchsicher. Sonst noch was?«

»Ich dachte mir, ich messe mal die Regale aus, die du haben willst.«

Sie fuhr sich mit der Zunge über die Lippen und griff um ihn herum nach dem Korb mit den Orangen. »Bist wohl des Müßiggangs schon überdrüssig, wie?« Dora wartete kurz auf eine Antwort, und als diese ausblieb, schnitt sie mit einem gefährlich aussehenden Messer eine Orange auf. »Nach dem Frühstück zeige ich dir, wie ich mir das mit den Regalen vorstelle. Wir machen heute erst mittags auf.« Nachdem sie ein halbes Dutzend Früchte zerteilt hatte, steckte sie die Stücke in einen Entsafter.

»Wie wär's, wenn du inzwischen den Tisch deckst?«

»Wofür?«

»Fürs Frühstück. Will macht sagenhafte Pfannkuchen.« Bevor er noch etwas erwidern konnte, pfiff der Wasserkessel. Dora goss kochendes Wasser in den Filter. Der köstliche Duft machte jede Absage hinfällig.

»Wo hast du die Teller?«

»Im ersten Schrank.«

»Noch etwas«, meinte er, während er die Schranktür aufmachte. »Du solltest dir vielleicht etwas Anständiges anziehen.« Er bedachte sie mit einem Lächeln, das ihr augenblicklich den Atem nahm. »Der Anblick deines feuchten, halb nackten Körpers könnte bei mir eine sexuelle Ekstase auslösen.«

Dora fand es überhaupt nicht komisch, ihre eigenen Worte ins Gesicht geschleudert zu bekommen. Sie schenkte sich eine Tasse Kaffee ein und ließ Jed stehen.

»Hm, riecht gut«, meinte Will, der jetzt in schwarzen Jeans und einem Sweatshirt in die Küche geschlendert kam. Seine Haare, die eine Nuance heller waren als die seiner Schwester, hatte er zu einer kunstvollen Sturmfrisur geföhnt. Er hätte einer Ralph-Lauren-Werbung entsprungen sein können. »Dora kocht einen Superkaffee. Heh, würde es Ihnen was ausmachen, die Glotze anzuwerfen? CNN vielleicht? Hab schon seit Tagen nicht mehr gehört, was in der Welt so vor sich geht.« Will goss für Jed und sich Kaffee ein und krempelte sich die Ärmel hoch.

»Verflucht nochmal, Will!«

Doras Stimme ließ Will zusammenzucken, dann grinste er. »Ich hab' vergessen, das Waschbecken sauber zu machen«, erklärte er Jed. »Sie hasst Rasierschaum im Waschbecken wie die Pest.«

»Ich werd's mir merken, falls das einmal ein Thema werden sollte.«

»Dora hingegen findet nichts dabei, im Badezimmer ihre Unterwäsche aufzuhängen.« Will erhob seine Stimme, bis er sicher sein konnte, dass sie ihn durch die geschlossene Badezimmertür hören konnte. Er gab ihr der Würze halber noch einen Schuss Sarkasmus mit auf den Weg. »Mit zwei Schwestern aufgewachsen, musste ich mich immer erst durch einen Dschungel von Schlüpfern kämpfen, bis ich das Waschbecken erreichte.«

Während er seine Worte wirken ließ, maß Will verschiedene Zutaten ab und rührte sie lässig in einer Schüssel zusammen. Als er Jeds Blick auffing, grinste er. »Wir sind alle begnadete Köche«, erklärte er. »Lea, Dora und ich. Eine aus der Not heraus geborene Fertigkeit, um die Tiefkühlmahlzeiten und TV-Dinner unserer Kindheit zu überleben. Also, wie war das denn nun mit dem Einbruch?«, fuhr er dann ohne Überleitung fort. »Glauben Sie, dass man sich deshalb ins Hemd machen muss?«

»Ich für meinen Teil neige dazu, wenn jemand auf mich schießt. Bin in der Hinsicht irgendwie komisch.«

»Schießt?« Wills Hand verharrte bewegungslos über dem Schüsselrand; das Ei, das er gerade daran aufgeschlagen hatte, tropfte langsam hinein. »Was meinen Sie mit schießen?«

»Eine Pistole. Kugeln.« Jed nippte an seinem Kaffee. »Bäng.«

»Du heiliger Strohsack. Davon hat Dora kein Sterbenswörtchen verlauten lassen.« Mit der immer noch tropfenden Eierschale in der Hand stürmte Will ins Wohnzimmer durchquerte den kurzen Flur, um dann die Badezimmertür aufzureissen.

Dora stach sich vor Schreck beinahe mit dem Eyeliner ins Auge. »Verdammt, Will!«

»Du hast gar nichts von Schüssen erzählt. Herrgott nochmal, Dora, du hast es hingestellt wie ein kleines Malheur.«

Seufzend schob Dora den Pinsel in die Hülle und warf Jed der hinter Will stand einen wenig liebenswürdigen Blick zu. Sie hätte mit ihrem halb geschminkten Gesicht albern aussehen müssen, doch ihre finstere Miene ließ sie ungeheuer sexy aussehen.

»Danke vielmals, Skimmerhorn.«

»Nichts zu danken, Conroy.«

»Ihm brauchst du keinen Vorwurf zu machen.« Aufgebracht, wie er war, packte Will seine Schwester bei den Schultern und schüttelte sie. »Ich will ganz genau wissen, was da passiert ist. Und zwar sofort.«

»Dann frag doch unsere Spürnase hier.« Sie gab Will einen Schubs. »Ich bin beschäftigt«, erklärte sie ihm, machte die Tür zu und schloss laut und vernehmlich ab.

»Isadora, ich will eine Antwort.« Will hämmerte mit den Fäusten gegen die Tür. »Oder ich rufe Mom an.«

»Wenn du das tust, erzähle ich ihr von der Stripperin, mit der du das Weekend auf Long Island verbracht hast.«

»Performance-Künstlerin«, murmelte er, wandte sich dann aber an Jed. »Sie ... Dann erzählen Sie mir eben alles, während ich das Frühstück mache.«

»Da gibt es nicht viel zu erzählen.« Jed war auf einmal bedrückt. Dieses Gefühl hatte seine Ursache in der Art und Weise, wie er die beiden Geschwister miteinander umgehen sah. Die Sorge und der Ärger, die sich in Wills Miene widerspiegelten, entsprangen einer tief verwurzelten Liebe zueinander.

»Und das war's schon?«, drängte Will.

»Was?« Jed zwang seine Gedanken in die Gegenwart zurück.

»Das war's? Irgendein Witzbold bricht ein, bringt die Buchhaltung durcheinander, ballert ein bisschen in der Gegend herum und rennt dann weg?«

»Mehr oder weniger.«

»Und warum das Ganze?«

»Um das herauszufinden, dafür wird die Polizei bezahlt.« Jed schenkte sich eine zweite Tasse Kaffee ein. »Heute Nachmittag wird eine neue Alarmanlage eingebaut. Und ich besorge nachher neue Schlösser. Dann hat Dora nichts mehr zu befürchten.«

»Was für ein Cop waren Sie?«, wollte Will wissen. »Streifenpolizist, Drogenfahnder oder was?«

»Das spielt doch keine Rolle, oder? Ich habe den Dienst quittiert.«

»Ja, aber ...« Wills Stimme verlor sich, als er mit gerunzelter Stirn die Pfannkuchen auf einen blau geblümten Teller balancierte. »Skimmerhorn? So nennt Dora Sie, richtig? Ein Name, den man nicht so schnell vergisst. Ich erinnere mich da an eine Geschichte, liegt schon ein paar Monate zurück. Ich bin ein Nachrichten-Junkie, müssen Sie wissen.« Er kramte in seinem Gedächtnis wie nach alten, vor langer Zeit einstudierten Texten. »Captain, stimmt's? Captain Jedidiah Skimmerhorn. Sie sind der, der Donny Speck erledigt hat, den Dealer. ›Millionenschwerer Cop erschießt

Drogenbaron'«, zitierte Will. »Sie haben damals eine Menge Schlagzeilen in den Zeitungen gemacht.«

»Ja, mit denen man später Vogelkäfige auslegt.«

Will hätte noch weitergebohrt, aber plötzlich fiel ihm noch etwas ein. Die Ermordung von Captain Skimmerhorns Schwester, die das Opfer einer Autobombe wurde. »Ich schätze, jemand, der einen so hochkarätigen Verbrecher zur Strecke gebracht hat, sollte in der Lage sein, auf meine große Schwester aufzupassen.«

»Die kann sehr gut auf sich selbst aufpassen«, verkündete Dora. Den Saftkrug in der einen Hand, nahm sie mit der anderen den Telefonhörer ab. »Hallo? Ja, Will ist hier. Kleinen Moment.« Dora blinzelte ihrem Bruder zu. »Marlene.«

»Oh.« Will lud sich zwei Pfannkuchen auf seinen Teller und schnappte sich die Gabel. »Das kann etwas länger dauern.« Nachdem er Dora den Hörer abgenommen hatte, lehnte er sich gegen die Wand. »Hallo, Superfrau.« Seine Stimme war ein paar Tonlagen tiefer und so weich wie frisch geschlagene Sahne geworden. »Baby, du weißt doch, dass ich dich vermisse. Ich habe an nichts anderes denken können. Wenn ich heute Abend nach Hause kommt, beweise ich dir, wie sehr.«

»Schwätzer«, murmelte Dora.

»Warum hast du ihm nicht die ganze Geschichte erzählt?«

Dora zuckte die Achseln und erwiderte leise: »Ich sah keine Notwendigkeit, meine Familie in Angst und Schrecken zu versetzen. Die haben alle einen berufsbedingten Hang zum Dramatischen und machen aus jeder Mücke einen Elefanten. Wenn ich meiner Mutter erzähle, dass ich mir den Magen verdorben habe, diagnostiziert die sofort eine Malaria und ruft nach einem Tropenarzt. Kannst du dir vorstellen, was sie auf die Beine gestellt hätte, wenn ich ihr gesagt hätte, dass Löcher in meine Wand geschossen wurden?«

Jed schüttelte, genüsslich an einem Stück Pfannkuchen kauend, den Kopf.

146

»Sie hätte sofort den CIA verständigt und zwei bullige Leibwächter namens Bubba und Frank engagiert. So aber hat sie sich mit Will begnügt.«

»Der ist in Ordnung«, sagte Jed, und zwar in dem Moment, als Will schmatzende Geräusche in den Hörer schickte und auflegte. Ehe er sich noch zwei Schritte entfernt hatte, klingelte es wieder.

»Hallo.« Wills Augen leuchteten auf. »Heather, Liebling. Aber selbstverständlich habe ich dich vermisst. Konnte an nichts anderes denken. Morgen Abend, wenn ich alles erledigt habe, werde ich dir beweisen, wie sehr.«

»Netter Bursche«, kommentierte Jed und grinste in seine Kaffeetasse.

»Könnte man fast meinen. Da er im Augenblick mit Telefonsex beschäftigt ist, kann ich den Fernseher ja ausschalten.« Sie stand auf und hatte bereits den Finger auf der Taste, als eine Meldung sie innehalten ließ.

»Im Fall der Weihnachtstragödie von Society Hill gibt es noch immer keinerlei Anhaltspunkte«, erklärte der Reporter. »Alice Lyle, die prominente Witwe von Harold T. Lyle, Begründer der Lyle Enterprises, befindet sich laut ärztlichem Bulletin von heute Morgen noch immer im Koma. Es handelt sich um die Folgen einer schweren Kopfverletzung, die ihr bei einem Einbruch in ihre Wohnung zu gefügt wurde. Der Überfall ereignete sich am Heiligen Abend. Mrs. Lyle wurde bewusstlos aufgefunden. Muriel Doyle, Lyles Haushälterin, erlag noch am Tatort ihren Verletzungen. Beide, Mrs. Lyle und ihre Haushälterin, wurden von Mrs. Lyles Nichte am Morgen des ersten Weihnachtstages gefunden. Der Gesundheitszustand von Mrs. Alice Lyle ist weiterhin kritisch. Wie ein Sprecher des Philadelphia P. D. erklärte, sind die Ermittlungen in vollem Gange.«

»O Gott.« Dora drehte sich zu Jed um. »Ich kenne sie. Sie war kurz vor Weihnachten bei mir im Laden und hat ein Geschenk für ihre Nichte gekauft.«

»Wohlhabende Nachbarn hast du hier«, sagte Jed vorsichtig. »Lyle ist ein prominenter Name. Da können Einbrüche schon hässlicher werden.«

»Sie hat zwei Türstopper gekauft«, erinnerte sich Dora. »Und sie hat mir erzählt, dass ihre Nichte demnächst ein Baby bekommt.« Sie schauderte. »Wie schrecklich.«

»Du solltest dir das nicht so zu Herzen gehen lassen.« Er stand auf und stellte den Fernseher ab.

»Hat man euch das auf der Polizeischule beigebracht?«, fragte sie schnippisch, um gleich darauf den Kopf zu schütteln. »Tut mir Leid. Das ist genau der Grund, warum ich mir nie diese verdammten Nachrichten anschaue. Und das Einzige, was ich in der Zeitung lese, sind der Anzeigenteil und die Witze.« Sie strich sich mit einer energischen Geste das Haar zurück und versuchte, ihre seltsame Stimmung abzuschütteln. »Ich glaube, ich gehe runter und mach' schon ein bisschen früher auf. Will kann hier Ordnung machen, bevor er wieder nach New York zurückfährt.«

Diesmal widersetzte er sich nicht seinem Wunsch, ihr mit den Fingerspitzen über die Wange zu streichen. Ihre Haut war so zart wie Rosenblüten. »Es ist hart, wenn es keine Fremden sind.«

»Es ist auch hart, wenn es welche sind.« Sie berührte sein Handgelenk. »Hast du deshalb deinen Job gekündigt?«

Er ließ seine Hand sinken. »Nein. Ich fahre jetzt zum Eisenwarenladen. Danke fürs Frühstück.«

Dora seufzte leise, als die Tür sich hinter ihm schloss. »Will, wenn du deine obszönen Telefonate beendet hast, dann spül das Geschirr ab. Ich gehe runter in den Laden.«

»Ich bin schon fertig.« Er kam aus der Küche gehüpft und schnappte sich den Saftkrug. »Du steckst voller Geheimnisse, liebste Dory. Warum hast du mir verschwiegen, dass dein Nachbar der berühmt-berüchtigte Cop ist, der Donny Speck umgelegt hat?«

»Wer ist Donny Speck?«

»Himmel nochmal, in welcher Welt lebst du eigentlich?« Er steckte sich noch ein Stück Pfannkuchen in den Mund und räumte den Tisch ab. »Speck hat eines der größten Drogenkartelle der Ostküste geleitet – wahrscheinlich das größte überhaupt. Verrückt war er außerdem; hat jeden in die Luft gejagt, der ihm im Weg war. Immer dieselbe Ma-

sche – eine Rohrbombe, die durch Drehung des Zünd-
schlüssels im Wagen explodierte.«

»Und den hat Jed festgenommen?«

»Festgenommen? Pustekuchen. Er hat ihn bei einer richtig altmodischen Schießerei zur Strecke gebracht.«

»Erschossen?«, hauchte Dora mit trocken Lippen. »Hat
er – musste er deshalb den Dienst quittieren?«

»Quatsch, ich glaube eher, dass er dafür einen Verdienst-
orden gekriegt hat. Das ist alles im letzten Sommer gewesen. Die Tatsache, dass er der Enkel von L. T. Bester ist, hat
ihm noch zusätzliche Publicity eingebracht.«

»Die Bester AG? Du meinst die riesige Handelsgesell-
schaft?«

»Genau die. Liegenschaften, Dora, Einkaufszentren. Philadelphia besitzt nicht allzu viele millionenschwere Cops.«

»Das ist doch lächerlich. Wenn er so steinreich wäre,
warum sollte er sich dann in einem Ein-Zimmer-Apart-
ment einmieten?«

Will schüttelte mit dem Kopf. »Du als Conroy stellst
Überspanntheit in Frage?«

»Habe kurzzeitig den Kopf verloren.«

»Na, egal.« Will ließ heißes Wasser ins Spülbecken laufen. »Wenn ich das Drehbuch richtig interpretiere, würde
ich sagen, unser Held, der wohlbetuchte Captain, macht
eine Verschnaufpause. Der letzte Sommer war ziemlich
haarig für ihn. Die Speck-Ermittlungen brachten ihn mo-
natelang in die Nachrichten, und als dann auch noch seine
Schwester durch eine Autobombe ums Leben kam …«

»Warte.« Sie hielt seinen Arm fest. »Seine Schwester,
sagst du?«

»Die Polizei nahm an, dass es Speck gewesen war, konnten es ihm aber nie beweisen, glaube ich.«

»O Gott, das ist ja furchtbar.« Dora war kreidebleich geworden und presste eine Hand auf ihren verkrampften
Magen. »Grauenhaft.«

»Schlimmer noch, er stand daneben, als es passierte. Die
Schlagzeile lautete: ›Captain des Police Departments sieht
eigene Schwester verbrennen.‹ Ziemlich hart, wie?«

»Armer Jed«, murmelte Dora.

»Die Regenbogenpresse hat die Sache anschließend gründlich ausgeschlachtet. Kann mich nicht mehr an alle Einzelheiten erinnern, aber die Reporter haben etliche Skandale in Zusammenhang mit dem Bester-Clan ausgegraben. Die Schwester war drei- oder viermal geschieden. Die Eltern haben sich mit Vorliebe in aller Öffentlichkeit angebrüllt und geprügelt. Und wenn ich mich recht entsinne, hat Jed als Jugendlicher ein krummes Ding gedreht. Du weißt ja, wie sich die Leute am Unglück Reicher ergötzen.«

»Kein Wunder, dass er in Ruhe gelassen werden will. Aber«, fuhr sie nach einer kurzen Pause fort, »das ist keine Lösung.« Sie beugte sich zu Will und gab ihm einen Kuss auf die Wange. »Schließ ab, wenn du gehst. Sehe ich dich Silvester?«

»Das lasse ich mir doch nicht entgehen. Dora!«

»Hmm?«

»Tu, was er dir sagt. Ich hab' dich gern um mich.«

»Keine Sorge, so schnell wirst du mich nicht los.« Sie schnappte sich ihre Schlüssel und ging nach unten.

Es war wenig los an diesem Vormittag, sodass Dora viel Zeit zum Nachdenken hatte. Alles was sie über Jed nicht wusste, füllte anscheinend mühelos ein ganzes Lexikon. Die hochinteressanten Einzelheiten, die Will hatte fallen lassen, machten ihr das bewusst.

»Guten Morgen, Izzy, meine geliebte Tochter.« Angetan mit Ohrenschützern aus Nerz, die er sich über seine eisgraue Haarmähne gezogen hatte, kam Quentin zur Ladentür hereingerauscht. Dazu trug er einen knöchellangen Schaffellmantel, den Trixie ihm zu Weihnachten geschenkt hatte.

»Dad. Genau der Mann, den ich jetzt sehen möchte.«

»Es ehrt einen Vater, im Hause seiner Tochter willkommen zu sein, beweist es doch den Wert eines Mannes in den besten Jahren. Ah, Terri, eine Augenweide, wie immer.« Er ging auf die Rothaarige zu, nahm ihre Hand und legte eine bühnenreife Verbeugung hin. »Eine Bereicherung für die

Liberty Players, für Ihren Ihnen tiefst ergebenen Regisseur wie auch für Doras Antiquitäten- und Trödelladen. Was, keine Kundschaft heute Morgen?«

»Ein paar Leute, die sich nur umsehen wollten, ein Umtausch und der Blitzverkauf eines Zwanzig-Dollar-Türklopfers, der die Form eines brüllenden Nilpferds hat«, berichtete Dora. »Ich schätze, in den Kaufhäusern herrscht Hochbetrieb. Terri, du bewältigst den Ansturm doch allein, oder?«

»Mit verbundenen Augen und an Händen und Füßen gefesselt.«

»Dad.« Dora nahm ihren Vater am Arm und zog ihn aus dem Verkaufsraum in den kleineren Nebenraum. »Was weißt du über Jed Skimmerhorn?«

»Wissen?« Um Zeit zu schinden, zog Quentin eine Rolle Pfefferminzpastillen aus der Manteltasche. »Lass mich mal nachdenken. Er ist ungefähr einsfünfundachtzig groß, schätze ich, und etwas über achtzig Kilo schwer. Athletischer, wohlproportionierter Körperbau. Mitte dreißig. Dem Teint und der Haarfarbe nach zu schließen angelsächsischer Abstammung.«

»Vergiss es. Ich kenne dich, Quentin D. Conroy. Lea würde dir zwar zutrauen, dass du das Apartment an einen Ketten schwingenden Motorradfreak mit ›Born to Raise Hell‹-Tätowierung auf der Brust vermieten würdest, aber ich weiß es besser.«

Quentin, offenbar zutiefst schockiert, blinzelte Dora verdutzt an. »Das hat Lea gesagt? Meine Tochter spricht mit gespaltener Zunge, fürwahr!« Er presste seine Faust in die Handfläche.

»Schweif nicht vom Thema ab. Was immer es über Skimmerhorn zu wissen gibt, weißt du, sonst würde er hier nicht wohnen. Also, spuck's aus. Stimmt es, dass er aus einer wohlhabenden Familie stammt?«

»Dem Bester-Skimmerhorn-Clan«, bestätigte Quentin. Bedächtig schlüpfte er aus seinem Mantel, faltete ihn liebevoll zusammen und hängte ihn über die Rückenlehne eines Ohrensessels. »Der größte Teil des Vermögens stammt aus der Familie seiner Mutter, obgleich die Skimmerhorns selbst beileibe auch keine Hungerleider waren. Jed ist der Haupterbe, wenn du so willst, da außer ihm nur noch ein paar entfernte Cousins und Cousinen den gelichteten Familienstammbaum bilden.«

»Dann ist er also tatsächlich finanziell unabhängig«, sagte Dora mehr zu sich selbst. »Da laust mich doch der Affe.«

»Die Unabhängigkeit war anscheinend wichtiger.« Quentin hüstelte diskret in seine Hand. Seine Wangen nahmen eine rötliche Färbung an. »Du weißt, wie sehr ich es verabscheue, Gerüchte zu verbreiten, Izzy.«

»Kein Wort wird aus diesem Raum dringen.«

Er kicherte und tätschelte ihr väterlich die Wange. »Mein Mädchen ist auf Draht. Sehr auf Draht. Wohlan denn, die Gerüchteküche will wissen, dass Skimmerhorn Junior gegen den ausdrücklichen Wunsch seiner Familie in den Polizeidienst eingetreten ist. Sie missbilligten seine Berufwahl und drohten damit, ihn zu enterben.« Quentins Stimme plätscherte angenehm und mit wohlgewählten Pausen dahin. »Seine Eltern waren berühmt-berüchtigte Prominente, Betonung auf ›berüchtigt‹. Sie liebten es, ihre Ehezwistigkeiten im Kreise anderer auszutragen. Es war ein offenes Geheimnis, dass sie sich gegenseitig hassten wie die Pest. Doch keiner von beiden hätte es im Hinblick auf die finanziellen Verstrickungen der beiden Familien gewagt, sich scheiden zu lassen.«

»Wie anrührend«, murmelte Dora.

»Oh, in der Tat. Jed machte sich bei der Polizei einen guten Namen. Er genoss den Ruf, teils wie ein Bluthund, teils wie Terrier zu arbeiten. Erschnüffelte die klitzekleinsten Hinweise, schlug anschließend seine Zähne in einen Fall und ließ nicht locker, bis er ihn gelöst hatte.« Quentin lächelte, zufrieden über diese gelungene Beschreibung. »Vor etwas über einem Jahr wurde er zum Captain befördert, eine Position, die nach Meinung vieler Kollegen das ideale Sprungbrett für den Posten des Polizeichefs gewesen wäre. Und dann kam die Sache mit Donny Speck.«

»Das hat Will erzählt. Speck hat Jeds Schwester umgebracht.«

»Das wird allgemein vermutet. Aber weshalb Jed seinen Posten aufgegeben hat, da kann ich nur Spekulationen anstellen. Ich glaube, das Beste wird sein, du fragst ihn das selbst.«

»Auf die Frage würde ich keine Antwort erhalten.«

»Ist dein Interesse persönlicher oder beruflicher Natur?«

Sie dachte eine Weile darüber nach und nahm sich dann eine von den Pfefferminzpastillen, die ihr Vater ihr anbot. »Das habe ich noch nicht entschieden. Danke jedenfalls für die interessanten Einzelheiten.« Sie küsste ihn auf die Wange. Du hättest sie mir eigentlich mitteilen können, ohne dass ich erst nachfragen musste.«

»Gern geschehen.«

»Jed ist hinten im Lager. Warum unterhältst du ihn nicht ein bisschen, während er die neuen Schlösser einbaut?«

»Das ist eine großartige Idee.« Er nahm seinen Mantel und hängte ihn sich über den Arm.

»Den kannst du ruhig hier lassen.«

»Hier … ach, nein, nein.« Doras Blick ausweichend, strich er liebevoll über das seidige Fell. »Ich nehme ihn lieber mit. Könnte kühl werden.«

Könnte den Flachmann in der Innentasche vermissen, korrigierte Dora ihn im Stillen und wandte sich wieder ihrer Arbeit zu.

Hinten im Lager hantierte Jed wieder einmal mit Brents elektrischer Bohrmaschine. Er hatte gerade einen dicken, langen Bohrer eingesetzt, als Quentin hereingeschlendert kam.

»Einen schönen ersten Weihnachtstag wünsche ich Ihnen. Es scheint, Sie sind unser Mann des Tages. Wir stehen tief in Ihrer Schuld und sind Ihnen von Herzen dankbar.«

»Mr. Conroy.«

»Quentin, bitte. Schließlich haben Sie, wie Will erzählte, Kopf und Kragen riskiert, um meine Kleine zu beschützen.« Quentin ließ sich auf einem alten Küchenhocker nieder. »Und, gibt es schon irgendwelche Hinweise?«

»Rufen Sie das Revier an und erkundigen Sie sich bei Lieutenant Brent Chapman. Er leitet die Ermittlungen.«

»Aber, mein lieber Junge, Sie waren doch direkt vor Ort, mit der Pistole im Anschlag. Wo sind die Einschusslöcher? Will sagte mir, dass Schüsse gefallen sind.«

»In der Mauer neben der Treppe.« Amüsiert beobachtete er Quentin, wie dieser schnurstracks auf die bezeichnete Stelle zuging und den Verputz in Augenschein nahm. Es hätte ihn nicht gewundert, wenn der Mann ein Vergrößerungsglas und eine Sherlock-Holmes-Mütze aus der Tasche gezogen hätte.

»Merkwürdig, nicht wahr? Wissen Sie, ich habe einmal den Poirot in einer Theaterinszenierung des *Orient Express* gespielt.«

»Und Will hat bei Stallone einen Drogendealer gespielt. Was für eine Familie.«

»Um ein Meister in seinem Fach zu werden, muss man vom Helden bis zum Bösewicht die ganze Palette durcharbeiten. Wir haben die Schauspielerei im Blut, müssen Sie wissen. Obgleich es Izzy offenbar mehr zu den Requisiten zieht.« Er kehrte zu seinem Hocker zurück und machte es sich, die Beine ausgestreckt und über den Knöcheln gekreuzt, die Arme auf seinem flachen Bauch verschränkt, darauf bequem. »Wissen Sie, wie spät es ist?«

Jed warf einen Blick auf seine Armbanduhr. »Gleich zwölf.«

»Dann ist es ja gut.« Zufrieden angelte Quentin in seiner Manteltasche nach dem Flachmann.

»Bringen Sie den bloß nicht in meine Nähe.«

Quentin setzte ein wissendes Lächeln auf. »Ich fürchte, das letzte Mal hatte ich ihn mit meinem Spitzensprit, wie ich ihn nenne, gefüllt. Heute besteht keine Gefahr.«

»Trotzdem passe ich.«

»Na, denn Prost auch. Auf alle Frauen, die ich je geliebt habe.« Quentin nahm einen guten Schluck und steckte die Flasche sofort wieder weg. Dora könnte ja jeden Augenblick hereinschneien. »Eigentlich hatte mein Besuch heute Vormittag noch einen anderen Grund. Ich wollte Sie nochmals zu unserer alljährlichen Silvesterparty im Theater einladen. Meine Frau möchte ihnen persönlich dafür danken, dass Sie so gewissenhaft auf unsere Izzy aufgepasst haben.«

»Ich bin kein großer Partybesucher.»

»Ich würde es als persönlichen Gefallen betrachten, wenn Sie zumindest kurz vorbeischauen würden. Und nach dieser unangenehmen Geschichte wäre es mir zudem lieb, wenn Izzy nicht alleine dorthin fahren müsste.« Nachdem er den Köder ausgelegt hatte, genehmigte Quentin sich noch einen schnellen Schluck, ehe er sich verabschiedete.

Da auch nachmittags wenig zu tun war, überließ Dora Terri das Feld und klemmte sich hinter ihre Buchhaltung, die wieder neu sortiert werden musste. Es dämmerte bereits, als Jed die Treppe herunterkam und, ohne ein Wort an sie zu richten, damit begann, die Wand auszumessen, für die die Regale bestimmt waren.

Dora würdigte ihn ebenfalls gute fünf Minuten lang keines Blicks. »Diese Alarmanlage, die du mir aufgeschwatzt hast, ist mindestens genauso kompliziert wie die in Fort Knox.«

Jed kritzelte verschiedene Maßangaben auf ein Stück Papier. »Du musst nichts weiter tun, als eine sechsstellige Kodenummer eingeben.«

»Und wenn ich die vergesse, dann gehen sämtliche Klingeln und Sirenen los, Scheinwerfer leuchten auf – und irgendein Typ mit einem Megafon vorm Gesicht fordert mich auf, mit erhobenen Händen rauszukommen.«

»Dann darfst du die Nummer eben nicht vergessen.«

»Ich hab's aber nun mal nicht so mit Zahlen. Deshalb beschäftige ich ja auch einen Buchhalter.«

»Hast einen beschäftigt. Er ist übrigens sauber.«

»Sauber? Andrew? Klar ist er das. Seine Mutter schaut doch jeden Abend nach, ob er sich auch hinter den Ohren gewaschen hat.«

Auf einen Knopfdruck hin sauste Jeds Maßband zischend in die Box zurück. »Warum, zum Teufel, bist du überhaupt mit so einem Kerl ausgegangen?«

»Er hat mir einen Vortrag über den Paragrafen fünfundzwanzig des neuen Steuergesetzes gehalten. Er hat mich damit so beeindruckt, dass ich Angst hatte, seine Einladung auszuschlagen.« Sie lächelte jetzt, weil es ihnen schließlich doch noch gelungen war, ein Gespräch in Gang zu bringen. »Genau genommen hatte ich Mitleid mit ihm. Seine Mutter ist wirklich eine herrschsüchtige alte Hexe.«

»An dem fraglichen Abend war Andrew mit dieser herrschsüchtigen alten Hexe und zwei Dutzend anderen Leuten auf der Dawd, Dawd und Goldstein-Weihnachtsfeier. Bis halb elf hat er ein wasserdichtes Alibi.«

»Hab' sowieso nie geglaubt, dass er es war.« Sie wandte sich wieder ihren Lieferscheinen und Rechnungen zu. »Ich habe im Krankenhaus angerufen.«

»Was?«

»Mrs. Lyle. Die Nachrichten heute Morgen, erinnerst du dich? Es ging mir einfach nicht aus dem Sinn.« Sie heftete einen Federal-Express-Beleg in dem entsprechenden Ordner ab. »Sie liegt immer noch im Koma. Ich habe ihr Blumen geschickt. War wohl töricht, wie?«

»Allerdings.« Verdammt, warum ließ er es zu, dass sie ihn immer wieder zu solchen Äußerungen zwang? »Aber gemeinhin schätzen die Menschen solche törichten Gesten.«

»Ich zumindest schon.« Dora tat einen tiefen Atemzug. »Skimmerhorn, hast du Lust, von hier zu verschwinden?«

»Ich bin mit dem Messen gleich fertig. Dann gehe ich dir aus dem Weg.«

»Nein, ich meine, aus dem Haus zu gehen.« Nervös fuhr sie, sich mit den Fingern durchs Haar. »Hast du vielleicht Lust auf eine Pizza oder einen Film? Ich kriege die Krise, wenn ich mir diesen Stapel Papier noch länger anschauen muss.«

»Ist es nicht ein bisschen früh fürs Kino?«

»Nach einer anständigen Pizza nicht mehr.« Sie bot ihre ganze Überredungskunst auf. »Komm, sei kein Spielverderber, Skimmerhorn. Das Einzige, was noch schlimmer ist, als alleine ins Kino zu gehen, ist, alleine ins Autokino zu gehen.«

Er wusste, dass er Nein sagen sollte. Nachdem, was zwischen ihnen am Abend zuvor beinahe passiert wäre, sollte er sich tunlichst von ihr fern halten. »Hast du schon eine Kodenummer eingegeben?«

»Warum fragst du?«

»Weil wir die Anlage einschalten müssen, bevor wir ausgehen.«

Ihre Nervosität war wie weggeblasen. »Die Nummer lautet: zwölf-vierundzwanzig-dreiundneunzig. Weihnachten dreiundneunzig«, erklärte sie lächelnd und nahm ihren Mantel. »Dieses Datum, dachte ich mir, werde ich nicht so schnell vergessen.«

»Klug überlegt.« Er schlüpfte in sein Jackett und ergriff nach kurzem Zögern die Hand, die sie ihm hinstreckte. »Aber erst überprüfen wir die Schlösser.«

9. Kapitel

Mary Pat war eine Frau, die ihre Ziele ohne Umwege anzusteuern pflegte. Und der kürzeste Weg, um ihre Neugier bezüglich Jeds Vermieterin zu befriedigen, war ein kleiner Einkaufsbummel. Sie betrat Doras Laden und war von dem Ambiente ebenso angetan wie von dem glücklichen Zufall, ihre Partnerin aus der Fahrgemeinschaft dort anzutreffen.

»Hallo, Lea.«

»Ach, hallo.« Lea stellte den mundgeblasenen Spucknapf ab, den sie gerade abgestaubt hatte. »Was führt Sie denn in diese Gegend.«

»Der Geburtstag meiner Mutter.« Dass dieser erst in drei Monaten anstand, spielte für sie keine Rolle. »Mir hat die Keksdose, die Jed mir neulich aus diesem Laden mitgebracht hat, so gut gefallen, dass ich dachte, ich finde hier auch etwas Ausgefallenes für meine Mutter.«

»Ausgefallenes haben wir zuhauf. Was machen die Kinder?«

»Uns langsam aber sicher zum Wahnsinn treiben. Ich zähle die Tage, bis die Schule wieder anfängt.«

»Ja, ja, wer nicht.« Leas Verstand arbeitete messerscharf. Mary Pat war genau die richtige Adresse, um etwas über Jed in Erfahrung zu bringen. »So, Sie sind also mit Jed befreundet?«

»Seit Jahren.« Mary Pat betrachtete eine Sammlung Goss-Porzellan und wartete auf eine passende Gelegenheit, um Lea über ihre Schwester auszuhorchen. »Er und Brent waren Kollegen, bis Jed Captain wurde. Haben sechs Jahre zusammen gearbeitet. Das ist ja wirklich ein hübscher Laden. Wie lange ist Ihre Schwester denn schon in diesem Geschäft?«

»Seit der ersten Klasse«, erwiderte Lea trocken. »Das Handeln liegt ihr im Blut. Offiziell betreibt sie es seit drei Jahren.«

Eine knallharte Geschäftsfrau? fragte sich Mary Pat im Stillen. Profitgierig? »Sie hat wirklich eine sehr hübsche Auswahl.« Sie warf einen Blick auf das Preisschild, das an einem Art-Deco-Cocktailshaker baumelte und stieß einen lautlosen Pfiff aus. »Ich hoffe, dass sie seit dem Einbruch keine weiteren Unannehmlichkeiten mehr hatte.«

»Nein, zum Glück nicht.« Lea ging zu der kleinen Kaffeebar hinüber und füllte zwei versilberte Tassen. »Milch? Zucker?«

»Mmm, danke.«

»Wir sind ja alle so froh, dass Jed an dem Abend hier war. Es ist schon ein sehr beruhigendes Gefühl zu wissen, dass sie einen Polizisten zum Nachbarn hat.«

»Und auch noch einen der besten. Brent meint, wenn Jed sich dazu entschließen könnte, wieder einzusteigen, könnte er binnen zehn Jahren Polizeichef sein.«

»Wirklich?« Mit einem kurzen, schuldbewussten Gedanken an ihre Diät genehmigte Lea sich noch einen halben Teelöffel Zucker extra.

Mary Pat steuerte wieder das Ausgangsthema ihres Gesprächs an.

»Ich war überrascht, als er hier einzog. Ihre Schwester ist ja eine richtige Unternehmerin – Geschäftsfrau, Hausbesitzerin.«

»O ja, Dora hält gerne die Fäden in der Hand.«

Superehrgeizig, entschied Mary Pat. Arrogant. Sie war froh, um Jeds willen, dass sie zum Schnüffeln vorbeigekommen war. Sie drehte sich um, als sie Stimmen im Nebenraum hörte.

»Ich bin davon überzeugt, dass ich genau das finde, was Sie suchen, Mrs. Hendershot.« Dora half einer älteren Dame, die sich schwer auf ihren Gehstock stützte, durch den Laden.

»Sie rufen mich doch sofort an, nicht wahr?«, verlangte diese mit einer Stimme, die eher einem Marktschreier als einer gebrechlichen älteren Dame zu gehören schien. »Die Hochzeit meiner Urenkelin findet in zwei Monaten statt. Diese jungen Leute haben es immer so eilig.«

»Selbstverständlich melde ich mich sofort.« Dora hielt stützend die Hand unter den Ellbogen der Frau, als sie an die Tür kamen, und führte sie trotz ihres dünnen Seidenkostüms hinaus zu der Limousine, die am Straßenrand wartete. »Wir werden genau das richtige Hochzeitsgeschenk für Ihre Urenkelin finden.«

»Enttäuschen Sie mich nur ja nicht.« Mrs. Hendershot warf ihren Gehstock auf den Beifahrersitz und schob sich hinters Lenkrad. »Jetzt gehen Sie aber schnell wieder hinein, Mädchen, sonst holen Sie sich noch den Tod.«

»Ja, Ma'am.« Dora war noch nicht wieder im Laden, da hatte sich der Wagen schon in den zügig vorbeifließenden Verkehrsstrom eingereiht. Dora rieb sich im Laden die eiskalten Hände. »Gegen die hätte beim Formel-Eins-Rennen in Indianapolis kaum jemand eine Chance.«

»Eine Frau in dem Alter sollte überhaupt nicht mehr fahren«, konstatierte Lea und goss ihrer Schwester eine Tasse Kaffee ein.

»Warum nicht? Sie beherrscht den alten Kübel wie ein Profi. Guten Morgen«, begrüßte sie Mary Pat. »Bedient Lea Sie bereits?«

Mary Pat hatte ausreichend Zeit gehabt, ihr Opfer in Augenschein zu nehmen. Nicht ohne einen Anflug von Neid musste sie sich eingestehen, dass Doras geblümtes Sakko und der farblich dazu passende enge, kurze Rock in Apricot ausgesprochen geschmackvoll waren. Als Frau, die den ganzen Tag selbst auf den Beinen war, staunte sie über die hochhackigen Pumps, die Dora dazu trug. Sie fragte sich, ob die schweren Saphire an ihren Ohren echt oder nur Modeschmuck waren.

»Ich suche nach einem Geburtstagsgeschenk. Lea und ich sind Nachbarinnen.«

»Das ist Mary Pat Chapman«, stellte Lea sie vor.

Mary Pat revidierte augenblicklich die gesamte Palette ihrer vorgefassten Meinungen über Dora, als diese sie anlächelte und ihre Hand nahm. Sie strahlte eine ungeheure Wärme und Freundlichkeit aus. »Wie nett, dass Sie vorbeigekommen sind. So habe ich endlich Gelegenheit, Sie kennen zu lernen. Brent war mir neulich Abend wirklich eine große Hilfe. Ich war schrecklich aufgeregt, aber er hat es geschafft, mich zu beruhigen. Übrigens, hat Ihnen die Gebäckdose gefallen?«

»Ja, sehr.« Mary Pat entspannte sich. »Sie hat mir so gut gefallen, dass ich gekommen bin, um mich nach einem Geschenk für meine Mutter umzusehen.« Sie zögerte kurz und stellte dann ihre Tasse ab. »Aber das ist nicht der eigentliche Grund meines Besuchs. Der Hauptgrund ist der, dass ich neugierig auf Sie war.«

Dora lachte sie über den Rand ihrer Kaffeetasse hinweg an. »Wer könnte Ihnen das verübeln? Nun, während Sie mich einer Inspektion unterziehen, könnten wir doch gemeinsam das Geschenk für Ihre Mom aussuchen. Haben Sie etwas Bestimmtes im Sinn?«

»Überhaupt nicht. Waren Sie schon einmal verheiratet?«

Dora musste angesichts dieses unverblümten Verhörs beinahe kichern. »Nein. Nur einmal beinahe verlobt. Erinnerst du dich noch an Scott, Lea?«

»Zu meinem Leidwesen.«

»Er ist nach L.A. gezogen, und unsere Romanze verblasste daraufhin ganz schnell. Wie wär's mit einem Parfumflakon? Wir haben da eine ganz hübsche Auswahl, in Kristall, Porzellan oder mundgeblasenem Glas.«

»Hm, warum nicht. Meine Mutter hat eine Frisiertoilette. Oh, der da ist wirklich besonders reizend.« Sie nahm einen herzförmigen Kristallflakon aus dem Regal, auf den Rosenblüten eingraviert waren.

»Würden Sie Ihren Laden als erfolgreich bezeichnen? Finanziell, meine ich?«

Dora lachte. »An dem Bankkonto eines Mannes bin ich nicht interessiert, auch nicht an einem so dicken, wie Jed es zu besitzen scheint. Mich interessiert vielmehr sein Körper. Dieser Flakon kostet fünfundsiebzig Dollar, aber wenn er Ihnen gefällt, lasse ich Ihnen zehn Prozent nach. Ein Einführungsangebot.«

»Gekauft.« Mary Pat grinste zurück. »Er hat hübsche Augen.«

»Ja, die hat er. Soll ich Ihnen den Flakon gleich als Geschenk verpacken?«

»Gern.« Mary Pat folgte Dora zum Ladentisch. »Normalerweise bin ich nicht so aufdringlich. Aber Jed gehört so gut wie zur Familie.«

»Das verstehe ich. Sonst hätte ich mich schon dagegen gewehrt.«

Mehr als zufrieden mit ihrer Mission, stimmte Mary Pat ein heiteres Lachen an. »Gut. Wissen Sie, Dora, alles, was Jed braucht, ist …« Sie verschluckte den restlichen Satz, denn besagter Mann kam gerade aus dem Lager.

»Conroy, willst du diese …« Er blieb abrupt stehen und kniff die Augen zusammen. »MP.«

»Hallo, Jed.« Ihr Lächeln kam schnell und ein wenig gezwungen. »Was für ein Zufall, dich hier zu treffen.«

Er kannte sie gut, zu gut. Mit gespielter Lässigkeit steckte er die Hände in die Hosentaschen. »Was treibst du denn hier?«

»Ein Geschenk kaufen.« Zum Beweis zückte sie ihre Kreditkarte. »Für meine Mutter.«

»Und ich hoffe wirklich, dass sie Freude daran hat.« Dora blinzelte Mary Pat unauffällig zu. »Sie hat dreißig Tage Zeit, es umzutauschen.« Dann drehte sie sich zu Jed um. »Wolltest du etwas?«

Ärger stieg in ihm auf. »Willst du die Regalbretter fix eingebaut oder zum Verstellen?«

»Du kannst sie verstellbar machen? Super! Ach, Jed ist mir hier eine so große Hilfe.« Strahlend beugte sie sich zu Mary Pat. »Ich wüsste gar nicht, was ich ohne ihn täte.«

»Es geht doch nichts über einen handwerklich begabten Mann im Haus«, pflichtete ihr Mary Pat bei. »Jed hat Brent letztes Jahr geholfen, unser Wohnzimmer zu renovieren. Sie müssen es sich bei Gelegenheit einmal ansehen.«

»Du bist so heimtückisch wie eine Klapperschlange, Mary Pat.« Jed bedachte beide Frauen mit seinem finstersten Blick und knallte die Tür zum Lager hinter sich zu.

»Er ist ein so freundlicher und zurückhaltender Mann«, säuselte Dora gut hörbar.

»Deshalb lieben wir ihn ja auch so.«

Äußerst zufrieden mit ihrem morgendlichen Werk, verließ Mary Pat ein paar Minuten später Doras Laden.

Die Frau schien alles daranzusetzen, sich Ärger einzuhandeln, dachte Jed ingrimmig, während er die Stichsäge durch ein Brett jagte. Und sie war offensichtlich davon überzeugt, diesen auch durchzustehen. Es reizte ihn, ihr das Gegenteil zu beweisen. Er hätte es auch tatsächlich getan, entschied er, wenn sie in einem Punkt der Wahrheit nicht so verdammt nahe gekommen wäre.

Er hatte keine Angst vor ihr. Das wäre ja auch gelacht. Aber … Er stellte die Stichsäge ab und zündete sich eine Zigarette an. Dass sie ihn nervös machte, daran gab es nichts zu deuteln.

Er hörte sie gerne lachen. Es hatte ihm sogar irgendwie imponiert, wie sie sich am Abend zuvor in dem dunklen Kino lautstark in die Dialoge auf der Leinwand eingemischt hatte. Konversation zu machen bereitete ihr nicht die geringsten Probleme. Im Gegenteil, er konnte sich vorstellen, eine geschlagene Stunde mit ihr auf dem Sofa zu sitzen, ohne ein Wort zu sagen, während sie ihn unterhielt.

Es wäre auch gelogen, wenn er behaupten würde, dass ihm ihr Äußeres nicht gefiele. Große Augen und kurze Röcke. Und ein leicht zu besiegender Gegner war sie ebenfalls nicht. Er hatte sie für die Unerschrockenheit bewundert, mit der sie auf den Buchhalter losgegangen war – die Fäuste geballt und einem Blick in den Augen, der töten konnte.

Jed ertappte sich bei einem Grinsen und trat energisch die Zigarette auf dem Fußboden aus. Er würde sie nicht an sich heranlassen. Auf Probleme konnte er gut verzichten, wie auch auf Komplikationen. Er hatte nicht vor, sich von seinen Hormonen in eine nervenaufreibende Beziehungskiste locken zu lassen. Möglich, dass er sich ab und zu – viel zu oft – vorgestellt hatte, Isadora Conroy aus einem dieser hautengen Kostüme zu schälen, die sie mit Vorliebe trug. Aber das hieß noch lange nicht, dass er es auch tun würde.

Immerhin, war er zu Misstrauen, Zynismus und Arroganz erzogen worden, ganz im Sinne der skimmerhorn-schen Tradition. Und seine Jahre bei der Polizei hatten diese Tendenzen noch verfeinert. Also, solange er dieser Lady nicht über den Weg traute, würde er die Finger von ihr lassen.

Die zehn Minuten draußen in der Kälte hatten sein Blut etwas abgekühlt. Er klemmte sich die Bretter unter den Arm und ging zurück ins Lager.

Dora saß immer noch an ihrem Schreibtisch. Doch bevor er noch einen sarkastischen Kommentar abgeben konnte, ließ ein Blick in ihr Gesicht ihn innehalten. Ihre Wangen waren aschfahl, sie schien verstört zu sein.

»Schlechte Nachrichten?«, erkundigte er sich, wobei er sorgsam jegliches Interesse aus seiner Stimme ausblendete. Als sie nicht antwortete, stellte er die Bretter ab. »Dora?« Er baute sich vor ihrem Schreibtisch auf und wiederholte ihren Namen.

Sie hob das Gesicht. Eine der Tränen, die in ihren Augen schwammen, löste sich und kullerte über ihre Wange. Er hatte schon Hunderte von Frauen weinen sehen, einige routiniert und ohne Gefühl, andere hemmungslos ihrem Schmerz ausgeliefert. Aber er konnte sich nicht erinnern, dass ihn jemals etwas so berührt hatte wie diese eine stille Träne.

Sie blinzelte – es kullerte noch eine Träne –, dann stand sie auf. Sein Verstand befahl ihm, sie gehen zu lassen, doch mit zwei Schritten war er bei ihr. Entschlossen drehte er sie an den Schultern zu sich herum.

»Was ist denn passiert? Irgendwas mit deinem Vater?«

Verbissen um Beherrschung ringend, schüttelte sie den Kopf. Sie hätte sich zu gern an Jeds Schulter gelehnt, unterließ es dann aber.

»Setz dich.« Obwohl sie sich steif wie ein Brett machte, führte er sie zu ihrem Stuhl zurück. »Soll ich deine Schwester anrufen?«

»Nein.« Dora presste die Lippen aufeinander und holte tief Luft. »Geh bitte.«

Er wäre ihrer Bitte nur zu gerne gefolgt, hätte er nicht

164

schon genug Schuld auf sich geladen. Deshalb verschwand er in der kleinen Toilette und holte ihr ein Glas Leitungswasser. »Hier. Trink das. Dann lehn dich zurück, mach die Augen zu und atme ein paar Mal tief durch.«

»Was ist das? Skimmerhorns Allheilmittel?«

Um seinem Bedürfnis, sie zu streicheln und zu trösten, nicht nachzugeben, vergrub er beide Hände tief in den Hosentaschen. »So was Ähnliches.«

Mit ihren geschlossenen Augen, dachte Jed, sah Dora plötzlich ungeheuer verletzbar aus. Sie ähnelte gar nicht mehr der vitalen Frau, die noch vor wenigen Minuten seine Libido aufs Höchste gereizt hatte. Er setzte sich auf die Schreibtischkante und wartete.

»Okay«, sagte sie nach einer Weile. »Es hat schon geholfen.«

Seufzend schlug sie die Augen wieder auf. »Danke.«

»Was hat dich denn so aus der Bahn geworfen?«

»Der Anruf.« Sie schniefte und kramte ein Päckchen Taschentücher aus einer Schublade. »Auf meinem Einkaufstrip kurz vor Weihnachten habe ich einen Antiquitätenhändler kennen gelernt. Ich habe vorhin bei ihm angerufen, um ihn zu fragen, ob er noch einen bestimmten Gegenstand besitzt, für den meine letzte Kundin Interesse zeigte.« Sie musste noch einmal tief Luft holen. »Er ist tot, wurde bei einem Einbruch letzte Woche umgebracht.«

»Das tut mir Leid.« Jed hasste diese drei Worte; sie waren so nichts sagend.

»Ich bin ihm nur einmal begegnet, bei einer Auktion. Ich habe ihn bei ein paar Partien überboten. Lea und ich haben anschließend noch bei ihm in seinem Laden vorbeigeschaut, und er hat uns heißen Kakao gekocht.« Ihre Stimme brach und sie brauchte ein paar Sekunden, um sich wieder zu fangen. »Sein Sohn war am Telefon. Er sagte mir, dass er am Abend danach umgebracht worden sei.«

»Haben sie den Kerl erwischt?«

»Nein.« Sie sah Jed an. Beide waren sie erleichtert, dass ihre Augen wieder trocken waren. »Ich weiß keine Einzelheiten. Ich wollte nicht fragen. Wie kommst du mit so was zurecht?«, fragte sie und griff mit einer Verzweiflung nach seiner Hand, die sie ebenso überraschte wie ihn. »Wie kommst du damit zurecht, Tag für Tag mit schrecklichen Schicksalen konfrontiert zu werden?«

»Als Polizist betrachtet man diese Dinge mit anderen Augen. Muss man.«

»Hast du deshalb deinen Job aufgegeben, weil du diese Dinge irgendwann doch nicht mehr mit diesen anderen Augen betrachten konntest?«

»Teilweise.« Um Distanz zu schaffen, entzog er ihr seine Hand.

»Ich finde nicht, dass das ein guter Grund ist.«

»Fand ich schon.«

»Interessant, dass du die Vergangenheitsform wählst, Skimmerhorn.« Sie stand auf und wünschte, ihr Magen würde sich endlich beruhigen. »Du hättest sagen sollen ›finde ich schon‹ –, es sei denn, du hast deine Meinung geändert. Wir könnten uns tiefer in dieses Thema vergraben, aber im Augenblick steht mir nicht der Sinn nach Grundsatzdiskussionen. Ich muss mit Lea reden.«

Gregg und Renee Demosky erreichten Punkt sechs Uhr ihr Haus in Baltimore. Wie immer stritten sie sich. Sie hatten damit bereits in Greggs Zahnarztpraxis begonnen – Renee arbeitete dort als seine Assistentin. Sie setzten ihr Gezanke in der Garage fort und hörten auch auf dem Weg zur Haustür damit nicht auf.

»Wir hätten irgendwo zum Essen hingehen können«, meinte Renee vorwurfsvoll, indem sie die Haustür aufstieß. Sie war eine hoch gewachsene Blondine, die um die Hüften ein wenig mollig zu werden begann.

»Alle heiligen Zeiten einmal bewege ich mich gern in Gesellschaft von Menschen, die mich nicht mit sperrangelweit offen stehendem Mund anglotzen«, maulte sie. »Unser Dasein ist ein einziger Trott.«

»Ich liebe diesen Trott«, brummte er. »Komm, Renee, lass es gut sein. Alles, was ich will, ist, mich in meinen eigenen vier Wänden zu entspannen. Ist das zu viel verlangt?«

»Und ich wollte mir einen schönen Abend machen, vielleicht unten am Inner Harbor.« Renee machte den Kühlschrank auf und nahm die Thunfischpfanne heraus. »Aber nein, ich komme nach Hause, nachdem ich mir den ganzen Tag die Beine in den Bauch gestanden habe, um anderen Leuten die Zähne zu polieren, und dann muss ich auch noch Abendessen kochen.«

Gregg strebte geradewegs auf die Scotchflasche im Wohnzimmer zu.

»Bleib gefälligst hier, wenn ich mir dir rede.« Renee schob den Thunfischauflauf in den Ofen und eilte ihm hinterher.

Wie Gregg kurz zuvor, blieb auch sie wie angewurzelt stehen, als sie die Verwüstung sah, die im Wohnzimmer herrschte. Was noch an Einrichtung vorhanden war, türmte sich, größtenteils zerbrochen, in der Mitte des Zimmers auf, wo morgens noch der Perserteppich gelegen hatte. In der Einbauwand gegenüber der Sitzgruppe, wo sonst der Stereo-Farbfernseher nebst Videogerät und Hi-Fi-Anlage gestanden hatte, gähnte jetzt ein großes Loch.

»Oh Gregg!« Alle Zwistigkeiten waren vergessen, als Renee ihrem Mann an die Brust sank. »Man hat uns ausgeraubt.«

»Weine nicht, Baby. Ich kümmere mich um alles. Geh in die Küche und ruf die Polizei an.«

»Unsere ganzen Sachen. All unsere hübschen Sachen.«

»Alles nur materielle Werte.« Er legte seine Arme um sie und hauchte ihr einen Kuss auf den Scheitel. »Wir können alles neu kaufen. Und immerhin haben wir noch uns.«

»Oh.« Renee blinzelte sich die Tränen aus den Augen und blickte zu ihm auf. »Meinst du das wirklich?«

»Aber natürlich.« Seine Hand zitterte ein wenig, als er ihr übers Haar strich. »Und wenn die Polizei hier fertig ist, und wir wissen, was, zum Teufel, das alles bedeuten soll, gehen wir beide aus.«

DiCarlo pfiff fröhlich den Song von Tina Turner mit, der aus dem Autoradio kam. Er war im Besitz der Meerjungfrau-Buchstützen, hatte die 600 Dollar in der Tasche, die die Demoskys im Tiefkühlfach versteckt hatten, zudem einen hübschen Ring mit Brillanten und Rubinen, den Renee achtlos auf ihrem Toilettentisch hatte rumliegen lassen, und freute sich auf den Profit, der ihm winkte, wenn er den ganzen Elektronik-Plunder erst einmal an seinen alten Kontaktmann in Columbia, Maryland, verschachert hatte.

Alles in allem konnte er sich über den Verlauf dieses Tages nicht beklagen. Und dass er es wie einen ganz gewöhnlichen Einbruch hatte aussehen lassen, minderte seine Reisekosten erheblich. Zur Feier des Tages wollte er sich in einem Fünf-Sterne-Hotel einmieten, nachdem er den Papagei in Virginia abgeholt hatte.

Anschließend stand nur noch der kurze Abstecher nach Philadelphia auf dem Programm, um das Gemälde ausfindig zu machen.

In ein oder zwei Tagen würde Finley dann zugeben müssen, was für ein zuverlässiger und erfindungsreicher Mitarbeiter Anthony DiCarlo doch war. Und außerdem, überlegte er, war es ohne weiteres drin, dass er für seine geleisteten Dienste eine wohldotierte Prämie bekam.

10. Kapitel

In dem von Adam gestalteten Kamin brannte ein manierliches Buchenholzfeuer, das rötliche Schatten über den Orientteppich und die seidenbespannten Wände tanzen ließ. Der erlesene Wermut in dem schweren, geschliffenen Baccarat-Glas fing das dezente Lichtspiel ein und wechselte hin und wieder die Farbe. Van Cliburn spielte eine Chopin-Etüde. Auf einer gregorianischen Silberplatte hatte der angegraute, diskrete Butler kleine Appetithäppchen anrichten lassen.

Es war genau die Sorte von Räumen, in denen Jed sich als Kind herumgedrückt hatte, mit den wohlplatzierten Antiquitäten, die nach altem Geld rochen. Mit einem kleinen, aber nicht unerheblichen Unterschied. In diesem Zimmer, in diesem Haus, hatte er einige glückliche Momente verbracht. Hier war ihm nicht gedroht worden, hier war er nicht ausgeschimpft oder übersehen worden.

Und dennoch erinnerte ihn die ganze Atmosphäre schmerzlich an den Jungen, der er einst gewesen war.

Jed erhob sich aus dem grässlich unbequemen Louis XI.-Sesselchen, um sich im Salon seiner Großmutter ein wenig die Füße zu vertreten.

In seinem Abendanzug verkörperte er perfekt die Rolle des Bester-Skimmerhorn-Erben. Nur seine Augen, die jetzt in das flackernde Kaminfeuer starrten, zeigten seinen inneren Kampf, in dieser Welt den richtigen Platz zu finden.

Gegen einen Besuch bei seiner Großmutter hätte er grundsätzlich nichts einzuwenden gehabt. Honoria war die einzige gewesen, der er in seiner Jugend tiefer gehende Gefühle entgegengebracht hatte. Und wie es das Schicksal wollte, war sie jetzt seine einzige noch lebende Verwandte. Doch ihre unbeugsame Beharrlichkeit wurmte ihn.

Er hatte es abgelehnt, Honoria zum Winterball zu begleiten, zweimal sogar – offen und unmissverständlich. Sie jedoch hatte seine abschlägige Antwort nicht gelten lassen und ihn unter Anwendung aller Tricks doch noch dazu überredet, seinen Frack aus dem Schrank zu holen.

»Meine Hochachtung, Jedidiah, pünktlich wie immer.«

Honoria stand in der Tür zum Salon. Sie hatte die für die Einwanderer aus Neuengland typischen ausgeprägten Wangenknochen und leuchtend blaue Augen, denen nur wenig entging. Ihr schneeweißes Haar umrahmte in weichen Wellen ihr schmales Gesicht. Ihre Lippen, immer noch voll und erstaunlich sinnlich, lächelten. Selbstgefällig. Honoria wusste, wann sie gewonnen hatte.

»Großmutter.« Weil sie es erwartete, und weil er es gerne tat, ging er auf Honoria zu, nahm ihre Hand und hob sie an seine Lippen. »Du siehst wunderschön aus.«

Das war kein höfliches Kompliment, auch das wusste sie. Ihr königsblaues Abendkleid von Adolpho brachte ihre blauen Augen und ihre stattliche Figur vorteilhaft zur Geltung. An ihrem Dekolleté, den Handgelenken und den Ohren glitzerten Brillanten. Sie liebte ihren Schmuck, weil sie ihn sich erarbeitet hatte, und weil sie wusste, dass er Aufsehen erregen würde.

»Schenk mir einen Drink ein«, sagte sie. Den Bostoner Akzent ihrer Jugend hatte sie ganz verloren. »Es gibt dir Zeit, mir zu berichten, was du mit deiner Freizeit anfängst.«

»Das ist in weniger als einer Minute erzählt«, entgegnete er, ging aber dennoch gehorsam zum Likörschrank.

Dabei erinnerte er sich, wie sie ihn vor zwanzig Jahren vor eben diesem Schrank erwischt hatte, als er sich heimlich einen Schluck genehmigt hatte. Wie sie darauf bestanden hatte, dass er die Whiskeyflasche an die Lippen setzte – und trank und trank, während ihr stahlharter Blick ihn fixierte. Und dann, als ihm hundeelend war, hatte sie ihm den Kopf gehalten.

›Wenn du alt genug bist‹, hatte sie daraufhin gesagt ›und trinken kannst wie ein Mann, Jedidiah, dann werden wir beide uns einen anständigen Cocktail mixen. Bis dahin lass die Finger von Dingen, die du nicht verträgst.‹

»Sherry, Großmutter?«, erkundigte er sich und grinste.

»Soll ich mich etwa mit diesem Altweibergetränk begnügen, wenn ich einen guten Whiskey im Schrank stehen habe, hm?« Ihr Seidenkleid raschelte, als sie sich in einem Sessel vor dem Kamin niederließ. »Wann bekomme ich denn einmal diese Bruchbude zu sehen, in die du eingezogen bist?«

»Wann immer du willst, aber eine Bruchbude wirst du nicht vorfinden.«

Mit einem verächtlichen Schnauben nippte sie an dem schweren Whiskeybecher aus Kristall. »Ein zugiges Apartment über einem kleinen Trödelladen.«

»Soweit ich feststellen konnte, zieht es bei mir nicht.«

»Du hast ein wunderschönes, geräumiges Haus besessen.«

»Ich habe ein Zwanzig-Zimmer-Mausoleum besessen, das ich hasste.« Er wusste, dass das kommen würde. Schließlich hatte er von ihr seine Hartnäckigkeit geerbt, die ihn zu einem erfolgreichen Cop gemacht hatte. Bevor er sich wieder in den unbequemen Sessel setzte, lehnte er sich lieber an den Kaminsims. »Ich habe dieses Haus immer gehasst.«

»Es besteht nur aus Holz und Ziegeln«, wischte sie seine Erklärung beiseite. »Es ist eine Energieverschwendung, leblose Dinge zu hassen. Außerdem wärest du mir in meinem Haus sehr willkommen gewesen. Wie eh und je.«

»Ich weiß.« Das hatten sie alles schon zigmal durchgekaut. Um ihre Sorgenfalten zu glätten, meinte er mit einem Grinsen: »Ich wollte nur dein Liebesleben durch meine Anwesenheit nicht stören.«

»Das wäre dir vom Ostflügel aus auch schwer gefallen«, konterte sie schlagfertig. »Wie auch immer, ich habe deine Unabhängigkeit stets respektiert.« Und da ihr nicht entgangen war, dass er seit ihrer letzten Begegnung irgendwie gelöster wirkte, ließ sie es dabei bewenden. »Wann gedenkst du deine Arbeit wieder aufzunehmen?«

Er zögerte für den Bruchteil einer Sekunde. »Gar nicht. Ich habe meinen Job endgültig an den Nagel gehängt.«

»Du enttäuschst mich, Jedidiah. Und ich glaube, du enttäuschst dich auch selbst.« Sie erhob sich mit der Eleganz einer Königin. »Hol meinen Mantel. Es ist höchste Zeit, dass wir aufbrechen.«

Dora liebte Partys. Nach einem harten Arbeitstag belohnte sie sich am liebsten damit, sich in Schale zu werfen und den Abend in Gesellschaft netter Leute zu verbringen. Und es spielte für sie keine Rolle, ob sie irgendeine Menschenseele kannte, solange die Party gut besucht, der Champagner kalt, die Musik schmissig und das Buffet appetitlich waren.

Diesmal entdeckte sie unter den Gästen des Winterballs zahlreiche bekannte Gesichter. Freunde, Kunden und langjährige Abonnenten des Liberty Theaters. Sie amüsierte sich prächtig dabei, sich unter die illustre Gesellschaft zu mischen, von einem Grüppchen zum nächsten zu schlendern, Wangenküsschen und die neuesten Gerüchte auszutauschen. Obgleich das trägerfreie weiße Cocktailkleid als Wärmeschutz denkbar ungeeignet war, fror sie in dem dicht gedrängtem Ballsaal keineswegs.

»Dora, Darling, du siehst fantastisch aus.« Ashley Draper, die erst kürzlich ihren zweiten Ehemann zum Teufel gejagt hatte, segelte, eingehüllt in eine Wolke Opium, auf Dora zu.

Da Ashley Dora nicht ganz unsympathisch war, nahm sie amüsiert deren hingehauchten Wangenkuss entgegen. »Und du hinreißend, Ashley.«

»Lieb von dir, Dora, dass du das sagst, obwohl ich zugegebenermaßen ein bisschen durcheinander bin. Gleich nach Silvester werde ich mich eine Woche auf eine Schönheitsfarm zurückziehen. Die Feiertage sind ja so anstrengend, findest du nicht auch?«

»Ja, Gott allein weiß, wie man die immer wieder durchsteht.« Dora steckte sich eine gefüllte Olive in den Mund. »Ich dachte, du seist in Aspen.«

»Nächste Woche.« Ashley deutete mit einem knallrot lackierten Finger auf ein vorbeischlenderndes Paar. »Was für ein scheußliches Kleid«, wisperte sie. »Die Gute sieht darin aus wie eine gefüllte Aubergine.«

Absolut treffsicher formuliert, dachte Dora und lachte. Ashley war im Grunde gar nicht so übel. »Bist du solo hier?«

»Ich doch nicht.« Ashley warf einen Blick in die Menge. »Mein Begleiter ist dieses erstaunliche Muskelpaket dort mit den Samson-Locken.«

Wieder hatte Ashley mit ihrer Beschreibung den Nagel auf den Kopf getroffen. Dora erkannte ihn sofort. »Alle Achtung!«

»Ein Künstler«, gurrte Ashley. »Habe mich vor kurzem entschlossen, die schönen Künste zu fördern. Ach, weil wir gerade von unseren Männern sprechen, ich habe gehört, dass Andrew eure Geschäftsbeziehung abgebrochen hat.«

»Tatsächlich?« Dass Andrew, oder sehr viel wahrscheinlicher seine Mutter, die Fakten verdreht hatte, konnte ihr nur ein müdes Lächeln entlocken. »Sagen wir lieber, ich suche einen Buchhalter, der sich etwas energischer zwischen mich und das Finanzamt stellt.«

»Und was macht dein kleiner Laden?«

»Oh, ab und an verkaufen wir das eine oder andere Kinkerlitzchen.«

»Mmmm, ja.« Ashleys Interesse an so profanen Dingen wie Geld beschränkt sich hauptsächlich auf das pünktliche Eintreffen ihres monatlichen Schecks, der für ihren Unterhalt sorgte. »Wir haben dich neulich auf der Party bei den Bergermans vermisst, am Heiligen Abend.«

»Ich wurde … unerwartet verhindert.«

»Da kann ich nur hoffen, dass er's wert war«, zwitscherte Ashley, dann packte sie Dora unvermittelt am Handgelenk. »Schau, dort.« Sie senkte ihre Stimme zu einem vertraulichen Tonfall. »Die Grande Dame persönlich. Sie beehrt unsereins nur selten mit ihrer Anwesenheit.«

»Wer?« Neugierig geworden, reckte Dora den Hals. Der Rest von Ashleys gezischelter Erklärung entzog sich ihrer Aufmerksamkeit, sobald sie Jed erspäht hatte. »Welch reizende Überraschung«, murmelte sie. »Entschuldige mich,

Ashley, ich muss diesen Herrn bezüglich seines Fracks sprechen.«

Dieser bot wahrlich ein prächtiges Bild, wie sie auf ihrem Weg quer durch den Ballsaal feststellte. Sie blieb hinter Jed stehen und wartete, bis er sich zwei Gläser Champagner genommen hatte.

»Ich bin im Bilde«, flüsterte sie an seiner Schulter. »Du bist wieder im Dienst und gerade mit einer Undercover-Ermittlung beschäftigt.« Sie hörte ihn eine leise Verwünschungen ausstoßen, als er sich umdrehte. »Wer ist es, ein international gesuchter Juwelendieb? Ein Ring skrupelloser Pastetenvergifter?«

»Conroy. Musst du überall sein?«

»Ich bin im Besitz einer Einladung.« Sie klopfte auf ihr perlenbesticktes Abendtäschchen. »Und du, Feierabendbulle?«

»Verflucht nochmal. Es ist schon schlimm genug, dass ich mich hier rumdrücken muss, auch ohne …«

»Jedidiah!« Honorias befehlsgewohnte Stimme gebot jeder weiteren Beschwerde Einhalt. »Hast du denn auch das Minimum an gutem Benehmen vergessen, dass ich dir mit Müh und Not habe eintrichtern können? Sei bitte so freundlich und stelle deiner Großmutter deine Bekannte vor.«

»Großmutter?« Mit einem kurzen Lachen ergriff Dora Honorias zartgliedrige Hand. »Tatsächlich? Ich bin sehr erfreut, Sie kennen zu lernen, Mrs. Skimmerhorn. Obgleich ich gestehen muss, dass diese Begegnung meine Theorie zunichte macht, derzufolge Jed einst aus einem sehr alten, sehr hartschaligem Ei geschlüpft ist.«

»Sein Charme und seine Geselligkeit lassen etwas zu wünschen übrig.« Honoria studierte Dora mit wachsendem Interesse. »Und mein Name ist Rodgers, meine Liebe. Ich war kurzzeitig mit Mr. Skimmerhorn verheiratet, habe diese Fehlentscheidung jedoch so schnell, wie die Etikette es zuließ, rückgängig gemacht.«

»Ich bin Dora Conroy, Jeds Vermieterin.«

»Ah.« Diese einzelne Silbe drückte eine ganze Palette

von Emotionen aus. »Und wie finden Sie meinen Enkel als Mieter?«

»Sein Temperament ist ein bisschen unberechenbar.« Dora warf Jed einen schnellen Blick zu und registrierte höchst zufrieden das Feuer, das in seinen Augen glomm. »Aber er scheint mir recht sauber und ordentlich zu sein und nicht zu Raufereien zu neigen.«

»Das zu hören, beruhigt mich sehr. Wissen Sie, es gab Zeiten, in seiner Jugend, da fürchtete ich schon, sein Platz würde in einem Gefängnis sein.«

»Dann sind Sie sicher froh, dass er die richtige Seite des Gesetzes gewählt hat.«

»Ich bin sehr stolz auf ihn. Er ist der erste und einzige Skimmerhorn, der es zu etwas gebracht hat.«

»Großmutter«, raunte Jed und nahm entschlossen ihren Arm. »Komm, ich hole dir ein paar Hors d'oeuvres.«

»Ich bin sehr wohl in der Lage, mich selbst zu verköstigen.« Nicht weniger entschlossen als er, schüttelte sie seine Hand ab. »Außerdem sind da etliche Leute, mit denen ich ein Wort wechseln muss. Tanz mit dem Mädchen, Jedidiah.«

»Ja, Jedidiah«, sagte Dora, als Honoria von dannen schwebte. »Tanz mit dem Mädchen.«

»Such dir jemand anderen, den du schikanieren kannst«, knurrte er und wandte sich der Bar zu. Er brauchte jetzt etwas Stärkeres als Champagner.

»Deine Großmutter beobachtet dich.« Dora zupfte ihn am Ärmel. »Ich fürchte, die wird dir was erzählen, Kumpel, wenn du mich nicht bald zum Tanzen führst und dabei wenigstens ein Minimum an Charme versprühst.«

Seufzend stellte Jed sein Champagnerglas ab und nahm ihren Arm. Auch wenn seine Finger dabei ein wenig zu fest zupackten, so war Dora entschlossen, keine Miene zu verziehen. »Hast du denn nicht irgendeinen Boyfriend mitgebracht?«

»Boyfriends sehe ich hier keine«, gab Dora zurück, etwas erleichtert, als er seinen Griff löste, um die Tanzposition einzunehmen. »Aber wenn du meinst, ob ich in Begleitung gekommen bin, dann lautet die Antwort Nein. Ich nehme meinen momentanen Begleiter gewöhnlich recht ungern auf Partys mit.«

»Warum?«

»Weil ich mich dann immer darum kümmern muss, dass er sich auch amüsiert.« Das Orchester stimmte gerade eine sanfte Version von *Twilight Time* an. »Du bist ein ganz passabler Tänzer, Skimmerhorn, ein viel besserer als Andrew.«

»Ich fühle mich geehrt.«

»Es wäre natürlich ein netter Zug von dir, wenn du mich bei den Drehungen ansehen würdest, anstatt die anderen Paare anzustarren.« Als er den Blick senkte, legte sie den Kopf in den Nacken und lächelte. »Und wie steht es mit dir? Amüsierst du dich gut?«

»Ich hasse derartige Veranstaltungen.« Dabei war es eine Schande, eine verfluchte Schande, dachte er, dass sie sich so unglaublich gut in seinen Armen anfühlte. »Du hingegen liebst solche Festivitäten, stimmt's?«

»Oh, ja. Und du würdest sie auch mögen, wenn du sie schlicht und einfach als das akzeptierst, was sie sind.«

»Und das wäre?«

»Eine prima Gelegenheit, eine Schau abzuziehen.« Sie hob einen Finger von seiner Schulter und spielte mit seinem Haar. »Und im Schauabziehen bin ich unschlagbar.«

»Das habe ich bereits festgestellt.«

»Erstaunlich. Macht wohl die Arbeit bei der Polizei.«

Er ließ seine Hand an ihrem Rücken hochgleiten und traf auf nackte Haut. »Trägst du eigentlich auch hin und wieder etwas, das nicht glitzert?«

»Nicht, wenn es sich vermeiden lässt. Gefällt dir mein Kleid nicht?«

»Du meinst, diese Andeutung von einem Kleid.« Das Lied endete, ein anderes begann, aber Jed hatte vergessen, dass er nicht mit ihr tanzen wollte. Honoria schwebte in den Armen eines distinguierten Herrn mit silbernem Schnauzbart vorbei. »Doch, du siehst darin ganz okay aus, Conroy.«

»Oh!« Sie riss die Augen auf. »Hier, fühl mal, wie mein Herz pocht.«

»Wenn ich dein Herz fühlen will, dann tue ich das, wenn wir allein sind.«

»Bist du jetzt wegen deiner Großmutter so hinreißend charmant?«

Etwas in ihrem Lächeln ermutigte ihn, es zu erwidern. »Sie mag dich.«

»Ich bin ja auch eine liebenswerte Person.«

»Nein, bist du nicht. Du bist eine Nervensäge.« Seine Hand streichelte über die seidige Haut ihres Rückens, die der tiefe Ausschnitt ihres Kleides freigab. »Eine Nervensäge, aber sehr sexy.«

»Ich krieg' dich schon noch, Jed.« Und ihr Herz klopfte nur ganz wenig, als sie mit dem Finger seinen Nacken entlangfuhr.

»Vielleicht.« Um ihre Worte zu testen, neigte er den Kopf und strich mit seinen Lippen über ihren Mund.

»Mit Sicherheit«, korrigierte sie ihn. In ihrem Magen machten sich jetzt Schmetterlinge breit. Sie kümmerte sich nicht um die Köpfe, die sich neugierig nach ihnen umdrehten, und behielt ihre Lippen ganz nah an seinem Mund. »Wir könnten später nach Hause gehen, uns gegenseitig die Kleider vom Leib reißen, ins Bett hüpfen und ein wenig Entspannung betreiben.«

»Ein interessantes Bild, das du da zeichnest, Conroy, aber mir ist, als käme da noch ein ›Oder‹.«

»Oder«, sagte sie und versuchte ein Lächeln, »wir könnten erst einmal Freunde werden.«

»Wer sagt denn, dass ich dein Freund sein will?«

»Du wirst dich kaum dagegen wehren können.« Sie berührte seine Wange, teils aus Mitgefühl, teils aus Leidenschaft. »Ich gebe nämlich einen ganz tollen Freund ab. Und ich glaube, du brauchst einen.«

Sie berührte etwas in ihm, so sehr er sich auch dagegen sträubte. »Wie kommst du denn auf die Idee?«

»Weil jeder einen Freund braucht. Weil es hart ist, allein in einem Raum voller Menschen zu sein, und du bist allein.«

Nach einem erbitterten inneren Kampf lehnte er seine

Stirn gegen die ihre. »Verdammt, Dora. Ich will dich nicht mögen. Ich will überhaupt …«

»Nichts?«, führte sie seinen Satz zu Ende. Und als sie diesmal zu ihm auf und in seine Augen blickte, tat ihr das Herz weh. »Du bist nicht tot«, wisperte sie.

»Aber so gut wie.« Er machte sich von ihr los. »Ich brauche einen Drink.«

Sie begleitete ihn an die Bar, bestellte für sich Champagner, während er einen Scotch verlangte. »Ich sag dir was.« Ihre Stimme klang wieder ganz locker. »Ich habe noch einen anderen Vorschlag. Ich mache dir das Leben nicht mehr schwer – und umgekehrt. Und ich spare mir künftig zweideutige Kommentare sowie ironische Beleidigungen.«

Er ließ das Eis in seinem Glas klimpern, während er sie nachdenklich fixierte. »Und dann?«

»Dann werden wir uns beide manierlich benehmen und amüsieren.« Als er misstrauisch die Stirn runzelte, ließ sie ein helles Lachen hören. »Okay, ich amüsiere mich, und du machst das Beste aus der Situation. Hast du Hunger?«

»Hmm, möglich.«

»Komm, lass uns mal das Buffet inspizieren. Solange du einen Teller in der Hand balancierst, wird keine der Damen, die dir schöne Augen machen, erwarten, dass du sie zum Tanz bittest.«

»Niemand macht mir schöne Augen.« Aber er ging mit ihr mit.

»Doch, alle. Ich würde auch einen Blick riskieren, wenn ich dich nicht kennen würde.« Sie schwankte zwischen Lachsmousse und gefüllten Champignons und entschied sich dann für beides. »Ich kann mich nicht entsinnen, dich schon einmal auf dem Winterball gesehen zu haben, und ich war die vergangenen drei Jahre immer hier.«

Es war ihm immer gelungen, seine Arbeit als Entschuldigung vorzuschieben, erinnerte sich Jed. Er pickte ein Stück Käse von ihrem Teller, ohne etwas zu sagen.

»Konversation zu machen fällt dir schwer, wie?« Sie behielt das Lächeln auf ihrem Gesicht, während sie sich den Teller noch einmal füllte und ihn mit einer stummen Geste aufforderte, sich zu bedienen. »Ich werde dir ein bisschen unter die Arme greifen, okay? Ich sage etwas, und je nachdem lachst du, schaust amüsiert, verärgert oder interessiert, und dann erwiderst du etwas. Bist du bereit?«

»Du hast wirklich ein unheimlich kluges Mundwerk, Conroy.«

»Fein. Das ist schon mal ein Anfang.« Sie kostete eine daumengroße Spinatpastete. »Erzähl mir, ist deine Großmutter die Honoria Rodgers, die vor ein paar Monaten bei Christie's den Cloisonné-Kerzenhalter aus der Qing-Dynastie erstanden hat? Er hat die Form eines Elefanten.«

»Von Elefanten weiß ich nichts, aber sie ist die einzige Honoria Rodgers, die mir bekannt ist.«

»Ein exquisites Stück – zumindest sah es im Katalog so aus. Ich konnte leider nicht nach New York fahren, habe aber per Telefon fleißig mitgesteigert. Bei dem Kerzenhalter natürlich nicht. Das Tier war finanziell eine Nummer zu groß für mich. Aber bewundern würde ich es sehr gerne einmal.«

»Falls du um eine Einladung buhlst, solltest du dich persönlich an meine Großmutter wenden.«

»Ich mach' doch nur Konversation, Skimmerhorn. Hier, probier mal so eine«, nuschelte sie mit vollem Mund und nahm noch eine Spinatpastete. »Sehr schmackhaft.«

Ehe er noch zustimmen oder ablehnen konnte, hatte sie ihm die Pastete schon in den Mund geschoben. »Köstlich, nicht?«

»Ich mag Spinat nicht.« Er verzog angewidert das Gesicht, schluckte und spülte mit einem kräftigen Schluck Scotch nach.

»Ich mochte früher auch keinen, aber mein Vater hat mich auf den Geschmack gebracht, indem er mir immer das Lied von Popeye, dem Seemann, vorsang. Damals war ich zwanzig«, fügte sie mit todernster Miene hinzu, »und gutgläubig.« Als sich seine Lippen zu einem angedeuteten Lächeln verzogen, hob sie ihr Glas und prostete ihm zu. »Siehst du, geht doch. Und was für ein hübsches Lächeln du zustande gebracht hast.«

»Dora, Darling.« Mit ihrem jungen Künstler im Schlepptau glitt Ashley auf das Buffet zu. »Wie schaffst du es nur, so viel zu essen und dabei so schlank zu bleiben?«

»Ach, das bewirkt mein stilles Abkommen mit dem Satan.«

Ashley lachte glucksend und musterte Jed mit einem langen, umfassenden Blick – den Dora bestimmt als ›schöne Augen machen‹ bezeichnet hätte. »Isadora Conroy, Heathcliff.« Ashley präsentierte ihren Begleiter wie den preisgekrönten Zuchthengst auf einer Pferdeschau. »Ich habe ihn in dieser zauberhaften kleinen Galerie in der South Street entdeckt.«

»Oh?« Dora verkniff sich den Hinweis, dass ihr kleiner Laden ebenfalls in dieser Straße lag. »Ich wollte auch schon immer etwas entdecken – wie Christoph Columbus. Oder Indiana Jones.« Da Heathcliff gar so verdutzt dreinschaute, regte sich ihr Mitleid. Nachdem sie Jed ihren Teller gegeben hatte, reichte sie Heathcliff die Hand. »Ashley hat mir erzählt, dass Sie Künstler sind.«

»Ja. Ich …«

»Er malt die sinnlichsten Bilder.« Ashley tätschelte Heathcliff wie einen Schoßhund. »Du musst sie dir unbedingt einmal ansehen.«

»Unbedingt.«

»Ich glaube nicht, dass du uns schon deinem Begleiter vorgestellt hast.«

»Ich habe keinen. Das ist ein komischer Ausdruck, findest du nicht? Es klingt so, als müsste man jemanden mitnehmen, weil man den Ort sonst nicht findet, zu dem man will. Ich persönlich verfüge über einen ausgezeichneten Orientierungssinn.«

»Dora, Dora.« Ashley ließ noch einmal ein glucksendes Lachen hören. »Du bist immer so geistreich.«

»Nicht immer«, raunte Jed.

Dora würdigte ihn keines Blickes. »Jed Skimmerhorn, Ashley Draper und Heathcliff.«

»Oh, ich erinnere mich an Captain Skimmerhorn.« Ashley streckte ihm die Hand entgegen und musste warten, bis Jed Dora den Teller zurückgegeben hatte. »Den schwer

180

greifbaren Captain Skimmerhorn sollte ich sagen.« Ihre Finger glitten über seinen Handrücken. »Es ist so selten, dass es uns gelingt, Sie zu einer unserer netten kleinen Veranstaltungen zu locken.«

»Nette, kleine Veranstaltungen empfinde ich nicht als sonderlich verlockend.«

Diesmal klang Ashleys Lachen tief und kehlig. »Verstehe. Ich persönlich gebe langen, heißen Nächte auch den Vorzug. Und wo habt ihr euch kennen gelernt?«

Dora bemühte sich, Ashley vor einer von Jeds gemeineren Bemerkungen zu verschonen. »Jed und ich teilen dieselbe Leidenschaft«, sagte sie und nippte betont langsam an ihrem Champagner, »für Nadelkissen.«

Ashleys eben noch kecker Blick veränderte sich. »Für …«

»Jed besitzt eine hinreißende Sammlung. Wir haben uns auf einem Flohmarkt kennen gelernt, als wir beide gleichzeitig nach einem herzförmigen viktorianischen Nadelkissen griffen, königsblau mit Spitzenbesatz – und Stecknadeln waren auch dabei«, fügte sie mit einem verklärten Seufzer hinzu.

»Sie sammeln … Nadelkissen?«, wandte sich Ashley an Jed.

»Seit meiner Kindheit. Es ist eine Obsession.«

»Und er liebt es zu sticheln.« Dora zwinkerte ihm über den Rand ihres Champagnerglases vertraulich zu. »Andauernd wedelt er mir mit diesem versilberten Hufeisen vor der Nase herum. Und dabei weiß er genau, dass ich alles – alles – dafür tun würde, um es zu kriegen.«

»Ich wäre bereit…«, er zeichnete mit einem Finger die Linie ihres Halses nach, »darüber zu verhandeln.«

»Wie aufregend«, murmelte Ashley.

»O ja, in der Tat«, stimmte Dora ihr zu. »Ach, da sind Magda und Carl. Entschuldigt uns bitte. Wir müssen weiter unsere Runde drehen.«

»Nadelkissen?«, raunte Jed an ihr Ohr, als sie in der Menge verschwanden.

»Ich dachte zunächst an Fischbesteck, aber das erschien mir etwas zu hochgestochen.«

»Du hättest ihr ja auch die Wahrheit sagen können.«

»Warum?«

Er dachte kurz nach. »Der Einfachheit halber?«

»Zu öde. Außerdem, wenn sie wüsste, dass du gegen-über wohnst, würde sie ständig bei mir rumhängen, in der Hoffnung, dich ins Bett zu locken. Und das wollen wir doch nicht, oder?«

Dora schürzte ihre Lippen, während Jed über ihre Schulter hinweg Ashley einer eingehenden Musterung unterzog. »Nun …«

»Sie würde dich nur benutzen und dann fallen lassen wie eine heiße Kartoffel«, versicherte ihm Dora. »Ah, dort drüben steht deine Großmutter. Möchtest du dich nicht ein wenig um sie kümmern?«

»Nicht, wenn du sie über Kerzenhalter ausquetschst.«

Sie speziell darüber auszuquetschen, hatte sie eigentlich nicht im Sinn gehabt. »Du hast doch nur Angst, dass sie dich wieder mit mir zum Tanzen schickt. Ich mache dir einen Vorschlag: Ich würde mich gerne kurz mit Magda und Carl unterhalten, und du könntest ja später wieder zu mir stoßen, wenn du möchtest.«

Er nahm ihren Arm, betrachtete stirnrunzelnd seine Hand und zog sie wieder zurück. »Bleib in der Nähe.«

»Was für eine charmante Einladung. Und weshalb?«

»Nun, wenn ich schon die nächsten Stunden hier festgenagelt bin, kann ich die Zeit ebenso gut auch mit dir verbringen.«

»Poesie, wahre Poesie in ihrer romantischsten Form. Wie könnte ich da widerstehen? Komm, lass uns mal nachfragen, ob deine Großmutter ein bisschen am Buffet naschen möchte. Ich verspreche dir auch, das Gespräch nicht auf Kerzenhalter zu bringen, außer, es lässt sich nicht vermeiden.«

»Jed.«

Eine Hand legte sich schwer auf seine Schulter. Jed zuckte zusammen und drehte sich um. »Commissioner«, sagte er. Seine Miene sowie sein Tonfall waren verbindlich. »Nett, Sie hier zu treffen.« Police Commissioner James Riker maß Jed mit einem schnellen, aber eindringlichen Blick. Was er sah, schien ihm zu gefallen, denn auf sein hageres Gesicht malte sich ein Lächeln. »Sie halten sich fit, wie ich sehe.«

»Ja, Sir.«

»Nun, Sie waren ja auch überfällig für einen Urlaub. Wie war Ihr Weihnachten?«

»Nett.« Da er Rikers interessierten Blick auf Dora nicht übergehen konnte, tat er seine Pflicht. »Commissioner Riker, Dora Conroy.«

»Hallo.« Dora, die beide Hände voll hatte, schenkte ihm statt eines Händedrucks ein strahlendes Lächeln. »So, Sie sind also dafür verantwortlich, dass in Philadelphia Recht und Gesetz eingehalten werden.«

»Ich bin dafür verantwortlich, Männer wie Jed bei der Stange zu halten.«

Vielleicht spürte Riker die Nervosität nicht, die von Jed ausging, Dora jedoch schon. Und automatisch regte sich ihr Beschützerinstinkt. Behutsam lenkte sie von Jed ab. »Ich nehme an, Ihre Arbeit konzentriert sich jetzt mehr auf administrative Dinge.«

»Ja, da haben Sie Recht.«

»Vermissen Sie nicht die andere Seite Ihres Berufs?« Lächelnd reichte sie Jed ihr leeres Glas. »In Krimis wird immer der Eindruck vermittelt, als liebten Cops Verfolgungsjagten und dergleichen.«

»Nun, ich muss gestehen, dass ich tatsächlich hin und wieder die hautnahe Konfrontation mit der Gegenseite vermisse.«

»Verzeihung, aber ich muss Sie etwas fragen. Ich habe nämlich einen blutrünstigen Neffen, der alles genau wissen will. Hat man schon jemals auf Sie geschossen?«

Falls ihn die Frage überraschte, so überspielte Riker dies gekonnt. »Nein. Tut mir Leid.«

»Ach, das macht nichts. Dann schwindle ich eben.«

»Ich hoffe, Sie verzeihen mir, Miss Conroy, aber ich muss Ihnen Jed für einen Augenblick entführen. Der Bürgermeister möchte gern ein Wort mit ihm wechseln.«

Dora trat graziös zur Seite. »Hat mich gefreut, Sie kennen zu lernen, Commissioner Riker.«

»Das Vergnügen war ganz meinerseits. Ich werde Ihnen Jed gleich wieder überlassen.«

Jed, der in der Falle saß, gab Dora ihr leeres Glas zurück. »Entschuldige mich.«

O je, der Arme wirkte gar nicht begeistert, stellte Dora fest, als sie ihn weggehen sah. Selbst seinem Exekutionskommando hätte er mit mehr Begeisterung entgegengesehen. Wenn er zurückkam, würde er vor Wut kochen, schuldbewusst die Lippen zusammenpressen oder sich scheußlich fühlen. Erfüllt von Mitleid, überlegte Dora, wie sie ihn ablenken, wie sie seine Wut, oder was auch immer der Commissioner oder der Bürgermeister in ihm wachgerufen haben mochten, auffangen konnte.

Vielleicht halfen ein paar deftige Scherze, seine gute Laune wieder herzustellen?, überlegte sie auf dem Weg zur Bar, um sich ein neues Glas Champagner zu holen. Nein, ihn ein wenig zu verunsichern wäre wahrscheinlich wirkungsvoller. Und das bedurfte nicht allzu großer Anstrengungen.

»Man sollte doch erwarten dürfen, dass bei Anlässen dieser Art sorgfältiger auf die Auswahl der Gäste geachtet wird.«

Dora erkannte die nörgelnde Stimme sofort und drehte sich mit einem hinreißenden Lächeln um. »Mrs. Dawd, Andrew. Wie ... interessant.«

Mrs. Dawd sog so scharf die Luft ein, dass ihre Nasenflügel bebten. »Andrew, hol mir ein Club Soda.«

»Ja, Mutter.«

Mrs. Dawd, die fülligen Formen in schwarzen Satin gepresst, beugte sich so nahe zu Dora, dass diese die grauen Stoppeln an ihrem Kinn erkennen konnte, die offensichtlich ihrer Pinzette entgangen waren. »Ich wusste gleich, wer Sie sind, Miss Conroy. Ich habe ihn selbstverständlich gewarnt, aber Andrew ist für weibliche List und Tücke ebenso empfänglich wie alle Männer.«

»Ich habe mir alle List und Tücke operativ entfernen lassen. Ich kann Ihnen die Narben zeigen.«

Mrs. Dawd ignorierte Doras Einwurf. »Aber was kann man schon von jemandem erwarten, der aus einer Schauspielerfamilie kommt.«

Dora holte vorsichtig Luft und nahm einen kleinen Schluck Champagner. Sie würde sich unter keinen Umständen von dieser Frau dazu hinreißen lassen, die Beherrschung zu verlieren.

»Ja, ja, diese Schauspielerfamilien«, bemerkte Dora leichthin. »Die Fondas, die Redgraves, die Bridges. Gott allein weiß, woher diese Leute die Frechheit nehmen, die vornehme Gesellschaft mit ihrer Anwesenheit zu besudeln.«

»Sie halten sich wohl für sehr geistreich, wie?«

»Mutter, hier ist dein Drink.«

Mit einer unwirschen Bewegung wedelte Mrs. Dawd ihren Sohn nebst Soda wie eine lästige Fliege beiseite. »Sie halten sich wohl für sehr geistreich«, wiederholte sie, diesmal so laut, dass einige umstehende Gäste neugierig die Hälse verdrehten. »Aber Ihre miesen Tricks haben nicht gezogen.«

»Mutter …«

»Sei still, Andrew!« In ihren Augen züngelte ein loderndes Feuer. Sie erinnerte an eine Bärenmutter, die ihr Junges verteidigte.

»Ja, Andrew, sei still.« Doras Lächeln war das einer Tigerin. »Mutter Dawd will mich gerade ob meiner kleinen Tricks rügen. Sprechen Sie auf jenen Trick an, mit dem ich Ihrem sinnesfreudigen Sohn begreiflich machen konnte, dass seine Hand unter meinem Kleid nichts zu suchen hat?«

Andrews Mutter zischte jetzt vor Wut. »Sie haben ihn in Ihre Wohnung gelockt, und als Ihre schmutzigen Verführungsversuche scheiterten, haben Sie ihn angegriffen. Da wusste er endlich, was Sie für eine sind.«

Doras Blicke ähnelten Laserstrahlen. »Und was bin ich für eine?«

»Hure«, zischte sie. »Nutte. Flittchen.«

Dora stellte ihr Glas ab, um eine Hand frei zu haben. Sie

ballte sie zur Faust und überlegte ernsthaft, ob sie davon Gebrauch machen sollte. Doch dann entschied sie sich spontan, ihren halb leer gegessenen Teller über Mrs. Dawds Haarspray-getränkter Frisur zu entleeren. Der darauf folgende schrille Schrei hätte ein Kristallglas zum Zerspringen gebracht. Noch während ihr das Lachsmousse in die Augen tropfte, setzte sie zu einem Sprung auf Dora an. Diese wappnete sich für einen Angriff und ließ dann ihrerseits einen nicht minder schrillen Schrei los, als sie jemand von hinten packte.

»Um Himmels willen, Conroy«, murmelte Jed, indes er sie zu den Türen zog. »Kann man dich denn nicht einmal fünf Minuten unbeaufsichtigt lassen?«

»Lass mich los!« Wahrscheinlich hätte sie ihm einen Schwinger verpasst, wenn er die Arme nicht seitlich an ihrem Körper fest gehalten hätte. »Die Alte hat es darauf angelegt.«

»Ich habe keine Lust, dich aus dem Knast auszulösen.« Er strebte auf eine Sitzecke mit dick gepolsterten Sesseln und Grünpflanzen zu. Das Orchester spielte gerade *Stormy Weathers*.

Wie passend.

»Setz dich hin!« Er unterstrich seine Anordnung mit einem Schubs, der sie geradewegs in den nächsten Sessel beförderte. »Und reiß dich gefälligst zusammen.«

«Skimmerhorn, das war meine ganz persönliche Angelegenheit.«

»Soll ich den Commissioner holen, damit der dich wegen Ruhestörung einlocht?«, erkundigte er sich freundlich. »Ein paar Stunden im Bau würden dich bestimmt zur Raison bringen.«

Dich auch, dachte sie wütend. Sie verschränkte die Arme vor der Brust und trommelte mit den Fußspitzen auf den Boden. »Gib mir eine …«

Er hatte bereits eine Zigarette für sie angezündet.

»Danke«, murmelte sie und verfiel dann in trotziges Schweigen.

Er kannte ihre Art zu rauchen. Sie würde drei, vielleicht

auch vier hastige Züge nehmen und die Zigarette dann ausdrücken.

Der erste, zählte er, der zweite. Sie warf ihm einen zornigen Blick zu. Der dritte.

»Ich hab' nicht angefangen.« Die Lippen zu einem Flunsch verzogen, drückte sie die Zigarette aus.

Jed wusste, dass er sich jetzt gefahrlos hinsetzen konnte. »Das habe ich auch nicht behauptet.«

»Du hast aber nicht angedroht, sie einlochen zu lassen.«

»Ich fand, die Dame hat einstweilen genug Probleme damit, sich die Kapern aus der Frisur zu pflücken. Willst du einen Drink?«

»Nein.« Sie zog es vor zu schmollen. »Schau, Skimmerhorn, sie hat mich beleidigt, meine Familie, Frauen im Allgemeinen. Und ich habe es geschluckt«, erklärte sie wahrheitsgemäß. »Ich habe sogar noch geschluckt, dass sie mich als Schlampe, als Nutte und als Hure titulierte.«

Jed fand die Angelegenheit auf einmal gar nicht mehr amüsant. »Das hat sie zu dir gesagt?«

»Ja, und ich habe den Mund gehalten«, ereiferte sie sich, »weil ich mich von dieser alten Schachtel nicht provozieren lassen wollte. Ich hatte nicht vor, eine Szene zu machen. Ich hatte nicht vor, mich auf ihr Niveau zu begeben. Doch dann ging sie zu weit, einen Schritt zu weit.«

»Was hat sie denn getan?«

»Sie bezeichnete mich als – Flittchen.«

Jed blinzelte und unternahm den lahmen Versuch, gegen das Kitzeln in seinem Hals anzuschlucken. »Als was?«

»Als Flittchen«, wiederholte sie und schlug dabei mit der Faust auf die Armlehne.

»Komm, die machen wir auf der Stelle nieder.«

Doras Augen wurden schmal. »Wage es ja nicht, zu lachen.«

»Tu ich doch gar nicht. Wer lacht denn?«

»Du, verdammt nochmal. Du beißt dir schier die Zunge ab, um es zu unterdrücken.«

»Stimmt gar nicht.«

»Und ob. Du nuschelst ja richtig.«

»Das kommt vom Scotch.«

»Ha, ha!« Sie drehte den Kopf zur Seite, doch Jed sah noch, wie ihre Lippen zitterten. Als er ihr Kinn nahm, und es sanft in seine Richtung zurückdrehte, lachten sie sich beide an.

»Dank dir gestaltet sich der Abend doch noch recht kurzweilig, Conroy.«

«Gott sei Dank.« Nachdem ihre Wut verraucht war, kicherte sie fröhlich und lehnte sich zurück, um den Kopf an seine Schulter zu betten. »Ich habe mir nämlich die ganze Zeit das Hirn zermartert, wie ich dich aufheitern könnte, für den Fall, dass Riker und der Bürgermeister dir die gute Laune verderben.«

»Weshalb sollte ich schlechte Laune haben?«

»Sie haben dich doch in die Mangel genommen, oder?« Obgleich er sich nicht bewegte, spürte sie, wie ein Teil von ihm sich entfernte. »Glücklicherweise kreuzte Mrs. Dawd meinen Weg, so musste ich mir keine Scherze aus den Fingern saugen.«

»Du hast ihr den Teller über den Kopf gekippt, um mich aufzuheitern?«

»Nein. Das war ein total selbstsüchtiger Akt, jedoch mit einem hübschen Nebeneffekt.« Sie sah ihn an. »Gib mir einen Kuss, ja?«

»Weshalb?«

»Weil ich einen will. Nur einen ganz freundschaftlichen.«

Er legte den Finger unter ihr Kinn, hob es ein wenig an und hauchte ihr einen Kuss auf die Lippen. »Freundschaftlich genug?«

»Ja. Ich danke auch recht herzlich.«

Sie begann zu lächeln. Jed umfasste ihren Nacken und senkte seinen Mund noch einmal auf den ihren. Während er ihr tief in die Augen sah, bahnte sich seine Zunge den Weg durch ihre Lippen. Er kostete die Erregung, die mit ihrem ersten leisen Stöhnen aufflackerte. Der Kuss war wie Wasser für einen Verdurstenden – reines, süßes Wasser nach einer endlosen Durststrecke. Er trank reichlich davon.

Sie spürte ein leidenschaftliches Verlangen in sich aufsteigen, einer mitreißenden Welle gleich, die sie lähmte. Er zog sie nicht enger an sich, noch wurde sein Kuss intensiver. Er war langsam, kühl, verheerend kontrolliert.

Als er sich zurückzog, hielt sie die Augen geschlossen, spürte dieser Flut von Eindrücken nach. Sie konnte ihr Herz immer noch wie wild klopfen hören, als sie endlich die Augen aufschlug. »Gott«, war alles, was sie herausbrachte.

»Probleme?«

»Ich fürchte ja.« Sie presste die Lippen aufeinander. Sie hätte schwören können, dass sie zitterten. »Ich glaube … ich glaube, ich gehe jetzt besser nach Hause.« Mit weichen Knien stand sie aus dem Sessel auf. Es war nicht leicht, einen graziösen Abgang hinzulegen, während sie innerlich wie Espenlaub zitterte. »Mein Gott«, sagte sie noch einmal und verließ den Ballsaal.

11. Kapitel

Die neuen Sicherheitsvorkehrungen in Doras Haus stellten DiCarlo vor unerwartete Schwierigkeiten. Die zusätzliche Zeit, die er benötigte, um die Alarmanlage außer Kraft zu setzen und die komplizierten Schlösser zu knacken, brachte seinen Terminplan empfindlich durcheinander. Er hatte gehofft, noch vor Mitternacht das Lager durchgesehen und wieder verlassen zu haben. Wenn diese Conroy das verdammte Bild ersteigert hatte, dann musste es auch hier sein, entschied er, ganz egal, was diese idiotische Rothaarige ihm am Weihnachtstag erzählt hatte.

Er konnte froh sein, wenn er um Mitternacht überhaupt schon im Laden war. Um die ganze Aktion noch etwas unerfreulicher zu gestalten, hatte auch noch ein hässlicher Schneeregen eingesetzt. Und seine Chirurgenhandschuhe waren alles andere als geeignet, um diese lausige Kälte abzuhalten.

Wenigstens schien kein Mond, dachte er, während er zitternd an dem Türschloss hantierte. Und auf dem Kiesweg stand kein Auto, was bedeutete, dass niemand zu Hause war. Trotz der Komplikationen konnte er damit rechnen, am nächsten Morgen in New York zu sein. Er würde den ganzen Tag über schlafen und dann die Abendmaschine nehmen. Sobald er Finley sein Spielzeug ausgehändigt und das Lob sowie einen großzügigen Bonus eingestrichen hatte, würde er nach New York zurückfliegen und rechtzeitig genug dort sein, um auf einem rauschenden Fest das neue Jahr zu begrüßen.

Die Kälte, die wie kleine, eisige Ameisen unter seinen Kragen kroch, ließ DiCarlo erschaudern.

Als er den letzten Widerstand im Schloss überwunden hatte, gab er einen zufriedenen Laut von sich.

In weniger als fünfzehn Minuten hatte er festgestellt, dass sich das Gemälde nicht im Lagerraum befand. Unter

Aufbietung aller Kräfte widersetzte er sich dem Drang, das Lager zu verwüsten. Sollte das Gemälde ein Problem werden, war es besser, wenn niemand etwas von diesem Einbruch bemerkte.

Er ging noch einmal aufmerksam durch die Verkaufsräume, wobei er ganz automatisch einige kleine Gegenstände in seinen Taschen verschwinden ließ, unter anderem den Foo-Hund aus Jade, den die Rothaarige ihm hatte andrehen wollen.

Nach Beendigung seines Rundgangs stieg er die Treppe hoch. Er fluchte, als er merkte, dass die Tür abgeschlossen war. Dieses Schloss ließ sich aber in wenigen Sekunden öffnen.

Er horchte, konnte aber kein Geräusch feststellen, keinen Fernseher, kein Radio, keine Stimmen. Trotzdem schlich er leise durch den Flur und spähte noch einmal durch die Haustür, um sich zu vergewissern, dass der Parkplatz noch immer leer war.

Drei Minuten später war er in Jeds Apartment. Die Durchsuchung war beendet, ehe sie noch richtig begonnen hatte. An den Wänden hing kein einziges Bild und es stand auch keines im Schrank. Unter dem Bett entdeckte er nur einen zerfledderten Krimi und eine verwaiste Socke.

Interessanter fand er da schon die 38er Automatik, die in der Nachttischschublade lag. Doch nach einer kurzen Inspektion legte er sie wieder an ihren Platz zurück. Solange er das Bild nicht gefunden hatte, konnte er es sich nicht leisten, etwas Auffälliges zu stehlen. Die Fitnessbank und die Gewichte streifte er auf seinem Weg nach draußen nur mit einem raschen Blick.

Kurze Zeit später stand er in Doras Apartment. Sie hatte sich nicht die Mühe gemacht, abzuschließen.

Hier gestaltete sich die Suche sehr viel aufwendiger. Im Gegensatz zu Jeds Wohnung, die nur sehr spärlich möbliert war, war diese mit Möbeln voll gestopft. Die Unordnung in der ersten Wohnung ließ auf Nachlässigkeit schließen. In Doras Wohnung war sie Ausdruck ihres Lebensstils.

An den Wänden hingen etliche Bilder. Ein Stillleben in

Aquarell und zwei ovale Porträts, das eine zeigte einen ernst dreinblickenden Mann mit gestärktem Vatermörderkragen, das andere eine Frau. Ferner fanden sich zahlreiche Lithografien, altmodische Reklameposter und etliche Federzeichnungen. Doch das abstrakte Gemälde war nicht darunter.

Er ging ins Schlafzimmer hinüber, um ihren Kleiderschrank zu durchsuchen. Da hörte er, dass die Wohnungstür geöffnet wurde. Im selben Augenblick, hockte DiCarlo bereits im Schrank, hinter einem farbenprächtigen Sortiment von Kleidern verborgen, die überaus erotisch nach Frau dufteten.

»Ich muss doch verrückt sein«, schimpfte Dora wütend. »Absolut verrückt.« Sie legte ihren Mantel ab, warf ihn über die Rückenlehne des nächstgelegenen Sessels und gähnte herzhaft. Wie hatte sie sich nur von ihren Eltern dazu überreden lassen können? Warum hatte sie das nur getan?

Immer noch ärgerlich ging sie schnurstracks ins Schlafzimmer. Ihre Pläne für den heutigen Abend waren so harmlos und bescheiden gewesen. Eine gemütliche Single-Mahlzeit, bestehend aus gegrilltem Hühnchen und wildem Reis; ein ausgedehntes Schaumbad mit einem Gläschen Chardonnay. Und als krönenden Abschluss hatte sie es sich mit einem guten Buch vor dem prasselnden Kaminfeuer im Schlafzimmer gemütlich machen wollen.

Aber nein, dachte sie, und knipste die Tiffany-Lampe neben ihrem Bett an, stattdessen war sie in die altbekannte Familienfalle getappt, dass die ›Show weitergehen muss‹.

War es etwa ihre Schuld, dass drei Bühnenarbeiter mit Grippe darniederlagen? War es etwa ihre Schuld, dass ihr Vater ihr so lange zugesetzt hatte, bis sie der Gewerkschaft beigetreten war?

»Absolut nicht«, konstatierte sie lautstark und zog dabei den hautengen schwarzen Kaschmirpullover über den Kopf. »Schließlich hab’ ich denen nicht diese verdammte Grippe an den Hals gewünscht. Und ich hätte mich keineswegs verpflichtet fühlen müssen, für die Bande einzuspringen, bloß weil ich auch diesem Verein angehöre.«

Seufzend beugte sie sich nach vorn, um ihre schwarzen Schuhe aufzuschnüren. Statt sich einen ruhigen, gemütlichen Abend zu Hause zu machen, war sie dem telefonischen Hilferuf ihrer Mutter gefolgt, mit dem Erfolg, dass sie stundenlang Requisiten geschleppt und Kulissen verschoben hatte.

Und sie hatte den Abend, wenn auch widerstrebend, sogar genossen. Hinter der Bühne zu stehen und den Stimmen zu lauschen, rauszuflitzen, wenn die Lichter ausgingen, und die Szenenbilder umzubauen, diesen gewissen Stolz auf die Familie zu spüren, als die Schauspieler immer wieder vor den Vorhang gerufen wurden.

Was soll's, dachte Dora schließlich unter erneutem Gähnen, wenn man mit dem Theater aufgewachsen ist …

Durch den schmalen Riss im Holz der Schranktür bot sich DiCarlo ein exzellenter Ausblick. Je mehr er sah, desto mehr verrauchte sein Zorn über die ungebetene Störung. Die neue Situation eröffnete in der Tat ganz interessante und völlig unerwartete Möglichkeiten.

Die Frau, die gerade am Fußende des Betts ihre Abendgymnastik absolvierte, hatte einen sehr verführerischen Striptease hingelegt und war jetzt nur noch mit zwei schwarzen, sehr winzigen Wäscheteilchen bekleidet. Bewundernd studierte DiCarlo die weiche Rundung ihres Hinterteils, als sich Dora zu ihren Zehenspitzen herunterbeugte. Sie war toll gebaut, ihr Körper straff, kompakt und von großer Beweglichkeit.

Gut, sie hatte seine Pläne über den Haufen geworfen, doch DiCarlo bildete sich viel auf sein kreatives, spontanes Handeln ein. Er musste einfach nur abwarten, bis diese überaus hübsche und angenehmerweise allein stehende Dame zu Bett gegangen war.

Dora drehte sich um, und DiCarlo konnte in aller Ruhe die Wölbung ihrer spitzenumhüllten Brüste betrachten.

Sehr ansprechend, dachte er und lächelte in die Dunkelheit. Sehr ansprechend, in der Tat.

Und lag sie erst einmal im Bett, überlegte DiCarlo weiter, dann würde es ein Leichtes sein, sie mit Hilfe seines

Charmes – und seiner 22er Automatik – dazu zu bringen, ihm zu erzählen, wo sich dieses verfluchte Gemälde befand.

Erst das Geschäft, dann das Vergnügen. Vielleicht musste er sie hinterher auch gar nicht umbringen.

Dora schüttelte sich das Haar aus der Stirn und ließ die Schultern kreisen. Es sah fast so aus, als würde sie für ihn posieren, dachte DiCarlo. Das Blut schoss ihm in die Lenden und pochte dort ungeduldig. Mit geschlossenen Augen und dem Anflug eines Lächelns auf dem Gesicht rollte sie vorsichtig den Kopf hin und her. Dann griffen ihre Hände an den Verschluss ihres Büstenhalters.

Das Klopfen an der Tür ließ Dora erschreckt zusammenzucken. Im Inneren des Schrankes stieß DiCarlo einen wütenden Zischlaut aus.

»Moment!«, rief sie und schnappte sich den weißen Bademantel vom Fußende des Bettes. Das Klopfen dauerte an. Auf dem Weg ins Wohnzimmer schaltete sie die Lichter ein und blieb dann zögernd vor der Wohnungstür stehen, die Hand bereits auf der Klinke. »Jed?«

»Mach auf, Conroy.«

»Du hast mich vielleicht erschreckt«, sagte sie, während sie die Tür öffnete. »Ich war gerade …« Ein Blick in sein Gesicht genügte, um sie verstummen zu lassen. Sie sah nicht zum ersten Mal einen Menschen vor Zorn beben, doch so eine Wut hatte sie noch nie erlebt, und sie schien auf sie gerichtet zu sein. Instinktiv griff sie sich an den Hals und wich dann einen Schritt zurück. »Was ist denn?«

»Was, zum Teufel, soll das?«

»Ich … ich war auf dem Weg ins Bett«, sagte sie vorsichtig.

»Glaubst du vielleicht, dass du als meine Vermieterin das Recht hast, jederzeit mit deinem verdammten Zweitschlüssel in meine Wohnung zu schleichen und in meinen Sachen herumzuschnüffeln?«

Ihre Hand suchte wieder die Türklinke und hielt sich daran fest. »Ich weiß überhaupt nicht, wovon du sprichst.«

»Spar dir das Gerede.« Er packte sie am Handgelenk und zerrte sie in den Flur hinaus. »Ich merke genau, wenn jemand meine Wohnung gefilzt hat.«

»Du tust mir weh!« Ihr Versuch, Härte zu zeigen, scheiterte kläglich. Sie hatte Angst, große Angst, dass er noch viel härter werden konnte.

»Damit musst du rechnen, wenn du deine Nase in mein Privatleben steckst.« Wütend schob er sie an die gegenüberliegende Wand. Dass sie vor Verblüffung und Schmerz leise aufschrie, heizte seine Wut noch mehr an. »Wonach hast du gesucht?«, wollte er wissen. »Was, zum Kuckuck, hast du geglaubt zu finden?«

»Lass mich los!« Sie versuchte sich zu befreien, dachte aber vor lauter Angst nicht daran, seine Vorwürfe abzustreiten. »Nimm deine Hände weg von mir.«

»Du willst in meinen Sachen rumschnüffeln?«

Der Tiger war aus dem Käfig, das war ihr einziger Gedanke.

»Du glaubst, nachdem du mich heiß gemacht hast, kannst du dich durch meine Schubladen wühlen, meinen Schrank durchsuchen, und du meinst, dass ich das völlig in Ordnung finde?« Er packte sie und zerrte sie, geritten von irgendeinem Teufel, hinter sich her. »Gut.« Er stieß seine Tür auf und stieß sie in seine Wohnung. »Dann schau dich jetzt um. Schau dich sehr genau um.«

Ihr Gesicht war kreidebleich, sie atmete schwer. Jed stand zwischen ihr und der Tür und versperrte ihr damit den einzigen Fluchtweg. Und seinem Gesichtsausdruck nach zu schließen, war mit ihm im Augenblick kein vernünftiges Wort zu reden.

»Du bist ja völlig durchgedreht.«

Keiner von beiden hörte DiCarlo durch den Flur und aus dem Haus huschen. Sie standen zwei Schritte voneinander entfernt, und Dora war damit beschäftigt, mit zitternden Fingern an ihrem Bademantel herumzuzupfen, der ihr über die Schultern gerutscht war.

»Hast du etwa geglaubt, ich würde es nicht merken?« Mit einem Satz war er bei ihr, viel zu schnell, als dass sie hätte ausweichen können. Er packte sie an den Aufschlägen ihres Bademantels und riss daran. Mit einem hässlichen, trockenen Geräusch gaben die Nähte nach. »Ich war vierzehn gottverdammte Jahre lang Polizist. Ich merke so was sofort.«

»Hör auf!« Sie schubste ihn weg. Tränen der Angst und der Wut schossen ihr in die Augen. »Ich war nicht in deiner Wohnung. Ich habe nichts angerührt.«

»Lüg mich nicht an!«, schrie er, doch schlichen sich erste Zweifel in seine Wut.

»Lass mich gehen.« Sie machte sich von ihm los, taumelte rückwärts und stolperte gegen die Tischkante. Ganz langsam, wie ein Opfer, das auf den nächsten Angriff des Tigers wartet, wich sie weiter zurück. »Ich bin nicht in deiner Wohnung gewesen. Bin doch erst vor zehn Minuten nach Hause gekommen. Herrgott noch mal, geh doch raus und fass meine Motorhaube an. Die muss noch warm sein.« Ihre Stimme stockte, ihr Herz raste. »Ich bin den ganzen Abend über im Theater gewesen. Kannst ja dort anrufen und meine Aussage nachprüfen.«

Er sagte nichts, beobachtete nur, wie sie sich auf die Tür zubewegte. Ihr Bademantel klaffte vorne auf. Er sah, wie sie zitterte, er sah die Angst in ihrem Gesicht. Tränen liefen ihr über die Wangen, unterdrückte Schluchzer erschütterten ihren Körper, als sie am Türknopf drehte.

»Bleib, wo du bist«, flüsterte sie. »Komm bloß nicht näher.« Sie floh aus seiner Wohnung, ließ die Tür offen stehen und knallte ihre eigene hinter sich zu.

Jed rührte sich nicht vom Fleck, wartete, dass sich sein eigener Herzschlag beruhigte. Er hatte sich nicht geirrt. Verdammt nochmal, er hatte sich nicht geirrt. Es war jemand in seiner Wohnung gewesen. Er wusste es. Jemand hatte seine Bücher verrückt, seinen Schrank durchwühlt und seine Pistole in der Hand gehalten.

Aber es war nicht Dora gewesen.

Angewidert von seinem Verhalten presste er die Handballen gegen seine Augen. Er war total ausgerastet. Kein Wunder, dachte er und ließ die Hände sinken. Darauf hatte er schon seit Monaten gewartet. Hatte er deshalb nicht seinen Job an den Nagel gehängt?

Er war nach Hause gekommen, nachdem er sich den ganzen Tag mit Bankangestellten, Steuerberatern und Anwälten herumgeärgert hatte, um dann wie eine Tellermiene zu explodieren.

Und als ob das nicht schon schlimm genug gewesen wäre, hatte er auch noch eine Frau terrorisiert. Warum war er so brutal auf sie losgegangen? Weil sie es geschafft hatte, seine Mauer zu durchbrechen? Ja, sie hatte seine Mauer durchbrochen, und er hatte sie dafür bezahlen lassen. Netter Zug von dir, Skimmerhorn, schalt er sich und steuerte die Küche und die Flasche Whiskey an.

Bevor er sich das erste Glas eingoss, hielt er inne. Das war zu einfach. Er fuhr sich durchs Haar, holte tief Luft und ging zu Dora hinüber, entschlossen, den schwierigen Weg zu gehen.

Als er klopfte, hockte sie auf der Armlehne eines Sessels und wiegte sich hin und her. Sie fuhr auf und kam taumelnd auf die Beine.

»Dora, es tut mir Leid. Verdammt«, murmelte er und klopfte noch einmal. »Lass mich bitte eine Minute reinkommen. Ich will mich nur vergewissern, dass du in Ordnung bist.« Das Schweigen hielt an und zerriss ihm schier die Brust. »Nur eine Minute. Ich schwöre, dass ich dich nicht anfasse. Ich will nur sehen, ob du in Ordnung bist.«

Frustriert drehte er am Türknopf.

Doras Augen weiteten sich vor Schreck, als sie sah, wie er sich bewegte. O Gott, o Gott!, dachte sie in einem erneuten Anfall von Panik, sie hatte nicht abgeschlossen. Sie lief zur Tür und erreichte sie, als Jed sie bereits geöffnet hatte.

Wie erstarrt blieb sie stehen, er sah die panische Angst in ihrem Gesicht, eine Angst, die er im Laufe vieler Jahre in zu vielen Gesichtern gesehen hatte. Er hoffte, ihr diese Angst jetzt nehmen zu können. Ganz langsam hob er beide Hände, die Handflächen waren nach außen gerichtet.

»Ich bleibe hier stehen. Ich komme keinen Schritt näher.« Sie zitterte wie Espenlaub. »Ich fasse dich nicht an, Dora. Ich möchte mich nur entschuldigen.«

»Lass mich in Ruhe. Ihre Wangen waren noch feucht, ihre Augen jedoch wieder trocken und voller Angst. Er konnte nicht gehen, bevor er diese Angst nicht gelindert hatte.

»Warum?«

Ihre Frage brachte ihn einigermaßen durcheinander. »Spielt das eine Rolle? Ich habe ohnehin keine Entschuldigungen parat. Außerdem wäre jede Entschuldigung angesichts dessen, was ich getan habe, völlig unzureichend. Ich möchte …« Er machte einen Schritt auf sie zu und blieb sofort stehen, als sie zurückwich. Einen Schlag in die Magengrube hätte er leichter verkraftet. »Ich würde gerne sagen können, dass mein Verhalten gerechtfertigt war, aber das war es nicht.«

»Ich will wissen, warum? Du schuldest mir eine Erklärung.«

Sie hatte Recht. Er schuldete ihr eine Erklärung.

»Speck hat mein Haus eine Woche nach dem Mord an meiner Schwester durchsucht.« Weder seiner Miene noch seiner Stimme war anzumerken, was es ihn kostete, ihr dies zu erzählen. »Er ließ einen Schnappschuss von ihr und einige Zeitungsartikel über die Explosion auf meiner Kommode zurück.« Die Übelkeit, die ihn jetzt wieder überfiel, war beinahe so stark wie damals. »Er wollte mich damit wissen lassen, dass er mich jederzeit erwischen konnte. Und er wollte sicherstellen, dass ich nicht vergaß, wer für Elaines Tod verantwortlich war. Als ich heute Abend nach Hause kam und glaubte, du wärest in meiner Wohnung gewesen, kamen all diese Bilder wieder zurück.«

Sie hatte ein wunderbar ausdrucksvolles Gesicht, das alle ihre Gefühle widerspiegelte. Die Angst und die Wut, die sie kurz zuvor noch beherrschten, verloren zusehends an Kraft. An ihre Stelle traten Anflüge von Bedauern, Verständnis und Mitleid.

»Schau mich nicht so an.« Sein Ton war knapp und, wie sie glaubte, abwehrend. »Das ändert nichts an dem, was ich getan habe, oder an der Tatsache, dass ich zu noch Schlimmerem fähig gewesen wäre.«

Dora senkte den Blick. »Du hast Recht. Es ändert nichts. Als du mich gestern Abend küsstest, glaubte ich, dass etwas zwischen uns passierte. Wirklich etwas geschah.« Sie sah ihn an, und ihre Augen waren kühl. »Aber da muss ich mich getäuscht haben, denn sonst hätte das hier nicht geschehen können. Sonst hättest du mir nämlich vertraut. Und das tut auch weh, Jed. Aber das ist meine eigene Schuld.«

Er kannte das Gefühl von Hilflosigkeit nur zu gut, doch dass er es ihr gegenüber empfinden würde, damit hatte er nicht gerechnet. »Ich kann ausziehen, wenn dir das lieber ist«, meinte er steif. »Ich kann heute noch gehen und meine Sachen zu einem späteren Zeitpunkt abholen.«

»Das ist nicht nötig. Aber tu nur, was du für richtig hältst.«

Er nickte und machte einen Schritt hinaus in den Flur. »Bist du wirklich okay?«

Statt einer Antwort ging sie zur Tür, schloss sie leise und drehte von innen den Schlüssel um.

Am nächsten Morgen standen Blumen auf ihrem Schreibtisch. Gänseblümchen. Sie steckten in einer Minton-Vase, waren schon ein wenig verwelkt, dufteten aber noch schwach nach Frühling. Eisern unterdrückte Dora das aufwallende Gefühl von Freude und beachtete den Strauß nicht weiter.

Er war nicht ausgezogen. Das hatte sie dem monotonen Geräusch der Gewichte entnehmen können, die dumpf auf dem Fußboden aufprallten, als sie gerade an seiner Tür vorbeigegangen war.

Auch die Freude darüber ließ sie nicht zu. Was sie betraf, war Jed von jetzt an nur noch ein zahlender Mieter. Mehr nicht. Er brauchte sich nicht einzubilden, dass er sie bedrohen, ihr das Herz brechen und das alles am nächsten Tag mit einem Strauß welkender Gänseblümchen ungeschehen machen konnte. Sie würde sein monatliche Miete kassieren, ihm höflich zunicken, wenn sie sich zufällig im Hausflur begegneten und ansonsten ihr Leben leben.

Hier ging es um ihren Stolz.

Da Terri und Lea im Laden waren, nahm sie sich den Ordner mit den fälligen Zahlungen vor, schlug das Scheckbuch auf und machte sich an die Arbeit.

Ein paar Minuten später wagte sie einen zweiten Blick auf die Gänseblümchen und ertappte sich bei einem kleinen Lächeln. Das unverwechselbare Geräusch von Männerstiefeln auf der Treppe ließ sie jedoch sofort die Lippen zusammenpressen und den Blick starr auf ihre Stromrechnung heften.

Jed blieb zögernd auf der letzten Stufe stehen und suchte angestrengt nach einer vernünftigen Begrüßung. Er hätte schwören können, dass die Raumtemperatur um mindestens zehn Grad gesunken war, seit er das Lager betreten hatte. Dass sie ihm die kalte Schulter zeigte, konnte er ihr nicht verdenken. Er kam sich etwas dumm vor, dass er ihr auf dem Rückweg vom Fitnessstudio Blumen gekauft hatte.

»Wenn du hier zu tun hast, kann ich die Regale auch später fertig machen.«

»Ich bin die nächsten Stunden mit Buchhaltung beschäftigt«, sagte sie, ohne dabei aufzusehen.

»Ich habe ohnehin einiges in der Stadt zu erledigen.« Er wartete vergeblich auf eine Antwort. »Brauchst du irgend was?«

»Nein.«

»Gut. Prima.« Er trat den Rückzug an. »Dann baue ich sie eben am Nachmittag ein. Anschließend kaufe ich mir ein Büßerhemd.«

Dora runzelte die Stirn und lauschte befriedigt dem Zuknallen der Tür. Wahrscheinlich dachte er, ich würde mich ihm überglücklich in die Arme werfen, nur weil er mir Blumen gekauft hat. Trottel. Sie sah zu Terri hinüber, die gerade in der Verbindungstür zum Laden auftauchte. »Männer sind alle Trottel.«

Normalerweise hätte Terri zustimmend gegrinst und

Doras Feststellung mit ein paar eigenen Beispielen untermauert. Stattdessen bleib sie händeringend in der Tür stehen.

»Dora, hast du den Jadehund mit zu dir raufgenommen, den chinesischen, du weißt schon? Ich frage nur, weil du doch öfter Dinge umstellst.«

»Den Foo-Hund?« Dora trommelte mit dem Kugelschreiber auf die Schreibunterlage. »Nein. Ich habe seit Weihnachten nichts mehr umgeräumt. Warum?«

Terri verzog das Gesicht zu einem entschuldigenden Lächeln. »Ich kann ihn nicht finden. Ich kann ihn einfach nirgends finden.«

»Wahrscheinlich hat ihn jemand woanders hingestellt. Frag doch mal Lea, ob …«

»Habe ich schon«, fiel ihr Terri mit schwacher Stimme ins Wort. »Vor ein paar Tagen erst habe ich ihn einem Kunden gezeigt. Und jetzt ist er weg.«

»Keine Panik.« Dora stand vom Schreibtisch auf. »Lass mich mal nachsehen. Vielleicht habe ich ihn doch an einen anderen Platz gestellt.«

Aber sie wusste genau, dass dem nicht so war. Ihr Laden mochte vielleicht an eine gemütliche Wohnstube erinnern, wo Trödel und Antiquitäten in trautem Miteinander etwas chaotisch einen Platz gefunden hatten. Doch dieses Durcheinander hatte sehr wohl System, wurde nach einer ganz bestimmten Methode arrangiert – nach Doras Methode.

Sie kannte ihr Inventar in- und auswendig, bis hin zur kleinsten Seidenpostkarte.

Lea bediente gerade und warf Dora nur einen schnellen, besorgten Blick zu, ehe sie dem Kunden eine weitere Tabakdose zeigte.

»Er stand hier in dieser Vitrine«, sagte Terri leise. »Ich habe ihn am Heiligen Abend noch einem Kunden gezeigt, kurz vor Ladenschluss. Und ich weiß hundertprozentig, dass ich sie gestern noch gesehen habe, als ich die Doulton-Figur verkaufte. Die beiden standen nebeneinander; wenn der Hund nicht mehr da gewesen wäre, hätte ich das bestimmt gemerkt.«

»Reg dich nicht auf«, sagte Dora und klopfte Terri beruhigend auf die Schulter. »Komm, wir schauen noch einmal gemeinsam.«

Schon der erste Blick war alarmierend. Dora steuerte auf einen Glücksbringer aus indischem Atlasholz zu. Mit betont leiser Stimme fragte sie: »Terri, hast du heute Vormittag irgendetwas verkauft?«

»Ein Meissner Tee-Service und ein paar Zigarettenkarten. Lea hat die Mahagoni-Wiege verkauft und ein Paar von diesen Messingleuchtern.«

»Das war alles?«

»Ja.« Terris ohnehin schon bleichen Wangen wurden kalkweiß. »Was ist denn? Fehlt sonst noch was?«

»Das emaillierte Riechfläschchen, das hier stand.« Dora unterdrückte einen Fluch. »Und das Tintenfass, das sich daneben befand.«

»Das aus Zinn?« Terri drehte sich um und stöhnte auf. »Oh, mein Gott, Dora.«

Dora schüttelte den Kopf, um weitere Flüche, die ihr auf der Zunge lagen, abzuwehren und ging schnell durch den gesamten Laden, um sich einen Überblick zu verschaffen.

»Der Chelton-Briefbeschwerer«, murmelte sie wenige Augenblicke später, »der Baccarat-Parfumflakon, der Siegelstempel von Fabergé …« Das mit 5200 Dollar ausgezeichnete Siegel war schwer zu schlucken. »Und die Zigarettendose aus Bakelit.« Die war zwar nur drei Dollar wert, doch der Verlust ärgerte sie genauso wie der des Fabergé-Siegels. »Alles klein genug, um in einer Hosentasche zu verschwinden.«

»Wir hatten heute Vormittag nicht mehr als acht oder neun Kunden«, begann Terri. »Ich wüsste gar nicht, wie … Ach Dora, ich hätte besser aufpassen müssen.«

»Es ist nicht deine Schuld.«

»Aber …«

»Nein, du kannst nichts dafür.« Obwohl ihr schlecht vor Wut war, legte sie den Arm um Terris Hüfte. »Wir können nicht jeden Kunden, der durch die Tür kommt, für einen möglichen Ladendieb halten. Dann müssten wir überall diese Sicherheitsspiegel aufhängen und die gesamte Ware in abschließbare Vitrinen stellen. Es ist das erste Mal, dass es uns so hart getroffen hat.«

»Dora, das Fabergé-Siegel.«

»Ich weiß. Ich werde es der Versicherung melden. Dafür haben wir ja schließlich eine. Terri, ich möchte, dass du jetzt deine Mittagspause machst.«

»Ich bringe keinen Bissen herunter.«

»Dann geh eben ein bisschen spazieren. Kauf dir ein Kleid. Danach fühlst du dich gleich besser.«

Terri putzte sich die Nase. »Bist du nicht böse?«

»Böse? Ich bin stinksauer.« Dora kniff die Augen zusammen und fauchte: »Ich hoffe, die kommen demnächst zurück und klauen noch etwas anderes. Dann kann ich ihnen wenigstens jeden ihrer dreckigen Finger einzeln brechen. So, und jetzt lass dir den Wind um die Nase wehen, damit du wieder einen klaren Kopf kriegst.«

»Okay.« Terry putzte sich noch einmal die Nase und ließ Dora in dem kleinen Nebenraum zurück.

»Schlimm?«, erkundigte sich Lea, die jetzt im Durchgang auftauchte.

»Schlimm genug.«

»Schatz, das tut mir wirklich Leid.«

»Kein ›Ich hab dir doch gesagt, dass du die Sachen einsperren sollst‹?«

Lea seufzte. »Ich denke, das beweist, dass ich Recht gehabt habe. Nachdem ich vergangenen Woche hier gearbeitet habe, verstehe ich jetzt auch, dass das nicht geht. Es würde die besondere Atmosphäre des Ladens zunichte machen.«

»Genau.« Niedergeschlagen massierte Dora die Stelle zwischen den Augenbrauen, wo sich pochende Kopfschmerzen ankündigten. »Für zehntausend Möpse kann man eine Menge Atmosphäre kaufen.«

»Zehntausend?«, wiederholte Lea mit Augen so groß wie Untertassen. »Zehntausend *Dollar*? Du lieber Himmel, Dora!«

»Kein Grund zur Aufregung, ich bin versichert. Verdammt noch mal! Warum schließt du nicht den Laden und gehst zum Mittagessen? Ich werde mich nämlich jetzt ins Hinterzimmer verkriechen und meinen Wutanfall ausleben. Und dazu brauche ich absolute Ruhe.«

»Ist das dein Ernst? Lea sah, dass die Augen ihrer Schwester Feuer spuckten. »Es ist dein Ernst. Ich schließe ab.«

»Danke.«

12. Kapitel

Jed überlegte, ob es sich um eine Art von Selbstbestrafung handelte, dass er jetzt zum ersten Mal seit seinem Abschied wieder das Präsidium aufsuchte. Er hätte sich mit Brent an jedem anderen Ort treffen können.

Doch Jed suchte das Polizeirevier, wo er acht seiner vierzehn Dienstjahre absolviert hatte auf, weil er wusste, dass er sich noch einmal mit seiner Entscheidung auseinander setzen musste. Nach seinem gestrigen Auftritt war er zu der Überzeugung gelangt, dass er sich etlichen Dingen stellen musste.

Nichts hatte sich verändert. In den Fluren roch es noch immer nach verschüttetem Kaffee, übernächtigten, verschwitzten Menschen und abgestandenem Rauch sowie dem allgegenwärtigen Desinfektionsmittel, das diese Mischung vervollständigte. Die Wände waren kürzlich frisch gestrichen worden, doch wieder in demselben pflegeleichten Verwaltungsbeige. Und die Geräusche – altvertraut. Klingelnde Telefone, das Klappern der Computertastaturen, hektische Stimmen.

Die Tatsache, dass er jetzt durch die Gänge schritt, ohne das vertraute Gewicht seiner Dienstwaffe an der Hüfte zu spüren, verstärkte noch seine eigenartige Stimmung. Er fühlte sich irgendwie nackt. Beinahe wäre er wieder rausgegangen, hätten sich die beiden uniformierten Männer auf dem Weg zur Tür nicht plötzlich umgedreht. Sie schienen ihn wieder erkannt zu haben. Der linke der beiden – Snyder, erinnerte sich Jed – nahm automatisch Haltung an.

»Captain, Sir.«

Die Jungs wurden auch mit jedem Jahr jünger, stellte Jed fest. Diesem Snyder sprossen gerade mal die ersten ernst zu nehmenden Bartstoppeln. Der einzige Weg führte geradeaus. Jed nickte den beiden zu, als er an ihnen vorbeiging. »Officers.«

Bei der Anmeldung blieb er stehen und wartete, bis der Sergeant mit dem Kreuz eines Bullen sich umdrehte. »Ryan.« Der Mann mochte ja stark wie ein Stier sein, er hatte dabei aber das Gesicht eines Teddybären. Als er Jed erblickte, strahlte er von einem Ohr zum anderen.

»Captain. Sie alter Gauner, Sie.« Er ergriff Jeds Hand und drückte kräftig zu. »Freut mich, Sie zu sehen. Wirklich, das freut mich riesig.«

»Und, wie geht's, wie steht's?«

»Ach, Sie wissen doch. Immer derselbe Trott.« Er beugte sich kameradschaftlich über die Holzbrüstung, die sie trennte. »Lorenzo hat's letzte Woche bei einem Einbruch in einen Spirituosenladen erwischt.«

»Davon habe ich gehört. Wie geht's ihm?«

»Er suhlt sich in seinem Krankenstand«, meinte Ryan mit einer beschwichtigenden Handbewegung. »Sache war, ein Typ ballert auf ihn los, Lorenzo wischt das Blut auf und spaziert hinaus auf die Straße.«

»Nachdem er sich die Kugel mit den Zähnen aus der Brust geholt hat.«

»So ähnlich.« Es wurde nach Ryan gerufen und der brüllte zurück, der andere solle gefälligst einen Moment warten. »Wir vermissen Sie hier, Captain«, sagte Ryan, indem er sich wieder Jed zuwandte. »Goldman ist als Captain ganz okay. Ich meine, er produziert ganze Stapel von Berichten. Aber wenn Sie mich fragen, der Mann ist eine Pfeife.«

»Sie werden ihn schon hinbiegen.«

»Kaum, Sir.« Ryan schüttelte den Kopf. »Entweder man hat es oder man hat es nicht. Die Männer wussten, dass sie mit Ihnen offen reden konnten. Wussten, dass sie Sie genauso oft auf der Straße wie hinter Ihrem Schreibtisch antreffen würden. Bei Goldman muss man sich erst von einem Vorgesetzten zum nächsthöheren fragen und sich auf Zehenspitzen durch die Dienstordnungen und -vorschriften schleichen.« Auf seinem freundlichen Gesicht erschien ein spöttisches Grinsen. »Sie würden ihn nie dabei ertappen, dass er sein Büro verlässt, solange draußen nicht mindestens drei Reporter mit laufender Kamera auf ihn warten.«

Was immer Jed sich bei Ryans locker dahinplätscherndem Gerede dachte, er behielt es für sich. »Eine gute Presse schadet dem Dezernat jedenfalls nicht. Ist Lieutenant Chapman da? Ich muss mit ihm reden.«

»Klar, der muss in seinem Büro sein. Gehen Sie nur nach hinten.«

Jed wartete mit leicht gerunzelter Stirn. »Geben Sie mir einen Besucherausweis, Ryan.«

Ryan wurde vor Verlegenheit ganz rot. »Quatsch, Captain.«

»Ich brauche einen Besucherausweis, Sergeant.«

»Das geht mir irgendwie gegen den Strich«, raunte Ryan, während er eine Plastikkarte aus der Schublade angelte. »Das muss ich Ihnen sagen, es geht mir gehörig gegen den Strich.«

»Das sagten Sie bereits.« Jed klemmte sich den Ausweis an die Brusttasche seines Hemdes.

Der Weg zu Brents Zimmer führte mitten durch das Großraumbüro. Jed hätte einen langsamen Walzer auf glühenden Kohlen diesem Gang nach Canossa vorgezogen. Wann immer sein Name gerufen wurde, zog sich sein Magen zusammen, und jedes Mal musste er stehen bleiben und ein paar höfliche Worte wechseln. Er zwang sich dazu, die ungestellten Fragen in den Augen der Kollegen zu ignorieren.

Als er endlich vor Brents Bürotür stand, war seine Nervosität kaum noch auszuhalten.

Er klopfte und öffnete dann die Tür. Brent saß hinter seinem übervollen Schreibtisch, den Telefonhörer am Ohr. »Erzählen Sie mir lieber etwas, was ich noch nicht weiß.« Er sah kurz auf, und sofort verschwand der Ärger aus seinem Blick. »Ja, ja, und wenn Sie dann alles auf die Reihe gekriegt haben, sehen wir weiter. Ich melde mich wieder.« Er hängte ein und lehnte sich in seinen Stuhl zurück. »Mir war so, als sei der Geräuschpegel draußen eben um einiges gestiegen. Du warst wohl in der Nähe und dachtest, mal kurz bei Brent vorbeizugehen, stimmt's?«

»Nein.« Jed setzte sich und kramte seine Zigaretten aus der Tasche.

»Ich weiß, du brauchtest unbedingt eine Tasse von unserem vorzüglichen Bürokaffee.«

»Wenn es so schlimm um mich steht, dann gehe ich freiwillig in die Klapsmühle.« Er zündete ein Streicholz an. Eigentlich wollte er nicht fragen, wollte damit nichts zu tun haben. Aber es musste sein. »Ist Goldman wirklich so eine Pfeife, wie Ryan behauptet?«

Brent schnitt eine Grimasse und erhob sich, um aus seiner eigenen Kanne zwei Tassen Kaffee einzugießen. »Nun, der Liebling der Station ist er gerade nicht. Erst kürzlich habe ich Thomas vor seinem Spind ertappt, wie er Stecknadeln in eine Goldman-Puppe piekste. Ich habe sie an den kleinen Knopfaugen und den großen Zähnen einwandfrei als solche identifiziert.«

Jed nahm ihm die Tasse ab. »Und, was hast du dagegen unternommen?«

»Nichst. Hab' selbst noch ein paar Nadeln dazugesteckt. Aber bislang erfreut sich Goldman noch ausgezeichneter Gesundheit.«

Jed grinste. »Du weißt, ich könnte beim Chef ein gutes Wort für dich einlegen. Ich glaube, er würde auf meinen Vorschlag hören.«

»Kein Interesse.« Brent nahm die Brille ab und verwischte abwesend die Fettflecken darauf. »Ich bin lausig im Delegieren.« Er stützte sich auf die Schreibtischplatte. »Komm zurück, Jed.«

Jed blickte in seine Tasse. »Ich kann nicht. Himmel, Brent, ich bin fertig. Gib mir heute meine Dienstmarke zurück, und ich weiß nicht, was ich tue, oder wer dafür bezahlen muss. Gestern Abend ...« Er unterbrach sich und nahm einen tiefen Zug aus seiner Zigarette. »Jemand war in meiner Wohnung, hat meine Sachen durchgewühlt.«

»Ihr hattet schon wieder einen Einbruch bei euch im Haus?«

Jed schüttelte den Kopf. »Nein, das war was anderes. Nur ein paar Sachen verschoben, eine Schublade geschlossen, die ich halb offen gelassen hatte, so was in der Art. Ich war fast den ganzen Tag nicht zu Hause gewesen, Elaines Nachlass, die Vereinbarungen das Haus betreffend, du weißt schon.« Erschöpft massierte er sich mit einer Hand den Nacken. »Nach all dem habe ich mir irgendwo einen Drink genehmigt und dann einen Film angeschaut. Ich kam nach Hause, sah mit einem Blick, was passiert war, und bin dann auf Dora losgegangen.«

Er trank einen weiteren Schluck, der genauso bitter war, wie der vorherige. »Ich meine, wirklich auf sie losgegangen. Ich sah das Verbrechen und knüpfte schon die Schlinge.« Voller Selbstverachtung drückte er seine Zigarette aus und erhob sich. »Ich habe sie durchs Zimmer gestoßen.«

»Mensch, Jed.« Ratlos beobachtete Brent seinen Freund, wie dieser in seinem Büro auf und ab tigerte. »Du – hast sie doch nicht geschlagen

»Nein.« Diese Frage war nahe liegend. »Aber ich habe sie zu Tode erschreckt. Und hinterher habe ich wegen meines Verhaltens einen Schreck bekommen. Ich habe überhaupt nicht logisch nachgedacht, meinen Verstand nicht eingesetzt, bin einfach ausgerastet. Und ich habe nicht vor, so etwas Ähnliches noch einmal mit meiner Dienstmarke in der Tasche zu tun. Weißt du, Brent, meine Dienstmarke hat mir einmal eine Menge bedeutet.«

»Ich kenne dich nun schon bald zehn Jahre, Jed. Und ich habe nie erlebt, dass du sie missbraucht hättest.«

»Das habe ich auch weiterhin nicht vor. Nun, wie auch immer, deshalb bin ich nicht hergekommen. Dora war nicht in meinem Apartment. Aber wer dann?«

»Möglich, dass der Kerl, der neulich im Laden eingebrochen hat, noch einmal zurückgekommen ist. Hat vielleicht noch etwas gesucht.«

»Nun, bei mir gibt's nicht viel zu stehlen. Ein paar hundert Dollar in bar in einer Schublade, meine 38er, einen Sony Walkman. In Doras Wohnung hingegen gäbe es jede Menge zu holen.«

»Was ist mit der Alarmanlage?«

»Die hab ich mir genau angesehen, konnte aber keine

Spuren finden. Dieser Kerl ist kein Anfänger, Brent. Das ist ein Profi. Er könnte irgendwie mit Speck zusammenhängen. Jemand, der auf Rache sinnt.«

»Speck war nicht der Typ, dem irgendein Gangster im Nachhinein noch Loyalität zollen würde.« Doch wie Jed wollte auch Brent diese Möglichkeit nicht ganz außer Acht lassen. »Ich werde der Sache mal nachgehen. Was hältst du davon, wenn ich ein paar Augen um euer Haus postiere?«

Normalerweise hätte Jed sich gegen den Gedanken, Polizeischutz in Anspruch zu nehmen, mit Händen und Füßen gewehrt. Doch jetzt nickte er nur schwach. »Das wäre mir sehr recht. Wenn jemand hinter mir her ist, möchte ich nicht, dass Dora da irgendwie ins Schussfeld gerät.«

»Du kannst dich darauf verlassen. So, und nun erzähl mir, wie du das mit Dora wieder auszubügeln gedenkst.«

»Ich habe mich entschuldigt«, brummte Jed, drehte sich dann um und studierte angelegentlich das Poster von Clint Eastwood als Dirty Harry an Brents Bürowand. »Was für eine Aktion. Ich habe ihr sogar angeboten, auf der Stelle auszuziehen, aber es schien ihr egal zu sein, ob ich bleibe oder gehe.« Dann nuschelte er noch etwas vor sich hin, doch Brent besaß ein ausgezeichnetes Gehör.

»Was war das? Hast du da eben was von Blumen gemurmelt?«

»Ja, ich habe ihr ein paar Blumen gekauft, verdammt noch mal. Aber sie hat sie keines Blickes gewürdigt. Und mich ebenfalls nicht. Nicht ums Verrecken. Was ja eigentlich ganz in Ordnung wäre, wenn ich nicht …«

»Wenn du nicht was?«

Sein Kummer über die verfahrene Situation war ihm vom Gesicht abzulesen, als Jed sich ruckartig zu Brent umdrehte. »Zum Teufel, Brent, sie hat mich an der Angel. Ich weiß zwar nicht, wie sie das geschafft hat, aber es ist so. Und wenn ich sie nicht bald kriege, falle ich demnächst vor ihr auf die Knie.«

»Schlechtes Zeichen«, meinte Brent, bedächtig nickend. »Hört sich gar nicht gut an.«

»Du scheinst das wohl auch noch witzig zu finden, wie?«

»Ja … schon.« Brent rückte grinsend seine Brille zurecht.

»Sehr sogar. Ich meine, wenn ich mich recht erinnere, warst du immer ausgesprochen cool, was Frauen betraf. Standest stets über den Dingen. Ich hab' immer geglaubt, das käme von deiner hochherrschaftlichen Erziehung. Und jetzt stehst du vor mir mit diesem Angelhaken im Mund. Passt dir gut, muss ich sagen.«

Jed funkelte ihn nur wütend an.

»Also, Scherz beiseite. Die junge Dame ist stinksauer«, fuhr Brent ungerührt fort, »will dich anscheinend eine Weile im eigenen Fett schmoren lassen, bis du vor ihr Männchen machst.«

»Darauf kann sie lange warten. Wie kommst du überhaupt auf so einen Schwachsinn?« Er vergrub die Hände in den Hosentaschen. »Mir ist immer noch lieber, sie ist sauer, als dass sie Angst vor mir hat.« Nein, den ängstlichen Blick in ihren Augen würde er nicht noch einmal ertragen können. »Ich glaube, ich kaufe ihr auf dem Rückweg noch einen Strauß Blumen.«

»Vielleicht solltest du lieber an etwas Glitzerndes denken, Sportsfreund. Du weißt schon, diese Klunkern, die man sich um den Hals hängen kann.«

»Schmuck? Nein, ich werde sie nicht mit Schmuck bestechen.«

»Und wozu dann die Blumen?«

»Blumen fallen nicht in das Resort Bestechung.« Belustigt darüber, dass ein verheirateter Mann von solchen Dingen so wenig Ahnung hatte, steuerte Jed die Tür an. »Blumen sprechen das Gefühl an. Schmuck zu schenken hat was mit Käuflichkeit zu tun.«

»Richtig, und es gibt niemanden, der käuflicher wäre als eine wütende Frau, brauchst nur meine Frau zu fragen«, rief Brent seinem Freund hinterher, als dieser zielstrebig weiterging. »He, Skimmerhorn! Ich bleibe am Ball.«

Schmunzelnd begab Brent sich wieder an seinen Schreibtisch. Er schaltete den Computer an und holte sich die Speck-Akte auf den Bildschirm.

Jed war überrascht, dass Dora bei seiner Rückkehr noch immer über ihrer Buchhaltung saß. Er war über drei Stunden weg gewesen, und in der kurzen Zeit ihrer Bekanntschaft hatte er es noch nie erlebt, dass sie sich länger als eine Stunde mit ihrem Papierkram beschäftigt hatte. Dora schien sonst den Kontakt mit der Kundschaft der öden Buchhaltung vorzuziehen, vielleicht war es aber auch die Befriedigung, Geld zu scheffeln.

Wahrscheinlich beides.

Es überraschte ihn hingegen nicht, dass sie ihn auch jetzt wenig beachtete; doch diesmal glaubte er, gewappnet zu sein.

»Ich habe dir was mitgebracht.«

Jed legte die große Schachtel vor sie auf den Schreibtisch. Als sie einen Blick darauf warf, stellte er zu seiner Freude fest, dass in ihren Augen ein winziger Schimmer Neugier aufgeblitzt war.

»Es ist, äh, nur ein Bademantel. Als Ersatz für den, der gestern Abend kaputtgegangen ist.«

»Aha.«

Jed zuckte unruhig mit den Schultern. Ihre Reaktion war äußerst spärlich, dabei fand er, dass er sich wirklich ins Zeug gelegt hatte. Er war, begleitet von den begeisterten Blicken der Verkäuferinnen, durch die Wäscheabteilung des Kaufhauses gestrolcht, obwohl er sich dabei nicht sehr wohlgefühlt hatte, und hatte sich endlich für einen praktischen Frotteebademantel entschieden.

»Ich glaube, die Größe ist richtig, aber vielleicht solltest du ihn doch lieber anprobieren.«

Ohne große Eile klappte sie ihr Scheckbuch zu. Als sie ihn schließlich ansah, hatte die Neugier in ihren Augen einem wütenden Glitzern Platz gemacht. »Damit wir uns richtig verstehen, Skimmerhorn. Glaubst du im Ernst, dass du nur einen Blumenstrauß und einen Bademantel anzuschleppen brauchst, und schon ist alles wieder in Butter?«

»Ich …«

Sie gab ihm keine Chance. »Dachtest du, eine Hand voll Gänseblümchen genügen, und schon breche ich in glückliche Seufzer aus und schenke dir ein hinreißendes Lächeln? Glaubst du das wirklich? Ich weiß ja nicht, wie du solche Dinge früher gehandhabt hast, aber bei mir ziehen diese billigen Tricks nicht.« Sie stand auf, und wenn Blicke töten könnten, dann wäre Jed bereits verblutet. »Ein derartiges Verhalten lässt sich nicht mit ein paar lahmen Geschenken und einer Armesündermiene ausbügeln.«

Sie war kurz davor, laut loszubrüllen, hielt dann aber, um Beherrschung ringend, inne.

»Komm, sprich nur weiter«, sagte Jed ganz ruhig. »Spuck nur den Rest auch noch aus.«

»Also gut. Du dringst gewaltsam in meine Wohnung ein und wirfst mir die übelsten Anschuldigungen an den Kopf. Warum? Weil ich zufällig greifbar war? Weil es dir nicht behagt hat, wie sich die Dinge zwischen uns entwickelt haben? Du hast nicht einmal die Möglichkeit in Betracht gezogen, dass du dich geirrt haben könntest, sondern bist sofort wie ein Irrer auf mich losgegangen. Du hast mich zu Tode erschreckt, und schlimmer noch …« Sie biss sich auf die Unterlippe und drehte sich von ihm weg. »Du hast mich dabei auch noch gedemütigt. Weil ich das alles klaglos geschluckt habe. Heulend und zitternd stand ich da – habe mich nicht einmal gewehrt.« Jetzt, da sie es ausgesprochen hatte, fühlte sie sich schon um einiges besser. »Das ärgert mich am meisten.«

Er verstand sie nur zu gut. »Du hättest auch verrückt sein müssen, in der Stimmung, in der ich war, zurückzuschlagen.«

»Darum geht es nicht.«

»Doch, genau darum geht es.« Wieder begann es in ihm zu kochen, er spürte, wie wütend er auf sich war. »Zum Teufel nochmal, Dora, du hast einem Wahnsinnigen gegenübergestanden, der mit Fünfzig-Pfund-Gewichten jongliert. Was hättest du denn getan, mich zu Boden gerungen?«

»Ich habe mal Selbstverteidigung gelernt«, sagte sie und reckte dabei forsch das Kinn. »Mir wäre schon was eingefallen.«

»Ist dir ja auch.« Er erinnerte sich, wie ihre ängstlichen Tränen ihn zur Vernunft gebracht hatten. »Du musst ja blöd sein, dich zu schämen, weil du vor mir Angst gehabt hast.«

»Ich glaube nicht, dass du mich mit Beleidigungen besänftigen kannst, Skimmerhorn.« Sie strich sich das Haar aus der Stirn. Aber nicht in ihrer sonst so lässigen Art, wie Jed bemerkte. Diesmal hatte diese Geste etwas Verzweifeltes. »Schau, ich habe einen harten Tag hinter …«

Sie verstummte, als er ihre Hand nahm. Obwohl sie sich sofort steif machte, streckte er doch vorsichtig ihren Arm aus. Sie hatte zum Arbeiten die Jackenärmel hochgeschoben. Auf ihrem Unterarm entdeckte er die verblasste Spur von kleinen blauen Flecken, die Abdrücke seiner fünf Finger.

»Ich könnte fortfahren, mich bei dir zu entschuldigen«, sagte er, und dabei sprachen seine Augen Bände. »Aber das würde verdammt nochmal nichts besagen.« Er ließ ihren Arm los und vergrub seine Hände in den Hosentaschen. »Ich kann auch nicht sagen, dass ich noch nie zuvor einer Frau wehgetan habe, denn das wäre gelogen. Aber es geschah immer im Dienst, war nie ein persönlicher Angriff. Ich habe dich verletzt. Und ich weiß nicht, wie ich das je wieder gutmachen kann.«

Er wandte sich zur Treppe um.

»Jed«, rief sie, und er glaubte, ein Seufzen in ihrer Stimme gehört zu haben. »Warte einen Moment.« Ich fall' doch immer wieder drauf rein, schalt sie sich im Stillen, ehe sie die Schachtel aufklappte. Der Bademantel war, bis auf die Farbe, fast identisch mit ihrem alten. Langsam strich sie mit einem Finger über den flaschengrünen Frotteekragen.

»Sie hatten keinen weißen. Du trägst oft kräftige Farben, deshalb dachte ich …«

»Er ist hübsch. Was aber nicht heißt, dass ich dir verzeihe.«

«Habe verstanden.«

»Ich würde es begrüßen, wenn wir uns wieder auf einer vernünftigen Ebene begegnen könnten. Nachbarschaftsfehden sind nicht meine Sache.«

»Es ist dein gutes Recht, die Regeln festzusetzen.«

Auf ihrem Gesicht erschien ein kleines Lächeln. »Es muss dir schwer gefallen sein, dich zu diesem Kauf zu entschließen.«

»Du bist kein Mann und hast als solcher noch nie Damenwäsche gekauft. Du kannst also gar nicht wissen, wie schwer das ist.« Er wollte sie berühren, wusste sich aber zu beherrschen. »Es tut mir Leid, Dora.«

»Ich weiß. Wirklich, ich weiß es. Ich war heute Morgen beinahe ebenso wütend auf mich wie auf dich. Und bevor ich mich noch beruhigen konnte, gab es Ärger im Laden. Als du vorhin zurückkamst, habe ich nur noch rot gesehen.«

»Was für Ärger?«

»Ladendiebstahl. Heute Morgen kurz nachdem du weggegangen bist, um dein Büßerhemd zu kaufen.«

Er lächelte nicht. »Bist du sicher, dass alles noch da war, als du gestern Abend abgesperrt hast?«

»Ich kenne mein Inventar, Skimmerhorn.«

»Du hast gesagt, du bist gestern Abend kurz vor mir nach Hause gekommen.«

»Ja, und was hat …«

»Du warst ziemlich durcheinander, als ich ging, und du warst es auch noch heute Morgen. Ich glaube also nicht, dass du es bemerkt hast.«

»Was bemerkt?«

»Ob in deiner Wohnung etwas fehlt. Komm, lass uns mal genau nachschauen.«

»Wovon redest du denn eigentlich?«

»Jemand war gestern Abend in meiner Wohnung.«

Sie verbiss sich gerade noch eine zynische Bemerkung, doch Jed war ihr zweifelnder Blick nicht entgangen.

»Ich sage das nicht, um mein Benehmen herunterzuspielen, aber es war gestern jemand in meiner Wohnung«, wiederholte er, bemüht, nicht lauter zu werden. »Cops fallen Dinge auf, die Zivilisten übersehen. Möglich, dass es einer von Specks Männern war, der bei mir rumgeschnüffelt hat, um mich nervös zu machen. Es könnte aber auch jemand gewesen sein, der es auf Antiquitäten abgesehen hat.«

»Und was ist mit dieser Super-Alarmanlage und den einbruchsicheren Schlössern, die du eingebaut hast?«

»Eine hundertprozentige Absicherung gibt es nicht.«

»Oh.« Sie kniff kurz die Augen zusammen, als er ihre Hand nahm und sie zur Treppe zog. »Das beruhigt mich ja ungemein. Vor einer Minute war ich noch glücklich, mich über einen Ladendieb aufregen zu können, und jetzt kommst du mir mit Fassadenkletterern, die meine Wohnung unsicher machen.«

»Lass uns erst einmal genau nachsehen. Hast du die Schlüssel?«

»Es ist nicht abgesperrt.« Sein Blick genügte, um Dora zu reizen. »Hör mal, du Schlauberger, die Haustür ist abgeschlossen, und ich sitze die ganze Zeit hier unten. Außerdem …« Sie machte die Wohnungstür auf, »außerdem war hier niemand.«

»Mmm-hmm.« Jed bückte sich, um das Schloss zu inspizieren, konnte aber keine Anzeichen von Gewaltanwendung entdecken,

»Hast du nicht abgesperrt, als du gestern Abend ausgegangen bist?«

»Möglich«, meinte sie jetzt schmollend. »Ich kann mich nicht genau erinnern.«

»Hast du Bargeld im Haus?«

»Ein wenig.« Sie ging zu dem kleinen Schreibsekretär und zog eine Schublade auf. »Alles noch da, wie alles andere auch.«

»Du hast doch noch gar nicht richtig nachgeschaut.«

»Ich kenne meine Wohnung, Jed.«

Er sah sich um, machte im stillen Bestandsaufnahme und nahm den ganzen Schnickschnack sowie die Möbel mit derselben Genauigkeit auf, mit der er sonst in Verbrecheralben geblättert hatte. »Was ist mit dem Bild, das über der Couch hing?«

»Das abstrakte? Das hat meiner Mutter so gut gefallen, dass ich es ihr mitgegeben habe, damit sie ein bisschen damit leben kann.« Sie deutete auf die zwei Porträts, die nun stattdessen dort hingen. »Ich dachte, ich könnte mich inzwischen an der Gesellschaft dieser beiden Herrschaften ergötzen, aber das war ein Irrtum. Die schauen mich immer so streng und missbilligend an, aber ich hatte noch keine …«

»Schmuck?«

»Klar habe ich Schmuck. Okay, okay.« Sie verdrehte seufzend die Augen und verschwand im Schlafzimmer. Dort öffnete sie eine kleine Holztruhe, die auf einer niedrigen Kommode stand. »Sieht so aus, als sei alles da. Mit dem Schmuck ist es ein bisschen schwieriger. Ich habe nämlich Lea einige Stücke geliehen, und sie gab mir welche von sich …« Sie fischte ein Samtbeutelchen aus dem Schmuckkasten und schüttelte ein Paar Smaragdohrringe heraus. »Wenn jemand hier drin rumgeschnüffelt hätte, dann wären die nicht mehr da. Die sind nämlich echt.«

»Hübsch«, meinte er nach einem flüchtigen Blick. Es überraschte ihn nicht, dass sie genügend Schmuck besaß, um ein Dutzend Frauen damit zu behängen. Dora liebte es offenbar ein wenig üppiger. Ebensowenig überraschte es ihn, dass ihr Schlafzimmer genauso überladen und genauso gemütlich war wie ihr Wohnzimmer. Oder genauso feminin. »Mein Gott, was für ein Bett!«

»Mir gefällt es. Es ist eine Louis XV.-Reproduktion. Ich habe es einem Hotel in San Francisco abgekauft. Ich konnte einfach nicht widerstehen.«

Das Bett stand auf hohen Beinen, war mit nachtblauem Brokat gepolstert und am Kopfende elegant geschwungen. Auf der gesteppten Satintagesdecke lagen die unterschiedlichsten Kissen.

»Ich sitze gerne abends auf meinem Bett bei einem gemütlichen Kaminfeuer und lese.« Sie klappte den Deckel der Schmucktruhe zu. »Was letztlich den Ausschlag gab, dass ich mich für dieses Haus entschieden habe, war die Größe der Räume und der Kamin im Schlafzimmer. Das Miauen einer Katze – wie mein Vater sagen würde.« Sie grinste. »Tut mir Leid, Captain, es sieht nicht so aus, als ob ich ein Verbrechen zu melden hätte.«

Eigentlich hätte er erleichtert sein müssen. Doch er

konnte das Kribbeln in seinem Nacken nicht ignorieren. »Warum gibst du mir nicht eine Liste der gestohlenen Gegenstände? Wir, ich meine Brent könnte die Pfandhäuser überprüfen lassen.«

»Ich habe den Diebstahl bereits gemeldet.«

»Lass mich dir doch helfen.« Diesmal gab er dem Drang, sie zu berühren, nach. Er wollte sehen, ob sie zurückwich. Doch als er mit einer Hand über ihren Arm strich, lächelte sie nur.

Demnach hatte sie ihm verziehen, dachte er. Einfach so.

»Also gut. Es wäre unklug, einen Captain der Polizei wegen eines gemeinen Ladendiebstahls nicht ermitteln zu lassen. Lass mich mal …« Sie machte einen Schritt vorwärts, Jed jedoch blieb stehen, wo er stand, mit dem Effekt, dass sie beinahe mit ihm zusammengestoßen wäre. Ihr Herz begann zu stottern, machte seltsame Hüpfer, aber diesmal nicht vor Angst. Nein, keineswegs. »Die Liste ist unten.«

»Ich finde, du sollst wissen, dass du Recht gehabt hast.«

»Das ist immer erfreulich zu erfahren. Womit hatte ich denn diesmal Recht?«

»Dass das, was zwischen uns geschehen war, mich völlig verwirrt hat.«

»Oh«, hauchte sie, und ihre Stimme zitterte dabei. Sie konnte nichts dagegen tun. »Und was war das?«

»Ich war heiß auf dich. Ich fragte mich, wie es wohl sein würde, dich auszuziehen, dich zu berühren, dich unter mir zu spüren. Ich fragte mich, ob deine Haut genauso schmecken würde wie sie duftet.«

Während sie ihn anstarrte, schlug ihr Magen Saltos. »Ist es das, was zwischen uns geschehen ist?«

»So habe ich es zumindest empfunden. Und das hat mir scheinbar den Verstand geraubt.«

»Und, siehst du jetzt wieder klarer?«

Er schüttelte vehement den Kopf. »Im Gegenteil, es wird immer schlimmer. Jetzt kann ich mir nämlich auch noch bildlich vorstellen, alle diese Dinge in diesem Bett hier mit dir zu tun. Wenn du mir mein grausames Benehmen von gestern Abend mit gleicher Münze zurückzahlen willst, brauchst du bloß zu sagen, du bist nicht interessiert.«

Dora atmete langsam aus, denn sie hatte die Luft angehalten. ›Interessiert‹ war eigentlich nicht der Ausdruck, den sie dafür gewählt hätte. »Ich denke ...« Mit einem schwachen Auflachen fuhr sie sich durchs Haar. »Ich denke, ich sage lieber: ›Ich werde mir dein freundliches Angebot gründlich durch den Kopf gehen lassen und dir demnächst Bescheid geben.‹«

»Du weißt ja, wo du mich findest.«

»Ja, das weiß ich.«

Er hatte nicht erwartet, dass sie sein Angebot so durcheinander bringen würde, aber dennoch genoss er es. »Sollen wir zum Essen gehen? Dann könnten wir ... die Punkte genau durchsprechen.«

Das aufgeregte Flattern ihres Herzens bewirkte, dass sie sich plötzlich wie ein Backfisch fühlte und sich gleichzeitig ungeheuer töricht vorkam. »Geht leider nicht. Ich habe bereits eine Verabredung – mit meinem Neffen.« Sie nahm eine versilberte Haarbürste von ihrer Frisiertoilette und legte sie nervös wieder hin. »Er ist gerade in dem Alter, wo er Mädchen unheimlich doof findet. Deshalb schnappe ich ihn mir von Zeit zu Zeit und lade ihn ins Kino ein, oder wir strolchen durch die Stadt und machen uns eine Art Männerabend.«,

»Aber du bist doch eine Frau.«

»Nicht für Richie.« Sie griff wieder nach der Bürste und drehte den Griff in den Händen. »Ich wehre mich nicht dagegen, mir neunzig Minuten lang *Die Killermission der Höllenzombies* reinzuziehen – was mich in seinen Augen zu einem ganzen Kerl macht.«

»Wenn du meinst.« Er warf einen Blick auf ihre nervös mit der Bürste spielenden Hände und grinste. »Na gut, dann verschieben wir beide eben unsere Männerpartie.«

»Ja, vielleicht auf morgen.«

»Ich glaube, das kann ich in meinem Terminkalender noch unterbringen.« Behutsam nahm er ihr die Bürste aus der Hand und legte sie beiseite. »Vorher sollten wir uns aber noch um die Liste kümmern.«

Als sie ohne weitere Zwischenfälle das Schlafzimmer verlassen hatten, atmete Dora erleichtert durch. Sie war wild entschlossen, sich sein Angebot durch den Kopf gehen zu lassen – sobald ein Teil ihres Blutes wieder dorthin zurückgekehrt war.

»Hast du deine Schlüssel unten?«, erkundigte sich Jed, als sie in den Flur hinaustraten.

»Was – ja, natürlich.«

»Gut.« Er zog die Tür zu.

DiCarlo hätte seine luxuriöse Suite im Ritz-Carlton mit dem weichen King-Size-Bett, der gut sortierten Bar, dem exzellenten Zimmerservice und der Masseuse, die auf Anruf kam, unter anderen Umständen sehr genossen.

Ja, er hätte den Luxus genossen, wenn – wenn er das Gemälde im Koffer gehabt hätte.

Stattdessen kochte er vor Wut.

Wäre der Typ aus der Nachbarwohnung nicht genau zum unpassendsten Zeitpunkt nach Hause gekommen, überlegte DiCarlo, dann hätte er jetzt das Bild, oder wüsste zumindest, wo er es finden konnte.

Er zögerte, Finley anzurufen. Außer Misserfolg gab es nichts zu melden, und außerdem hatte er noch bis zum zweiten Januar Zeit. Eine erfolglose Nacht warf seinen knappen Zeitplan gehörig durcheinander, aber aus der Distanz betrachtet, war es nur eine kleine Verzögerung und keine Katastrophe!

Er zermalmte eine weitere Erdnuss zwischen den Zähnen und spülte die Krümel mit einem Schluck Beaujolais hinunter, der noch vom Mittagessen übrig geblieben war. Es gefiel ihm gar nicht, dass der Mann wusste, dass seine Wohnung gefilzt worden war. DiCarlo lehnte sich in seinen Sessel zurück und ließ seine nächtliche Aktion noch einmal Schritt für Schritt Revue passieren. Er hatte nichts in Unordnung gebracht. Er hatte sogar der Versuchung widerstanden, leicht verkäufliche Hehlerware aus den beiden

Apartments mitgehenzulassen. Was er im Laden eingesteckt hatte, würde man irgendeinem Ladendieb in die
Schuhe schieben.

Und solange der Mann seine Nachbarin verdächtigte, in
seiner Wohnung herumgeschnüffelt zu haben, änderte sich
an seinem Plan nichts.

Alles, was er zu tun hatte, war, dieser Frau noch einmal
einen Besuch abzustatten. Er würde genau das tun, was er
in der letzten Nacht beabsichtigt hatte – genau das Gleiche.
Nur würde er beim nächsten Mal die Wohnung betreten
und wissen, dass er die Frau umbringen würde, wenn er
mit ihr fertig war.

13. Kapitel

Die Temperatur war auf frostige zehn Grad unter Null gefallen. Über der Stadt spannte sich ein klarer Nachthimmel, an dem die Sterne wie Eiskristalle funkelten und eine messerscharfe Neumondsichel ihre einsame Bahn zog. Die Geschäfte entlang der South Street waren geschlossen, und auf den Straßen herrschte kaum Verkehr. Gelegentlich trat jemand aus einem der Restaurants in die Kälte hinaus, eingehüllt in einen dicken Wintermantel, um auf schnellstem Wege sein Auto oder die nächste U-Bahn-Station anzusteuern. Gleich darauf wurde es wieder still in der Straße, die vom milchigen Schein der Straßenlaternen beleuchtet wurde.

DiCarlo erspähte schon bei seiner ersten Runde um den Block den Streifenwagen. Seine Hände spannten sich um das Lenkrad, als er Richtung Fluss abbog. Mit Störungen von außen hatte er nicht gerechnet. Die Cops waren gewöhnlich viel zu beschäftigt, um einen Laden wegen eines Einbruchs und eines geringfügigen Ladendiebstahls zu observieren.

Vielleicht pflegte die Lady ja engere Beziehungen zum Polizeichef, überlegte DiCarlo. Oder vielleicht war es auch nur einfach Pech. Wie dem auch sein mochte, es war nur ein Detail mehr, das es zu bedenken galt. Und ein Grund mehr, die gut gewachsene Miss Conroy zu erledigen, wenn er mit ihr fertig war. Um sich zu beruhigen, stellte er das Radio ab und fuhr die nächsten zehn Minuten ziellos in der Gegend umher, während er im Geiste verschiedene Situationen durchspielte. Als DiCarlo dann zum zweiten Mal in die South Street einbog, stand sein Plan fest. Er fuhr langsam an den Bürgersteig heran und hielt neben dem Streifenwagen. Mit der Straßenkarte von Philadelphia in der Hand, die er im Ablagefach gefunden hatte, stieg er aus. DiCarlo wusste, dass der Cop nur einen gut gekleideten

Herrn in einem Mietwagen sehen würde, der sich offensichtlich verfahren hatte.

»Na, gibt's Schwierigkeiten, Mister?« Der Uniformierte kurbelte sein Fenster herunter. Im Wageninneren roch es nach Kaffee und Pastrami.

»Sieht ganz so aus.« Um seiner Rolle gerecht zu werden, setzte DiCarlo ein einfältiges Grinsen auf. »Ein Glück, dass Sie gerade hier parken, Officer. Ich weiß zwar nicht wo, aber irgendwie muss ich die falsche Kurve gekriegt haben und im Kreis gefahren sein.«

»Gut möglich, ich habe Sie, glaube ich, vorhin schon mal hier vorbeifahren sehen. Aber wir werden Sie schon wieder auf den rechten Weg führen. Wo wollen Sie denn hin?«

»Ecke Fifteenth und Walnut.« DiCarlo schob die Karte durchs Fenster. »Auf dem Plan hab ich's gleich gefunden. Aber jetzt sieht das alles ganz anders aus.«

»Kein Problem. Sie fahren hier die Straße runter bis zur Fifth und biegen dann links ab. Das ist dann schon die Walnut Street. Immer geradeaus, bis Sie zum Independence Square kommen, und dann nochmal links.« Er fischte einen Kugelschreiber aus seiner Hemdtasche. »Ich zeichne es Ihnen an.«

»Das ist sehr freundlich von Ihnen, Officer.« Mit einem dankbaren Lächeln im Gesicht presste DiCarlo den Schalldämpfer seiner Pistole an die Brust des Polizisten. Für den Bruchteil eines Herzschlags trafen sich ihre Blicke. Dann schoss DiCarlo zweimal. Plop. Plop. Mehr war nicht zu hören. Der Cop fiel lautlos nach vorn. Mit akribischer Genauigkeit prüfte DiCarlo seinen Puls. Als er ihn nicht mehr spüren konnte, öffnete er leise die Fahrertür, brachte den Körper des Toten wieder in eine sitzende Position. Er kurbelte das Fenster hoch, verriegelte die Tür von innen, schlug sie zu und schlenderte zurück zu seinem Wagen.

Allmählich begriff er, warum sein Cousin Guido so einen Heidenspaß am Morden hatte.

Dora war ein wenig enttäuscht, dass Richie ihr Angebot, bei ihr zu übernachten, ablehnte. Die Konkurrenz hatte ihm offenbar ein besseres Angebot in gemacht, und so lieferte sie ihn nach dem Kino bei einem seiner Freunde ab.

Warum war sie eigentlich nicht zu Lea und John zurückgefahren und hatte sich die anderen Kinder für die Nacht geschnappt?, überlegte sie auf dem Weg nach Hause. Eine lustige Pyjama-Party mit Kissenschlacht wäre Balsam für ihr angespanntes Nervenkostüm gewesen. Sie wollte einfach nicht allein sein.

Nein, korrigierte sie sich, es war vielmehr so, dass sie nicht allein in ihrer Wohnung sein wollte, nur ein paar kurze Schritte von Jed Skimmerhorn entfernt. Wenn er auch an diesem Nachmittag ungeheuer charmant gewesen war, so durfte sie nicht vergessen, dass dieser Mann zu unberechenbaren Wutausbrüchen fähig war.

Sie glaubte ihm und akzeptierte seine Entschuldigung, konnte sogar seine Beweggründe teilweise nachvollziehen. Doch das änderte nichts an der Tatsache, dass dieser Mann eine Ladung Dynamit mit einer sehr kurzen Zündschnur war. Und sie wollte nicht in seiner Reichweite sein, wenn er wieder in die Luft gehen sollte.

Andererseits war sie selbst auch nicht gerade ein Musterbeispiel an Ausgeglichenheit. Ihre Zündschnur war zwar etwas länger, doch wenn sie mal explodierte, konnten sich die katastrophalen Auswirkungen sehr wohl mit den seinen messen.

Womöglich war es genau das, was er brauchte, überlegte sie. Eine Frau, die ihm Paroli bot, sich gegen ihn zur Wehr setzte und genauso oft gewann wie verlor. Wenn er jemanden hätte, der das Bedürfnis, hin und wieder einen Teller an die Wand schmeißen oder gegen das Sofa treten zu müssen, aus eigener Erfahrung kannte und ihn daher verstand, könnte ihm das helfen, sich zu öffnen. Es könnte ihm dabei helfen, seine Wunden zu heilen. Es könnte ...«

»Aufgepasst, Dora!«, murmelte sie vor sich hin. »Du zäumst das Pferd am Schwanz auf. Das ist es nicht, was er braucht, sondern was du brauchst.« Und was sie brauchte, das war ein Liebhaber. Sie lenkte den Wagen auf den kleinen Kiesparkplatz hinter dem Laden. Auch wenn er noch so niedlich war, wenn er lächelte …

Der Vogel war ausgeflogen, der Thunderbird stand nicht auf seinem Platz. Dora legte die Stirn in Falten und schüttelte dann den Kopf. Ist wahrscheinlich auch besser so, dachte sie. Wenn er nicht zu Hause war, erübrigte sich der Gedanke, ob sie an seine Tür klopfen sollte – und sich damit möglicherweise wieder in Schwierigkeiten brachte.

Ihre Stiefel knirschten auf dem Kies, als sie zur Hintertür ging. Nachdem sie an der Alarmanlage die Codenummer eingegeben hatte, sperrte sie die Tür auf und verriegelte sie hinter sich wieder gewissenhaft.

Nein, sie würde das Schicksal nicht herausfordern, indem sie auf Jeds Rückkehr wartete, sondern sich früh zu Bett begeben. Eine Kanne Tee, ein gemütliches Feuer im Kamin und das Buch, an dem sie schon so lange las – genau die richtigen Heilmittel für einen aufgewühlten Verstand. Und mit ein bisschen Glück würde diese Kur auch die Nachwirkungen von *Schrei doch, wenn du kannst* lindern – dem Horrorfilm, den sie sich Richie zuliebe angetan hatte.

Sie sperrte ihre Wohnungstür auf und schaltete die Christbaumbeleuchtung ein; die bunten Lichter hatten sie noch immer aufgeheitert. Nachdem sie die Stereoanlage angestellt hatte, zog sie die Stiefel aus und schälte sich aus ihrem Wintermantel. Alles wanderte ordentlich in ihren Garderobenschrank, während sie dabei leise den Billie-Holiday-Song mitsummte.

In Strümpfen tanzte sie in die Küche, um Teewasser aufzusetzen. Sie zuckte zusammen, als im Wohnzimmer eine Diele knackte. Das Herz schlug ihr bis zum Hals, sodass sie mitten in der Bewegung innehielt, dabei das halbe Teewasser in den Ausguss schüttete und nur noch dem Klopfen ihres Herzens lauschte.

»Reiß dich zusammen, Conroy«, wisperte sie. Es wäre doch gelacht, wenn sie sich nach so einem dämlichen Film in ihrer eigenen Wohnung fürchtete. Im Wohnzimmer lauerte kein muskelbepackter Psychopath mit einem Schlachtermesser in der Hand. Holz arbeitete nun mal bei großen Temperaturschwankungen.

Mit einem Schmunzeln im Gesicht stellte sie das Teewasser auf den Herd und schaltete die Platte an. Dann ging sie zurück ins Wohnzimmer und blieb wie angewurzelt stehen.

Es war stockfinster, so dunkel wie in einer Höhle, nur der matte Lichtschein aus der Küche die ließ die Umrisse der Möbel erkennen. Was alles noch unheimlicher machte.

Aber sie hatte doch die Christbaumbeleuchtung eingeschaltet, oder nicht? Natürlich hatte sie das, sie wusste es genau. Ein Kurzschluss? Nein. Nein, die Stereoanlage spielte noch, und die war an derselben Steckdose angeschlossen. Wahrscheinlich war eine Kerze durchgebrannt und hatte in der Lichterkette einen Kurzschluss ausgelöst. Entschlossen, ihrer entgleisten Fantasie Einhalt zu gebieten, durchquerte sie mutig das dunkle Wohnzimmer, um den Schaden zu beheben.

Worauf auch in der Küche das Licht ausging.

Ihr stockte der Atem, und sie unterdrückte einen erstickten Aufschrei. Ein Zittern lief durch ihren Körper, und Angst überfiel sie. Eine ganze Minute lang stand sie regungslos da und spürte jedem Laut nach. Doch sie hörte nur ihr hämmerndes Herz und ihren flachen Atem. Plötzlich schlug sie sich mit der Hand an die Stirn und lachte erleichtert auf. Selbstverständlich war da nichts. Eine Glühbirne war durchgebrannt, das war alles.

Eine blühende Fantasie konnte mitunter wirklich mörderisch sein, dachte sie. Sie brauchte nur …

Eine Hand presste sich auf ihren Mund, ein Arm schlang sich um ihre Taille. Bevor sie sich wehren konnte, wurde sie rückwärts gegen einen harten Körper gedrückt.

»Du fürchtest dich doch nicht vor der Dunkelheit, nicht wahr, Schätzchen?« DiCarlos Stimme war nur ein heiseres Flüstern. Er wollte damit ihre Angst noch ein wenig steigern. »Du bleibst jetzt ganz ruhig stehen und machst keinen Mucks. Weißt du, was das ist?« Er lockerte seinen Griff so weit, dass er ihr die Pistole unter den Pullover schieben und damit die Rundungen ihrer Brüste nachfahren konnte. »Das ist ein großer, unfreundlicher Ballermann. Du willst doch nicht, dass ich von ihm Gebrauch mache, oder?«

Sie schüttelte den Kopf, kniff die Augen zusammen, als kaltes Metall ihre Haut streichelte. Ihre Fähigkeit zu denken, nahm zusehends ab.

»Gutes Mädchen. So, ich werde jetzt meine Hand wegnehmen. Aber ein Schrei, und ich bringe dich um.«

Als er die Hand von ihrem Mund nahm, presste Dora die Lippen aufeinander. Sie fragte nicht, was er von ihr wollte, denn sie fürchtete sich vor der Antwort.

»Ich habe dich kürzlich abends beobachtet, im Schlafzimmer, wie du dich ausgezogen hast.« Sein Atem beschleunigte sich, als er seine freie Hand zwischen ihre Schenkel schob. »Du hattest schwarze Unterwäsche an. Mit Spitzen. Genau mein Geschmack.«

Leise stöhnend drehte Dora den Kopf zur Seite, als er begann, sie durch den Stoff ihrer Wollhose hindurch anzugrabschen. Beobachtet. Er hatte sie beobachtet, war alles, woran sie denken konnte.

»Du wirst mir diesen verwegenen Striptease noch einmal vorführen, sobald wir unser kleines Geschäft abgeschlossen haben.«

»Ich … ich habe Geld hier«, presste sie heraus, während sie verzweifelt versuchte, seine Hand auf ihrem Körper zu ignorieren. »Ein paar hundert Dollar in bar. Ich gebe sie Ihnen.«

»Du wirst mir eine ganze Menge geben. Geht dieser hier auch vorne auf?« Er fummelte am Verschluss ihres BHs herum. Dora wimmerte leise. »Oh, ja, so ist's recht. Welche Farbe hat er?« Als sie nicht antwortete, richtete er die Waffe genau auf ihr Herz. »Antworte gefälligst, wenn ich dir eine Frage stelle!«

»R-rot.«

»Und der Slip? Auch rot?«

Vor Scham stieg ihr die Hitze in die eiskalten Wangen. »Ja, ja, der ist auch rot.«

»Du bist mir ja eine ganz Heiße.« Er lachte und stellte

amüsiert fest, dass ihn ihre mit bebender Stimme gehauch-
te Bitte, doch damit aufzuhören, unheimlich erregte. Das
war ein Bonus, mit dem er nicht gerechnet hatte.

»Wir werden uns ein paar nette Stunden machen, Baby,
und niemandem geschieht dabei ein Leid. Vorausgesetzt,
du gibst mir, was ich verlange. Sag, dass du mich verstanden hast.«

»Ja.«

»Ja, was?«

»Ich habe verstanden«, murmelte sie mit zitternden Lippen.

»Gut. Sehr gut. Aber zuerst sagst du mir, wo es ist, und
dann stürzen wir uns in die Party.«

Tränen standen in ihren Augen, die wie Feuer brannten.
Sie dachte daran, wie sie sich am Abend zuvor vor Jed gefürchtet hatte. Doch diese Furcht war lächerlich gewesen,
verglichen mit der panischen Angst, die ihr jetzt die Kehle
zuschnürte und ihr fast den Verstand raubte.

Und auch diesmal wehrte sie sich nicht, stand einfach
nur da, zitternd wie Espenlaub, winselte und wartete darauf, gequält zu werden. Doch dann hob sie entschlossen
ihr Kinn. Sie war nicht hilflos –, nein, sie würde kämpfen.
Er mochte ja vorhaben, sie zu vergewaltigen, aber leicht
machen würde sie es ihm nicht.

»Ich weiß nicht, wovon Sie reden.« Die Schauder, die
durch ihren Körper jagten, musste sie ihm nicht extra vor-
spielen, und wenn sie sich jetzt gegen ihn sinken ließ,
konnte sie ihn hoffentlich glauben machen, dass er sie zur
Genüge eingeschüchtert hatte. »Bitte, bitte, tun Sie mir
nichts. Ich gebe Ihnen alles, was Sie verlangen, aber tun Sie
mir nicht weh, bitte.«

»Ich will dir auch nicht wehtun, solange es nicht nötig
ist.« O Gott, er war hart wie Stahl. Jedes Mal, wenn er mit
dem Pistolenlauf über ihre nackte Haut strich, zitterte sie,
und sein Blut kochte.

»Wenn du dich kooperativ zeigst, werden wir prima
miteinander auskommen.« Er fuhr mit dem Pistolenlauf
unter den Verschluss ihres BHs und ließ ihn langsam zwi-

schen ihren Brüsten auf und ab wandern. »Also, zur Sache. Ich habe mich hier überall genau umgeschaut, konnte es aber nicht finden. Wenn du mir sagst, wo das Bild ist, nehme ich den Ballermann weg.«

»Das Bild?« Ihre gehetzten Gedanken überschlugen sich. Wenn du dich kooperativ zeigst, hatte er gesagt, würde er die Waffe wegnehmen. Also würde sie verdammt nochmal kooperativ sein. Aber nicht machtlos. »Ich gebe Ihnen das Bild, jedes Bild, das Sie wollen. Aber bitte, nehmen Sie dieses Ding weg. Ich kann nicht denken, wenn ich Angst habe.«

»Okay, Baby.« An ihrem Ohrläppchen knabbernd, senkte er die Waffe. »Besser so?«

»Ja.«

»Du hast dich nicht bedankt«, raunte er und ließ die Pistole wieder an ihrem Oberkörper hinaufgleiten.

Dora schloss die Augen. »Danke.«

Zufrieden, dass sie offenbar gemerkt hatte, wer hier das Kommando führte, entfernte er die Waffe wieder. »So ist's recht. Jetzt brauchst du mir nur noch zu sagen, wo das Bild ist, und dir wird nichts geschehen.«

»In Ordnung.« Sie ballte die Linke zur Faust und drückte sie in ihre rechte Handfläche. »Ich werde es Ihnen sagen.« Mit der Kraft beider Arme rammte sie ihm den rechten Ellbogen in den Bauch. DiCarlo gab einen schmerzerfüllten Laut von sich und taumelte rückwärts. Dora raste zur Tür und hörte hinter sich noch irgendetwas scheppern. Ihre Beine waren vor Angst wie gelähmt. Um Gleichgewicht ringend, stolperte sie ins Treppenhaus hinaus. Sie war schon an der hinteren Tür und hantierte verzweifelt mit den Sicherheitsschlössern, als er sie erreichte und packte. Dora schrie laut auf, schoss herum und schlug ihm, getrieben von ihrem Überlebenswillen, die Fingernägel ins Gesicht. Fluchend legte er einen Arm um ihren Hals. »Das lassen wir doch besser, nicht wahr, Schätzchen?« Sein Arm drückte ihr die Luft ab, während er sie zurück in den Flur der dunklen Wohnung zerrte.

Beide hörten sie die polternden Schritte die Treppe raufkommen. Es war Jed, der in geduckter Haltung mit der Waffe in der Hand am Eingang von Doras Wohnung stehen blieb.

»Wirf sie auf den Boden«, zischte DiCarlo. »Die Lady hier hat meine Pistole im Rücken. Eine falsche Bewegung, und sie hat keinen Wirbel mehr im Kreuz.«

Jed konnte die Waffe nicht sehen, wohl aber hörte er Doras verzweifeltes Atmen. »Immer mit der Ruhe, Mann.« DiCarlo nicht aus den Augen lassend, bückte sich Jed und legte seine Waffe auf den Boden. »Sie taugt nicht mehr viel als Schutzschild, wenn Sie sie stranguliert haben.«

»Aufstehen, Hände hinter den Kopf! Schieb die Waffe mit dem Fuß zu mir rüber.«

Jed richtete sich auf, die Hände hinter dem Kopf verschränkt. Er wusste, dass Doras Blick auf ihn gerichtet war, doch er schaute sie nicht an. »Was glauben Sie, wie weit Sie damit kommen?«

»Weit genug. Kick die Knarre rüber.«

Jed stupste die Waffe mit dem Fuß so leicht an, dass sie genau zwischen ihm und Dora liegen blieb. DiCarlo musste einen Schritt näher kommen, wenn er sie haben wollte. Komm nur, Bursche, dachte er, dann haben wir eine Chance.

»Tut mir Leid«, sagte Jed. »Sieht so aus, als hätte ich mein Ziel verfehlt.«

«Zurück. Zurück an die Wand, verflucht nochmal!« DiCarlo begann zu schwitzen. Die Sache lief ganz und gar nicht so, wie sie sollte. Aber er hatte die Frau. Und wenn er die Frau hatte, würde er auch Finleys Bild bekommen.

Langsam ging DiCarlo auf die offene Wohnungstür zu, Dora als Deckung vor sich herschiebend. Als er sich nach Jeds Waffe bückte, zog er sie mit sich in die Hocke, dabei lockerte sich sein Griff um ihren Hals.

In dem Augenblick, als Jed zum Sprung ansetzte, konnte Dora sich aus der Umklammerung befreien. Sie warf sich zurück. Ihr Fuß erreichte Jeds 38er und stieß die Waffe durch die offene Wohnungstür. Jed zerrte Dora zur Seite und ging, auf DiCarlos Angriff vorbereitet, ebenfalls in die

Hocke. Doch anstatt anzugreifen, suchte dieser das Weite. Aber Jed bekam ihn noch in der Haustür zu fassen. Miteinander ringend und dabei laut fluchend, verschwanden die beiden Männer nach draußen. Mit einem lauten Geräusch, das wie ein Schuss klang, zerbarst das Treppengeländer unter dem Gewicht der miteinander kämpfenden Männer. Als sie beide auf dem Boden aufschlugen, versuchte Dora gerade Jeds Pistole zu finden.

Ein tiefer Schwinger streifte Jeds Nieren, ein andere traf ihn in den Unterleib. Er wiederum rammte seine Faust in das Gesicht seines Gegners.

»Ich kann sie nicht finden!«, schrie Dora.

»Verschwinde von hier!« Jed blockte DiCarlos Fußtritt ab, der auf seinen Kopf zielte, und stieß seinen Gegner von sich weg.

Dora, die nicht daran dachte zu verschwinden, schrie angstvoll auf, als DiCarlo eine Latte des zerbrochenen Geländers packte und damit zu einem brutalen Schlag ausholte, der Jeds Gesicht nur um Haaresbreite verfehlte. Mit zusammengebissen Zähnen machte Dora drei schnelle Schritte und sprang DiCarlo in den Rücken.

Sie biss ihn so fest in den Nacken, dass die Stelle zu bluten begann, doch mit einer gekonnten Bewegung schüttelte er sie ab und schleuderte sie zu Seite.

Sie fühlte einen dumpfen Schmerz, als ihr Kopf auf der Treppenkante aufschlug. Unter Aufbietung all ihrer Kräfte gelang es Dora, wieder auf die Beine zu kommen. Schwankend stand sie da, sah alles doppelt, bevor sie ohnmächtig zu Boden stürzte.

Als sie die Augen wieder aufschlug, drehte sich alles um sie herum. Sie hatte das Gefühl, nur aus Schmerzen zu bestehen. Rasch schloss sie wieder die Augen, um dem Schwindel zu entgehen.

»Nein, so nicht. Komm, Kleine, mach die Augen auf.« Jed klopfte ihr mit dem Handrücken so lange auf die Wange, bis sie verärgert aufstöhnte und die Augen aufmachte.

»Lass mich.« Sie schob seine Hand weg und wollte sich

aufsetzen. Das Zimmer um sie herum drehte sich noch immer wie ein Karussell.

»Immer hübsch langsam.« Jed legte sie behutsam zurück auf den Rücken. »Versuche wach zu bleiben, aber im Liegen.«

»Mein Kopf.« Ihre Hand tastete nach ihrem Hinterkopf. »Aua«, stöhnte sie. »Was hat mich da getroffen?«

»Die Frage muss lauten, was du getroffen hast. Bleib ganz ruhig liegen. Wie viele Finger sind das?« Er hielt ihr eine Hand vors Gesicht.

»Zwei. Willst du mit mir Doktor spielen?«

Sie hatte bestimmt eine Gehirnerschütterung, dachte er, aber zumindest konnte sie sehen und sprechen. »Ich glaube, du bist ganz okay.« Dem Anflug von Erleichterung folgte augenblicklich eine wütende Stimme. »Nicht dass du das nach dieser idiotischen Aktion verdient hättest. Was hast du dir denn dabei gedacht, Conroy? Wolltest du Rodeoreiten?«

»Ich wollte dir helfen.« Unvermittelt kehrte die Erinnerung zurück, viel zu schnell und viel zu deutlich. Ihre Finger klammerten sich krampfhaft um seine Hand. »Wo ist er?« Diesmal setzte sie sich trotz der hämmernden Schmerzen im Kopf auf. »Ist er entkommen?«

»Ja, ist er. Zum Teufel auch! Ich hätte ihn gekriegt, wenn du nicht …«

»Wenn ich nicht was?«

»Du bist umgefallen wie ein Baumstamm. Und da dachte ich, du hättest dich bezüglich seiner Waffe womöglich doch getäuscht.« Die Erinnerung daran ließ augenblicklich ein Gefühl der Übelkeit in ihm aufsteigen. »Die Angst, dass er dich erschossen haben könnte, raubte mir jegliche Motivation, ihm das Gesicht zu Brei zu schlagen. Wie sich herausstellte, hast du dir bloß deinen unglaublich harten Schädel angeschlagen.«

»Warum bist du ihm denn nicht hinterhergelaufen?« Sie versuchte sich zu bewegen, stellte aber fest, dass sie in eine Häkeldecke eingewickelt war.

»Nun, eigentlich hätte ich dich wirklich liegen lassen können, bewusstlos, frierend, blutend …«

»Blutend?« Vorsichtig tastete sie noch einmal ihren Kopf ab. »Blute ich denn?«

»Viel Blut hast du nicht verloren. Vielleicht möchtest du mir erklären, was es mit dem Kerl auf sich hatte? Ich nehme doch nicht an, dass du schon wieder Ärger mit einem deiner Verehrer gehabt hast, oder doch?«

Sie starrte ihn eine Weile wortlos an und sah dann weg. »Müssen wir nicht die Polizei verständigen?«

»Habe ich schon getan. Brent ist auf dem Weg hierher.«

»Oh.« Sie blickte sich im Zimmer um. »Anfangs hatte er eine Waffe. Aber ich weiß nicht, was mit ihr passiert ist.«

»Ich habe sie gefunden. Sie lag unter dem Tisch.«

Sie lächelte etwas. »Du hast dich ja schon mächtig ins Zeug gelegt.«

»Na, du hast dir mit dem Aufwachen ja auch mächtig Zeit gelassen. Noch ein paar Minuten länger, und ich hätte einen Krankenwagen gerufen.«

»Da hab' ich ja nochmal Glück gehabt.«

»Genug geplaudert.« Er setzte sich neben sie, nahm wieder ihre Hand, und zwar diesmal so liebevoll, dass sie sie ihm nicht entziehen konnte. »Und jetzt erzähl mir, was passiert ist. Ganz genau.«

»Ich glaube, du hattest Recht damit, dass gestern hier eingebrochen worden ist. Allem Anschein nach war er auch bei mir. Ich habe zwar nicht bemerkt, dass irgendetwas verrückt wurde oder fehlte, aber er behauptete, mir gestern Abend beim Ausziehen zugesehen zu haben.« Sie zögerte. »Als er mir die Farbe meiner Unterwäsche beschrieb, habe ich ihm das wohl oder übel glauben müssen.«

Er erkannte die Zeichen: Erniedrigung gemischt mit Angst; Scham, die mit hilfloser Wut einherging. »Dora, ich könnte Brent anrufen und ihm sagen, dass er eine Kollegin mitbringt, wenn dir das angenehmer ist.«

»Nein.« Sie holte tief Luft. »Er muss sich hier irgendwo versteckt haben – wahrscheinlich wieder im Schlafzimmer. Ich bin zuerst in die Küche gegangen, um Teewasser aufzusetzen … oh, der Kessel steht noch auf dem Herd.«

»Den habe ich runtergenommen.«

»Gott sei Dank. Ich liebe nämlich diesen alten Wasserkessel.« Sie begann nervös mit den Fransen der Decke zu
spielen. »Also, weiter im Text. Als ich ins Wohnzimmer zurückkam, war plötzlich die Christbaumbeleuchtung aus.
Ich hatte sie gerade zuvor eingeschaltet, und dachte mir,
der Stecker sei aus der Steckdose gerutscht. Und wie ich
auf den Baum zugehe, geht in der Küche ebenfalls das
Licht aus. Er hat mich von hinten gepackt.«

Ihre Stimme zitterte jetzt leicht. Dora räusperte sich.
»Ich hätte mich ja gewehrt. Ich wollte mich wehren, aber er
hat seinen Revolver unter meinen Pullover geschoben und
angefangen ... und angefangen, damit über meine Haut zu
fahren.«

»Komm her.« Er nahm sie in die Arme, denn sie hatte zu
weinen begonnen, und bettete ihren Kopf an seine Schulter. Obwohl er innerlich vor Wut kochte, streichelte er ihr
beruhigend übers Haar. »Jetzt ist ja alles vorbei.«

»Ich wusste, dass er mich vergewaltigen wollte.« Sie
schloss die Augen und schmiegte sich an ihn. »Ich habe
zwar letztes Jahr diesen Selbstverteidigungskurs mitge-
macht, doch ich konnte mich auf einmal an nichts mehr erinnern. Er hat dauernd von dem netten Abend gefaselt, den
wir uns machen würden, und plötzlich habe ich rot gesehen. Ich spürte seine sabbernden Lippen in meinem Nacken, und dabei hat er gemurmelt, ich müsse nur nett zu
ihm sein, müsse mich nur kooperativ zeigen, dann würde
mir nichts geschehen. Ich glaube, ich bin in erster Linie
deshalb so sauer geworden, weil er damit rechnete, dass
ich alles mit mir machen lassen würde, nur um meine Haut
zu retten. Es war diese unbändige Wut, die mir wahrscheinlich die Kraft gegeben hat, mich zu wehren. Ich habe
es nämlich tatsächlich geschafft, ihm den Ellbogen in den
Magen zu stoßen und davonzurennen. Gerade, als du
kamst.

»Gut.« Er wollte gar nicht daran denken, was passiert
wäre, wenn er nicht rechtzeitig zurückgekommen wäre.
»Kanntest du ihn?«

»Ich glaube nicht. Mir kam auch seine Stimme nicht bekannt vor. Hier drinnen war es stockfinster, und er stand genau hinter mir. Draußen im Flur habe ich sein Gesicht einmal ganz kurz sehen können, aber wie gesagt, bekannt kam er mir nicht vor.« Sie atmete tief aus. »Dein nagelneues Treppengeländer ist zu Bruch gegangen.«

»Dann muss ich es eben noch einmal reparieren. Hast du irgendwo Aspirin?«

»Im Medizinschrank im Badezimmer.« Sie lächelte, als sie seine Lippen an ihrer Schläfe spürte. Das half auch schon ein bisschen. »Bring mir gleich mehrere davon.« Schon wesentlich ruhiger, lehnte sie sich zurück, als Jed aufstand. Dann entdeckte sie die zusammengeknüllte Serviette auf dem Couchtisch. Es war ihre Lieblingsserviette, die handbestickte mit den Satinecken. Und sie war voller Blut.

»Verdammt, Skimmerhorn, musstest du ausgerechnet mein bestes Leinen nehmen?« Ärgerlich beugte sie sich vor, um sie aufzuheben. »Und nass ist sie außerdem! Weißt du denn nicht, dass man nichts Nasses auf einen Holztisch legt?«

»An die Möbel habe ich dabei nicht gedacht.« Er kramte sich durch den Medizinschrank. »Da ist kein Aspirin.«

»Lass mich mal sehen.« Sie war sehr erleichtert, dass sie aufstehen und gehen konnte. Als sie jedoch ihr Gesicht im Spiegelschrank über dem Waschbecken sah, war sie entsetzt. »Oh, mein Gott!«

»Schwindlig?« Jed griff nach ihren Armen, für den Fall, dass sie wieder zusammenklappte.

»Nein, angewidert. Das Einzige, was noch an Make-up auf meinem Gesicht zu sehen ist, ist diese Schmiererei unter meinen Augen. Ich sehe aus wie eine Figur aus ›Addams Family‹.« Sie nahm eine kleine blaue Apothekerflasche aus dem obersten Fach. »Aspirin.«

»Warum ist es denn nicht in der richtigen Verpackung?«

»Weil die Aspirinflaschen aus Plastik hässlich sind und meinen Schönheitssinn beleidigen.« Sie schüttelte vier Tabletten heraus und gab ihm das Glasfläschchen zurück.

»Woher weißt du, dass das keine Abführtabletten sind?«

»Weil die in der bernsteinfarbenen Flasche sind.« Sie

ließ Wasser in einen Porzellanbecher laufen und spülte die Tabletten damit hinunter. Kurz darauf wurde energisch an die Tür geklopft, worauf sie wimmernd zusammenzuckte. Ihre Kopfschmerzen wurden immer schlimmer. »Ist das die Kavallerie?«

»Hört sich so an. Bleib hier.«

Sie sah ihm nach, wie er aus dem Badezimmer verschwand, und als sie die Pistole bemerkte, die hinten in seinem Hosenbund steckte, wurden ihre Augen vor Angst kugelrund. Wie selbstverständlich griff er nach der Waffe und blieb seitlich neben der Tür stehen. »Ja?«

»Ich bin's. Brent.«

»Wird auch verdammt nochmal Zeit.« Jed riss die Tür auf und ließ einen Teil seiner Wut an seinem ehemaligen Partner aus. »Sag mal, was für Pappnasen stellt ihr denn neuerdings als Cops ein, wenn ein bewaffneter Verbrecher an denen vorbeispazieren und in ein abgesperrtes Haus einbrechen kann?«

»Trainor war ein guter Mann.« Brent blickte über Jeds Schulter zu Dora hinüber, die in der offenen Badezimmertür stand. »Ist sie okay?«

»Ja, aber Philadelphias Elitetruppe hat sie das nicht zu verdanken. Wenn ich nicht …« Er verstummte, denn erst jetzt deutete er den Ausdruck auf Brents Gesicht richtig. »War, sagtest du?«

»Tot. Zwei Schüsse in die Brust. Aus nächster Nähe. So nah, dass sogar die verdammten Pulverspuren auf seinem Hemd zu sehen sind.«

Dora näherte sich, als sie den Blick sah, den die beiden Männer tauschten. »Was ist los? Was ist sonst noch passiert?«

»Ich hatte Brent gebeten, das Haus bewachen zu lassen, falls der Einbrecher noch einmal zurückkommen sollte.« Jed klopfte eine Zigarette aus der Packung. »Er ist zurückgekommen.« Er zündete ein Streichholz an. »Und der Officer ist tot.«

»Tot?« Das bisschen Farbe, das in ihre Wangen zurückgekehrt war, wich augenblicklich.

»Ich möchte, dass du dich hinsetzt«, sagte Jed, »und nochmal die ganze Geschichte durchgehst. Punkt für Punkt. Von Anfang bis Ende.«

»Wie ist er umgekommen?« Aber sie kannte die Antwort bereits. »Er wurde erschossen, stimmt's?«

»Kommen Sie, Dora, setzen wir uns erst einmal.« Brent griff nach ihrem Arm, doch Dora schüttelte ungehalten seine Hand ab und trat einen Schritt zurück.

»War er verheiratet?«

»Das ist nicht …«

»Erzähl mir bloß nicht, das ginge mich nichts an, Jed.« Sie schlug ihm mit der Hand gegen die Brust, ehe er den Satz noch beenden konnte. »Draußen war ein Mann, der versuchte, mich zu beschützen. Jetzt ist dieser Mann tot. Ich will wissen, ob er Familie hatte.«

»Er hatte eine Frau«, sagte Brent leise, der spürte, dass er Schuldgefühle hatte. »Und zwei Kinder, beide in der High-School.«

Die Arme vor der Brust verschränkt, wandte sie sich ab.

»Dora.« Jed streckte die Hand nach ihr aus, wollte sie berühren, ließ sie dann aber kraftlos fallen. »Wenn ein Mann oder eine Frau bei der Polizei arbeiten, wissen sie auch um die Risiken.«

»Sei still, Skimmerhorn. Sei einfach still. Ich koche jetzt erst mal Kaffee.« Sie fuhr sich durch ihr zerzaustes Haar. »Dann gehen wir alles noch einmal durch.«

Kurze Zeit später saßen sie zu dritt an Doras Wohnzimmertisch, um ihre Aussage noch einmal Punkt für Punkt zu rekapitulieren.

»Seltsam, dass er wieder zurückkam – dreimal, müssen wir annehmen.« Brent blätterte seine Unterlagen durch. »Und seltsam, dass er den Officer umbrachte, um ins Haus zu gelangen. Das sieht mir irgendwie nicht nach einem gewöhnlichen Verbrecher aus.

»Kann ich nicht sagen. Je ängstlicher ich wurde, desto besser gefiel ihm das.« Sie sprach langsam und bedacht, als übte sie einen Text ein. »Ich wusste, dass er erregt war, und dass er es noch hinauszögern wollte. Weil er unaufhörlich geredet hat. Er sagte …« Sie öffnete die Augen. »Ich hab's vergessen. Er sagte irgendetwas von einem Bild.«

»Er wollte Bilder?«, fragte Brent.

»Ich … Nein, ich glaube, das war's nicht. Er wollte ein bestimmtes Bild, wollte von mir wissen, wo es ist. Ich habe nicht so genau hingehört, weil ich wusste, dass ich etwas unternehmen musste, ehe er über mich herfallen würde.«

»Was für Bilder haben Sie denn?«

»Alle Arten von Bildern. Familienfotos, Schnappschüsse aus Urlauben und von Geburtstagsfeiern. Nichts, was einen Fremden interessieren könnte.«

»Wann hast du zum letzten Mal Fotos gemacht?«, fragte Jed. »Was hast du fotografiert?«

»Weihnachten. Bei Lea zu Hause. Ich hab' sie noch nicht einmal entwickeln lassen. Und vorher … Himmel, ich weiß es nicht genau. Das muss Wochen oder Monate her sein.«

»Ich möchte diesen Film gern entwickeln lassen, wenn Sie nichts dagegen haben. Es kann nie schaden, auf Nummer sicher zu gehen.«

»Ich hole ihn.«

»Irgendwie passt das alles nicht zusammen«, sagte Jed, als Dora hinausgegangen war. »Man bringt nicht einen Cop um, geht dann über die Straße, um eine Frau zu vergewaltigen und ihr Fotoalbum zu plündern.«

»Irgendwo müssen wir anfangen. Er wollte ein Bild, also sehen wir uns ihre Bilder an. Vielleicht hat sie etwas fotografiert, was sie nicht sollte.«

»Vielleicht.« Aber irgendwie passte das nicht in Jeds Puzzle.

»Hast du ihn deutlich genug gesehen, um ein Phantombild machen zu lassen?«

»Ein Meter achtzig groß, fünfundachtzig Kilo. Dunkles Haar, dunkle Augen, schlank. Er trug einen Kaschmirmantel, grau, und einen marineblauen oder schwarzen Anzug mit Krawatte. Komischer Kerl, wirft sich für eine Vergewaltigung in Anzug und Krawatte.«

»Wir leben in einer komischen Welt.«

»Hier ist der Film.« Dora stellte die kleine Plastikdose

auf den Tisch. »Da waren noch ein paar Bilder drauf, aber auf die kann ich, denke ich, verzichten.«

»Danke.« Brent steckte den Film ein. »Ich möchte, dass Sie und Jed ein wenig mit unserem Identi-Kit arbeiten. Das ist ein kleines Wunderwerk der Technik, das uns hilft, Phantombilder anzufertigen.«

»Klar.« Die Schau muss weitergehen, dachte sie traurig. »Ich hole nur meinen Mantel.«

»Heute Nacht nicht mehr.« Brent rückte seine Brille zurecht und stand auf. »Sie müssen sich erst mal erholen. Morgen kommt dabei bestimmt mehr raus. Aber falls Ihnen noch etwas einfällt, rufen Sie mich an, ja? Jederzeit.«

»Das mache ich. Vielen Dank.«

Als sie allein waren, stellte Dora umständlich Tassen und Unterteller zusammen. Sie hatte immer noch Mühe, Jed in die Augen zu sehen. »Ich bin noch gar nicht dazu gekommen, mich bei dir zu bedanken.«

»Keine Ursache.« Er berührte ihre Hand. »Lass das Geschirr stehen. Ich sollte dich vielleicht doch besser ins Krankenhaus bringen, damit die deinen harten Schädel mal genauer betrachten.«

»Ich will aber nicht, dass irgendwelche Doktoren an mir herumklopfen.« Sie presste ihre zitternden Lippen aufeinander. »Ich will überhaupt nicht, dass irgendjemand an mir herumklopft. Das Aspirin wird meiner Kopfschmerzen schon Herr werden.«

»Gegen eine Gehirnerschütterung richten die aber nichts aus.«

»Etwas anderes auch nicht.« Sie nahm seine Hand. »Dräng' mich bitte nicht, okay?«

»Wer drängt denn?« Er nahm seine Hand zurück, legte ihren Kopf etwas nach hinten und untersuchte ihre Augen. Außer völliger Erschöpfung entdeckte er nichts Besorgniserregendes. »Geh ins Bett.«

»Ich bin nicht müde. Der Kaffee, den ich intus habe, hält mich garantiert noch Stunden wach … Beinahe hätte ich Richie mit hierher zum Übernachten gebracht.« Der Gedanke ließ sie frösteln. »Wenn er …« Nein, diesen düsteren Gedanken durfte sie auf keinen Fall nachgehen. Jed legte seine Hände auf ihre Schultern und massierte behutsam ihre verspannten Nackenmuskeln. »Wenn ich das nächste Mal zum Zigaretten- und Milchholen gehe, nehme ich dich mit.«

»Beim Einkaufen bist du gewesen?« Um dem Bedürfnis, sich an ihn anzulehnen, und dieses Bedürfnis war ihr eine Spur zu stark, entgegenzuwirken, stand sie auf und trug das Kaffeegeschirr in die Küche. »Ich habe gar keine Tüten gesehen.«

»Die habe ich im Wagen gelassen, als ich dich schreien hörte.«

Die Tassen klapperten vernehmlich, als sie sie abstellte. »Sehr vernünftig. Sag mal, nimmst du immer deinen Revolver mit, wenn du einkaufen gehst?«

»Klar. In diesen Kramläden an der Ecke ziehen sie dir nämlich für einen Liter Milch das letzte Hemd aus.« Er strich ihr behutsam übers Haar, als sie ein Lachen versuchte.

»Keine Angst, so schnell gehe ich nicht kaputt.«

»Das befürchte ich auch nicht.« Aber er ließ eine Hand locker an ihrem Hinterkopf liegen. »Soll ich deine Schwester anrufen? Oder deine Eltern?«

»Nein.« Dora drückte den Stöpsel in den Abfluss und ließ Wasser ins Spülbecken laufen. »Morgen, fürchte ich, werde ich ihnen wohl eine Erklärung abgeben müssen, und das wird schlimm genug.«

Sie spülte das Geschirr nicht aus übertriebener Reinlichkeit so gründlich und umständlich ab, wusste Jed, sondern weil sie den Moment des Alleinseins herauszögern wollte.

»Ich hab' eine Idee. Was hältst du davon, wenn ich heute hier auf deiner Couch nächtige? Ich verspreche auch hoch und heilig, dass morgen früh kein Rasierschaum in deinem Waschbecken klebt.«

Mit einem Seufzer drehte sie den Wasserhahn zu, wendete sich um und vergrub ihr Gesicht an seiner Brust. »Danke.«

Er zögerte kurz, schlang dann aber seine Arme um sie.

»Bedank dich nicht zu früh. Es könnte sein, dass ich schnarche wie ein Fuhrknecht.«

»Das Risiko gehe ich ein.« Sie rieb ihre Wange an der seinen. »Ich könnte dir ja anbieten, mein Bett mit mir zu teilen, aber ich glaube, das wäre …«

»Schlechtes Timing«, beendete er ihren Satz.

»Genau. Das allerschlechteste«. Ich hole dir jetzt ein Kissen.

14. Kapitel

Sie war schön. Sehr schön sogar. Jed hatte bislang nicht viel Zeit darauf verwendet, schlafende Frauen zu betrachten, schon gar nicht, bevor er mit ihnen das Bett geteilt hatte. Aber keine hatte so gut ausgesehen wie Dora an diesem Morgen.

Sie lag auf dem Bauch, das vom Schlaf zerzauste Haar war zurückgestrichen, nur ein paar Fransen ihres Ponys fielen ihr in die Stirn, sodass er ihr ganzes Profil bewundern konnte. Sie sah ungeheuer reizvoll aus.

Bisher hatte er geglaubt, dass die großen dunklen Augen, die ihr ausdrucksvolles Gesicht beherrschten, ihren Reiz ausmachten. Aber ihre Augen waren jetzt geschlossen und ihr Gesicht völlig entspannt. Und dennoch war sie verdammt schön. Vielleicht lag es an ihrer Haut. Doras Teint schimmerte wie Seide, cremeweiß, mit dem rosigen Unterton reifer Pfirsiche.

Jed rief sich zur Ordnung, er war verlegen und zugleich entsetzt über die Richtung, die seine Gedanken nahmen.

Er stellte seine Kaffeetasse auf dem Nachttisch ab und setzte sich neben Dora auf die Bettkante. Er nahm ihren Körperduft wahr, der ihn sogleich erregte. Ein weiteres Anzeichen dafür, dass er in der Falle saß.

»Isadora.« Er berührte ihre Schulter, schüttelte sie ein wenig, wie er es die ganze Nacht hindurch alle zwei Stunden getan hatte, um sich zu vergewissern, dass sie bei Bewusstsein war.

Sie gab einen Laut von sich, der irgendwo zwischen Schmollen und Missmut angesiedelt war, und drehte sich um. Dabei rutschte ihr die dicke Steppdecke ein Stück über die Schultern. Nachdenklich betrachtete Jed das Flanellnachthemd, das sie trug – dick wie eine Ritterrüstung und von einem intensiven Blau. Dann entdeckte er zwei pinkfarbene Applikationen, die ihn unwillkürlich an Schweineohren erinnerten. Und tatsächlich, als er neugierig die Bettdecke ein wenig anhob, grinste ihn ein fettes rosarotes Schwein an.

Er konnte sich gut vorstellen, dass sie dieses Nachthemd nicht zufällig, sondern ganz bewusst ausgewählt hatte, mit dem Hintergedanken, dass es erstens warm und zweitens reizlos war.

»Isadora.« Er schüttelte sie noch einmal und hielt dann ihre Schulter sanft fest, damit sie sich nicht wieder wegdrehen konnte. »Izzy«, flüsterte er. »Wach auf!«

»Lass mich schlafen, Dad.«

Grinsend beugte er sich zu ihr hinab und knabberte zärtlich an ihrem Ohrläppchen. Das half. Ihre Augen öffneten sich, und sie spürte eine Hitzewelle in ihrem Körper. Sie blinzelte sich den Schlaf aus den Augen, doch ehe sie sich noch orientieren konnte, hatte er schon ihren Mund erobert. Verwirrt tastete sie nach seiner Schulter und grub die Finger in seine festen Muskeln, während in ihrem Bauch ein Vulkan auszubrechen schien.

»Bist du jetzt wach?«, murmelte Jed und gönnte sich das Vergnügen, liebevoll an ihrer Unterlippe zu nagen.

»Oh, ja. Hellwach.« Sie räusperte sich ein paar Mal, aber ihre Stimme behielt den verträumt heiseren Klang.

»Wer bin ich?«

»Kevin Costner.« Sie lächelte und streckte sich. »Nur eine meiner kleinen, harmlosen Fantasien, Skimmerhorn.«

»Ist Costner nicht verheiratet?«

»Nicht in meinen Tagträumen.«

Ein wenig verstimmt lehnte er sich zurück. »Wie viele Finger?«

»Drei. Ich dachte, wir hätten gestern Abend schon festgestellt, dass mein Hirn einwandfrei funktioniert.«

»Dann betrachte diesen Test nochmals als Bestätigung.« Ihr Blick war verhangen, um nicht zu sagen sexy, wie er feststellte. Aber die Pupillen hatten eine normale Größe. »Wie geht's deinem Kopf?«

Dora lag eine Weile schweigend da, hörte in sich hinein, machte Bestandsaufnahme. Abgesehen von dem aufregenden Kribbeln in ihrem Bauch tat ihr jeder Knochen im Leib weh. »Der schmerzt höllisch. Und meine Schultern auch.«

»Versuch's mal damit.«

Abfällig betrachtete Dora die Aspirintabletten auf seiner ausgestreckten Hand. »Nur zwei? Skimmerhorn, die Dosis brauche ich schon, wenn ich mir nur einen Nagel abgebrochen habe.«

»Komm, spiel nicht die Zimperliese.« Er wusste, dass das wirkte. Verdrossen griff sie nach den Tabletten und nahm dann die Kaffeetasse, die er ihr dazu reichte.

Beim ersten Schluck wich ihr Groll einem Gefühl der Überraschung. »Verdammt gut, der Kaffee. Schmeckt fast wie meiner.«

»Klar, ist ja auch deiner. Deine Bohnen. Ich habe neulich zugeschaut, wie du ihn machst.«

»Kompliment an Ihre rasche Auffassungsgabe, Herr Nachbar.« Entschlossen, den Moment ausgiebig zu genießen, stopfte sie sich ein Kissen in den Rücken und kuschelte sich hinein. »Hast du einigermaßen gut geschlafen auf der Couch?«

»Geschlafen schon, aber gut nicht. Ich habe deine Dusche benutzt. Sag mal, besitzt du eigentlich nur Seifen in Blumen- oder Schwanenform?«

»Ja, im Moment schon. Ich hatte noch ein paar Seepferdchen, aber die sind aufgebraucht.« Sie beugte sich zur Seite, um an ihm zu schnuppern, während ihre Finger mit den dunkelblonden, feuchten Strähnen spielten, die sich über seinem Kragen ringelten. »Mmmm. Gardenien.«

Er nahm ihr Gesicht zwischen beide Hände und schob sie sanft zurück.

»Ich hab' eine Idee«, schlug sie vor. »Das nächste Mal, wenn ich einkaufen gehe, suche ich nach einer Seife in der Form eines kleinen Gewichthebers. Mit dem betörend maskulinen Duft verschwitzter Socken.«

Sie trank einen weiteren Schluck Kaffee und seufzte vernehmlich. »Ich kann mich nicht erinnern wann mir das letzte Mal Kaffee ans Bett gebracht wurde.« Lächelnd unterzog sie Jed einer eingehenden Betrachtung. Mit dem vom Duschen feuchten Haar, dem stoppeligen Kinn und den schönen, gleichwohl recht grimmig blickenden Augen gab er ein recht ansprechendes Bild ab.

»Aus dir schlau zu werden, Skimmerhorn, ist bei Gott nicht leicht. Du wusstest genau, dass es nur minimaler Anstrengungen bedurft hätte, um ungehindert in mein Bett zu kriechen. Du weißt, welchen Knopf du drücken musst, und du hast es trotzdem nicht getan.«

»Du bist verletzt, und außerdem warst du todmüde.« Er hatte sich darüber auch seine Gedanken gemacht. O ja, und das gründlich. »Ich bin doch kein Tier.«

»Doch, bist du schon. Du bist dieses große, rastlose, unbeherrschte Tier – das einen Teil deines Charmes ausmacht.« Sie ließ einen Finger über seine unrasierte Wange gleiten. »All diese Muskeln und dazu dein rüpelhaftes Benehmen. Es hat was Unwiderstehliches, dieses Wissen, dass du zu Gemeinheiten gleichermaßen fähig bist wie zu Freundlichkeiten. Weißt du eigentlich, dass ich eine Vorliebe für harte Burschen mit einem Herz aus Butter habe?«

Er nahm die Hand, die sich an seine Wange presste, wollte sie wegschieben, sie aber verschränkte ihre Finger in den seinen und setzte sich auf, um ihn zu küssen. So zart, so liebevoll, dass sich jeder Muskel in seinem Leib anspannte.

»Du forderst dein Schicksal heraus, Dora.«

»Der Meinung bin ich nicht.«

Er hätte ihr das Gegenteil beweisen können. Doch die Schmerzen, unter denen sie litt, hielten ihn davon ab. Er hätte sie aufs Bett legen können, um sein zügelloses Verlangen zu stillen, das sie in ihm entfacht hatte. Aber er tat es nicht, denn er wollte ihr nicht wehtun.

»Jetzt hör mir mal zu.« Er sprach langsam und deutlich ohne dabei seinen Blick auch nur eine Sekunde vor ihr abzuwenden. »Du kennst mich nicht. Du weißt nicht, wozu ich fähig bin. Das Einzige, dessen du dir sicher sein kannst, ist die Tatsache, dass ich dich will. Sobald ich davon überzeugt bin, dass du wieder in Ordnung bist, gehörst du mir. Und ich werde dich nicht vorher fragen.«

»Das ist auch nicht nötig, weil ich sowieso schon ja gesagt habe.«

»Ich werde auch nicht übertrieben nett sein.« Er sah auf ihre ineinander verschränkten Hände und ließ die ihren entschlossen los. »Und es wird mir auch völlig egal sein, ob du es hinterher bedauerst.«

»Wenn ich einen Entschluss gefasst habe, spiele ich anschließend nicht das Hinterher-ist-man-klüger-Spiel, darauf kannst du dich verlassen. Und ich weiß auch, dass deine Warnung nicht mir, sondern dir selbst gilt.«

Er ließ seine Hände fallen und stand auf. »Wir haben heute andere Probleme, mit denen wir uns befassen müssen. Was machst du mit dem Laden?«

»Wir haben heute geschlossen.«

»Gut. Wir müssen demnächst ins Präsidium. Mach du dich fertig, und ich kümmere mich um das Frühstück.«

»Kannst du das denn?«

»Milch über irgendwelche Flocken kippen, das werde ich schon hinkriegen.«

»Mmm, lecker.«

Sie schlug die Steppdecke zur Seite, als er schon fast an der Tür war. »Oh, Conroy«, sagte er über die Schulter, »dein Schwein gefällt mir.«

Während Dora und Jed sich eine Packung Cornflakes teilten, strich DiCarlo wie ein Tiger in seinem New Yorker Apartment umher. Er konnte keinen Schlaf finden. Er hatte während der Nacht eine halbe Flasche Cutty Sark getrunken, was seine aufgepeitschten Gedanken jedoch nicht hatte beruhigen können.

Nach Philadelphia zurückzufahren, war völlig ausgeschlossen. Der tote Cop war eine Sache, aber er hatte auch noch zwei Zeugen zurückgelassen. Zwei Zeugen, die höchstwahrscheinlich sein Gesicht so gut gesehen hatten, dass sie es beschreiben konnten.

Mit Hilfe des Computers würde ihnen das auch gelingen, dachte DiCarlo grimmig und schenkte sich ein weiteres Glas ein. Und dann würden sie ihn unweigerlich mit dem toten Streifenpolizisten in Verbindung bringen. DiCarlo wusste, dass die Cops dann nicht eher ruhen würden, bis sie den Mörder ihres Kollegen aufgespürt hatten.

Wie die Dinge standen, durfte er sich nicht mehr in Philadelphia blicken lassen und musste zudem auch noch schleunigst untertauchen, zumindest so lange, bis Gras über die Sache wachsen war. Ein paar Monate, überlegte er, vielleicht ein halbes Jahr. Nun, das war nicht das eigentliche Problem. Er verfügte über jede Menge Kontakte und genügend Bargeld, konnte sich einen netten, warmen Winter in Mexiko machen und Margaritas schlürfen. Und sobald die Cops die Suche nach ihm aufgegeben hatten, würde er zurückkommen.

Der einzige Pferdefuß war Edmund J. Finley.

DiCarlo studierte die einzelnen Stücke, die neben dem Christbaum an der Wand standen. Sie sahen wie traurige, zurückgewiesene Geschenke aus, unverpackt und ungewollt.

Die Buchstützen, der Papagei, der Adler, Lady Liberty, der chinesische Jadehund, die Statuette, die er bereits abgeliefert hatte, sie alle hatte er finden können. Außer Finley würde das jeder als Erfolg betrachten.

Es fehlte nur noch das lausige Bild. Und er hatte sich wirklich darum bemüht, weiß Gott. Er hatte ein blaues Auge, eine aufgeplatzte Lippe davongetragen, und seine Nieren schmerzten höllisch. Seinen Kaschmirmantel konnte er wegwerfen, der war völlig ruiniert. Er hatte mehr als genug dazu beigetragen, einen Fehler zu korrigieren, den er im Grunde nicht begangen hatte. Sobald er Zeit dazu hatte, würde er Opal Johnson dafür bezahlen lassen, und zwar mit Zins und Zinseszins.

In der Zwischenzeit musste er sich überlegen, wie er mit Finley verfahren sollte. Nun, letztlich war Finley Geschäftsmann, der wusste, dass man auch Verluste einstecken musste, wenn man Profite machen wollte. Auf dieser Schiene würde er mit ihm reden. Von Geschäftsmann zu Geschäftsmann sozusagen. Dabei war es gewiss kein Fehler, Finley in freudige Stimmung zu versetzen, indem er ihm zuerst einmal die fünf aufgespürten Stücke präsentierte und Wohlwollen und Anerkennung aus ihm herauskitzelte, indem er ihm alle Einzelheiten der Bergungsaktion detailliert beschrieb.

Die Geschichte mit dem Cop wollte er ihm selbstverständlich nicht verschweigen. Einen Mann wie Finley würde das große Risiko, das er mit dem Mord auf sich genommen hatte, sicherlich beeindrucken. Aber nicht genug, das wusste DiCarlo. Er griff nach dem Eisbeutel und presste ihn gegen sein misshandeltes Jochbein. Dann ging er zum Garderobenspiegel im Flur, um die Wunde genauer zu untersuchen. Es war nicht weiter tragisch, dass er vor lauter Arbeit nicht dazu kam, Silvester zu feiern. Mit diesem Gesicht, das aussah, als hätte es jemand durch den Fleischwolf gedreht, würde er sich ohnehin auf keiner Party blicken lassen können.

Irgendwann würde er sich diese Conroy und den Mann von gegenüber noch einmal vornehmen. Auch wenn dieses Vergnügen noch etwas warten musste. DiCarlo drückte vorsichtig an sein geschwollenes Auge und zuckte zusammen. Er hatte es nicht eilig, er war ein geduldiger Mensch. Sechs Monate. Ein Jahr. Bis dahin hatten sie ihn gewiss vergessen. Er sie jedoch nicht.

Und diesmal würde er sich auch nicht vornehmen, diese Conroy auf humane Weise ins Jenseits zu befördern. Nein, ganz bestimmt nicht. Jetzt lautete sein Motiv Rache, und die würde er ganz langsam und mit Genuss an ihr vollziehen.

Die Vorstellung entlockte ihm ein hässliches Grinsen, gefolgt von einem lautstarken Fluch, denn das Grinsen hatte die Wunde an seiner Lippe wieder aufplatzen lassen. DiCarlo tupfte sich das Blut mit dem Handrücken ab und drehte sich wütend vom Spiegel weg. Dafür würde er sich an ihr rächen, das war gar keine Frage. Aber zunächst einmal musste er sich mit Finley befassen.

Dass er der Polizei aus dem Wege gehen konnte, das wusste er. Doch er war sich nicht sicher, ob er der langen Hand seines Arbeitgebers ausweichen konnte. Er musste mit Maß und Ziel arbeiten, mit praktischem Verstand und

Schmeicheleien, und – DiCarlo drückte den Eisbeutel an seine Lippe – auf sein Glück vertrauen.

Er würde Finley anbieten, einen zweiten Mann auf das Bild anzusetzen, den er – DiCarlo – bezahlen würde.

Mit Sicherheit käme das Finleys Geschäftssinn und seinem eingefleischten Geiz sehr entgegen.

Zufrieden ging DiCarlo ans Telefon. Je eher er in San Francisco fertig war, desto eher lag er in Mexiko am Strand.

»Ich möchte einen Flug von New York nach Los Angeles buchen. Erster Klasse. Den nächstmöglichen … Erst um Viertel vor sechs?« Er trommelte mit den Fingern auf die Schreibtischplatte, rechnete. »Ja, gut, das ist mir recht … Nein, einfach. Und dann brauche ich noch einen Flug von L.A. nach Cancún, am ersten Januar.« Er zog eine Schublade auf und nahm seinen Pass heraus. »Ja, ich hoffe doch sehr, dass das Wetter dort besser sein wird.«

»Ich glaube, sein Gesicht war ein bisschen länger.« Dora beobachtete gespannt, wie sich das computergesteuerte Bild auf dem Monitor veränderte. »Ja, genau. Und auch etwas schmaler.« Unsicher schüttelte sie den Kopf und sah zu Jed hinüber. »Hatte er nicht dichtere Augenbrauen? Ich weiß nicht, irgendwie kriegt er immer mehr Ähnlichkeit mit Al Pacino.«

»Du machst das prima. Gehe noch einmal deine Erinnerungen durch, dann fügen wir meine dazu.«

»Gut.« Sie schloss die Augen und ließ das dunkle Bild noch einmal Revue passieren, doch die Angst und die Panik, die mit diesem Bild einhergingen, ließen sie ihre Augen gleich wieder öffnen. »Ich habe ihn nur ganz kurz gesehen. Er …« Sie griff nach dem Glas Eiswasser, um das sie gebeten hatte. »Ich glaube, er hatte noch volleres Haar, und vielleicht war es etwas mehr gelockt.«

»Mal sehen.« Der Operator versuchte es mit einer anderen Frisur. »Wie ist es jetzt?«

»Kommt der Sache schon näher. Seine Augen, die waren, glaube ich, etwas schwerer, sie wissen schon, schwerere Lider.«

»So etwa?«

»Ja, ich glaube …« Sie ließ einen Seufzer hören. »Ach, ich weiß nicht.«

Jed stellte sich hinter ihren Stuhl, legte seine Hände auf ihre Schultern und begann sie zu massieren. »Machen Sie die Lippen und die Nase etwas schmäler«, wies er den Operator an. »Die Augen waren tiefliegender. Ja, das ist es. Sie hatte Recht, mit den Augenbrauen, ein bisschen breiter. Noch breiter. Das Kinn etwas eckiger.«

»Wie machst du das bloß?«, wisperte Dora.

»Ich habe ihn einfach deutlicher gesehen, das ist alles.«

Nein, das war nicht alles, dachte sie. Bei weitem nicht. Er hatte dasselbe gesehen wie sie, das Bild aber bewusster aufgenommen, verarbeitet und gespeichert. Fasziniert beobachtete sie, wie das Konterfei ihres Angreifers auf dem Monitor Gestalt annahm.

»Und jetzt den Teint insgesamt etwas dunkler«, schlug Jed vor. Er fixierte das Bild äußerst konzentriert. »Bingo.«

»Das ist er!« Erschüttert griff Dora nach Jeds Hand. »Das ist er! Unglaublich.«

Brent tätschelte den Monitar wie ein stolzer Papa. »Eine absolute Wundermaschine ist das. Jed hat sich mächtig beim Boss ins Zeug legen müssen, damit wir den Kasten bekamen.«

Dora lächelte und zwang sich dazu, dem Computerbild in die Augen zu sehen. »Nintendo ist nichts dagegen.«

»Mach uns einen Ausdruck«, bat Brent den Operator. »Mal sehen, ob wir den Knaben in unserem schlauen Buch finden.«

»Ich hätte auch gern eine Kopie.« Erleichtert, dass sie es hinter sich hatte, stand Dora auf. »Ich möchte, dass auch Lea und Terri das Bild sehen, falls er sich noch einmal in der Nähe des Ladens rumtreibt.«

»Ja, wir machen Ihnen eine.« Brent nickte dem Operator zu. »Gehen wir doch inzwischen zurück in mein Büro.« Er nahm Doras Arm, geleitete sie aus dem Konferenzraum und den Gang entlang. Im Vorbeigehen fiel ihr Blick auf eine Tür, auf der sie CAPTAIN J. T. SKIMMERHORN las.

Es schien, als habe man in seinem Büro absichtlich ein Licht brennen lassen.

Sie schaute sich zu Jed um. »T für Testosteron?«

»Du bist wirklich ein Scherzkeks, Conroy.«

»Oh, das habe ich gestern Abend ganz vergessen zu erzählen.« Brent öffnete die Tür zu seinem Büro und führte Dora hinein. »Ihre Mutter hat mich kürzlich angerufen.«

»Meine Mutter?«, fragte Dora erstaunt.

»Sie hat uns zu Ihrer Silversterparty ins Theater eingeladen.«

»Oh.« Das war ja morgen. Dora hatte überhaupt nicht mehr daran gedacht. »Ich hoffe, Sie können es einrichten.«

»Wir freuen uns schon darauf. Auf den Silversterpartys im Liberty soll es ja immer hoch hergehen, wie man hört.« Brent griff in eine Schublade und nahm einen Umschlag heraus. »Ihre Bilder. Wir behalten Abzüge davon hier, aber wie es aussieht, ist da nichts Ungewöhnliches dabei.«

Sie nahm sie aus dem Umschlag und schmunzelte. Auf dem ersten Bild starrte ihr Richies sperrangelweit offen stehender Mund entgegen. Ein Selbstporträt, wie Dora mutmaßte. Den schiefen Eckzahn hätte sie unter hunderten erkannt. Offenbar hatte der Bengel sich heimlich ihre Kamera geschnappt.

»Hässlich, aber in der Tat nicht ungewöhnlich.« Sie steckte den Umschlag in ihre Handtasche. »So, und wo gehen wir als Nächstes hin?«

»Du gehst nirgends hin«, dämpfte Jed ihre Unternehmungslust. »Höchstens die Polizei.«

»Oh, haben Sie den Dienst wieder aufgenommen, Captain?« Den tödlichen Blick, den Jed ihr daraufhin zuwarf, fing Dora mit einem strahlenden Lächeln auf. »Wer leitet denn eigentlich die Ermittlungen?«, fragte sie Brent.

Der räusperte sich verlegen und schob die Brille ein Stück höher. »Äh, es ist mein Fall.«

»Nun denn.« Dora faltete die Hände im Schoß und wartete.

»Solange wir den Kerl nicht gefasst haben«, begann Brent, wobei er zu Jed hinüberschielte, der nervös im Zimmer umhertigerte, »stellen wir ein paar Mann ab, die Ihr Haus überwachen.«

Sofort musste sie wieder an den toten Officer, an seine Frau und die Kinder denken. »Ich will nicht, dass noch irgendjemand von Ihren Leuten meinetwegen in Gefahr gebracht wird.«

»Dora, es gibt auf diesem Revier keinen Beamten, der sich nicht freiwillig für diesen Dienst melden würde, nicht nach der Geschichte mit Trainor. Dieser Mann ist ein Polizistenmörder.« Brents Blick streifte Jed. »Deshalb haben auch die Jungs von der Ballistik Überstunden gemacht. Die Kugel, die Trainor getötet hat, stammt aus derselben Waffe wie diejenigen, die wir aus der Wand in Doras Haus geholt haben.«

»Nein, so eine Überraschung«, murmelte Jed unbeeindruckt.

»Ich muss schließlich Beweismaterial zusammentragen.« Brent nahm seine Brille ab und rieb sie an seinem zerknitterten Hemd sauber. »Und wenn wir diesen Bastard lebendig zu fassen kriegen, dann will ich ganze Stapel von Beweisen auf meinem Schreibtisch haben. Ich werde den Ballistikbericht an alle Reviere in der Stadt und im Staat schicken lassen. Vielleicht ist irgendwo schon einmal so eine Kugel aufgetaucht.«

Das war ein guter Anfang. Jed spürte Bitterkeit darüber, dass er die Dinge nicht veranlassen konnte. »Wo ist Goldman?«

»In Vail«, sagte Brent sehr leise. »Beim Skifahren. Hat sich 'ne Woche Urlaub genommen.«

Jed war wütend. »Dieser Schweinehund! Hat einen toten Polizisten vor sich liegen – einen von seinen eigenen Leuten – und verschwindet. Verdammt, es geht doch nicht an, dass dieser Kerl um Weihnachten herum Urlaub nimmt, während seine Kollegen Doppelschichten schieben.«

»Der kriegt sein Fett schon noch ab.« Das Telefon läutete, und Brent nahm den Anruf entgegen. »Rufen Sie später nochmal an«, bellte er in die Sprechmuschel und knallte den Hörer wieder auf. »Ich hoffe, der bricht sich seinen breitgesessenen Arsch – Verzeihung, Miss Conroy –, und vielleicht kriegst du dann endlich den deinen hoch und kommst dahin zurück, wo du hingehörst. Einer unserer Kollegen ist tot, und die Arbeitsmoral hier im Haus liegt etwa in Kniehöhe eines Zwergs, weil wir einen Vorgesetzten haben, dem es wichtiger ist, sich seine blütenweißen Mäusezähnchen überkronen zu lassen, als sich um seine Leute zu kümmern.« Er wies auf Jed. »Was zum Teufel gedenkst du dagegen zu unternehmen?«

Jed zog an seiner Zigarette und schwieg. Statt zu antworten, drehte er sich auf dem Absatz um und ging hinaus.

»Scher dich doch zum Teufel!« Brent sah Dora an und verzog das Gesicht. »Verzeihung.«

»Ist schon gut.« Eigentlich fand sie die ganze Situation sehr aufschlussreich. »Glauben Sie, das hat etwas genutzt?«

»Nein.« Es ärgerte ihn, im Beisein anderer die Beherrschung zu verlieren. Es ärgerte ihn immer wieder. Und er spürte bereits, wie ihm die Schamröte den Nacken hinaufkroch. »Wenn Jed einmal einen Entschluss gefasst hat, bringt den auch kein Granatfeuer zum Wanken.« Er ließ sich in einen Stuhl fallen. »Aber es hat mir gut getan.«

»Das ist ja auch schon etwas. Ich glaube, ich gehe ihm lieber nach.«

»Das würde ich nicht.«

Sie lächelte nur und nahm ihren Mantel. »Bis morgen Abend.«

Jed hatte schon einen halben Straßenblock zurückgelegt, als Dora ihn entdeckte. Hinter ihm herzuschreien und ihn zu bitten, auf sie zu warten, sparte sie sich. Es wäre nutzlos gewesen. Sie ging zügig, bis sie mit ihm auf gleicher Höhe war und passte ihren Schritt dann dem seinen an.

»Schöner Tag heute«, meinte sie im lockeren Plauderton. »Scheint ein bisschen wärmer geworden zu sein.«

»Tu tätest gut daran, dich im Augenblick von mir fern zu halten.«

»Ja, ich weiß.« Sie schob ihre Hand unter seinen Arm. »Ich gehe gern in der Kälte spazieren. Ist gut für den Kreislauf. Wenn wir hier abbiegen, kommen wir nach Chinatown. Dort gibt es ein paar hübsche kleine Geschäfte.«

Jed schlug absichtlich die andere Richtung ein.

»Mmmm, pervers«, kommentierte Dora. »Du bist gar nicht wirklich sauer auf ihn, das weiß ich.«

»Erzähl du mir nicht, was ich bin.« Er versuchte, sie abzuschütteln, aber sie hing an ihm wie eine Klette. »Hast du Angst, dass du dich ohne mich verläufst, Conroy?«

»Wie könnte ich? Dazu kenne ich mich hier viel zu gut aus.« Sie studierte sein Profil, widerstand aber dem Drang, über seine verspannten Kiefermuskeln zu streichen. »Du kannst mich ruhig anbrüllen, wenn du dich dann besser fühlst. Bei mir hilft das meistens.«

»Muss ich dich wegen Belästigung festnehmen lassen?«

Sie klapperte mit ihren Wimpern. »Glaubst du, das nimmt dir jemand ab? Ein kleines, unscheinbares Ding wie ich soll einen großen starken Kerl wie dich belästigen?«

Er bedachte sie mit einem kurzen, grimmigen Blick. »Du könntest wenigstens die Klappe halten.«

»Ich gehe dir aber lieber auf den Wecker. Weiß du, wenn du die Zähne weiterhin so zusammenpresst, wirst du dir einen Zahn abbrechen. Lea hat nachts immer mit den Zähnen geknirscht, und jetzt muss sie sich jeden Abend vor dem Schlafengehen so eine hässliche Plastikschiene auf die Zähne stecken. Das ist höchst hinderlich. Lea war schon immer eine Kämpferin. Ich nicht. Wenn ich schlafe, dann schalte ich total ab. Das ist doch auch der Sinn des Schlafens, oder nicht?«

Vor der nächsten Ecke blieb Jed stehen und drehte sich zu ihr um. »Du hast offenbar nicht vor, endlich deinen Mund zu halten, wie?«

»Richtig. Ich kann bis in alle Ewigkeit so weiterplaudern.« Sie griff nach dem Reißverschluss seiner Jacke, zog ihn hoch und zupfte den Kragen zurecht. »Er ist deprimiert, weil er dich mag. Es ist hart, von einem Menschen gemocht zu werden, denn damit lädt man sich ja Verantwortung auf.

Du hast gewiss eine Menge Verantwortung tragen müssen, kann ich mir vorstellen. Und es muss eine Erleichterung sein, diesen Ballast für eine Weile abzuwerfen.«

Fast noch härter wäre es, sich einem Menschen gegenüber beherrschen zu müssen, der ihn durchschaute. Wenn er aber seiner Wut freien Lauf ließe, musste er damit rechnen, dass sich dann die nackte Verzweiflung breit machte. »Ich hatte gute Gründe, den Dienst zu quittieren. Und die gelten immer noch.«

»Warum erzählst du mir nicht, welche Gründe das waren?«

»Es sind meine Gründe.«

»Akzeptiert. Willst du meine Gründe hören, warum ich die Bühne verlassen habe?«

»Nein.«

»Gut, dann hör zu.« Sie ging wieder weiter, führte ihn um den Block herum in die Straße, wo er sein Auto geparkt hatte. »Ich habe gerne auf der Bühne gestanden. Was ja kein Wunder ist bei meinen Vorfahren. Und ich war zudem auch noch begabt. Nachdem ich den Kinderrollen entwachsen war, spielte ich Stücke wie *Unsere Stadt* und *Die Glasmenagerie*. Die Kritiken waren umwerfend. Aber …« Sie blinzelte ihm zu. »Na, bist du schon gespannt, wie's weitergeht?«

»Nein.«

»Aber«, fuhr sie unbeeindruckt fort, »es war nicht das, was ich eigentlich wollte. Dann, vor ungefähr fünf Jahren, habe ich von meiner Großmutter geerbt. Anna Logan. Vielleicht hast du von ihr gehört? Sie hat in den dreißiger und vierziger Jahren mit B-Movies Furore gemacht und später als Agentin gearbeitet.«

»Nie von ihr gehört.«

»Nun, sie war ziemlich reich.« Ein Wagen schoss an ihnen vorbei, so schnell, dass Doras Frisur völlig durcheinander gewirbelt wurde. Einzelne Strähnen flatterten noch im Wind, als sie den Kopf drehte und Jed anlächelte. »Ich habe sie sehr gemocht. Sie starb mit fast hundert und hatte ein Superleben hinter sich. Nun, jedenfalls nahm ich das

Geld und belegte ein paar Kurse in Betriebswirtschaft. Nicht, dass ich sie gebraucht hätte – die Kurse. Manche Dinge sind einfach angeboren.«

»Und wo ist der springende Punkt, Conroy?«

»Darauf komme ich jetzt. Als ich meinen Eltern sagte, was ich vorhätte, reagierten sie höchst betroffen. Es hat sie wirklich verletzt, dass ich die Conroy-Tradition nicht fortsetzen wollte. Sie liebten mich, aber sie wollten etwas aus mir machen, was ich nicht war. Ich wollte meinen eigenen Laden haben, selbstständig sein. Und obwohl ich sie mit meiner Entscheidung enttäuscht habe, bin ich meinen Weg gegangen und habe getan, was gut für mich war.«

Eine Weile sagte Jed gar nichts. Er wunderte sich, dass er plötzlich nicht mehr wütend war. Während ihres Monologs war seine Wut abgekühlt, hatte sich aufgelöst wie eine Gewitterwolke und von Doras Hartnäckigkeit davonwehen lassen.

»Die Moral von deiner ungeheuer langen, verwickelten Geschichte lautet wohl: Wenn ich kein Cop mehr sein will, brauche ich mich auch nicht darüber aufzuregen, dass mein bester Freund mich ins Präsidium zurückzulocken versucht, indem er an mein Gewissen appelliert.«

Seufzend stellte sich Dora vor ihn hin und legte ihm die Hände auf die Schultern. »Nein, Skimmerhorn, du hast meine Geschichte total missverstanden.« Sie sah ihn mit einem sachlichen, aber auch mitfühlenden Blick an. »Ich war für den Schauspielberuf nicht hunderprozentig geschaffen, deshalb traf ich eine Entscheidung, die meine Familie zwar nicht billigte, die aber für mich die richtige war. Du aber bist durch und durch ein Cop. Du musst nur abwarten, bis du dir eingestehen kannst, dass deine erste Entscheidung die richtige war.«

Er hielt sie an den Armen fest, sodass sie nicht weitergehen konnte. »Weißt du, warum ich gegangen bin?« Die Wut war aus seinen Augen gewichen, doch sie waren dunkel und ausdruckslos, und weil sich keinerlei Gefühl darin spiegelte, machten sie Dora Angst. »Ich hätte Speck nicht umbringen müssen. Es gab andere Mittel und Wege, ihn unschädlich zu machen, aber die habe ich ignoriert. Ich habe die Geschichte so lange vorangetrieben, bis ich wusste, dass einer von uns beiden auf der Strecke bleiben würde. Es war dann Speck. Man hat mich mit Lorbeeren überschüttet, obwohl ich ihn hätte dingfest machen können, ohne auch nur einen einzigen Schuss abzugeben. Und wenn ich noch einmal in der gleichen Situation wäre, würde ich wieder genauso handeln.«

»Du hast eine Entscheidung getroffen«, begann sie vorsichtig. »Ich könnte mir denken, dass viele Leute sie für die richtige hielten, zum Beispiel deine Vorgesetzten.« Er fühlte sich unbehaglich. »Es war ein persönlicher Racheakt. Ich habe es nicht für Recht und Ordnung getan, sondern nur für mich allein.«

»Eine menschliche Unzulänglichkeit«, murmelte sie. »Ich wette, du hast hart mit dir ringen müssen, bis du dir eingestehen konntest, dass du nicht perfekt bist. Und wenn du jetzt deinen Dienst wieder aufnimmst, wirst du wahrscheinlich ein viel besserer Cop sein als vorher.«

Er verstärkte seinen Griff und schob sie ein Stück von sich weg. Als sie ärgerlich reagierte, gab er etwas nach, ließ sie aber nicht los. »Warum tust du das?«

Ihre Antwort auf seine Frage war so simpel wie eindringlich. Sie fasste in seinen Haarschopf und zog seinen Mund zu sich herab. Sie schmeckte die Ungeduld in seinem Kuss, aber da war noch etwas anderes. Und dieses andere war Sehnsucht – tiefe Sehnsucht nach Zuneigung.

»So, das war das eine«, sagte sie nach einem Moment des Schweigens. »Und da ist noch etwas. Ich glaube, wir können feststellen, dass ich dich, wohlgemerkt entgegen meines gesunden Menschenverstandes, auf den ich so stolz bin, ebenfalls mag. Übernimm die Verantwortung dafür, Skimmerhorn.«

Damit wandte sie sich ab, ging ein paar Schritte auf seinen Wagen zu und holte dann die Schlüssel aus der Tasche. »Ich fahre.«

Jed wartete, bis sie die Beifahrertür entriegelt hatte und hinters Lenkrad gekrochen war. »Conroy?«

»Hmm.«

»Ich dich auch.«

Sie lächelte, als der Motor aufheulte. »Das ist gut. Was meinst du, Skimmerhorn? Lust auf eine kleine Spritztour?«

15. Kapitel

Finleys Wohnsitz war ein Museum – der Hort seiner Besitzgier nach großen wie kleinen Dingen. Ursprünglich von einem Regisseur gebaut, der Action-Filme drehte und der sich finanziell übernommen hatte, schmiegte er sich hoch oben in den Hügeln über Los Angeles an einen Berghang.

Finley, der das Anwesen während einer Flaute auf dem Immobilienmarkt erstanden hatte, ließ es umgehend mit dem neuestem High-Tech-Überwachungssystem ausstatten, im Keller für die wenigen Regentage im Jahr ein Bad einbauen und eine hohe Steinmauer errichten, die das Anwesen wie eine Burgmauer umgab. Finley war ein Voyeur, der es aber verabscheute, selber beobachtet zu werden.

Der Turm der sich über dem dritten Stockwerk erhob, war der Vorführraum des ehemaligen Besitzers gewesen. Finley brachte ihn auf Vordermann, indem er ihn zusätzlich mit einer Monitorwand und einem Hochleistungsteleskop ausstattete. Die bequemen Sessel mit verstellbarer Rückenlehne wurden entfernt. An ihrer Stelle hatte Finley eine elegante Polstergarnitur aus kastanienbraunem Samtvelours aufstellen lassen. Diesen Raum nutzte er gerne, wenn er Gäste hatte. Zur Unterhaltung flimmerten dabei häufig seine Home-Movies über die riesige Leinwand – in der Hauptrolle stets der Hausherr persönlich.

Selbstverständlich hatte er zur Gestaltung seines Heims bekannte Innenarchitekten engagiert. Drei verschiedene Firmen standen ihm in der sechsmonatigen Umbauphase mit Rat und Tat zur Seite, bis sein neues Zuhause zu seiner Zufriedenheit eingerichtet war.

Im ganzen Haus gab es nur weiße Wände. Ob gestrichen, lackiert oder tapeziert, sie strahlten alle in einem reinen, jungfräulichem Weiß, ebenso wie die Teppichböden, die Fliesen, die gebleichten Parkettböden. Die Farbgebung in seinem Haus war ausschließlich seinen Schätzen vorbehalten – den Figurinen, Skulpturen, den Antiquitäten, die er zusammengetragen hatte.

In jedem Raum war sehr viel Glas verwendet worden – in Form von Fensterscheiben, Spiegeln, Glasvitrinen, Regalen – und meterweise Seidenstoffe, die als Vorhänge und Bezüge, Kissen und Wandbehänge Verwendung gefunden hatten.

Jeder Tisch, jedes Regal, jede Nische beherbergte seltene Kostbarkeiten, nach denen er sich verzehrt hatte. Und wenn eine dieser Kostbarkeiten ihn zu langweilen begann, wie es stets nach einer gewissen Zeit der Fall war, wies Finley ihr einen weniger prominenten Platz zu und machte sich auf die Suche nach neuen Schätzen.

Er war nie zufrieden, sein Hunger unstillbar.

In seinen Schränken hingen die Anzüge in Dreierreihen: Wolle, Seide, Leinen und Gabardine. Ihre Schnitte waren konservativ, er bevorzugte dunkle Farben wie marineblau, schwarz, grau und einige wenige in frivoleren Mittelblautönen. Es gab keine Freizeitkleidung, keine Sportsakkos, keine Poloshirts mit kleinen bunten Männchen auf der Brusttasche.

Fünfzig Paar schwarze Lederschuhe, auf Hochglanz poliert, warteten in Glasregalen darauf, getragen zu werden.

Er besaß ein einziges Paar weiße Nike-Turnschuhe, passend zu seinem Fitnessdress. Es gehörte zu den Pflichten seines Butlers, diese Schuhe alle zwei Wochen durch ein neues, blütenweißes Paar zu ersetzen.

Seine Krawatten waren nach Farben geordnet; links hingen die schwarzen, dann folgten die grauen und rechts die blauen.

Seine Abendkleidung hing gesondert in einem kostbaren Rokokoschrank.

In seiner Wäschekommode stapelten sich, exakt gefaltet, schneeweiße gestärkte Oberhemden mit Monogramm an den Manschetten, schwarze Socken, weiße Boxershorts aus Seide und Taschentücher aus irischem Leinen. Alles duftete dezent nach Lavendel, und der Buttler erneuerte wöchentlich den Inhalt der Lavendelsäckchen.

Finleys Privatgemächer schlossen ein Ankleidezimmer mit ein, das mit zwei Spiegelwänden ausgestattet war. Es gab eine kleine Bar, falls es dem Hausherrn nach einem Drink verlangte, während er sich für eine Gesellschaft ankleidete. Außerdem befand sich in dem Raum ein Ohrensessel und ein Tischchen, auf dem eine Tiffanylampe stand, für den Fall, dass der Gentleman sich niedersetzen wollte, um seine Garderobe in aller Ruhe zu betrachten.

Rechts neben dem Ankleidezimmer war sein Schlafzimmer. Die mit weißer Seide bespannten Wände zierten Gemälde von Pissarro, Morisot und Manet, ein jedes von einer stilechten Wandleuchte illuminiert. Die Möbel in diesem Raum waren verspielt und üppig verziert, angefangen von der Louis-XIV.-Kommode, den Nachtkästchen mit den geschwungenen Beinen, bis hin zu der zierlichen, vergoldeten Sitzcouch, die von venezianischen, fackeltragenden Mohren flankiert wurde. Drei Waterford-Lüster an der Decke sorgten für eine dezente Beleuchtung.

Sein ganzer Stolz, seine ganze Freude, aber war das Bett. Es war ein wuchtiges Himmelbett, von Vredeman de Vries im 16. Jahrhundert entworfen, mit vier gedrechselten Holzsäulen, die einen Baldachin trugen, Kopf- und Fußbrettern, alles aus massivem handgeschnitztem Eichenholz und mit Engelsköpfen, Blumen und Früchten bemalt.

Seine Eitelkeit hatte ihn schwer in Versuchung geführt, in dem Baldachin einen Spiegel einbauen zu lassen, doch die damit verbundene Wertminderung dieses antiken Stücks hatte ihn schließlich davon abgehalten. Stattdessen war eine Kamera installiert worden, die diskret hinter der geschnitzten Holzleiste unterhalb der Decke verborgen war. Sie war direkt auf das Bett gerichtet und ließ sich durch eine Fernsteuerung bedienen, die in der obersten Schublade des Nachttischs lag.

Finley hielt in seinen Betrachtungen inne und schaltete den Monitor ein. Das Küchenpersonal bereitete gerade das Mittagessen, den Fasanensalat, den er bestellt hatte. Zufrieden beobachtete er den Koch und die Küchenhilfe, wie sie in der sonnendurchfluteten weißen Edelstahlküche zu Werke gingen.

Finley schaltete in den Salon um, wo DiCarlo an einem Club Soda nippte und an seiner Krawatte zupfte.

Das war gut. Der Mann war nervös. Übersteigertes Selbstbewusstsein missfiel Finley. Effizienz war wichtig, ein übersteigertes Selbstbewusstsein der Nährboden für Fehler. Er entschied sich, den armen Burschen nicht länger zappeln zu lassen. Immerhin hatte er die Ware zwei Tage vor Ablauf der Frist abgeliefert. Einsatz sollte belohnt werden. Möglich, dass der Bursche mit ungebrochenen Armen davonkommen würde.

DiCarlo zupfte wieder an seiner Krawatte. Er konnte sich des unangenehmen Gefühls nicht erwehren, beobachtet zu werden. Nervös überprüfte er den Sitz seiner Frisur und seines Anzugs.

Er nahm noch einen Schluck Soda und belächelte sich insgeheim. In einem Raum wie diesem, in Gesellschaft von hundert Statuetten und Gemälden, würde sich wahrscheinlich jeder Mensch beobachtet fühlen. Es gab gemalte Augen, Glasaugen, Augen aus Edelstein. Er wunderte sich, wie Finley das nur aushielt.

Er musste eine Armee von dienstbaren Geistern beschäftigen, die den Krempel abstaubten, überlegte DiCarlo, während er sein Glas abstellte und sich erhob, um sich ein wenig die Beine zu vertreten. Er war klug genug, nichts anzufassen. Da er wusste, wie fanatisch Finley über seine Schätze wachte, behielt er seine Hände tunlichst an der Hosennaht.

Es war ein gutes Zeichen, entschied er, dass Finley ihn in sein Haus eingeladen und nicht in sein Büro zitiert hatte. Das gab der Angelegenheit einen freundlicheren, persönlicheren Touch. Am Telefon hatte Finleys Stimme umgänglich und heiter geklungen.

Wenn er seinen ganzen Charme spielen ließe, so dachte DiCarlo, könnte er elegant über das Fehlen des Gemäldes hinweggehen und Finley davon überzeugen, dass dessen

Wiederbeschaffung nur einen minimalen Zeitaufschub beanspruchte. Insgesamt war DiCarlo davon überzeugt, dass dieser Besuch in aller Freundschaft über die Bühne gehen, und er anschließend ins Beverly Hills Hotel zurückkehren würde, um sich eine willige Begleiterin zu suchen, die mit ihm ins neue Jahr hineinfeierte.

Und morgen, dachte DiCarlo mit einem Schmunzeln auf den Lippen, winkte Mexiko.

»Mr. DiCarlo, ich hoffe, ich habe Sie nicht über Gebühr warten lassen.«

»Aber nein, Sir. Ich habe inzwischen Ihr Heim bewundert.«

»Ah.« Finley steuerte auf einen mit Japanlack überzogenen Schrank zu, der seine Hausbar beherbergte. »Nach dem Lunch machen wir einen großen Rundgang. Wie wär's inzwischen mit einem Glas Rotwein?« Er hielt einen viktorianischen Glaskrug in der Hand, der die Form eines Kakadus hatte. »Ich hätte einen exzellenten Château Latour anzubieten.«

»Gerne.« DiCarlos Zuversicht begann zu schwinden.

»Du liebe Güte.« Finley musterte DiCarlos Gesicht. »Hatten Sie einen Unfall?«

»Ja.« DiCarlo tastete nach dem Pflaster in seinem Nacken. Die Erinnerung an Doras Zähne ließ seine Wut augenblicklich wieder aufflammen. »Nichts Ernstes.«

»Ich bin erleichtert, das zu hören. Narben sind etwas Scheußliches«, sagte Finley, während er zwei Gläser füllte. »Ich hoffe, diese Reise hat Ihre Pläne für die Feiertage nicht all zu sehr beeinträchtigt. Ich hatte Sie im Übrigen erst in ein oder zwei Tagen erwartet.«

»Ich wollte Ihnen die Resultate meiner Bemühungen so früh wie möglich unterbreiten.«

»Ich schätze Zuverlässigkeit und Pünktlichkeit über alles. Zum Wohl.« Höchst zufrieden stieß er mit DiCarlo an und lächelte, als er den Gong hörte. »Ah, das wird Mr. Winesap sein. Mr. Winesap ist überaus akkurat, was das Führen von Bestandslisten betrifft, wie Sie sicher wissen. Nun, ich hoffe, Sie beide werden Verständnis dafür aufbringen, dass ich meine Ungeduld nicht länger zügeln möchte«, fuhr er fort, als sein Angestellter den Salon betrat. »Ich muss meine Schätze endlich in Augenschein nehmen. Meines Wissens nach wurden sie in die Bibliothek gebracht.« Er deutete mit einer einladenden Geste zur Tür. »Meine Herren.«

Der Flur war mit weißen Marmorfliesen ausgelegt und breit genug, um darin eine wuchtige Sitzbank und eine Garderobe aus Buchsbaum zu beherbergen. Die drei Männer konnten bequem nebeneinander daran vorbeigehen.

In der Bibliothek roch es nach Leder, Zitronenöl und Rosen. Die Rosen waren in zwei hohen Dresdner Porzellanvasen arrangiert, die rechts und links auf dem Kaminsims standen. Es gab Hunderte von Büchern, wenn nicht sogar Tausende in dem Raum, der sich über zwei Ebenen hinzog. Sie standen aber nicht wie üblich in Bücherregalen, sondern waren in Schränken und Vitrinen untergebracht, die zum Teil offen, zum Teil verglast waren. Besonders auffällig waren ein vierteiliger, drehbarer Bücherschrank aus der Regency-Periode und ein Schrank aus der Zeit König Edwards – Letzteren hatte Finley aus einem Schloss in Devon stehlen lassen.

Er hatte dem Raum eine Atmosphäre verleihen wollen, wie man sie in den Bibliotheken des englischen Landadels fand, was ihm auch gelungen war. Tiefe Ledersessel, eine Sammlung alter Pfeifen und eine Jagdszene von Gainsborough vervollkommneten den gediegen-herrschaftlichen Rahmen.

Um das Ambiente nicht zu stören, waren die allgegenwärtigen Monitore hinter Trompe-l'oeil-Verkleidungen verborgen, die von den übrigen Bücherschränken kaum zu unterscheiden waren.

»Da sind sie ja.« Mit federnden Schritten eilte Finley auf den großen Tisch zu und griff nach einer der beiden Buchstützen, die die Form von Meerjungfrauen hatten.

Wie angeordnet, waren ein kleiner Hammer, ein Messer und einen Abfallkorb bereitgestellt worden. Wortlos nahm Finley den Hammer zur Hand und enthauptete die blauäugige Meerjungfrau mit einem gezielten Hieb.

»Man darf nicht zu rabiat mit der Dame umgehen«, murmelte Finley und brach behutsam Stück für Stück der billigen Gipsform ab.

»Made in Taiwan«, erklärte er seinen Gästen, »in einer kleinen Fabrik, an der ich beteiligt bin. Wir verkaufen die Erzeugnisse hauptsächlich nach Nord- und Südamerika und erwirtschaften damit einen schmalen Gewinn. Diese Meerjungfrau hingegen könnte man als Einzelstück bezeichnen. Manche dieser Stücke sind exzellente Reproduktionen wertvoller Sammlerstücke, so hervorragend gearbeitet, dass selbst Experten sie nicht als solche erkennen.«

Aus dem Bauch der Meerjungfrau förderte er ein in eine Plastikfolie gewickeltes Päckchen zutage, das er mit dem Messer vorsichtig aufschnitt; die Reste der Figur wanderten in den Abfallkorb. In dem Päckchen wiederum befand sich ein kleiner Wildlederbeutel, der ein daumengroßes, sehr altes Netsuke enthielt.

Sichtlich begeistert unterzog Finley diesem traditionellen japanischen Gürtelschmuck einer sorgfältigen Musterung. Der runde Knopf zeigte die Abbildung einer Frau, die gestützt auf Hände und Knie, auf dem Boden kauerte, hinter ihr ein dickbäuchiger Mann, der besitzergreifend ihre Brüste umfasste. Ihr Elfenbeinkopf war ihrer linken Schulter zugewandt, sodass es schien, als wollte sie in das Gesicht des Mann sehen, der sich anschickte, von hinten in sie einzudringen.

»Exzellent, exzellent.« Nachdem er die Kostbarkeit vorsichtig zur Seite gelegt hatte, enthauptete er die zweite Meerjungfrau auf die gleiche Weise.

Sie enthielt ebenfalls ein Netsuke, das das Thema des ersten fortsetzte: Eine Frau, die zu Füßen eines Mannes kniete. Sie hatte den Kopf in den Nacken gelegt und umfasste lächelnd mit beiden Händen sein erigiertes Glied.

»Das ist wahre Handwerkskunst.« Finleys Stimme vibrierte vor Aufregung. »Über zweihundert Jahre alt, und keine noch so ausgefeilte moderne Technik könnte dieses Stück verbessern. Die alten Japaner kultivierten und bewunderten den Erotizismus in der Kunst zu einer Zeit, da die Europäer noch schamhaft ihre dünnen Waden versteckten und so taten, als wüchsen die Babys unter Kohlblättern.«

Er nahm wieder das Messer zur Hand, diesmal, um den Papagei auszuweiden.

»Und das hier«, murmelte er, indem er ein kleines Samtbeutelchen öffnete, »sehen Sie sich das an.« Ihn durchfuhr ein wohliger Schauer, als er die Saphirbrosche auf seine Handfläche fallen ließ.

Der Saphir ruhte in einem filigranen Nest aus Gold, in das Diamanten eingearbeitet waren. Es handelte sich um einen Stein von mehr als acht Karat, er war viereckig geschliffen und von einem tiefen Kornblumenblau, das ihm eine majestätische Eleganz verlieh.

»Diese Brosche trug Maria Stuart, Königin von Schottland.« Finley strich zärtlich über die Kostbarkeit, fuhr die geschliffenen Kanten nach, drehte die Brosche dann um, um die Rückseite zu betrachten. »Sie trug sie, während sie Intrigen schmiedete und ihre heimlichen Liebesaffären genoss. Später war sie ein Teil der Beute, die sich die gute Queen Elizabeth unter den Nagel riss, nachdem sie ihre hübsche Cousine hatte hinrichten lassen.«

Finley konnte beinahe das Blut und den Verrat riechen, die an dem Stein klebten. Und das gefiel ihm.

»Von den Mühen und Kosten, diese Brosche zu erwerben, will ich gar nicht reden. Sie hat einen Ehrenplatz in meiner Sammlung verdient«, sagte er und legte sie neben die beiden Netsukes.

Und wie einem verwöhnten Kind bei der Weihnachtsbescherung war ihm das noch nicht genug. Er wollte mehr.

Beim Gedanken an die gravierte Gallé-Vase im Inneren der Freiheitsstatue juckte es ihn in den Fingerspitzen. Seine Gäste für den Augenblick völlig vergessend, beugte er sich über sie, streichelte die schlanke Form, bewunderte die geschmeidigen Frauenkörper, die das Jugendstilglas verzierten. Seine Augen nahmen einen glasigen Schimmer an, der Winesap dazu veranlasste, beschämt den Blick zu senken.

Aus dem hohlen Bronzefuß des Adlers befreite er ein wattiertes Kästchen. Nachdem er die Verpackung entfernt hatte, kam ein Rosenholzkästchen hervor, das liebevoll eingeölt und poliert worden war. Doch die eigentliche Kostbarkeit war der Deckel, der ein winziges Mosaikbild enthielt, das im kaiserlichen Russland für Katharina die Große in Auftrag gegeben worden war – möglicherweise von ihrem gerissenen Liebhaber Orlov, nachdem er ihren Ehemann umgebracht und Katherina auf den Thron geholfen hatte.

Noch mehr Blut, dachte Finley, noch mehr Verrat.

Das Mosaik, das die Signatur des Künstlers trug, stellte eine naturgetreue Abbildung des kaiserlichen Palastes dar, verewigt in geschmolzenem Glas.

»Haben Sie jemals etwas Exquisiteres gesehen? Der Stolz von Zaren, Kaisern und Königen. Einst thronte diese Brosche auf einem Samtsockel in einem Museum, durch Panzerglas vor den glotzenden Blicken verschwitzter Touristen geschützt. Jetzt gehört sie mir. Mir ganz allein.«

»Sie ist wirklich außergewöhnlich schön.« DiCarlo unterbrach Finley nur ungern, aber es wurde allmählich Zeit, ihm seine Geschichte aufzutischen. »Sie kennen den Wert der Kunst, Mr. Finley. Was bedeutet es schon, etwas Unschätzbares zu besitzen, wenn jeder Idiot von der Straße hereinstolpern und es begaffen kann.«

»Sie haben es genau erfasst. Wahre Kunst muss besessen, gehortet werden. Museen kaufen Kunst für die Nachwelt. Die seelenlosen Reichen betrachten sie als Geldanlage. Beides widerstrebt mir zutiefst.« Seine Augen waren jetzt sehr grün, sehr leuchtend und ein bisschen irre. »Besitz, Mr. DiCarlo, ist alles.«

»Ich verstehe Sie sehr gut, Mr. Finley, und ich darf mich glücklich schätzen, meinen bescheidenen Beitrag dazu geleistet zu haben, die kostbaren Stücke wiederzubeschaffen. Was sich freilich nicht ohne gewisse Schwierigkeiten bewerkstelligen …«

»Das glaube ich gern.« Finley winkte ab, bevor DiCarlo ihm die Stimmung verderben konnte. »Aber erst wollen wir fertig auspacken, ehe wir Ihre Strapazen und Leidenswege diskutieren, Mr. DiCarlo.« Er brachte wieder den kleinen Hammer in Aktion und zertrümmerte damit den Bauch des Hundes. Dieser gebar eine goldene Katze. »Massives Gold«, kommentierte Finley und schälte die Verpackung ab. »Ebenfalls ein einzigartiges Stück, dessen Wert durch seine Herkunft bestimmt ist. Man sagt, diese Katze sei ein Geschenk Cäsars an Cleopatra gewesen. Unmöglich, den Wert dieses Objekts festzusetzen, obgleich es korrekt datiert werden konnte. Dennoch, der Mythos, der dieses Stück umgibt, ist mir genug.« Seine Stimme klang sanft wie die eines Liebhabers. »Mehr als genug.«

Seine Hände zitterten vor Erregung, als er die Katze auf den Tisch setzte. »Und zu guter Letzt, das Gemälde.«

»Ich, äh …« DiCarlo fand es an der Zeit, sich zu erheben. »Mit dem Gemälde hat es ein kleines Problem gegeben, Mr. Finley.«

»Problem?« Immer noch lächelnd, sah Finley sich im Raum um, und konnte kein Gemälde entdecken. »Ich kann mich nicht erinnern, dass Sie Probleme erwähnten, Mr. DiCarlo.«

»Ich wollte Ihnen die versprochene Ware ohne weitere Verzögerung aushändigen. Ihre Wiederbeschaffung verlangte sehr viel Geduld und Kosten von Ihnen, und ich wusste, Sie wollten sie zum frühestmöglichen Termin in Ihren Händen halten.«

»Wir sprechen jetzt von dem Gemälde.« Und außer dem Gemälde zählte im Augenblick nichts anderes für Finley. Cleopatra, Katharina und Maria Stuart waren vergessen. »Ich kann es nirgends sehen. Vielleicht eine Überanstrengung meiner Augen, eine optische Täuschung.«

Finleys Sarkasmus ließ DiCarlo erröten. »Es ist mir nicht gelungen, das Gemälde auf dieser Reise zu beschaffen, Mr. Finley. Wie ich bereits andeutete, gab es damit unerwartete Probleme.«

»Ach ja?«. Er behielt sein freundliches Lächeln bei, obwohl Ärger in ihm hochstieg. »Und welcher Art, wenn ich fragen darf?«

Ermutigt nahm DiCarlo wieder Platz. Er setzte Finley über die drei Einbrüche in Kenntnis, erinnerte ihn daran, dass der erste ihn in den Besitz des Jadehundes gebracht hatte, dann bemühte er sich, die Suche nach den Gemälde in drastischen Farben zu schildern, wobei er auch sein persönliches Risiko nicht unter den Scheffel stellte.

»Wie die Dinge stehen, Sir, werden Sie mir sicher zustimmen«, schloss DiCarlo, als handelte es sich um ein Verkaufsgespräch, »dass es für uns alle ein beträchtliches Risiko darstellen würde, wenn ich zu diesem Zeitpunkt nach Philadelphia zurückkehrte. Ich habe allerdings einen Kontaktmann, den ich auf die Sache ansetzen könnte, selbstverständlich auf meine Kosten. Da sich inzwischen sechs von sieben Stücken in Ihrem Besitz befinden, werden Sie gewiss noch etwas Geduld aufbringen. Und ich sehe absolut keinen Grund für die Annahme, dass Sie das Gemälde nicht binnen, sagen wir, sechs Wochen in Händen halten können.«

»Sechs Wochen.« Finley nickte und strich sich mit dem Zeigefinger über die Unterlippe. »Sie haben einen Polizisten erschossen, erwähnten Sie …«

»Das ließ sich leider nicht umgehen. Er hat das Haus observiert.«

»Mmmm. Und weshalb mag er das Ihrer Meinung nach wohl getan haben?«

»Das weiß ich nicht.«

DiCarlo lehnte sich vor. »Ich habe absolut keine Spur hinterlassen, die auf einen Einbruch hindeuten könnte. Doch ich Zeuge eines heftigen Wortwechsels zwischen dieser Conroy und ihrem Mieter. Er war außer sich vor Wut. Gut möglich, dass sie deshalb um Polizeischutz gebeten hat.«

»Interessant, dass sie ihm nicht einfach das Mietverhältnis gekündigt hat«, kommentierte Finley übertrieben freundlich. »Sie sagten, es war dieser Mieter, der ihnen das Veilchen verpasst hat?«

»Es handelte sich ganz offensichtlich um einen Streit zwischen Verliebten. Ich vermute, der Kerl hat von dieser Frau mehr als nur ein Dach über dem Kopf bekommen.«

»Ach, vermuten Sie. Wir werden diese Angelegenheit noch ausführlicher zu besprechen haben, Mr. DiCarlo. Nach dem Lunch, wenn es Ihnen genehm ist.«

»Gewiss.« Erleichtert lehnte sich DiCarlo zurück. »Ich werde Sie mit allen Einzelheiten vertraut machen.«

»Das wäre mir sehr recht. Nun, Gentlemen, lassen Sie uns zu Tisch gehen.«

Der Fasanensalat wurde mit einer Flasche eisgekühlten Pouilly-Fumé in dem viktorianisch eingerichteten Speisezimmer mit Blick auf den sonnendurchfluteten Park serviert. Während des Mittagessens achtete Finley darauf, dass das Tischgespräch keine geschäftlichen Themen berührte. Diese wirkten sich schlecht auf seine Geschmacksnerven aus, wie er DiCarlo erklärte. Er spielte eine Stunde lang den jovialen Gastgeber, füllte DiCarlos Glas sogar stets persönlich nach.

Als der letzte Tropfen Wein getrunken und das Dessert gegessen war, schob Finley seinen Stuhl zurück.

»Ich hoffe, Sie vergeben uns, Abel, aber so sehr ich es auch bedauere, Mr. DiCarlo und ich sollten jetzt unsere geschäftliche Besprechung zu einem Ende führen. Vielleicht bei einem Spaziergang über das Gelände, zum Beispiel durch den Park?«, schlug er DiCarlo vor.

Durch den Wein, das exzellente Essen und den Erfolg in gehobene Stimmung versetzt, klopfte DiCarlo sich auf den Magen. »Nach dem reichlichen Mahl könnte ich einen Spaziergang wahrhaftig vertragen.«

»Gut, gut, ich selbst halte sehr viel von körperlicher Ertüchtigung. Ich würde mich über Ihre Gesellschaft freuen. Wir sind bald zurück, Abel.«

Finley führte DiCarlo in das Solarium, in dem weder die Palmen noch der Springbrunnen fehlten, und dann hinaus in den Garten.

»Ich möchte Ihnen sagen, wie sehr ich Sie bewundere, Mr. Finley«, begann DiCarlo. »Ein solches Unternehmen zu leiten, ein Haus wie dieses zu besitzen.«

»Das möchte ich gerne glauben.« Finleys Ledersohlen knirschten leise auf den runden weißen Kieselsteinen des

Gartenwegs. »Kennen Sie sich mit Blumen aus, Mr. DiCarlo?«

»Ich weiß nur, dass Frauen normalerweise wild drauf sind.«

Mit einem zustimmenden Lachen geleitete Finley ihn durch den Garten, blieb ab und zu stehen, um die Aussicht zu genießen. Er blickte über das Becken von Los Angeles hinweg und atmete zufrieden die unterschiedlichen Düfte des Gartens ein. Da gab es frühe Rosen, Jasmin, frisch gewässerten Mulch und gemähtes Gras.

»Ihre Pläne, Mr. DiCarlo?«, bemerkte Finley unvermittelt.

»Wie bitte? Oh. Ganz einfach. Ich setze meinen Mann auf diese Conroy an. Er wird sich um die Dame kümmern. Glauben Sie mir, wenn der sie durch die Mangel gedreht hat, wird sie ihm alles erzählen.« Es passte ihm gar nicht, das er den Aufenthaltsort des Bildes nicht persönlich aus ihr herausprügeln konnte. »Wie ich schon sagte, er wird vielleicht eine Woche oder zwei warten müssen, bis sich die Aufregung ein wenig gelegt hat. Aber er wird sie sich schnappen und sie so lange unter Druck setzen, bis sie ihn zu dem Gemälde führt.«

»Und dann?«

»Keine Sorge, dann wird er sie selbstverständlich für immer zum Schweigen bringen. Er macht keine halben Sachen.«

»Ah, ja. Halbe Sachen. Höchst ärgerlich. Und Sie selbst?«

»Nun, ich denke, ich werde mich für ein paar Monate nach Mexiko zurückziehen. Möglich, dass die beiden mich gesehen haben. Sicherlich, es war dunkel, aber ich gehe nicht gern ein Risiko ein. Wenn es ihnen gelingen sollte, mich zu identifizieren, bin ich jenseits der Grenze besser aufgehoben.«

»Ein weiser Entschluss, gewiss.« Finley beugte sich über einen Rosenbusch und roch geziert an einer blassrosa Knospe, die gerade dabei war, ihre zarten Blütenblätter zu entfalten. »Mir kommt da eben ein Gedanke, Mr. DiCarlo. Wenn diese Leute Sie identifizieren, könnte das die Polizei auf mich lenken.«

»Unmöglich. Absolut unmöglich. Seien Sie ganz beruhigt, Mr. Finley, die Polizei wird niemals einen Mann wie Sie mit ein paar harmlosen Einbrüchen in einem Trödelladen in Philadelphia in Verbindung bringen.«

»Halbe Sachen«, murmelte Finley seufzend. Als er sich aufrichtete, hielt er einen Revolver mit Perlmutgriff in der Hand. Und dann lächelte er wieder sein charmantes Lächeln. »Derartige Unannehmlichkeiten schafft man am besten aus der Welt.«

Er feuerte, zielte knapp über DiCarlos Gürtelschnalle. Der Schuss hallte donnernd über die Hügel und schreckte Schwärme ängstlich zwitschernder Vögel auf.

DiCarlos Augen weiteten sich verblüfft und spiegelten dann Schmerz wider. Wie betäubt sah er auf seinen Bauch, presste eine Hand auf den sich rasch ausbreitenden Blutfleck, ehe seine Knie unter ihm nachgaben.

»Sie enttäuschen mich, Mr. DiCarlo.« Finley erhob seine Stimme nicht, beugte sich aber ein wenig hinunter, damit DiCarlo ihn auch hören konnte. »Wollten Sie mich für dumm verkaufen? Sind Sie wirklich so von sich eingenommen, dass Sie glaubten, ich höre mir Ihre pathetischen Entschuldigungen an und wünsche Ihnen dann eine gute Reise?«

Er richtete sich auf und trat DiCarlo, während dieser sich vor Schmerz auf dem Gras krümmte, mit voller Wucht in die Rippen.

»Sie haben versagt!«, brüllte er und trat wieder und wieder zu. Er überhörte DiCarlos Flehen um Gnade und schrie: »Ich will mein Gemälde. Ich will haben, was mir gehört. Es ist Ihre Schuld, allein Ihre Schuld, dass ich es nicht in Händen halten kann.«

Speichel tropfte von Finleys Lippen, als er zuerst DiCarlos linke Kniescheibe und dann die rechte zerschoss. DiCarlos Schmerzensschreie gingen in ein leises Wimmern über.

»Wenn Sie meine Intelligenz nicht so schamlos beleidigt hätten, hätte ich kurzen Prozess mit Ihnen gemacht. Jetzt werden Sie leiden, einen stundenlangen Todeskampf ausfechten. Und selbst das ist als Strafe nicht genug.«

Er musste sich regelrecht zwingen, den Revolver wieder einzustecken. Dann tupfte er sich mit einem Taschentuch behutsam den Schweiß von der Stirn.

»Bei weitem nicht genug«, wiederholte er, bückte sich noch einmal und starrte in DiCarlos schmerzverzerrtes Gesicht. »Sie hatten einen Auftrag. Haben Sie vergessen, wer hier der Boss ist?«

»Bitte«, murmelte DiCarlo, der nicht begriff, dass sein Flehen überflüssig war, dass er bereits so gut wie tot war. »Helfen Sie mir. Bitte!«

Mit einer fahrigen Bewegung steckte Finley das Taschentuch in die Brusttasche seines Jacketts zurück. »Ich habe Ihnen viel Zeit gegeben, ausreichend Zeit, um Ihrer Verpflichtung nachzukommen. Ich habe sogar erwogen, Ihnen zu verzeihen. Ich kann sehr großzügig sein, aber Sie haben mich im Stich gelassen, haben versagt. Und Versagen, Mr. DiCarlo, ist unverzeihlich.«

Vor Wut zitternd, richtete Finley sich auf. Er wusste, dass er mindestens eine Stunde Meditation benötigte, um sich auf das Dinner am späteren Abend einzustimmen.

Unfähigkeit, dachte er zornig. Unzuverlässigkeit von Untergebenen! Mit einer wütenden Geste klopfte er sich den Staub vom Ärmel und ging zurück zum Solarium.

»Winesap!«, brüllte er.

»Sir.« Winesap kam auf Zehenspitzen hereingeschlichen, er war äußerst nervös. Er hatte die Schüsse gehört und erwartete beklommen den Auftrag, der jetzt folgen würde.

»Schaffen Sie mir Mr. DiCarlo vom Hals.«

Winesap ließ die Schultern hängen. »Selbstverständlich, Mr. Finley. Sofort.«

»Nicht jetzt.« Finley zog einen echten Schildpattkamm aus der Tasche und glättete sein vom Wind in Unordnung gebrachtes Haar. »Lassen Sie ihn erst verbluten.«

Winesap blickte durch die verglaste Wand zu DiCarlo hinüber, der auf dem Rücken lag und jämmerlich den Himmel anflehte. »Wünschen Sie, dass ich hier warte?«

»Natürlich. Wie sonst können Sie feststellen, ob er tot

ist.« Finley seufzte vernehmlich und steckte seinen Kamm ein. »Morgen ist ein Feiertag, Abel. Und mir würde nicht im Traum einfallen, Ihre wie auch immer gearteten Freizeitpläne durcheinander zu bringen. Deshalb möchte ich Sie bitten, übermorgen Informationen über diese Isadora Conroy in Philadelphia einzuholen.« Er roch an seiner Hand und rümpfte die Nase über den daran haftenden Pulvergeruch. »Ich fürchte, diese Angelegenheit bedarf meines persönlichen Eingreifens.«

16. Kapitel

»Ein gutes Neues!«

Der Mann, der Jed im Foyer des Liberty Theaters diesen Gruß entgegenschmetterte, war lang und dünn wie eine Bohnenstange, trug Glatze und steckte in einem knallroten, mit silbernen Sternen besetzten Leder-Overall. Verdutzt ließ sich Jed von ihm umarmen und jovial auf die Schulter klopfen. Sein neuer Freund roch intensiv nach Wein und Giorgio for Men.

»Ich bin Indigo.«

Da seine Gesichtsfarbe in etwa diesem Farbton entsprach, nickte Jed freundlich und meinte: »Ja, das glaube ich Ihnen gern.«

»Tolle Party.« Indigo zauberte eine dünne schwarze Zigarette hervor, steckte diese in eine goldene Zigarettenspitze und stellte sich, eine Hand auf seine schmale Hüfte gestützt, in Positur. Die Band ist heiß, der Champagner kalt und die Damen ...« Seine Augenbrauen bewegten sich viel sagend auf und nieder. »Die Damen zahlreich.«

»Danke für die freundliche Unterweisung.«

Unauffällig versuchte Jed sich an ihm vorbeizuschieben, doch Indigo war einer von der ganz freundlichen Sorte und legte Jed den Arm um die Schulter. »Soll ich Ihnen ein paar Leute vorstellen? Ich kenne hier jeden.«

»Mich kennen Sie nicht.«

»Aber ich brenne darauf.« Er manövrierte Jed durch die Menschenmenge im Foyer auf die lange Theke zu, hinter der zwei flinke Barkeeper Drinks ausschenkten. »Lassen Sie mich raten.« Er trat einen halben Schritt zurück und zog an seiner ausländischen Zigarette. »Sie sind Tänzer.«

»Nein.«

»Nein?« Indigos ausdrucksstarkes Gesicht nahm einen nachdenklichen Ausdruck an. »Nun, mit einem solchen Körper sollten Sie das aber sein. Gene Kelly war auch so ungeheuer athletisch gebaut. Champagner bitte.« Er wedelte mit seiner Zigarettenspitze, um die Aufmerksamkeit von einem der beiden Barkeeper auf sich zu lenken. »Und auch ein Glas für meinen Freund.«

»Scotch«, korrigierte ihn Jed. »Mit Eis.«

»Scotch mit Eis?« Indigos mandelförmige Augen glänzten. »Natürlich, ich hätte es sofort bemerken müssen. Schauspieler sind Sie – Bühne, ganz klar – aus New York.«

Jed nahm seinen Drink und legte einen Dollar Trinkgeld auf den Teller. Manchmal, entschied er, war es am besten, einfach mitzuspielen. »Ja, unter anderem«, murmelte er, nahm seinen Drink und flüchtete.

Das Foyer des Liberty Theaters war dem gotischen Stil nachgeahmt; Stuckleisten, verschnörkelte Wandverzierungen und vergoldete Puttenköpfe. Über den Türen, die in den Zuschauerraum führten, prangten Bronzemasken aus Komödie und Tragödie.

Das Publikum, das an diesem Abend das Theater bevölkerte, schien wild entschlossen zu sein, sich gegenseitig an lautstarker Heiterkeit zu überbieten. Im Foyer schwebte eine Duftwolke, zusammen gesetzt aus Parfüm, Rauch und Popcorn. Dora hätte Jed erklärt, dass es schlicht und einfach nach Theater roch.

Die Garderobe der umherflanierenden Gäste reichte vom Abendanzug bis zu abgetragenen Jeans. Eine ganz in Schwarz gekleidete Dreiergruppe hockte zusammengedrängt in einer Ecke auf dem Boden, einer von ihnen rezitierte aus einem Gedichtband von Emily Dickinson. Durch die offenen Flügeltüren hörte Jed die Band eine flotte Interpretation des alten Stones-Songs ›Brown Sugar‹ schmettern.

Ein Winterball war das hier nicht, stellte er fest.

Alle verfügbaren Beleuchtungen im Zuschauerraum waren in Betrieb. Die Gäste drängten sich in den Gängen, tanzten oder standen in Grüppchen zusammen, aßen oder plauderten, während die Band auf der Bühne fetzige Rockmusik machte.

In den Rängen und auf den Balkonen tummelten sich

weitere Partygäste, die den Geräuschpegel dank der exzellenten Akustik des Theaters gewaltig steigerten.

Instinktiv dachte Jed über maximale Zuschauerzahlen und Feuerschutzbestimmungen nach, ehe er sich auf den Weg machte, um Dora in diesem Meer von Menschen zu finden.

Festivitäten dieser Art hatten noch nie zu Jeds Vorlieben gehört. Dazu hatte es in seiner Kindheit zu viele gesellschaftliche Ereignisse gegeben, an denen er gezwungenermaßen hatte teilnehmen müssen, zu viele demütigende Auseinandersetzungen zwischen seinen Eltern. Er hätte sich viel lieber einen gemütlichen Abend zu Hause gemacht, aber nachdem er sich nun schon einmal hierher gequält hatte, konnte Dora ihm wenigstens Gesellschaft leisten.

Wenn sie nicht so früh zu dieser Party aufgebrochen wäre – sie hatte ihrer Mutter bei den Vorbereitungen helfen müssen – hätte er mit ihr gemeinsam fahren und ein Auge auf sie haben können. Die Vorstellung, dass sie alleine unterwegs war, solange dieser Kerl noch frei herumlief, behagte ihm überhaupt nicht. Und obgleich sie auf dieser Party nicht allein war, machte er sich trotzdem Sorgen um sie. Deshalb war er ja auch gekommen.

Zwei Partys in einer Woche! Jed nippte an seinem Scotch und bahnte sich seinen Weg in den vorderen Teil des Theaters. Das war mehr, als er sich freiwillig in einem ganzen Jahr zugemutet hätte.

Als er nicht umhin konnte, sich zwischen zwei Walküren durchzuschlängeln, die ihm sofort eines dieser lächerlichen Papphütchen aufsetzen wollten – was er ablehnte –, überlegte er sich ernsthaft, ob er nicht auf dem Absatz umkehren und flüchten sollte. Doch dann sah er sie. Sie thronte mitten auf der Bühne und war in eine, wie es schien, intensive Unterhaltung mit zwei anderen Damen vertieft.

Sie hatte ihre Frisur verändert, bemerkte Jed. Das Haar war zu einem wilden Lockengebilde auf ihrem Kopf aufgetürmt, das sich jeden Moment aufzulösen drohte. Sie hatte auch ihre Augen anders geschminkt, dachte er, während er zusah, wie sie die Hand einer ihrer Freundinnen ergriff und lauthals auflachte. Dora hatte sie größer und dunkler geschminkt, sie wirkten geheimnisvoll und erinnerten an eine Zigeunerin. Ihre Lippen leuchteten in einem gefährlichen Rot. Sie trug einen schwarz-silbernen Overall mit Stehkragen, langen Ärmeln und engen Hosen, der sich wie eine zweite Haut an ihren Körper schmiegte und äußerst reizvoll aussah. Bei jeder ihrer Bewegungen fingen die silbernen Pailletten das Scheinwerferlicht der Bühnenbeleuchtung ein und reflektierten die Strahlen wie ein Feuerwerkskörper.

Und Dora war sich dieser Wirkung natürlich voll bewusst, mutmaßte Jed. Sie mochte zwar der Bühne den Rücken gekehrt haben, doch verstand sie es aber immer noch, sich in Szene zu setzen.

Der unwiderstehliche Drang, sie zu berühren, ergriff ihn wie eine Flutwelle, und der damit einhergehende lustvolle Schauder blendete für einen Augenblick alles andere um ihn herum aus.

Er stellte sein Glas auf einer Armlehne ab und kämpfte sich durch die Menschenmassen.

»Aber er ist dennoch ein routinierter Schauspieler«, sagte Dora und grinste dabei. »Freilich, wenn's ans Proben geht, würde er sich am liebsten jedes Mal seine Grippe nehmen. Ich möchte wirklich gerne wissen, was passiert ist, nachdem er …« Sie verstummte, als ein Paar Hände unter ihre Achseln griffen und sie von der Bühne hoben. Sie konnte nur einen kurzen Blick auf Jeds Gesicht werfen, bevor er sie küsste. Eine Welle gieriger Leidenschaft wallte in ihr auf, durchlief ihren ganzen Körper und hatte ihren Herzschlag völlig aus dem Rhythmus gebracht, als er sich von ihr löste.

»Oh, hallo.« Schwankend hielt sie sich an seinem Arm fest, um das Gleichgewicht nicht zu verlieren. In ihren hochhackigen Pumps war sie beinahe genauso groß wie er, und die Intensität seines Blicks ließ ihr Herz synchron mit dem harten Beat schlagen, der aus den Lautsprechern dröhnte. »Schön, dass du kommen konntest. Ich – äh – das ist …«

Sie drehte sich zu ihren Freundinnen um und verstummte.

»Entschuldigt uns.« Jed zog sie hinter sich her in eine weniger bevölkerte Ecke. Ruhig war es hier zwar auch nicht gerade, aber wenigstens mussten sie sich nicht anbrüllen. »Wie würdest du dieses Teil bezeichnen, das du da trägst?«

»Das?« Sie warf einen Blick auf ihren funkelnden Anzug und sah ihm dann freundlich in die Augen. »Als sexy. Gefällt es dir?«

»Das sage ich dir, sobald ich meine Gefühle wieder unter Kontrolle habe.«

»Bisweilen kannst du wirklich ungeheuer poetisch sein, Skimmerhorn. Möchtest du einen Drink? Etwas essen?«

»In den Genuss eines Drinks bin ich bereits gekommen. Ein Zwei-Meter-Mann in rotem Leder hat mich an der Tür abgefangen und ist mir gleich um den Hals gefallen.«

»Indigo.« Ihre Augen leuchteten. »Ein überaus geselliger Bursche.«

»Hat mich sofort als arbeitslosen Schauspieler aus New York geoutet.« Er zupfte leicht an einer ihrer Locken und fragte sich, wie fest er wohl ziehen musste, damit sich die ganze Pracht über ihre Schultern ergoss.

»Indigo ist ein bisschen schrill, aber ein hervorragender Regisseur, und er hat Augen wie ein Luchs. Gut, dass du ihm nicht erzählt hast, dass du ein Cop bist.« Sie nahm Jed an der Hand und führte ihn hinter die Bühne, wo eine weitere Bar und ein Buffet aufgebaut waren. »Er kann Cops nicht leiden.«

»Ich bin doch gar keiner.« Er wollte zuerst einen zweiten Scotch bestellen, entschied sich dann aber für ein Club Soda, während Dora um ein Glas Champagner bat. »Weshalb kann er sie denn nicht leiden?«

»Oh, er hat früher nebenbei in einem dieser Clubs gearbeitet – als Rausschmeißer. Die Cops machten irgendwann einmal eine Razzia im Hinterzimmer und sperrten ihn ein.« Sie legte den Kopf schief, zog die Schultern hoch und imitierte Indigo perfekt. »Schätzchen, das war eine grauenhafte Erfahrung. Weißt du überhaupt, was das für Leute sind, die sie in diese Zellen sperren?«

»Ja. Kriminelle.«

»Sag ihm das bloß nicht. Ich war es, die die Kaution für ihn hinterlegte und ihn dort wieder rausholte. Und ich sage dir, der Mann war ein seelisches Wrack.« Während sie sprach strich sie Jeds Hemdkragen glatt. »Für dich ist das vielleicht schwer nachvollziehbar, da du Zellen nur von außen kennst.«

»Ich kenne die schwedischen Gardinen von beiden Seiten.«

»Ach, na gut.« Mit einer routinierten Bewegung strich sie ihm eine Strähne aus der Stirn. »Das musst du mir irgendwann einmal ausführlicher erzählen.«

»Vielleicht tue ich das. Hast du mich jetzt genug gestriegelt?«

»Ja. Du siehst gut aus in Schwarz – fast ein bisschen rebellisch. So wie James Dean.«

»Der ist tot.«

»Ja, natürlich. Ich meine, wenn er die Dreißig erlebt hätte.« Ihr Lächeln war nachdenklich amüsiert. »Sind alle Cops solche Pedanten und Haarspalter, oder nur du?«

»Als Cop hast du es mit der Realität zu tun. Und ich halte mich lieber an Tatsachen als an Fantasien.«

»Zu schade. Ich habe einen Großteil meines Lebens in der Fantasie gelebt.«

Sie pflückte ein Radieschen vom Büffet und ließ es zwischen den Zähnen knacken. »Ich für meinen Teil ziehe die Fantasie der Realität vor.«

»Du warst ja auch Schauspielerin.«

Ihr Lachen, das auf die seine Worte folgte, war so kühl wie der Champagner. »Muss ich dich daran erinnern, dass ich eine Conroy bin? Ich stehe zwar heute nicht mehr auf der Bühne, aber ich bin trotzdem Schauspielerin geblieben.«

Sie beugte sich zu ihm und nagte verspielt an seinem

Ohrläppchen. »Falls du je den Drang verspüren solltest, die Bretter, die die Welt bedeuten, zu betreten, könnte ich mich versucht fühlen, ebenfalls einen Part zu übernehmen.«

Sein Verlangen nach ihr war grenzenlos. »Warum bleiben wir nicht einfach das, was wir sind?«

»Dann wird die Welt nie erfahren, was in uns steckt.« Sie beäugte skeptisch seinen Drink. »Hör mal, du brauchst dich nicht zurückzuhalten. Wir können mit dem Taxi nach Hause fahren.«

»Ich bleibe bei Soda.« Er legte eine Hand unter ihr Kinn. »Ich möchte einen klaren Kopf haben, wenn ich dich heute Nacht verführe.«

»Oh.« Dora hob zitternd ihr Glas. »Aha.«

Er grinste. »Na, hast du deinen Text vergessen, Conroy?«

»Ich … äh …«

»Isadora!«

Jed erblickte eine beeindruckende Rothaarige, die in ein grünes, glitzerndes Etwas gekleidet war, das sich eng um ihren edlen Körper schmiegte und sich ab Kniehöhe in steifen, fächerartigen Falten um ihre Figur bauschte. Die Art, wie die Dame auf sie zugesegelt kam, ließ Jed unwillkürlich an eine ihrem feuchten Element entflohene Nixe denken.

Zutiefst dankbar für Trixies perfektes Timing, atmete Dora erleichtert auf und drehte sich dann zu ihrer Mutter um. »Probleme?«

»Der Typ vom Partyservice ist eine Bestie. Gott allein weiß, warum ich ihn immer wieder anheuere.« Sie warf einen Blick über die Schulter, der Stahl hätte schmelzen können. »Er weigerte sich standhaft, sich meine Meinung über die Anchoviscreme auch nur anzuhören.«

Da Will im Augenblick an der Reihe war, ihre Mutter von den Catering-Leuten fern zu halten, sah Dora sich kurz um. Ihr kleiner Bruder war ein toter Mann, entschied sie wütend. »Wo ist Will?«

»Oh, auf und davon mit diesem hübschen Ding, das er

sich aus New York mitgebracht hat.« Trixie warf in einer dramatischen Geste die Hände in die Höhe, sodass die bunten Kugeln an ihren Ohren aufgeregt zu tanzen begannen. Die Krise am Büffet ließ ihr keine Zeit, sich an Namen zu erinnern. »Du weißt schon, das Model.«

»Miss Januar«, zischte Dora leise.

»So, und jetzt zu dieser Anschoviscreme«, begann Trixie und holte tief Luft, um eine längere Klagerede vom Stapel zu lassen.

»Mom, du hast Jed noch gar nicht kennen gelernt.«

»Jed?« Abwesend überprüfte ihre Mutter den Sitz ihrer Frisur. Und während sie ihn noch mit einem musternden Blick streifte, ging in ihrem Gesicht eine augenfällige Veränderung vor sich. Sie hob kaum merklich das Kinn, senkte die dichten, seidigen Wimpern und warf ihm aus halb geschlossenen Lidern einen verträumten Blick zu. Flirten war Trixies Ansicht nach eine Kunst, die wohl verstanden sein wollte. »Ich bin entzückt, Sie kennen zu lernen.«

Jed wusste, was von ihm erwartet wurde, als er ihre Hand nahm. Artig deutete er einen Handkuss an. »Das Vergnügen ist ganz meinerseits, Mrs. Conroy.«

»Oh, nennen Sie mich bitte Trixie«, säuselte sie mit singender Stimme. »Sonst fühle ich mich so alt und gesetzt.«

»Das kann ich mir bei Ihnen aber gar nicht vorstellen. Ich habe Sie letztes Jahr in *Hello Dolly* gesehen. Sie waren großartig.«

Trixies Wangen überzogen sich mit einer leichten Röte. »Oh, wie nett von Ihnen. Ich liebe die Rolle der Dolly Levi; sie ist so ausdrucksstark.«

»Sie haben sie hinreißend gespielt.«

»Ja.« Sie seufzte in Erinnerung daran. »Ich mag ihn, Dora. Sagen Sie, Jed – du liebe Güte, haben Sie aber große Hände!«

»Mom.« Nachdem Jed sich so nett benommen hatte, empfand Dora Mitleid mit ihm. »Jed ist mein neuer Mieter.«

»Der Mieter – der Mieter!« Augenblicklich überfluteten sie mütterliche Gefühle. »Ach, mein lieber, lieber Junge!«

Von Dankbarkeit überwältigt, schlang Trixie die Arme um Jeds Nacken. Sie hatte einen Griff wie ein Schraubstock. »Ich stehe so tief, so unaussprechlich tief in Ihrer Schuld.«

Dora fuhr sich lachend mit der Zungenspitze über die Zähne, als Jed ihr einen hilflosen Blick zuwarf.

»Dazu besteht überhaupt keine Veranlassung«, erwiderte er und klopfte ihr unbeholfen auf den Rücken. »Ich habe einfach nur auf eine Anzeige geantwortet.«

»Sie haben meine geliebte Isadora vor diesem grauenvollen Einbrecher beschützt.« Trixie beugte sich zurück, wie um Anlauf zu holen, und küsste ihn herzhaft auf beide Wangen. »Wie können wir es Ihnen je vergelten, dass Sie diesen Unhold vertrieben und unser kleines Mädchen davor bewahrt haben, ausgeraubt zu werden?«

Jed funkelte Dora über die Schultern ihrer Mutter hinweg an. Dora sah einfach weg.

»Ich werde ein Auge auf sie haben«, meinte er bedeutungsvoll. »Machen Sie sich keine Sorgen.«

»Sich um das Wohl seiner Kinder zu sorgen, ist nun mal das Los einer Mutter, mein Lieber.« Trixie setzte ein trauriges Lächeln auf und seufzte.

»Da bist du ja, meine Passionsblume.« Angetan mit Frack und weißer Fliege, kam Quentin auf sie zustolziert, immer noch festen Schritts, obwohl er schon zwei Barkeeper reichlich auf Trab gehalten hatte. Er gab seiner Frau einen so langen, leidenschaftlichen Kuss, dass Jed unwillkürlich die Stirn runzelte. »Ich bin gekommen, um meine Braut zu einem Tanz zu entführen.«

»Gern, Schatz.« Trixie legte ihre Arme um ihn, und so entschwebten sie im Tangoschritt.

»Hast du den jungen Mann kennen gelernt, den ich für Izzy ausgesucht habe?«

»Ja, gerade eben.« Bei der nächsten Drehung warf Trixie den Kopf in den Nacken und Jed einen strahlenden Blick zu. Wenn plötzlich eine Rose zwischen ihren Zähnen erblüht wäre, hätte sich Jed nicht gewundert. »Du hast einen vortrefflichen Geschmack.«

»Izzy, führ Jed doch einmal durchs Theater. Unser be-

scheidenes Heim hat mehr zu bieten als nur eine Bühne.«
Quentin winkte ihnen zu, zog seine Frau an sich und tanzte wieder von dannen.

»Passionsblume?«, fragte Jed nach einer Weile.

»Sie lieben solche Metaphern.«

»Offensichtlich.« Er konnte sich nicht erinnern, dass seine Eltern jemals auch nur die unpersönlichste Umarmung ausgetauscht hätten, geschweige denn einen so innigen Kuss. Die einzigen leidenschaftlichen Gefühlsregungen, die er bei ihnen erlebt hatte, waren zynische Beleidigungen und wortgewaltige Streits gewesen, bei denen alle Arten von Geschirr durch die Räume geflogen waren.

»Du hast mir gar nicht erzählt, dass du schon einmal hier gewesen bist.«

»Was?«

»Im Theater«, betonte sie, seine Aufmerksamkeit wieder auf sich lenkend. »Hello Dolly?«

»Du hast mich auch nicht danach gefragt.« Er führte Dora ein paar Schritte von der voll besetzten Bar weg. »Du hast ihr nichts erzählt, stimmt's?«

»Ich wollte sie nicht unnötig aufregen. Schau mich nicht so komisch an«, sagte sie schnippisch. »Du hast doch gesehen, wie sie allein bei dem Gedanken an den Einbruch reagiert hat. Kannst du dir vorstellen, was los wäre, wenn ich ihr erzählen würde, dass der Kerl mir eine Pistole unter die Nase gehalten hat?« Als er nicht antwortete, fing sie an, ungeduldig mit der Schuhspitze zu wippen. »Ich werde es ihr schon noch erzählen, aber auf meine Weise.«

»Das ist deine Sache«, meinte Jed und zündete sich eine Zigarette an. »Aber wenn sie es von jemand anderem erfährt, wird es nur noch schlimmer.«

»Darüber will ich mir im Augenblick nicht den Kopf zerbrechen.« Sie schnappte sich seine Zigarette, nahm einen hastigen Zug und gab sie ihm zurück. »Machen wir lieber eine Ortsbesichtigung. Also, das Gebäude wurde Mitte des neunzehnten Jahrhunderts erbaut und war früher einmal ein bekanntes Varieté.«

Sie führte ihn einen schmalen Korridor entlang. »Mit

dem Ende der Vaudeville-Ära hatte auch für das Theater das letzte Stündchen geschlagen, und es entging mehr als einmal gerade noch dem Abriss. Nachdem …« Sie stieß eine der Garderobentüren auf und fixierte, die Hände in die Hüften gestemmt, Will, der sich eilig aus einer leidenschaftlichen Umarmung schälte. »Auf Fahnenflucht«, erklärte sie ihm, »steht der Strang.«

Grinsend legte Will den Arm um eine kurvenreiche Dame in einem winzigen roten Kleid. »Lorraine hat mir geholfen, meinen Text einzustudieren. Muss einen Reklamespot für Mundwasser machen.«

»Du hast deinen Posten unerlaubt verlassen, Will. Ich habe meine Schicht schon geschoben, und Lea kommt nicht vor Mitternacht.«

»Ist ja gut.« Mit seiner Flamme im Schlepptau zwängte sich Will durch die Tür. »Man sieht sich.«

Jed machte aus seiner Bewunderung für Lorraines Hüften keinen Hehl, die bei jedem ihrer Schritte hin und her schwangen wie ein Uhrpendel.

»Heb deine Augen wieder auf, Skimmerhorn«, riet ihm Dora. »Sonst latscht noch jemand drauf.«

»Gleich.« Er drehte sich erst wieder zu Dora um, als Lorraine aus seinem Sichtfeld verschwunden war. »Welchen Posten?«, erkundigte sich Jed.

»Den Wachposten an der Küchentür. Damit Mutter den Partyservice nicht vergrault. Komm mit, wir gehen hinauf auf den Schnürboden. Von dort aus hat man einen sensationellen Blick auf die Bühne.«

Im weiteren Verlauf des Abends hörte Jed auf, sich über sich selbst zu wundern, er amüsierte sich tatsächlich. Obwohl er Massenansammlungen von vielen Menschen verabscheute, auf Partys und Small-Talk mit wildfremden Leuten generell verzichten konnte, verspürte er nicht das Verlangen, diesen Ort möglichst schnell wieder zu verlassen. Und als er auf dem ersten Balkon die Chapmans traf, stellte er fest, dass diese sich ebenfalls bestens unterhielten.

»Hallo, Jed.« Mary Pat küsste ihn und lehnte sich gleich wieder über die Brüstung, um nichts von dem zu verpassen, was da unten vor sich ging. »Was für eine Party. So ein tolles Fest habe ich noch nie miterlebt.«

Jed riskierte ebenfalls einen Blick nach unten. Ein Schwarm von Menschen, ein Meer von Farben und jede Menge Krach. »Ja, die Conroys sind recht – ungewöhnliche Leute.«

»Was erzählst du mir? Ich habe Leas Vater kennen gelernt. Wir haben Jitterbug getanzt«, lachte sie und bekam dabei rote Wangen. »Ich wusste gar nicht, dass ich so was tanzen kann«

»Sie musste auch nicht viel mehr tun, als sich an ihm festzuhalten«, kommentierte Brent trocken. »Dieser alte Knabe hat wirklich was drauf.«

»Der hat bestimmt auch genug getankt.« Jed warf einen Blick auf Quentin, der jetzt ein Partyhütchen verwegen schief auf dem Kopf balancierte.

»Wo ist Dora?«, fragte Brent. »Ich habe sie noch gar nicht gesehen.«

»Sie wirbelt irgendwo da unten rum. Indigo wollte mit ihr tanzen.«

»Indigo?« Mary Pat beugte sich noch ein Stück weiter über die Balkonbrüstung, um wildfremden Leuten zuzuwinken und Konfetti in die Menge zu werfen.

»Der ist kaum zu verfehlen. Ein riesengroßer Schwarzer mit Spiegelglatze und rotem Lederoutfit.«

»Oh. Ooh«, wiederholte sie, nachdem sie ihn entdeckt hatte.

»Mein Gott, ich wünschte, ich könnte so gut tanzen wie er.«

Sie stützte die Ellbogen auf die Brüstung und wiegte ihre Hüften zum Takt der Musik.

»Hat sich schon irgendetwas ergeben«, wollte Jed von Brent wissen.

»Ist noch zu früh.« Brent trank sein Bier aus. »Wir geben das Bild an alle Dienststellen weiter. Falls der Bursche schon was auf dem Kerbholz hat, werden wir es nach den

Feiertagen wissen. Hab mich selbst schon auf die Socken gemacht und im Archiv alle bekannten Sexualtäter, Einbrecher und Ladendiebe durchgeforstet. Fehlanzeige bis jetzt.« Brent starrte in sein leeres Glas. »Komm, wir holen uns ein Bier.«

»Oh, nein, mein Lieber.« Mary Pat wirbelte herum und hielt Brent am Arm fest. »Du wirst jetzt mit mir das Tanzbein schwingen, Lieutenant. Es ist gleich Mitternacht.«

»Können wir nicht hier oben bleiben und uns gegenseitig abknutschen?« Brent schlurfte wie ein alter Greis, als Mary Pat ihn hinter sich herzerrte. »Warte, vielleicht tanzt Jed mit dir.«

»Tut mir Leid, muss meine eigene Dame betanzen.«

Als die drei sich mit Hilfe ihrer Ellbogen und energischem Geschiebe zur Tanzfläche hinuntergearbeitet hatten, brüllte der Sänger in sein Mikrofon, um die Menge zum Schweigen zu bringen.

»Alles mal herhören! Es ist noch eine Minute bis Null Uhr, also schnappt euch euren jeweiligen Partner – oder ein hübsches Lippenpaar – und macht euch für den Countdown bereit.«

Jed ignorierte das Gebrüll und ein paar recht verlockende Angebote allein stehender Damen und schob sich wie ein Eisbrecher durch die Menge.

Er entdeckte sie auf der rechten Bühnenseite, wo sie mit ihrem Bruder Champagnergläser füllte. Sie stellte eine leere Flasche ab, nahm sich eine volle und vergewisserte sich dass alle Mitglieder der Band ein volles Glas zum Anstoßen hatten. Dann sah sie Jed.

»Will.« Die Augen fest auf Jed geheftet, drückte sie ihrem Bruder die Flasche in die Hand. »Du musst jetzt allein weitermachen.«

»Hier ist gleich die Hölle los!«, brüllte er ihr hinterher, aber Dora war bereits verschwunden.

»Los geht's, Leute!«, schallte die Stimme des Sängers durchs Theater. »Zählt alle mit. Zehn, neun, acht, sieben …«

Sie beugte sich vornüber, stützte die Hände auf Jeds Schultern, er griff nach ihren Hüften.

»Sechs, fünf …«

Die Wände zitterten. Sie machte einen Schritt ins Leere, hinaus in den kunterbunten Konfettiregen, spürte, wie seine Muskeln sich verspannten, als sie ihm das Haar zurückstrich, und ihre Beine sich um seine Lenden schlangen.

»Vier, drei …«

Zentimeter für Zentimeter glitt sie an seinem Körper herab, verlor sich immer heftiger atmend in seinem Blick.

»Zwei, eins …«

Ihr Mund öffnete sich dem seinen, heiß und hungrig. Laute der Lust und des Wohlbehagens mischten sich mit den explodierenden Jubelrufen der Feiernden. Mit einem Seufzer veränderte sie den Winkel ihres Kusses, tauchte tiefer in ihn ein, beide Hände in seinen Haaren vergraben. Ganz langsam ließ er sie zu Boden gleiten, sicher, dass demnächst etwas in ihm explodieren würde – Kopf, Herz, Lenden. Selbst als sie auf ihren Füßen stand, blieb ihr Körper so sehr mit dem seinen verschmolzen, dass er ihn beinahe schmerzvoll spürte.

Sie schmeckte rassiger als Whiskey, moussierender als Champagner. Jetzt verstand er, dass ein Mann sich tatsächlich an einer Frau berauschen konnte.

Er entzog ihr seinen Mund, hielt sie aber fest an sich gepresst. Ihre Lider waren halb geschlossen, ihr Mund leicht geöffnet.

»Gib mir noch einen«, murmelte sie.

Doch ehe er ihrer Bitte nachkommen konnte, war Quentin neben ihnen aufgetaucht und hatte seine Arme um ihre Schultern gelegt. »Ein gutes neues Jahr, mes enfants!« Er hob seine Stimme. »Läute das alte aus, das neue ein. Läutet, fröhliche Glocken, über den Schnee: Das alte Jahr hat sich verabschiedet, lasst es ziehen. Vergesst die Lügen, begrüßt die Wahrheit.«

»Tennyson«, flüsterte Jed, seltsam berührt, und Quentin strahlte ihn an.

»Richtig.« Er küsste erst Dora, dann Jed mit gleicher Innigkeit. Bevor Jed sich noch von dem Kuss erholen konnte, stand Trixie neben ihnen.

»Feste feiern ist herrlich«, jauchzte sie und verteilte verschwenderisch ihre Neujahrsküsse. »Will, komm her und gib deiner Mutter einen Kuss.«

Will gehorchte, hüpfte mit einem zirkusreifen Sprung von der Bühne, legte eine elegante Verbeugung vor Trixie hin, küsste sie, dann seinen Vater und wandte sich anschließend an Jed.

Der machte sich steif wie ein Brett. »Ich möchte mich nicht mit dir schlagen müssen.«

Will grinste nur. »Tut mir Leid, wir sind eine sehr emotionale Familie.« Trotz der Warnung drückte er Jed an die Brust und klopfte ihm den Rücken. »Ah, da sind ja Lea und John.«

Jed, dem alles etwas unangenehm war, machte einen Schritt rückwärts, doch die Bühne versperrte ihm jeden Fluchtweg. Also streckte er die Waffen, ließ sich mit philosophischem Gleichmut von Lea küssen und von John umarmen, dem er noch nicht vorgestellt worden war.

Dora, die Jed beobachtete und alle Gefühlsregungen registrierte, die sich in seinem Gesicht spiegelten, lachte fröhlich und schnappte sich ein volles Glas Champagner.

Auf dein Wohl, Skimmerhorn. Das war noch gar nichts.

DiCarlo focht einen langen, qualvollen Todeskampf aus. Winesap hatte geduldig gewartet und dabei sein Möglichstes getan um, die dünnen Hilferufe, die im Delirium gestammelten Gebete und gurgelnden Seufzer zu überhören.

Er wusste nicht, inwiefern Finley die Hausangestellten instruiert hatte. Er wollte es auch gar nicht wissen. Aber er hatte in diesen endlosen drei Stunden des Wartens mehrmals inbrünstig darum gebetet, dass DiCarlo Klasse zeigen und bald sterben möge.

Dann, als die Abenddämmerung heraufzog und die grässlichen Laute draußen verstummt waren, wünschte er sich, dass DiCarlo sich mehr Zeit damit gelassen hätte. Die Pflicht, die er jetzt zu erfüllen hatte, behagte ihm gar nicht.

Seufzend verließ er das Haus, ging an dem ausgestreckt daliegenden Körper vorbei, über die südliche Wiese auf den Geräteschuppen zu.

Bescheiden hatte er Finley gefragt, ob es dort so etwas wie eine Plastikdecke oder Plane gäbe.

Finleys Anweisungen folgend fand er eine große Rolle Abdeckfolie, die mit weißer Farbe gesprenkelt war. Seine Wirbel knacksten unter dem Gewicht, als er die Rolle auf seine Schultern hievte, um dann in den Garten und zu seiner grässlichen Pflicht zurückzukehren.

Es fiel ihm überraschenderweise leicht, seine Aufgabe zu erfüllen. Er brauchte sich nur vorzustellen, dass er es war, der da mit leeren Augen in den Himmel starrte, und schon belastete ihn das Ganze kaum noch.

Er breitete die Folie auf den weißen, blutbespritzten Kieselsteinen aus. Und die Fliegen … Nun, alles in allem, stellte Winesap fest, war es wirklich eine widerliche Arbeit, die er da zu erledigen hatte.

In gebückter Haltung und schwer atmend, rollte er DiCarlos Leichnam so lange über den Kies, bis er in der Mitte der Folie lag. Dann gönnte er sich eine kurze Pause. Körperliche Arbeit strengte ihn immer sehr an. Er faltete ein Taschentuch auseinander und wischte sich damit über Stirn und Nacken. Mit gerümpfter Nase ließ er es dann fallen und schob es unter DiCarlos Leiche.

Er ging wieder in die Hocke, sorgsam darauf bedacht, sich nicht mit Blut zu beschmieren, und angelte mit spitzen Fingern nach DiCarlos Brieftasche. Nach kurzer Überlegung beschloss er, diese bei erstbester Gelegenheit zu verbrennen. Resigniert untersuchte er anschließend DiCarlos Taschen, um sich zu vergewissern, dass er alles entfernt hatte, anhand dessen man die Leiche würde identifizieren können.

Aus einem Fenster im zweiten Stock des Hauses drangen die leisen Klänge einer italienischen Oper an sein Ohr. Finley kleidete sich für den abendlichen Empfang um, dachte Winesap abwesend.

Zum Glück war morgen Feiertag.

17. Kapitel

Die Nacht war glasklar, die Luft kalt und scharf. Die dünne Eisschicht auf den Seitenscheiben des Thunderbird glitzerte im Schein der Straßenlaternen wie ein vereistes Spinnennetz. Aus dem Theater drang die Musik bis hinaus auf die Straße und bereicherte B. B. Kings ›Blue Monday‹ um eine Lage tiefer Basstöne.

Die Wärme, der Blues, die geruhsame nächtliche Autofahrt hätten Dora in den Schlaf wiegen können, wären ihre Nerven nicht zum Zerreißen gespannt gewesen. Um dieser knisternden Nervosität irgendwie Herr zu werden, erging sie sich in endlosen Kommentaren über die Party, die Leute, die Musik, die so gut wie keine Antwort von Jed verlangten.

Als er den Wagen in den Hinterhof lenkte, hatte sie sich nahezu leer geplappert.

»Es ist alles in Ordnung, nicht wahr?«, fragte sie.

»Was soll in Ordnung sein?«

Ihre Finger spielten nervös mit dem Abendtäschchen. »Die Leute, die Brent zur Bewachung abgestellt hat.«

»Ist es das, was dich so in Hochspannung versetzt?«

Sie betrachtete das Gebäude, den Lichtkegel über der Hintertür, das von der Stehlampe erleuchtete Fenster, die sie hatte brennen lassen. »Ich habe mich sehr bemüht, heute Abend so wenig wie möglich daran zu denken.«

»Alles okay.« Er beugte sich zu ihr hinüber, um ihren Sicherheitsgurt zu lösen. »Sie waren beide da.«

»Gut. Das ist gut.« Doch ihr Nervenkostüm vibrierte immer noch. Schweigend stiegen sie aus und gingen auf das Haus zu.

Sie hasste es, so aus dem Häuschen zu sein, ärgerte sich darüber, während Jed die Haustür aufschloss. Doch ihre Aufregung hatte nichts mit Einbrechern oder Wachposten zu tun. Sie bezog sich auf das, was geschehen würde, sobald sie im Haus und allein waren.

Sie betrat den Flur und kramte auf dem Weg zu ihrer Tür die Schlüssel aus der Handtasche. Sie wollte ihn, wünschte sich sehnlichst, das zu Ende zu führen, was zwischen ihnen begonnen hatte.

Und dennoch …

Jed nahm ihr die Schlüssel aus den zitternden Händen und sperrte ihre Tür auf.

Er tat das wegen der Kontrolle, überlegte sie, als sie ihren Mantel auszog und ihn über eine Stuhllehne warf. Bis jetzt hatte sie stets dafür gesorgt, dass sie in jeder Beziehung das Ruder in der Hand behielt, hatte sie die Richtung bestimmt, in die das Ganze laufen sollte. Doch bei Jed saß sie nicht am Steuer, und das wussten sie beide.

Sie hörte, wie er die Tür hinter ihnen zumachte und absperrte. Und wieder spürte sie ein nervöses Prickeln.

»Möchtest du einen Drink?« Ohne sich umzudrehen, marschierte sie auf die Brandyflasche zu.

»Nein.«

»Nein?« Ihre Hand, die bereits nach der Karaffe greifen wollte, fiel herunter. »Ich auch nicht.« Sie ging zur Stereoanlage, stellte den CD-Player an, ohne zu wissen, welche Scheibe sich noch in dem Gerät befand. Bessie Smith fuhr da fort, wo B. B. King aufgehört hatte.

»Ich muss in den nächsten Tagen den Baum wegräumen.« Sie streckte die Hand aus und berührte eine Schleife. »Am Dreikönigstag. Alles wegpacken und ein paar Zweige im Kamin verbrennen. Das macht mich jedes Mal ein bisschen traurig.« Sie zuckte zusammen, als sie Jeds Hände auf ihren Schultern fühlten.

»Du bist nervös.«

»Ich?«, lachte sie schrill und wünschte, sie hätte sich irgendetwas Trinkbares eingeschenkt, um die trockene Hitze aus ihrer Kehle zu spülen.

»Das gefällt mir.«

Dora, die sich unheimlich albern vorkam, drehte sich zu ihm um und brachte ein kleines Lächeln zustande. »Das glaube ich dir aufs Wort. Gibt dir ein Gefühl von Überlegenheit, wie?«

»Zum einen.« Er neigte den Kopf und hauchte ihr einen Kuss auf den Mundwinkel. »Es zeigt mir aber auch, dass du diesen Abend so bald nicht vergessen wirst. Komm.«

Er nahm sie an der Hand und führte sie ins Schlafzimmer. Er wollte die Sache ganz langsam angehen, Zentimeter für Zentimeter ihres faszinierenden Körpers entdecken, ihre beiderseitige Nervosität genießen und noch verstärken, bis sie es beide nicht mehr aushielten.

Jed knipste die Nachttischlampe an und ließ seinen Blick auf ihr ruhen. Dora stockte der Atem, als seine Lippen die ihren berührten. Zärtlichkeit war das Letzte, was sie von ihm erwartet hätte, damit war sie ihm ausgeliefert. Ihre Lippen teilten sich, hießen die seinen willkommen.

Sie ließ den Kopf in den Nacken sinken, eine Geste der Kapitulation, die Hitzewellen durch seinen Körper jagte. Doch er spielte weiterhin zärtlich mit ihren Lippen, dehnte den Augenblick verschwenderisch aus.

»Du zitterst«, murmelte er. Er ließ seine Lippen die Linie ihrer Wange nachzeichnen, ließ seine Zunge über weiche, warme Haut gleiten, schwelgte in ihrem Duft.

»Das verursachst du.«

»Kannst Recht haben.« Er brachte seinen Mund zu ihren Lippen zurück, vertiefte seinen Kuss, bis ihr vor Erregung schwindlig wurde. Seufzer, heiseres Murmeln, das Klopfen zweier rasender Herzen.

»Lass mich erst das Bett aufschlagen«, wisperte sie. Doch als sie sich abwandte, einen Schritt zur Seite machte, zog er sie zurück in seine Arme, knabberte mit den Lippen an ihrem Nacken.

»Das kann warten.«

Seine Hände umfassten ihren Bauch, wo sich ihre Begierde zu einem vibrierenden Beben verdichtet hatte. »Ich glaube nicht, dass ich warten kann.«

»Es wird eine Zeit lang dauern.« Seine Hände glitten seitlich an ihrem Körper hinauf und wieder herab. »Und es wird nicht leicht werden.«

»Jed …« Sein Name wurde zu einem Stöhnen. Seine Hände waren jetzt über ihren Brüsten, liebkosten sie, seine

Daumen strichen kreisend über die Spitzen hinweg, während seine Zunge unglaubliche Kunststücke hinter ihrer Ohrmuschel vollführte.

Die Augen geschlossen, ließ sie sämtliche Gedanken an Kontrolle los und hob sich ihm entgegen.

Er knabberte zärtlich an ihr, während er die endlose Knopfleiste öffnete, die vom Hals bis zum Nabel reichte. Sie atmete immer langsamer, immer tiefer, wie in Trance. Seine Finger berührten dabei kaum ihre Haut.

»Den ganzen Abend über habe ich mich gefragt«, begann er leise, den Mund an ihrem Ohr, bemüht, seine Hände unter Kontrolle zu halten, um nicht zu gierig nach ihr zu greifen, »und mir vorgestellt, was sich wohl darunter verbergen mag.«

Ganz langsam zog er den glitzernden Stoff zur Seite, ließ seine Finger über ihren Bauch wandern. Und fand nichts als ihren Körper.

»Donnerwetter!« Er vergrub sein Gesicht in ihrem Haar, ließ die nächste Hitzewelle passieren. Ihre Haut war heiß und weich, ihre Muskeln zitterten hilflos unter seinen Berührungen. Jeder ihrer Schauder setzte sich wellenartig in seinem Körper fort, so eng aneinander gepresst, wie sie da im Schein der Nachttischlampe standen.

Er hatte bislang nicht gewusst, dass Begierde so intensiv, das Verlangen zu geben und zu nehmen, so ungeheuer heftig sein konnte. Er wusste nur, dass er sie besitzen wollte, jeden Zentimeter von ihr, und erst ruhen würde, wenn auch sie sich mit jeder Faser ihres Körpers so verzweifelt nach ihm verzehrte wie er nach ihr.

Verträumt schlang sie einen Arm um seinen Nacken. Es war beinahe wie Fliegen, dachte sie. Mit halb geschlossenen Augen lehnte sie sich an ihn, stolz und verwundert zugleich seinen Händen nachspürend, die sich über ihre Haut tasteten. Sie drehte den Kopf, bis ihr Mund wieder den seinen fand. Ihre Lippen saugten sich an seinen fest, feucht und gierig nach mehr verlangend. Seit geraumer Zeit schon war es ihr nicht mehr möglich, den Punkt zu bestimmen, auf den sich ihre Lust konzentrierte. Ihr ganzer Körper bebte vor Begierde und sinnlichen Empfindungen. Sein Mund, ja, der war eine Oase der Leidenschaft; Lippen, die sich aufeinander pressten, Zungen, die sich berührten.

Da war sein Körper, hart wie ein Felsen, der sich an sie drückte, die sanften Schauder, die von einer gewaltigen Kraft kündeten, die noch seiner Beherrschung unterlag. Diese Hitze, die aus seinen Poren aufstieg und dunkle, verzweifelte Gier erahnen ließ.

Und da waren seine Hände. Gott, diese Hände, die streichelten, formten, Besitz ergriffen, noch zärtlich, aber schon eine Grobheit erahnen ließen, dass sie fürchtete, auch noch den letzten Rest an Beherrschung zu verlieren und um mehr zu betteln.

Sein Atem kam als tiefes, kehliges Stöhnen, und ihr Körper drängte sich an seinen, wiegte sich fordernd in immer schneller werdendem Rhythmus. Ihrer beider Lust nachgebend, ließ er eine Hand langsam ihren Bauch hinunter bis zu ihrem Schoß wandern, berührte sie. Sie war feucht und heiß. Nur mit den Fingerspitzen trieb er sie der Ekstase entgegen. Ihr Körper versteifte sich, bäumte sich auf, hob sich ihm entgegen. Sie schrie auf, als der Höhepunkt sie wie eine wuchtige Flutwelle traf. Ihre Beine gaben nach, er drang noch tiefer in sie ein, stöhnte, als sie in ungläubigem Verzücken aufseufzte.

»Mehr?«

In ihrem Kopf drehte sich alles. Um das Gleichgewicht nicht zu verlieren, klammerte sie sich mit beiden Armen an ihn. »Ja.«

Noch einmal entführte er sie in schwindelnde Höhen, ließ sich mit ihr emportragen, spürte, wie sich seine Lust jedes Mal noch um einige Grade steigerte, wenn sie leise seinen Namen stöhnte. Er wusste jetzt, dass es möglich war, sich ohne einen Tropfen Alkohol bis zur Besinnungslosigkeit zu berauschen. Und dass eine Frau von ihm Besitz ergreifen konnte wie eine Droge. Als sein Verlangen beinahe unerträglich wurde, wirbelte er sie herum, schälte den hautengen Stoff von ihren Schultern.

In seinem Gesicht spiegelte sich eine Wildheit, in seinen Augen eine so ungezügelte Gier, die ihr hätten Angst einjagen müssen. Und obgleich ihr Herz rasende Sprünge vollführte, hatte das nichts mit Angst zu tun.

»Ich will dich.« Ihre Stimme war träge wie Honig, ihre Hände, die ihm das Hemd über den Kopf zogen, alles andere als ruhig. Doch ihre Augen, beinahe auf seiner Höhe, hielten seinen Blick mit sicherer Entschlossenheit. Sie knöpfte seine Jeans auf, warf den Kopf in den Nacken, drängte sich an ihn. »Ich will dich in mir. Jetzt.«

Als Antwort packte er sie an den Hüften und taumelte mit ihr aufs Bett. Sie rollten herum wie balgende Katzen, zerrten ungeduldig an den Kleidern des anderen, bis sich feuchtes Fleisch an feuchtes Fleisch presste. Doch als sie ihn mit den Beinen umklammern, ihn in sich einführen wollte, glitt er behände an ihrem Körper herab. Während sie unter ihm keuchte und stöhnte, weidete er sich an ihr, saugte an ihren Brüsten, bis ihr Unterleib nur noch hilflos zuckte.

Seufzend nach Atem ringend, vergrub sie ihre Finger in seinem Haar, bäumte sich ihm in einer verzweifelten Aufforderung entgegen. »Jetzt. Herrgott noch mal, jetzt!«

Er nahm ihre Brustwarze zwischen die Zähne, zupfte daran, bis sich ihre Nägel in seine Schultern gruben. »Diesmal will ich mehr.«

Doch je mehr er nahm, desto größer wurde sein Begehren. Sie gab alles, rückhaltlos, lieferte sich der verschwenderischen Flut der Gefühle völlig aus. Und noch immer war es nicht genug.

Wie er es sich vorgenommen hatte, erforschte er jeden Winkel ihres Körpers, kostend, liebkosend, besitzergreifend. Was immer er forderte, sie gab es ihm. Was immer sie ihm anbot, er nahm es an.

Er nahm sich Zeit, sie zu beobachten. Der Schein der Lampe fiel über ihre schweißnasse Haut, ließ sie schimmern wie eine ihrer kostbaren Porzellanfiguren. Doch sie war aus Fleisch und Blut, ihre Hände neugierig wie die seinen, ihr Mund nicht minder hungrig.

Das Laken unter ihnen wurde glatt und weich wie warmes Wasser. Musik umgab sie, wimmernde Saxophone, schluchzende Bässe.

Als er in sie hineinglitt, fingen seine Lippen ihr tief aus dem Bauch kommendes Seufzen auf. Langsam, genießend, drang er tiefer und tiefer in sie ein. Schluckte ihr verzweifeltes Stöhnen, entlockte ihr alle Arten von Lauten mit den flinken, köstlichen Spielen seiner Zunge.

Er stützte sich auf die Arme, wollte ihr Gesicht sehen, dieses Aufflackern von ungezügelter Begierde in ihren Augen. Sie kam noch einmal, ihr rhythmisch zuckender Körper, spannte sich so heftig unter ihm, dass ihm der Atem stockte.

Ihre Augen waren geöffnet, sie sah ihn an. Ihre Lippen zitterten, als sie versuchte, Worte zu formen. Er war alles, was sie sehen, alles, was sie fühlen konnte, alles, was sie begehrte. Jeder einzelne Stoß ließ sie erbeben, bis ihr Körper nur noch ein Bündel elektrisch geladener Nervenenden und rasender Triebe war. Er erregte sie, trieb sie höher und höher in die Sphären der schieren Fleischeslust, bis sie ihn wie eine Ertrinkende umklammerte und sich von ihm nehmen ließ, wie und auf welche Weise es ihm beliebte.

Wieder schrie sie auf. Jed vergrub sein Gesicht in ihrem Haar und folgte ihr auf den erlösenden Gipfel der Ekstase.

Die Musik hatte sich geändert. Elton John sang seine Ode an Marilyn. Dora lag wie hingegossen auf dem Bett, ihr betäubter Körper nahm Jeds Gewicht kaum wahr. Sie spürte seine Lippen seitlich an ihrer Brust, und sein Herz, das immer noch raste. Sie fand die Kraft, eine Hand zu heben, über sein Haar und seine Schultern zu streichen.

Diese Berührung, irgendwie mütterlich und zugleich die einer Geliebten, brachte ihn dazu, sich zu bewegen. Er fühlte sich, als sei er gerade einen sehr steilen Berg hinuntergerast und in einer tiefen, warmen Quelle gelandet. Einer Laune nachgebend, küsste er die Wölbung ihrer Brust und beobachtete, wie sie lächelte.

»Bist du okay?«, fragte er sie.

»Nein. Ich kann nichts sehen.«

Jetzt musste er lächeln. »Deine Augen sind ja auch geschlossen.«

»Oh«, machte sie und öffnete sie seufzend. »Gott sei Dank! Ich dachte schon, ich wäre plötzlich erblindet.« Sie drehte sich auf den zerwühlten Laken um und sah auf ihn herab. »Dich nach deinem Befinden zu fragen, kann ich mir offensichtlich sparen, so zufrieden, wie du aussiehst.«

Er stützte sich auf einen Ellbogen, um sie zu küssen. Ihr Haar hatte sich gelöst, fiel ihr nun in wilden Kaskaden über die Schultern, wie er es sich früher am Abend vorgestellt hatte. Ihre Lippen waren geschwollen, ihre Augen schläfrig.

Er spürte, wie sich etwas in ihm regte. Es war nicht wieder erwecktes Verlangen, wie er erwartet hätte, sondern etwas anderes. »Frag trotzdem.«

»Okay.« Sie strich ihm das Haar aus der Stirn. »Und, wie geht's, Skimmerhorn?«

»Gut.«

»Dein blumenreicher Wortschatz verblüfft mich immer wieder.«

Er lachte, küsste sie noch einmal, rollte sich auf die Seite und zog sie an sich. »Zu schade, dass mir gerade keine passende Zeile von Tennyson einfällt.«

Die Vorstellung, dass Jed ihr Gedichte vortragen könnte, ließ sie lächeln. »Wie wär's mit Shelley? ›Ich erstehe auf in deinen Träumen des ersten süßen Schlafs, wenn die Winde leise atmen und die Sterne ihren glitzernden Schein werfen.‹«

Sie beschämte ihn. »Klingt hübsch.« Er hob ihr Kinn für einen süßen, verträumten Kuss an. »Wirklich hübsch.«

Zufrieden mit der Antwort, kuschelte sie sich näher an ihn. »Als Conroy bin ich mit Barden und Dichtern aufgewachsen.«

»Deine Eltern haben gute Arbeit mit dir geleistet.« Lächelnd ließ Dora es geschehen, dass er sie ansah, seine Augen dunkel und intensiv in die Betrachtung ihres Gesichts versunken. »Ich will dich noch einmal.«

»Darauf hatte ich gehofft.«

»Dora, du siehst ja fürchterlich aus!«

»Ach Lea, was würde ich ohne dich tun, die du es so glänzend verstehst, mein Ego aufzubauen?«

Ungerührt stemmte Lea die Hände in die Hüften und musterte das blasse Gesicht und die dunklen Schatten unter den Augen ihrer Schwester. »Vielleicht brütest du ja was aus. Diese Grippe geht immer noch um. Ich finde, du solltest den Laden für heute zusperren.«

Dora kam hinter dem Ladentisch hervor, weil eine Kundin das das Geschäft betrat. »Deine Art zu denken ist der Grund, warum du angestellt bist und ich der Boss bin.« Sie setzte ein sonniges Lächeln auf. »Guten Morgen. Kann ich Ihnen behilflich sein?«

»Sind Sie Dora Conroy?«

»Ja, die bin ich.« Dora streckte ihre Hand aus. Sie wusste, wie blass und erschöpft sie aussah, weil sie zu wenig geschlafen hatte, doch die Frau, die jetzt ihre Hand griff, sah aus, als würde sie jeden Moment zusammenklappen. »Möchten Sie eine Tasse Kaffee? Oder vielleicht einen Tee?«

»Ich …« Die Frau schloss die Augen und zog sich die blaue Skimütze vom Kopf. »Ach, ich würde gerne einen Kaffee trinken, aber ich darf nicht.« Sie legte eine Hand auf ihren leicht gewölbten Bauch. »Eine Tasse Tee wäre fein.«

»Milch? Zitrone?«

»Nein, danke. Ohne alles.«

»Warum setzen Sie sich nicht?«, meinte Dora fürsorglich und führte die Kundin zu einem Stuhl. »Wir lassen heute den Tag etwas ruhiger angehen. Die Feiertagsstrapazen, Sie wissen ja.«

Als ein junges Paar hereingeschlendert kam, gab Dora ihrer Schwester mit einer Handbewegung zu verstehen, sich um die beiden zu kümmern. Sie schenkte inzwischen zwei Tassen Tee ein.

»Vielen Dank. Ich bin Sharon Rohman«, stellte sich die Kundin vor, als sie Dora die Tasse abnahm.

»Verzeihung, ich bin heute nicht ganz auf dem Damm. Oh!« Es traf sie wie ein Faustschlag. Sie setzte sich und griff nach Sharons Hand. »Sie sind Mrs. Lyles Nichte. Es tut mir so Leid, was Ihrer Tante zugestoßen ist. Bei meinen letzten Anruf im Krankenhaus, befand sie sich immer noch im Koma.«

Sharon presste die Lippen aufeinander. »Sie ist letzte Nacht aufgewacht.«

»Oh, das freut mich zu hören.«

»Ihr Zustand ist aber immer noch sehr kritisch. Die Ärzte können nicht sagen, ob oder wann sie wieder gesund wird. Sie – sie ist sehr schwach.«

Doras Augen füllten sich unvermittelt mit Tränen. »Das muss eine schreckliche Zeit für Sie sein. Es gibt nichts Schlimmeres als zu warten.«

»Ja, da haben Sie Recht.« Doras freundliches Mitgefühl half ihr, sich ein wenig zu entspannen. »Wir sind uns immer sehr nahe gestanden, wie Freundinnen. Meine Tante war nach meinem Mann der erste Mensch, dem ich von dem Baby erzählte.«

»Sie sehen so erschöpft aus«, meinte Dora freundlich. »Warum kommen Sie nicht zu mir hinauf in meine Wohnung? Dort können Sie sich ein paar Minuten hinlegen und ausruhen.«

Doras Freundlichkeit trieb Sharon die Tränen in die Augen. »Ich kann nicht lange bleiben. Ich muss zurück ins Krankenhaus.«

»Sharon, wenn Sie sich so verausgaben, tun Sie Ihrem Baby nichts Gutes.«

»Ich bin so vorsichtig wie möglich.« Sie wischte sich mit dem Handrücken eine Träne ab. »Glauben Sie mir, ich befolge alles, was der Doktor mir rät.« Sharon holte tief Luft und meinte dann etwas entspannter: »Miss Conroy ...«

»Dora«

»Dora.« Sie atmete noch einmal langsam ein und aus. »Ich bin vorbeigekommen, um mich für die Blumen zu bedanken, die Sie ins Krankenhaus geschickt haben. Ein wunderschöner Strauß. Tante Alice liebt Blumen. Ihr Garten ist das reinste Blumenparadies. Die Schwestern sagten mir, dass Sie mehrmals angerufen und sich nach meiner Tante erkundigt hätten.«

»Ich bin ja so froh, dass es ihr besser geht.«

»Danke. Aber sehen Sie, ich dachte, ich würde alle ihre Freunde kennen. Darf ich Sie fragen, in welcher Beziehung Sie zueinander stehen?«

»Die Wahrheit ist, dass wir uns nur kurz begegnet sind. Hier. Sie kam vor Weihnachten zu mir in den Laden.«

Sharon schüttelte verwundert den Kopf. »Sie hat bei Ihnen eingekauft?«

»Ja, ein paar Kleinigkeiten.« Dora brachte es nicht übers Herz, Sharon von den Geschenken zu erzählen, die sie für ihre Nichte und das Baby gekauft hatte. »Sie erzählte mir, sie sei gekommen, weil Sie hier schon etliche Male etwas gekauft hätten.

»Ja.« Sharon lächelte unsicher, als Dora ihr Tee nachschenkte. »Sie haben immer so interessante Stücke. Ich hoffe, Sie nehmen es mir nicht übel, aber es kommt mir etwas seltsam vor, dass Sie sich so um einen fremden Menschen sorgen, dem Sie nur einmal begegnet sind, als Ihre Kundin.«

»Ich mochte Ihre Tante«, erwiderte Dora schlicht. »Und es berührte mich sehr, dass sie so kurz nach ihrem Besuch hier verletzt worden ist.«

»Sie hat etwas für mich gekauft, habe ich Recht?«

»Sie hat Sie sehr gern.«

»Ja.« Es kostete Sharon einige Anstrengung, die Fassung zu wahren. Sie musste stark sein wegen ihres Babys und wegen ihrer Tante. »Wer immer das war, der Muriel umgebracht und Tante Alice so schwer verletzt hat, er hat auch viele Gegenstände zerschlagen. Mit erscheint das alles so sinnlos.«

»Hat die Polizei schon irgendwelche Spuren?«

»Nein.« Sharon stieß einen leisen, hilflosen Seufzer aus. »Nein, bisher noch nicht. Die Polizisten waren sehr freundlich. Als die Polizei zu meiner Tante kam, war ich völlig hysterisch. Ich hatte sie und die arme Muriel am ersten Feiertag gefunden. Einen Krankenwagen und die Polizei zu rufen, das habe ich gerade noch geschafft. Aber dann bin ich restlos zusammengeklappt. Das Gespräch mit den Beamten hat mir etwas geholfen. Ihre Sachlichkeit hat mir gut getan.«

Dora musste an Jed denken. »Ich weiß.« Nach kurzem Zögern traf sie eine Entscheidung. »Möchten Sie wissen, was Ihre Tante für Sie gekauft hat?«

»O ja, gerne.«

»Sie erzählte mir, dass Sie nähen. Sie hat sich dann für einen viktorianischen Türstopper entschieden, damit die Tür Ihres Nähzimmers offen bleibt und Sie das Baby im Kinderzimmer hören können, falls es weint.«

»Einen Türstopper?« Sharon lächelte. »Etwa einen Elefanten aus Bronze, einen Dumbo?«

»Genau.«

»Wir haben ihn in der Ecke des Wohnzimmers gefunden.« Tränen stiegen ihr wieder in die Augen. »Das ist genau die Art von Geschenken, die sie für mich aussucht.«

»Sie hat auch fürs Kinderzimmer einen Türstopper mitgenommen, einen chinesischen Hund, der in zusammengerollter Position schläft.«

»Den habe ich nicht gesehen. Wahrscheinlich ist der auch zerbrochen. Der Kerl hat die meisten der eingepackten Geschenke zerschlagen und vieles andere mehr.« Ihre Finger schlossen sich um Doras Hand. »Es sah so aus, als ob er völlig durchgedreht wäre. Man muss ja auch verrückt sein, wenn man eine alte Frau umbringt und eine andere halb tot schlägt, denke ich mir. Ich möchte meiner Tante gern etwas mitbringen, wenn ich sie nachher besuche. Können Sie mir helfen, etwas Hübsches auszusuchen?«

»Aber gerne.«

Zwanzig Minuten später begleitete Dora Sharon zu ihrem Wagen und wartete, bis sie weggefahren war.

»Was war denn mit der los?«, erkundigte sich Lea. »Das arme Ding sah ja völlig niedergeschlagen aus.«

»Das war die Nichte von Mrs. Lyle – die Frau, die am Heiligen Abend überfallen wurde.«

»Society Hill? Sie liegt im Koma, stimmt's?«

»Sie ist vor kurzem aufgewacht.«

Lea schüttelte den Kopf. »So ein Einbruch ist einfach schrecklich.«

Bei der Erinnerung an ihr eigenes Erlebnis lief Dora ein eiskalter Schauer über den Rücken. »Grauenvoll«, stimmte sie zu. »Ich hoffe nur, sie kriegen den Kerl.«

»Jetzt aber«, begann Lea und drehte Dora zu sich herum, »wieder zu dir. Warum siehst du so elend aus, nachdem du gestern den ganzen Tag frei hattest?«

»Keine Ahnung. Ich habe mich den ganzen Tag nicht aus dem Bett gerührt.« Ein verschmitztes Lächeln lag auf Doras Gesicht, als sie sich von Lea abwandte, um eine Sammlung Spieldosen umzudekorieren.

»Moment mal.« Lea machte einen Schritt um Dora herum und musterte sie mit ihrem scharfen Adlerblick. »Ooh!«, machte sie und schaffte es, dieses »Ooh« in drei immer lauter werdende Silben zu zerlegen. »Jetzt geht mir ein Licht auf – Jed.«

Dora klappte den Deckel einer emaillierten Spieldose auf, und die Mondscheinsonate erklang. »Was ist mit ihm?«

»Komm, Isadora, spiel nicht die Verständnislose. In welchem Bett hast du denn den Tag verbracht?«

»In meinem eigenen.« Grinsend ließ sie den Deckel zuschnappen. »Und es war ungeheuerlich.«

»Wirklich?« Lea war ganz Ohr. »Na los, spuck's schon aus.«

»Nun, er ist … ich kann nicht«, erklärte sie verdutzt. »Das gestern war etwas anderes.«

»Ach, tatsächlich«, feixte Lea und grinste von einem Ohr zum anderen. »Weißt du noch, was ich gemacht habe, als mich John zum ersten Mal küsste?«

»Du kamst heim, bist ins Bett gekrochen und hast eine Stunde lang geheult.«

»Genau. Weil ich Schiss hatte und durcheinander war

und mir zudem absolut sicher, dass ich gerade den Mann getroffen hatte, mit dem ich mein restliches Leben verbringen würde.« Die Erinnerung daran zauberte ein wissendes, leicht blasiertes Lächeln auf Leas Gesicht.

»Du warst damals achtzehn«, bemerkte Dora, »äußerst theatralisch und dazu noch Jungfrau.«

»So, und du bist neunundzwanzig, »äußerst theatralisch und warst noch nie richtig verliebt.«

Ein genervter Seufzer. »Aber natürlich war ich das schon.«

»Nein, warst du nicht.«

Dora schnappte sich ein Staubtuch. »Ich habe nicht gesagt, dass ich in Jed verliebt bin.«

»Und, bist du es?«

»Ich weiß nicht.«

»Aha«, rief Lea triumphierend. »Da haben wir es ja schon. Wenn du es nicht wärst, würdest du es sagen. Und weil du es bist, bist du verunsichert. Übrigens, wo steckt er eigentlich?«

»Ausgegangen.« Dora, die sich durchschaut fühlte, warf ihrer Schwester einen finsteren Blick zu. »Stell dir vor, ich lasse ihn ohne Leine laufen.«

»Gereizt«, konstatierte Lea mit einem weisen Nicken, »auch ein sicheres Anzeichen.«

»Hör mal, wenn ich irgendwann einmal Zeit dazu habe, werde ich meine Gefühle schon selbst analysieren.« Sie schüttelte das Staubtuch aus und begann, den makellos sauberen Ladentisch zu polieren. »Seitdem Jed aufgetaucht ist, ist hier plötzlich der Teufel los. Im Laden wurde eingebrochen, die Wohnungen oben durchsucht. Ich wurde beinahe vergewaltigt und du …«

»Was?« Mit zwei Schritten hatte Lea den Tisch umrundet und packte Dora bei den Händen. »Was hast du da eben gesagt?«

»Verdammt.« Sie versuchte, Lea ihre Hände zu entziehen, wusste aber, dass es zwecklos war. »So schlimm war es in Wirklichkeit gar nicht. Ich habe nur übertrieben, weil du mich geärgert hast.«

»Moment.« Lea marschierte zur Tür und schloss ab. »So, und jetzt wirst du mir alles erzählen, und zwar sofort.«

»Also gut.« Resigniert strich Dora mit beiden Händen über ihr Gesicht. »Dann setz dich besser hin.«

Es dauerte eine Weile, bis Dora die ganze Geschichte erzählt hatte, da Lea sie ständig unterbrach, aber dann war es geschafft.

»So, und jetzt musst du mir versprechen, dass du Mom und Dad gegenüber kein Wort davon erwähnst, bis sich die Gelegenheit ergibt, dass ich es ihnen selbst erzähle.«

»Und du gehst jetzt sofort rauf und packst«, befahl Lea, während sie sich vor Dora aufbaute. Mit ihren glitzernden blauen Augen sah sie aus wie ein blonder Engel, der entschlossen war, Harfe und Heiligenschein von sich zu schleudern. »Du ziehst zu John und mir.«

»Das werde ich nicht. Ich bin hier absolut sicher.«

»Hah, absolut sicher«, schnappte Lea zurück.

»Ja, bin ich. Die Polizei schützt mich, das Haus wird beobachtet. Jetzt lachte sie. »Kapier es endlich, Schätzchen, ich schlafe mit einem Cop.«

Das besänftigte ihre Schwester ein bisschen. »Ich möchte nicht, dass du allein bist. Keine fünf Minuten.«

»Du liebe Güte …«

»Das ist mein Ernst.« Das Glühen in Leas Augen ließ keinen Raum für Argumente. »Wenn du mir das nicht versprichst, hole ich John, und dann schleppen wir dich gemeinsam nach Hause. Und ich will mit Jed reden.«

»Nur zu.« Dora warf mit einer Geste der Kapitulation die Hände in die Höhe. Es war unmöglich, bei einer Frau die große Schwester zu mimen, die Mutter von drei Kindern war und keinen Widerspruch duldete. »Jed wird dir auch nichts anderes erzählen. Ich bin hier absolut sicher. Hundertprozentig. Garantiert.«

Sie schrien beide erschrocken auf, als an der Ladentür gerüttelt wurde.

»Heh!«, brüllte Terri und pochte gegen die Tür. »Seit wann haben wir mitten am Tag geschlossen?«

»Kein Wort«, raunte Dora ihrer Schwester zu und durchquerte den Laden, um die Tür aufzusperren. »Entschuldige, wir haben nur eine kleine Pause gemacht.«

Terri musterte die beiden Frauen. Es roch verdammt nach einem Familienkrach. »Sieht so aus, als könntet ihr beide eine kleine Verschnaufpause gebrauchen. Viel los heute Morgen?«

»Ja, könnte man sagen. Terri, im Lager steht eine neue Lieferung. Sei so gut und pack schon mal aus. Wenn du fertig bist, zeichne ich die Sachen aus.«

»Klar«, meinte Terri freundlich und zog sich auf dem Weg ins Lager den Mantel aus. Sie konnte immer noch an der Tür horchen, wenn es interessant werden sollte.

»Wir sind noch nicht fertig, Isadora.«

»Im Augenblick schon, Ophelia.« Dora drückte Lea einen Kuss auf die Wange. »Wenn Jed zurückkommt, kannst du ihn nach Herzenslust ausquetschen.«

»Worauf du dich verlassen kannst.«

»Und ein bisschen nörgeln, ja? Ich möchte sehen, wie er das wegsteckt.«

Lea wehrte sich. »Ich nörgle nicht.«

»Ach nein? Du bist Weltmeisterin in dieser Disziplin«, murmelte Dora leise.

»Und wenn du glaubst, das alles ist ein Scherz, dann bist du …«

»Heh, Dora.« Terri steckte den Kopf durch die Tür. Sie sah etwas verdutzt aus. In der Hand hielt sie eine Kopie von DiCarlos Computerbild »Sag mal, wie kommt es, dass hier ein Bild von dem Typ rumliegt, der am Heiligen Abend im Laden war?«

»Was?« Dora hatte Mühe, ihre Stimme in Zaum zu halten. »Du kennst ihn?«

»Er war unser letzter Kunde am Heiligen Abend. Ich habe ihm die Staffordshire verkauft – die Hundemutter mit den Jungen, du weißt schon.« Sie betrachtete das Bild mit hochgezogenen Brauen. »Glaub mir, in natura sieht er viel besser aus als auf dem Bild hier. Ein Freund von dir?«

»Nicht direkt.« Doras Herz begann verrückt zu spielen. »Terri, hat er bar bezahlt?«

»Die Staffordshire? Wohl kaum. Nein, mit Kreditkarte.«

Dora vibrierte innerlich vor Aufregung, war aber Schauspielerin genug, sich nichts anmerken zu lassen. »Sei doch so freundlich und such mir den Beleg raus.«

»Ja, mach' ich sofort.« Terri wurde nervös. »Erzähl mir bloß nicht, der Kerl hat uns ein faules Ei gelegt! Ich habe die Karte abrufen lassen.«

»Nein, ich bin sicher, es ist alles in Ordnung damit. Ich brauche nur den Beleg.«

»Okay. Sein Name klang irgendwie italienisch«, setzte sie hinzu. »Delano, Demarco oder so ähnlich.« Schulterzuckend zog sie die Tür hinter sich zu.

»DiCarlo«, sagte Brent und reichte Jed einen Auszug aus dem Strafregister. »Anthony DiCarlo, New York. Schmalspurganove: Diebstahl, Hochstapelei, ein paar Einbruchsdelikte. Hat sich einmal in Erpressung versucht, ist aber seit sechs Jahren sauber.«

»Sich nicht erwischen zu lassen bedeutet noch lange nicht, dass einer sauber ist«, murmelte Jed.

»Das kam heute Morgen per Fax aus New York. Einer unserer Kollegen dort hat mir versprochen, mal genauer nachzuchecken. Sollte nicht allzu schwierig sein herauszufinden, ob unser Bursche ein Alibi für neulich Abend hat.«

»Wenn er eins hat, ist es getürkt.« Jed warf das Fahndungsbild auf Brents Schreibtisch. »Das ist unser Mann. Vielleicht sollte ich einen kleinen Ausflug nach New York machen.«

»Vielleicht solltest du unseren Freunden im Big Apple ein bisschen Zeit geben.«

»Ich werd's mir durch den Kopf gehen lassen.«

»Du wirkst verdammt cool für einen Mann, der vorhat, einen anderen über die Klinge springen zu lassen.«

Jed lächelte. »Ja, tue ich das?«

»Allerdings.« Brent lehnte sich zurück und nickte bedeutungsvoll. »Finde ich zumindest«, murmelte er und grinste. »Dora ist eine tolle Frau. Gutes Gelingen, Captain.«

»Halt die Luft an, Chapman«, brummte Jed auf dem Weg zur Tür, »und mich auf dem Laufenden, ja?«

»Sicher.« Brent wartete, bis die Tür ins Schloss fiel, um dann zum Telefon zu greifen und Mary Pat Bericht zu erstatten.

18. Kapitel

Jed ließ sich die Sache tatsächlich durch den Kopf gehen. Da Dora, wie er wusste, im Laden war, ging er direkt hinauf in seine Wohnung, zog sich bis auf Short und T-Shirt aus und begab sich auf seine Fitnessbank. Ein schweißtreibendes Training konnte sich nur positiv auf seine anschließende Kopfarbeit auswirken.

Er musste entscheiden, wie viel er ihr erzählen wollte. Sie hatte ein Recht darauf, alles zu erfahren – doch stellte sich andererseits die Frage, wie viel an Information gut für sie war. Wenn er Dora richtig einschätzte, und er begann zu glauben, sie inzwischen recht gut zu kennen, würde sie sofort irgendetwas unternehmen. Und Zivilisten, die bei Ermittlungen mitmischen wollten, waren bekanntlich der Schrecken aller Cops.

Auf die Leute in New York war Verlass, aber sie hatten kein persönliches Interesse an dem Fall. Und Jed brauchte sich nur Doras blasses Gesicht vorzustellen, um zu wissen, wie persönlich sein Interesse war.

Ein kurzer Ausflug nach New York, ein paar gezielte Fragen hier und dort, sollten die offiziellen Ermittlungen nicht allzu sehr behindern. Und wenn er etwas Konkretes, etwas Maßgebliches unternehmen konnte, würde er sich nicht so … Er hielt unvermittelt inne und überlegte. Ja, wie fühlte er sich überhaupt?

Nutzlos, stellte er fest. Unentschlossen. Unfertig. Völlig in der Schwebe. Nichts in seinem Leben war je zu einem richtigen Abschluss gelangt, weil nichts je einen richtigen Anfang genommen hatte. Es war einfacher für ihn gewesen, sich abzuschotten, sich zurückzuziehen. Einfacher?, dachte Jed. Blödsinn! Lebensnotwendig war es gewesen.

Warum hatte er sich eigentlich für den Polizeidienst entschieden? Wahrscheinlich, weil es ihn nach Ordnung verlangt hatte, nach Disziplin und, ja, nach einer Familie. Das alles hatte ihm der Job gegeben, wie auch Befriedigung und Stolz. Donny Speck hatte ihm das alles genommen. Doch jetzt ging es nicht um Donny Speck, auch nicht um Elaine. Jetzt ging es allein darum, Dora zu beschützen, die Frau, für die er Gefühle zu entwickeln begann. Und darüber sollte er sich auch Gedanken machen.

Er unterbrach sein Training nicht, als es an der Tür klopfte, doch er lächelte, als sie seinen Namen rief.

»Komm schon, Skimmerhorn. Ich weiß, dass du zu Hause bist. Ich muss mit dir reden.«

»Es ist offen.«

»Wieso verlangst du dann, dass ich meine Tür absperre?«, wollte sie wissen. Sie kam herein, ganz Geschäftsfrau in dem lodengrünen Schneiderkostüm und duftend wie die Sünde. »Oh.« Ihr Herz machte eine Satz, als sie den Blick über seinen Körper wandern ließ, das Spiel der schweißbedeckten Muskeln beobachtete. »Verzeihung, dass ich dieses Ritual störe. Aber gehören dazu nicht Trommeln und mystische Gesänge?«

»Brauchst du etwas, Conroy?«

»Ach, brauchen täte ich eine Menge. Rote Lederpumps, ein paar Wochen Urlaub auf Jamaika, diese Böttger-Teekanne, die ich neulich im Antique Row gesehen habe.« Sie beugte sich zu ihm und platzierte einen Kuss auf seine Lippen, die salzig schmeckten. »Brauchst du noch lange für deine körperliche Ertüchtigung? Der Anblick deiner Muskeln könnte mein Blut in Wallung bringen.«

»Wie du siehst ist mein Training hiermit beendet.« Jed ließ die Gewichte klirrend in die Halterung zurückfallen.

»Wenn ich dir erzähle, was ich gerade herausgefunden habe, wirst du nicht mehr so griesgrämig aus der Wäsche schauen.« Sie legte eine theatralische Pause ein. »Terri hat das Bild wieder erkannt.«

»Welches Bild?« Jed glitt von der Bank, schnappte sich ein Handtuch.

»Das Bild. Das Porträt, das wir gemeinsam diesem magischen Kasten entlockt haben. Jed, der Kerl war im Laden,

Heiligabend.« Aufgeregt marschierte sie im Zimmer auf und ab, ihre Absätze klapperten auf den Holzdielen, ihre Hände fuchtelten durch die Luft. »Sein Name ist …«

»DiCarlo, Anthony«, unterbrach er sie, ein amüsiertes Schmunzeln im Gesicht, als er ihr Erstaunen sah.

»Zuletzt wohnhaft in New York, East Eightythird Street.«

»Woher weiß du … verdammt.« Beleidigt stopfte sie den Beleg wieder in die Tasche. »Du hättest zumindest so tun können, als ob du von meinen detektivischen Fähigkeiten beeindruckt wärest.«

»Du bist eine echte Nancy Drew, Conroy.« Er verschwand in der Küche, holte eine Flasche Gatorade aus dem Kühlschrank und leerte sie in einem Zug. Als er die Flasche absetzte, stand Dora in der Tür, ein gefährliches Glitzern in den Augen. »Das hast du prima gemacht, Conroy. Die Polizei arbeitet nur ein bisschen schneller. Hast du schon im Präsidium Bescheid gesagt?«

»Nein.« Sie schob schmollend die Unterlippe vor. »Ich wollte es dir zuerst erzählen.«

»Brent leitet die Ermittlungen«, rief Jed ihr ins Gedächtnis und tippte mit dem Zeigefinger an ihre Unterlippe. »Hör auf, so einen Flunsch zu ziehen.«

»Ich ziehe nie einen Flunsch.«

»Mit der Schnute, Baby, gewinnst du jeden Schmollwettbewerb. Was hat Terri denn über DiCarlo gesagt?«

»Brent leitet die Ermittlungen«, beschied sie ihm knapp. »Ich gehe jetzt in meine Wohnung und rufe ihn an. Vielleicht weiß er meinen Hinweis ja zu schätzen.«

Jed nahm ihr Gesicht in beide Hände. »Komm, Nancy, rück raus mit der Sprache.«

»Na ja, wenn du mich so nett darum bittest. Sie sagte, er sei ausgesprochen höflich und freundlich gewesen.«

Dora schob sich an Jed vorbei, machte die Kühlschranktür auf und meinte voller Abscheu: »Igitt, Skimmerhorn, was ist denn das in dieser Schüssel?«

»Mein Abendessen. Was hat sie sonst noch gesagt?«

»So was kannst du doch nicht essen. Ich koche uns später was.«

»DiCarlo«, wiederholte er und packte sie bei den Schultern, um weitere Stöberaktionen in seinen Schränken zu unterbinden.

»Er sagte, er suche ein Geschenk für seine Tante. Terri zeigte ihm daraufhin den Foo-Hund den er, da bin ich mir inzwischen sicher, bei seinem Einbruch hat mitgehen lassen. Terri meinte noch, er sei sehr elegant gekleidet gewesen und in einem Porsche vorgefahren.«

Das reichte Jed noch nicht. »Ist sie unten?«

»Nein, sie ist gegangen. Wir haben für heute zugemacht.«

»Ich möchte ihr ein paar Fragen stellen.«

»Jetzt?«

»Jetzt.«

»Tut mir Leid, ich weiß nicht, wo sie steckt. Sie ist mit irgendeinem Knaben zum Abendessen verabredet, den sie kürzlich kennen gelernt hat. Wenn es so wichtig ist, kannst du sie später im Theater erreichen. Die Vorstellung beginnt um acht. Zwischen den Auftritten können wir sie für ein paar Minuten hinter der Bühne abfangen.«

»Prima.«

»Ich verstehe bloß nicht ganz, wozu das gut sein soll.« Dora folgte ihm ins Schlafzimmer. »Ich habe bereits mit ihr gesprochen, und wir haben seinen Namen und die Adresse.«

»Du weißt aber nicht, welche Fragen man stellen muss.« Er zog sich das T-Shirt aus und feuerte es in die Ecke. »Vielleicht hat er ja noch etwas anderes gesagt. Je mehr wir wissen, desto einfacher wird es sein, ihn beim Verhör schachmatt zu setzen. Wir haben noch ein paar Stunden Zeit, falls du also wirklich kochen möchtest …«

Dora hörte ihm nicht mehr zu. Als er sich zu ihr umdrehte, stand sie wie erstarrt da.

»Was ist denn?« Er drehte sich herum und musterte das Zimmer.

»Das Bett«, presste sie schließlich heraus. »Oh …«

Seine verspannten Muskeln lösten sich. Der kurze Anflug von Kränkung, der ihn durchfuhr, ärgerte ihn höllisch.

Zuerst kritisierte sie seine Kochkünste und jetzt seine Haushaltsführung. »Mein Personal hat sein freies Jahr genommen.« Mit gerunzelter Stirn betrachtete er die zerwühlten Laken und Kissen. »Ich sehe keinen Sinn darin, mein Bett zu machen, wenn ich es ohnehin gleich wieder in Unordnung bringe.«

»Das Bett«, wiederholte sie ehrfürchtig, »französischer Jugendstil, um Neunzehnhundert. Sieh nur, die Intarsienarbeit.«

Sie kniete sich vor dem Fußbrett nieder und fuhr mit den Fingerspitzen sanft über das Abbild einer Frau in einem langen, fließenden Gewand, die einen Krug in der Hand hielt. Der Laut, den sie ausstieß, hatte sehr viel Ähnlichkeit mit dem Stöhnen einer in höchster Leidenschaft entbrannten Geliebten. »Rosenholz«, hauchte sie und seufzte.

Amüsiert sah Jed sie aufs Bett klettern und auf Händen und Knien das Kopfbrett untersuchen. »Mein Gott, was für eine kunstvolle Arbeit«, murmelte sie. »Schau dir doch mal diese Schnitzereien an.« Zärtlich strich sie über die Ornamente. »So fein und zart.«

»Ich glaube, ich habe eine Lupe hier«, bemerkte Jed freundlich, als sie ihre Nase förmlich in das Holz presste.

»Ich glaube, du weißt gar nicht, was für ein Kunstwerk du hier stehen hast, habe ich Recht?«

»Ich weiß nur, dass dieses Bett eines der wenigen antiken Stücke in dem Mausoleum war, das ich mein Zuhause nannte, das mir gefiel. Das übrige Mobiliar habe ich in einem Lager untergestellt.«

»Lager?« Sie schloss die Augen und fröstelte bei dieser Vorstellung. »Du musst mir einmal zeigen, was du alles hast.« Sie ließ sich auf die Fersen sinken und faltete die Hände wie im Gebet. »Ich werde dir einen fairen Preis für alles machen, was ich mir leisten kann. Versprich mir nur, dass du keinen anderen Händler aufsuchst, bevor ich die Sachen gesehen habe.«

»Krieg dich wieder ein, Conroy.«

»Bitte.« Sie kroch an die Bettkante. »Es ist mir ernst damit. Ich erwarte keine Gefälligkeiten auf Grund unserer

Beziehung. Aber wenn es da Stücke gibt, auf die du keinen Wert legst ...« Sie warf einen Blick auf das Kopfbrett und verdrehte die Augen. »Mein Gott, ich halt's nicht mehr aus. Komm her.«

»Oha.« Er lächelte »Hast du etwa vor, mich zu verführen, damit ich mit meinen Preisen runtergehe?«

»Verführen? Vergiss es.« Ihr Atem kam bereits in heftigen Stößen, als sie ihre Kostümjacke aufknöpfte und sie auszog. Darunter trug sie ein hauchdünnes Mieder im selben kräftigen Grün. »Ich werde mit dir die Nummer deines Lebens schieben, Herr Nachbar.«

»Ah ...« Er war sich nicht sicher, welches Gefühl stärker war, der Schock oder die Vorfreude. »Muss schon sagen, kein schlechtes Angebot, Conroy.«

»Das ist kein Angebot, Freundchen, sondern eine Tatsache.« Sie kniete sich hin, um aus ihrem engen Rock zu schlüpfen. Nachdem dieser akrobatische Akt vollzogen war, präsentierte sie sich ihm einem Mieder, einem farblich dazu passenden Strapsgürtel, schwarzen Seidenstrümpfen und Stöckelschuhen. »Wenn ich dich nicht sofort hier auf diesem Bett haben kann, sterbe ich.«

»Diese Verantwortung möchte ich mir nicht auf meine Schultern laden.« Gott im Himmel, seine Knie fühlten sich an wie Pudding. »Conroy, ich bin total verschwitzt.«

Sie lächelte. »Weiß ich.« Ihre Hand schnellte vor, sie packte ihn am Bund seiner Shorts. Er wehrte sich kaum. »Du wirst gleich noch viel mehr schwitzen.«

Sie zupfte so lange an seinem Hosenbund, bis er sich von ihr aufs Bett ziehen ließ. Und als sie sich sofort mit einem Satz über ihn rollte, hielt er ihre Hände fest. »Geh zärtlich mit mir um, bitte.«

Sie lachte. »Keine Chance.«

Ihr Mund senkte sich auf seine Lippen, ihre Zunge bahnte sich forsch ihren Weg und radierte jeden vernünftigen Gedanken aus seinem Gehirn. Sobald er ihre Hände freigab, um sie zu umarmen, presste sie sich auf ihn, gnadenlos Körper an Körper reibend.

Er tat einen tiefen Atemzug. »Dora, lass mich ...«

»Diesmal nicht.« Die Hände in seinem Haar vergraben, nahm sie wiederum von seinem Mund Besitz.

Sie war grob, rücksichtslos, unnachgiebig, quälte ihn ganz bewusst, bis er nicht mehr wusste, ob er sie verfluchen oder anflehen sollte. Ein elekrischer Stromstoß nach dem anderen peitschte durch seine Lenden, brachte sein Blut zum Sieden, fiebernd lechzte sein Körper nach mehr. Seine Hände glitten unter ihr Mieder, umfassten die festen, reifen Rundungen ihrer Brüste.

Sie bäumte sich auf unter seiner Berührung, ließ ein leises zufriedenes Schnurren hören, als sie sich aus dem Mieder schälte. Mit zurückgeworfenem Kopf suchte sie seine Hände und führte sie über ihren flachen Bauch hinab zu ihrem Schoß. Ihre Finger klammerten sich an ihm fest, als er sie dem ersten Höhepunkt entgegenführte. Doch als er versuchte, sie von sich herunterzurollen, presste sie die Oberschenkel zusammen und lachte heiser über seine Verwünschungen.

Sie glitt an ihm herab, grub ihre Zähne in seine Schulter. Er schmeckte nach Salz und Schweiß und heißblütiger Männlichkeit. Diese Mixtur fegte wie ein Tornado durch ihren Kopf. Er war stark, seine Muskeln unter ihren gierigen Händen hart wie Stahl. Mit dem Spiel ihrer Finger gelang es ihr, ihm ein atemloses, hemmungsloses Stöhnen abzuringen. Unter ihren Lippen konnte sie spüren, wie sein Herz raste.

Seine Finger krallten sich gierig in das weiche Fleisch über dem Strumpfrand, der Gedanke an blaue Flecken lag in weiter Ferne. Wenigstens ließ sie sich jetzt von ihm hochheben. Er schloss seine Augen etwas, als sie sich auf ihn niedersinken ließ, ihn in sich aufnahm, harter Stahl sich tief in weichen Samt grub. Nur schemenhaft nahm er wahr, wie ihr Körper sich zurückbog, ihre Augen sich schlossen, ihre Hände mit zügelloser Zärtlichkeit ihren eigenen schweißnassen Körper streichelten, während ihre feuchten Muskeln ihn gefangen nahmen.

Nun begann sie sich zu bewegen, langsam zunächst, versunken in ihrer eigenen Lust, das Beben und Vibrieren in ihrem Inneren mit jeder Faser auskostend. Dann schneller, immer schneller, ihre Oberschenkel umklammerten ihn wie ein Schraubstock, die Hüften stießen vor und zurück. Jedes Mal, wenn ihr Körper sich versteifte, war ihm, als durchbohrte ihn ein glühender Pfeil.

Er beugte sich ihr entgegen, sein Mund suchte ihre Brust, ihre Schulter, ihre Lippen. Verrückt nach ihr, hielt er sich an ihren Haaren fest, liebkoste ihren Hals, wobei er unaufhörlich heisere Versprechen murmelte, die keiner von beiden verstand. Alles, was er wusste, war, dass er in diesem Augenblick für sie gestorben wäre; ohne Skrupel einen Mord für sie begangen hätte.

Der Höhepunkt traf ihn wie ein gewaltiger, willkommener Fauststoß, der ihm den Atem nahm, ihn niederstreckte. Er umschlang sie, presste sein Gesicht zwischen ihre Brüste und ließ sich auf den Wogen der Lust treiben.

»Dora.« Er drehte ihren Kopf so, dass seine Lippen sanft über ihre Haut streichen konnten. Und noch einmal: »Dora.« Er hielt sie ganz eng an sich gedrückt, bis diese wunderbaren Schauder verebbten. Als er sich dann zurücklegte, sah er, dass ihre Augen feucht waren. Er legte seine Fingerspitzen an ihre Wange und fing eine Träne auf. »Was ist das?«

Dora schüttelte nur den Kopf und drückte ihn an sich. Die Wange in sein Haar geschmiegt, murmelte sie: »Nach unserem gestrigen Abend glaubte ich nicht, dass es noch besser werden könnte.«

Das Beben in ihrer Stimme beunruhigte Jed. »Wenn ich geahnt hätte, dass ein altes, klappriges Bett dich in einen Vamp verwandelt, hätte ich dich schon vor Tagen mit diesem Möbel bekannt gemacht.«

Sie lächelte. »Das ist ein grandioses Bett.«

»Ich hab noch sechs weitere Exemplare davon im Lager herumstehen.«

»Damit bringen wir uns um«, lachte sie.

»Das riskiere ich doch glatt.«

Ich auch, dachte Dora. Ich auch. Denn Lea hatte absolut Recht. Sie war in Jed verliebt.

Zwei Stunden später kamen sie im Liberty Theater an, gerade rechtzeitig zu der Szene, in der Schwester Nellie demonstrierte, wie man sich einen Mann vom Leib hält. Dora hatte Jed durch den Bühneneingang in die Seitenkulisse geführt, wo ihr Vater stand. Seine Lippen formten unhörbar den Text, während er wie ein Pantomime die Bewegungen nachvollzog.

»Heh«, flüsterte seine Tochter und kniff ihn in die Wange. »Wo ist Mom?«

»In der Garderobe. Ein kleines Malheur mit Bloody Marys Sarong. Jed, alter Junge.« Er schüttelte Jed die Hand und schielte dabei unaufhörlich auf die Bühne. »Schön, dass Sie vorbeigekommen sind. Wir haben ein sehr geneigtes Publikum heute Abend, sind beinahe bis auf den letzten Platz ausverkauft. Lichtwechsel«, murmelte er und lächelte zufrieden, als besagter Scheinwerfer aufleuchtete. »Ein sanfter Lichtwechsel ist so aufregend, wie Walzer zu tanzen.«

»Wir sind nur vorbeigekommen, um zu sehen, wie's läuft«, sagte Dora und warf Jed dabei einen warnenden Blick zu. »Und ich wollte in der Pause kurz mit Terri sprechen. Geschäftlich.«

»Ich will aber nicht, dass du sie aus dem Konzept bringst.«

»Keine Angst.« Sie legte ihm den Arm um die Schultern, und war, obgleich sie das Stück schon unzählige Male gesehen hatte, bald genauso gefesselt von der Aufführung wie er.

Jed, den Quentin und Dora weitaus mehr faszinierten als das Spiel auf der Bühne, hielt sich im Hintergrund. Vater und Tochter hatten die Köpfe zusammengesteckt und diskutierten eine geringfügige Veränderung der Szene. Quentin umfasste Doras Hüfte, und sie drückte sich enger an ihren Vater.

Jed spürte ein schmerzendes Gefühl in sich aufsteigen. Er wusste, er war eifersüchtig.

Hatte er für seinen Vater je diese Art von selbstverständlicher Zuneigung empfunden, dieses unbeschwerte Gefühl von Kameradschaft?, fragte er sich. Die Antwort darauf war so simpel wie eindeutig. Nein. Nie. Er konnte sich an kein einziges Gespräch erinnern, in dem nicht unterschwellig Spannungen oder Ablehnung mitgeschwungen waren. Und selbst wenn er es gewollt hätte, es war zu spät, um mit ihm Frieden zu schließen. Und jetzt noch nach den Gründen zu fragen war sinnlos.

Als er spürte, wie die alte Bitterkeit wieder in ihm aufstieg, verdrückte er sich leise in den Flur vor den Garderoben. Er wollte eine Zigarette rauchen und warten, bis er mit Terri sprechen konnte.

Dora schaute sich nach ihm um. Ihr Lächeln erlosch, als sie sah, dass Jed nicht mehr hinter ihr stand.

»Dad?«

»Und … Musik«, wisperte Quentin. »Gut, gut. Hmm?«

»Ich bin in Jed verliebt.«

»Weiß ich, mein Schatz.«

»Nein, Dad, ich bin wirklich in ihn verliebt.«

»Ich weiß.« Von nichts und von niemanden sonst auf der Welt hätte er sich stören lassen. Dora jedoch wandte er sich sogleich mit einem schelmischen Lächeln zu. »Ich habe ihn doch für dich ausgesucht, oder nicht?«

»Und ich fürchte, dass ihm das nicht sonderlich behagt. Manchmal kann ich förmlich sehen, wie er leidet.«

»Das kriegst du schon noch hin. ›Nur die Zeit vermag Wunden zu heilen‹, wie es so schön heißt.«

»Othello.« Sie rümpfte die Nase. »Das Ende hat mir noch nie gefallen.«

»Dann wirst du das Ende eben nach deiner Version ummodeln. Die Conroys waren schon immer exzellent im Improvisieren.« Ein Gedanke huschte ihm durch den Sinn und brachte seine Augen zum Strahlen. »Möchtest du, dass ich ein bisschen mit dem Zaunpfahl winke? Ich könnte einen gemütlichen Plausch von Mann zu Mann arrangieren – mit einem Fläschchen meines Zaubertranks.«

»Nein.« Sie tippte an seine Nase. »Nein«, wiederholte sie. »Das mach' ich lieber selbst.« Sie ließ die Hand sinken und presste sie auf ihren Magen, in dem ein Schwarm

Schmetterlinge tanzte. »Ich habe Angst«, gab sie zu. »Das geht mir alles irgendwie viel zu schnell.«

»Das sind die Nerven«, erklärte er weise nickend. »Als ich deine Mutter zum ersten Mal sah, brach mir der kalte Schweiß aus. Wie peinlich das war. Ich brauchte fast zwei Wochen, bis ich mich so weit gefangen hatte, um ihr einen Heiratsantrag zu machen. Mit ist dauernd der Text weggeblieben.«

»Du hast noch nie im Leben einen Text verpatzt.« Sie gab ihm einen Kuss, als der Applaus losdonnerte. »Ich liebe dich.«

»Diese Textzeile solltest du ihm vortragen.« Er drückte sie an sich. »Hör doch, Izzy, wie das Publikum tobt.«

Angelockt von dem Applaus und der plötzlich hinter der Bühne ausbrechenden Hektik, begab Jed sich wieder in die Seitenkulisse. Dora fing gerade Terri ab.

»Heh, schiebst du heute Abend wieder Kulissen?«

»Nein.« Dora hielt sie am Arm fest. »Ich muss kurz mit dir reden.«

»Okay. Und, wie fandest du die Tanznummer? Diese Stunden, die ich genommen habe, scheinen sich tatsächlich auszuzahlen.«

»Du warst super.« Mit einem Nicken in Jeds Richtung dirigierte sie Terri an den Bühnenarbeitern und Technikern vorbei. »Komm, wir gehen in die Garderobe. Wir brauchen nur ein stilles Eckchen.«

Die anderen Ensemblemitglieder hatten sich dort bereits eingefunden, um das Make-up und die Frisuren aufzufrischen. Manche wechselten die Kostüme und hatten nur ihre Unterwäsche an. Sie streifte Jed nur mit einem kurzen Seitenblick.

»Kann ich mir den mal kurz ausborgen?«, fragte Dora und schnappte sich den einzigen freien Hocker »Setz dich, Terri, mach's dir bequem.«

»Aah, du weißt ja nicht, wie gut das tut.« Sie rutschte vor den Spiegel und suchte sich ein Schwämmchen, um sich Nase und Wangen abzupudern.

»Es geht um DiCarlo«, begann Dora.

»Wer? Ach, der Typ vom Heiligen Abend.« Sie warf Jed ein Lächeln zu. »Dora hat so schrecklich geheimnisvoll wegen ihm getan.«

»Was hat er denn gekauft?«, wollte Jed wissen.

»Eine Staffordshire-Figur, hat nicht einmal mit der Wimper gezuckt, als ich ihm den Preis nannte. Er sah so aus, als ob er sich das Stück locker leisten konnte. Es war für seine Tante bestimmt. Seine Lieblingstante. Er erzählte mir, sie habe ihn praktisch aufgezogen und sei schon sehr alt. Wissen Sie, viele Leute können sich nicht vorstellen, dass alte Menschen gerne hübsche Dinge geschenkt bekommen. Er machte wirklich den Eindruck, als liebte er diese Tante sehr.«

Jed ließ sie ausreden. »Hat er sich noch für andere Stücke interessiert?«

»Na ja, er hat sich im Laden umgesehen und sich dazu auch Zeit genommen. Ich dachte, er würde bei dem Foo-Hund anbeißen, weil er ein Tier suchte.«

»Ein Tier?« Jed versuchte sein Interesse zu verbergen.

»Sie wissen schon, eine Tierstatue. Seine Tante sammelt so etwas. Hunde«, fügte sie erklärend hinzu, während sie mit geübten Bewegungen ihren Lidstrich nachzog. »Sehen Sie, diese Tante hatte einen Hund, der kürzlich gestorben …«

»Hatte er einen speziellen Hund im Sinn?«, unterbrach sie Jed.

»Hmm …« Terri versuchte sich zu erinnern. »Mir schien, er suchte genau denselben Hund, den seine Tante besessen hatte – er war ja gestorben –, er sagte noch, er habe bisher nichts Entsprechendes finden können.«

Sie frischte ihre Lippen auf und betrachtete das Resultat im Spiegel. »Ich erinnere mich, dass er mir den Hund beschrieb. Dabei fiel mir der Porzellanhund ein, den wir im Laden hatten und der haargenau gepasst hätte. Komisch, seine Beschreibung klang so, als hätte der tote Hund für das Stück Modell gestanden – zu Lebzeiten natürlich.« Sie nahm eine Bürste zur Hand und brachte ihre Frisur wieder in Schwung. »Du weißt schon, Dora, den Porzellanhund, den du auf der Auktion erstanden hast und den wir gleich am nächsten Tag verkauft haben.«

Dora spürte, wie sie blass wurde. »An Mrs. Lyle?«

»Weiß ich nicht. Du hast ihn verkauft, glaube ich.«

»Ja.« Dora antwortete benommen. »Ja, das war ich.«

»Heh!« Terri drehte sich zu ihr um. »Bist du okay?«

»Ja. Ja, natürlich.« Sie zwang sich zu lächeln. Sie musste raus hier, an die frische Luft. »Danke, Terri.«

»Keine Ursache. Bleibt ihr bis zum Ende der Show?«

»Heute Abend nicht.« Gegen Übelkeit ankämpfend, taumelte Dora zur Tür. »Bis morgen.«

»Vielleicht sollten Sie ihr besser nachgehen«, riet Terri. »Ich glaube, ihr ist schlecht geworden.«

»Haben Sie ihm von diesem Porzellanhund erzählt?«

»Ja, ich glaube schon.« Verdutzt stand Terri auf und ging zur Tür, um nachzusehen, ob Dora noch im Korridor war. »Es war einer dieser Zufälle, wie sie manchmal passieren. Ich erzählte ihm, dass wir genau so einen Hund gehabt, ihn aber leider schon verkauft hätten. Ich gehe mal schauen, was mit Dora los ist.«

»Das mach' ich schon.«

Er erwischte sie am Bühneneingang, als sie nach draußen stürzte und tief die kalte Luft einsog.

»Vergiss es, Conroy.« Er hielt sie an den Schultern, wohlweislich auf Armlänge. Ein Schritt auf sie zu, und sie würde zustoßen wie eine giftige Natter, fürchtete er.

»Ich habe ihn ihr verkauft.« Als sie versuchte, sich ihm zu entziehen, verstärkte er seinen Griff. »Um Himmels willen, Jed, ich habe ihr diesen Hund verkauft! Ich weiß zwar nicht, was es mit diesem Hund auf sich hat, warum er sie deshalb beinahe umgebracht hat, aber ich habe ihn ihr verkauft, und am nächsten Tag hat er herausgefunden …«

»Vergiss es, habe ich gesagt.« Er sah ihr in die Augen. »Du verkaufst eine Menge Dinge, das ist dein Job. Aber du trägst keine Verantwortung für das, was deinen Kunden zustößt.«

»So kann ich nicht denken!«, schrie sie ihn an und holte mit der Hand aus. »Ich kann mich bei so was nicht hinter einer Mauer verschanzen. Das ist deine Masche, Skimmerhorn. Sieh du nur zu, dass nichts durch deine Mauer dringt und irgendwelche Gefühle bei dir auslöst. Das bist du. Nicht ich.«,

Ihre Worte trafen ihn tief. »Du willst dir dafür die Schuld geben? Okay, nur zu.« Er packte sie am Arm. »Ich bringe dich jetzt nach Hause, und dann kannst du die Nacht damit zubringen, dich für dein Verbrechen zu geißeln.«

»Ich muss mich für meine Gefühle nicht entschuldigen und den Weg nach Hause finde ich sehr gut allein.«

»Spätestens nach zwei Blocks wird dein blutendes Herz auf dem Gehsteig liegen.«

Das Pfeifen in den Ohren kam bei ihr immer kurz vor einem Wutausbruch. Blitzschnell wie eine Raubkatze fiel sie über ihn her und schlug mit der Linken zu. Jed gelang es, den Schlag zu parieren, der freilich nur der Ablenkung diente. Im nächsten Augenblick traf ihn ihr rechter Haken so hart am Kinn, dass sein Kopf zurückflog.

»Verfluchtes Miststück!« Er sah Sterne. Später würde er sie vielleicht dafür bewundern, dass sie ihn beinahe k.o. geschlagen hatte, doch jetzt ballte er wütend die Hände zu Fäusten.

Dora schob herausfordernd das Kinn vor.

»Probier's«, zischte sie. »Nur zu, trau dich.«

Die Szene hätte komisch sein können, wenn sie nur wütend gewesen wäre. Doch hinter der Maske spürte er Tränen. »Scheiß drauf«, brummte er. Er duckte sich, packte sie um die Hüfte und warf sie sich wie einen Sack über die Schulter.

Dora machte ihrer Wut mit einer Tirade von Flüchen und Verwünschungen Luft, beschämt über ihre unwürdige Lage und die Notwendigkeit, auf seinen Rücken einhämmern zu müssen. »Lass mich runter, du feiger Bastard. Willst du dich mit mir prügeln?«

»Bisher habe ich noch keine Frau zu Boden gestreckt, Conroy, aber du könntest die Erste sein.«

»Verdammt nochmal, lass mich runter und probier's

doch. Die werden dich hinterher vom Gehsteig abkratzen müssen. Ja, mit einer Pinzette werden sie deine Einzelteile aufpicken müssen, wenn ich mit dir fertig bin. Sie werden dich …« Und dann verrauchte ihre Wut ganz plötzlich, wie das häufig bei ihr der Fall war. Sie fiel in sich zusammen und schloss die Augen. »Tut mir Leid.«

Bei Jed ging das nicht so schnell, seine Wut köchelte noch auf kleiner Flamme. »Halt die Klappe.« Er riss die Autoschlüssel aus der Hosentasche und öffnete die Tür. Mit einer schwungvollen, genau bemessenen Bewegung hob er sie von den Schultern, hielt eine Hand schützend über ihren Kopf und manövrierte sie auf den Beifahrersitz.

Sie hielt die Augen geschlossen, lauschte, wie er um den Wagen herumging, die Fahrertür aufsperrte und dann zuknallte. »Verzeih mir, Jed. Ich hätte dich nicht schlagen dürfen. Tut es sehr weh?«

Probeweise schob er seinen schmerzenden Unterkiefer hin und her. »Nein.« Selbst wenn sie ihm alle Knochen gebrochen hätte, hätte er das nicht zugegeben. »Dein Schlag gleicht Engelsflügeln.«

»Oh, du Mistkerl.« Beleidigt fuhr sie in ihrem Sitz hoch. Doch sein Blick aus eiskalten Augen ließ sie sofort wieder zurücksinken. »Ich war nicht sauer auf dich«, murmelte sie, während er losfuhr. »Ich musste mich nur abreagieren, und du warst gerade greifbar.«

»Freut mich, dass ich dir behilflich sein konnte.«

Falls er versuchte, sie mit seinem kühlen Tonfall zu bestrafen, dann leistete er wirklich exzellente Arbeit, dachte sie. »Ich verstehe, dass du wütend auf mich bist.« Sie schlug beschämt die Augen nieder.

Ihre Niedergeschlagenheit zu ertragen, war für Jed schwerer, als ihren Schlag einzustecken. »Vergiss es. Und, Conroy, erzähl bitte niemandem, dass du meine Abwehr durchbrochen hast.«

Sie drehte sich zu ihm, und als sie sah, dass das Schlimmste vorbei war, versuchte sie ein Lächeln. »Dieses Geheimnis werde ich mit ins Grab nehmen. Und wenn es dich tröstet, sollst du wissen, dass ich mir möglicherweise ein paar Finger dabei gebrochen habe.«

»Tut es nicht.« Er nahm ihre Hand und führte sie an seine Lippen. Ihr entsetzter Gesichtsausdruck verunsicherte ihn augenblicklich. »Was ist denn jetzt wieder los?«

Nachdem er ihre Hand losgelassen hatte, presste sie sie an ihre Wange. »Nichts, ich war nur etwas überrascht. Solch zärtliche Regungen war ich bislang nicht von dir gewöhnt.«

Verlegen rutschte er auf seinem Sitz hin und her. »Pass nur auf, dass ich das nicht umgehend bedauere.«

»Wahrscheinlich sollte ich dir so was nicht sagen, aber Dinge wie Hände küssen und ähnlich romantische Gesten machen Pudding aus mir.«

»Definiere bitte ›ähnlich romantische Gesten‹.«

»Oh, Blumen zum Beispiel und lange, schmachtende Blicke. Wenn ich jetzt so darüber nachdenke, muss ich sagen, dass du dich in der Lange-schmachtende-Blicke-Disziplin recht wacker geschlagen hast. Und erst die schwereren Kaliber. Mich in die Arme zu nehmen und eine steile Wendeltreppe hinaufzutragen …«

»Du hast doch gar keine steile Wendeltreppe.«

»Könnte ich mir aber vorstellen.« Aus einem Impuls heraus beugte sie sich zu ihm rüber und drückte ihm einen Kuss auf die Wange. »Ich bin froh, dass du nicht mehr böse auf mich bist.«

»Wer sagt denn, dass ich das nicht mehr bin? Ich prügle mich nur nicht gerne beim Fahren.« Er verfiel in ein kurzes Schweigen. »Wegen Mrs. Lyle«, begann er dann, »ich werde mich im Krankenhaus nach ihrem Zustand erkundigen. Wenn es ihr ein wenig besser geht, könnte sie mir vielleicht einige Fragen beantworten.«

»Uns«, korrigierte Dora freundlich. »Sie ist aus dem Koma erwacht. Ihre Nichte war heute Morgen bei mir im Laden.« Sie konzentrierte sich darauf, mit ruhiger Stimme zu sprechen. »Sie hat mir erzählt, dass ihre Tante zu sich gekommen ist, dass die Ärzte sich jedoch bezüglich ihrer Genesung nicht festlegen wollten.«

»Heute Abend noch einen Besuch bei ihr zu arrangieren, dafür ist es schon zu spät«, meinte Jed nach einer Weile. »Aber ich werde gleich morgen früh versuchen, eine Besuchserlaubnis zu bekommen.«

»Ich glaube nicht, dass das nötig sein wird. Ich brauche nur Sharon zu fragen – ihre Nichte.« Dora schaute stur geradeaus und versuchte sich nicht über den Mangel an Mitgefühl in seiner Stimme aufzuregen. »Aber das werde ich erst tun, wenn Mrs. Lyle dazu bereit ist. Nach allem, was sie durchgemacht hat, möchte ich nicht, dass man sie einem Verhör unterzieht.«

Der Wagen fuhr mit hoher Geschwindigkeit auf ihren Parkplatz »Sehe ich wie ein Gestapo-Mann aus, Conroy? Glaubst du etwa, ich leuchte ihr mit einer Lampe in die Augen, um sie zum Reden zu bringen?«

Wortlos machte Dora die Tür auf und stieg aus. Jed war noch vor ihr an der Treppe und versperrte ihr den Weg.

»Dora.« Um Geduld bemüht, nahm er ihre Hände. Sie waren eiskalt und steif. »Ich weiß, was ich tue, und ich bin nicht der Typ, der aus bettlägerigen alten Damen Informationen herausquetscht.« Er sah ihr in die Augen. Er wollte sie nicht darum bitten, tat es dann aber doch: »Vertrau mir.«

»Das tue ich doch.« Seinen Blick erwidernd, nahm sie seine Hände. »Absolut. Die ganze Sache hat mich nur ziemlich mitgenommen, das ist alles. Gleich morgen früh werde ich mich mit Sharon in Verbindung setzen.«

»Gut.« Ebenfalls ein wenig mitgenommen, senkte er den Kopf, um sie zu küssen. Schließlich überwand er sich und bat sie: »Bleib bei mir heute Nacht.«

Aller Kummer wich aus ihren Augen. »Ich hatte gehofft, dass du das sagst.«

19. Kapitel

Angst vor Krankenhäusern war Dora bislang fremd gewesen. Sie war jung und gesund und hatte sie bisher nur als Besucherin aufgesucht. Sie brachte Krankenhäuser vorwiegend mit Babys in der Neugeborenenstation, Blumensträußen und Schwestern in gestärkten Uniformen in Verbindung, die auf Kreppsohlen lautlos durch die Flure eilten.

Doch als sie jetzt vor der Intensivstation stand und darauf wartete, mit Mrs. Lyle sprechen zu dürfen, war ihr schwer ums Herz.

Es war so still hier, dachte sie. Viel zu still. Sie glaubte, den Tod förmlich sehen zu können, der hinter den mit dünnen Vorhängen versehenen Glastüren lauerte und geduldig darauf wartete, seine Wahl treffen zu können. Vom anderen Ende des Flurs drang ein leises, beständiges Schluchzen an ihr Ohr.

Plötzlich verspürte sie den dringenden Wunsch nach einer Zigarette. Doch gleich darauf trat Sharon durch die Schwingtür. Obwohl sie ziemlich mitgenommen wirkte, erschien ein Lächeln auf ihren Lippen, als sie Dora sah. »Sie ist wach. Ich kann Ihnen nicht sagen, wie gut das tut, mit ihr sprechen, ich meine, sich richtig mit ihr unterhalten zu können.

»Da bin ich aber froh.« Bewegt von Schuldgefühlen und zugleich erleichtert, griff Dora mit beiden Händen nach Sharons Hand. »Sharon, das sind Captain Skimmerhorn und Lieutenant Chapman.«

»Guten Tag. Dora sagte mir, dass Sie sich mit meiner Tante unterhalten möchten.«

»Wir haben bereits bei dem verantwortlichen Arzt die Erlaubnis dazu eingeholt«, erklärte Brent. »Vielen Dank für Ihre Mitarbeit.«

»Ich werde alles tun, was nötig ist, um Ihnen zu helfen,

diesen Menschen zu finden, der meiner Tante das angetan hat. Sie erwartet sie.«

Jed wusste Sharons Blick richtig zu deuten. »Wir werden sie nicht überanstrengen.«

»Ich weiß. Dora versicherte mir, dass Sie schonend mit ihr umgehen werden. Und Sie lassen mich doch wissen, wenn es etwas Neues gibt, nicht wahr?«

»Selbstverständlich werden wir das.« Dora führte Sharon zu einer Bank. »Setzen Sie sich. Ruhen Sie sich inzwischen ein bisschen aus.«

»Wir haben nur fünfzehn Minuten«, flüsterte Jed Dora zu, als sie zurückkam. »Sehen wir zu, dass wir sie nutzen. Und du tust nichts, sagst nichts, ehe wir dir nicht ein Zeichen geben.«

»Jawohl, Captain.«

Ohne auf ihren spitzen Ton zu reagieren, wandte er sich Brent zu. »Eigentlich sollte sie überhaupt nicht mit reingehen.«

»Aber sie hat die Statue gesehen, wir nicht.« Gefolgt von Jed und Dora ging Brent durch die Schwingtür am Stationszimmer vorbei und betrat dann eines der kleinen Zimmer.

Dora war froh, dass sie zum Stillschweigen verdonnert worden war. Sie hätte ihre Stimme ohnehin nicht unter Kontrolle gehabt. Mrs. Lyle, die sie als elegante, selbstbewusste Frau in Erinnerung hatte, lag mit geschlossenen Augen bewegungslos in dem schmalen Krankenhausbett. Ihr einstmals tiefschwarzes Haar war matt und glanzlos, am Haaransatz inzwischen grau, und die schneeweißen Verbände ließen ihren Teint erschreckend blass erscheinen. Sie sah elend aus, und die Gesichtshaut, die sich über den scharf hervortretenden Wangenknochen spannte, war so dünn, dass Dora fürchtete, sie würde bei der leichtesten Berührung zerreißen.

»Mrs. Lyle«, sprach Brent sie, der neben dem Bett stand, mit leiser Stimme an.

Dora konnte die feinen blauen Adern in ihren unruhigen Lidern erkennen. Das monotone Piepsen des Monitors hielt an, als Mrs. Lyle die Augen aufschlug und sichtlich mühsam den Blick auf ihre Besucher richtete.

»Ja?« Ihre Stimme war schwach.

»Ich bin Lieutenant Chapman. Fühlen Sie sich in der Lage, ein paar Fragen zu beantworten?«

»Ja.«

Dora beobachtete Mrs. Lyle, wie sie angestrengt schluckte. Sie trat ans Bett, nahm das Wasserglas vom Nachttisch und schob ihr den Strohhalm zwischen die ausgetrockneten Lippen.

»Danke.« Ihre Stimme klang ein wenig weicher. Sie schaute Dora an und lächelte. »Miss Conroy. Wie nett, dass Sie mich besuchen.«

Jeds Anordnung war vergessen. »Ich bin ja so froh, dass es Ihnen wieder besser geht.« Sie beugte sich zu ihr hinab und legte ihre Finger sanft um Mrs. Lyles magere Hand. »Es tut mir so Leid, dass Sie verletzt worden sind.«

»Sie sagten mir, dass Muriel tot ist.« Ihre müden Augen füllten sich langsam mit Tränen. »Ich habe sie so gern gehabt.«

Doras Schuldgefühle meldeten sich sofort wieder. Es gelang ihr, sie auszuschalten, aber nicht, sie zu ignorieren. »Ich kann Ihnen gar nicht sagen, wie sehr mich das alles erschüttert hat. Die Polizei hofft, dass Sie ihnen helfen können, diesen Mann zu fassen.« Sie zog ein Kleenex aus der Schachtel auf dem Nachttisch und trocknete die Tränen auf Mrs. Lyles Wangen.

»Ich möchte gern helfen.« Ihre Stimme klang etwas energischer, als sie sich wieder Brent zuwandte. »Ich habe ihn nicht gesehen, Lieutenant. Ich habe niemanden gesehen. Ich … ich saß gerade vor dem Fernseher und dachte, es sei Muriel, die ich hörte …« Mrs. Lyle verstummte, ihre Finger bewegten sich in Doras Hand, als suchte sie bei ihr Trost. »Denn es war jemand ins Wohnzimmer gekommen. Und dann spürte ich nur noch diesen schrecklichen Schmerz, als sei etwas im meinem Kopf explodiert.«

»Mrs. Lyle«, begann Brent, »erinnern Sie sich daran, dass Sie am Tag vor dem Überfall in Miss Conroys Laden einen Hund gekauft haben?«

»Ja, für Sharons Baby. Einen Türstopper«, fügte sie hinzu und drehte den Kopf wieder in Doras Richtung. »Ich mache mir Sorgen, dass Sharon nicht genug Ruhe hat. All diese Aufregung ...«

»Sharon geht es prima«, versicherte Dora ihr schnell.

»Mrs. Lyle.« Jed trat einen Schritt vor. »Erinnern Sie sich im Zusammenhang mit diesem Hund noch an etwas anderes?«

»Nein.« Sie versuchte sich zu konzentrieren, doch es war vergeblich. »Ich weiß, dass er entzückend aussah. Ein Wachhund, dachte ich, für das Baby. Ist es das, worauf er es abgesehen hatte?« Wieder bewegten sich ihre Finger rastlos in Doras Hand. »Ist es das, was er wollte? Diesen kleinen Hund? Ich glaube, ich glaube mich zu erinnern, dass er etwas von einem Hund gebrüllt hat. Aber das kann doch nicht sein.«

Jed suchte Mrs. Lyles Blick. In ihren Augen stand Angst, aber er musste weiter bohren, noch ein bisschen tiefer schürfen. »Was genau hat er gesagt, Mrs. Lyle? Versuchen Sie sich zu erinnern.«

»›Wo ist der Hund?‹ Und er fluchte. Ich lag auf dem Boden und konnte mich nicht bewegen. Ich glaubte, einen Schlaganfall erlitten zu haben. Ich hörte es krachen und scheppern, und er brüllte immer wieder etwas von einem Hund. Und dann hörte ich nichts mehr.« Sie schloss erschöpft die Augen. »Bestimmt hat er Muriel nicht wegen eines kleinen Porzellanhundes umgebracht.«

»Anscheinend doch, oder?«, fragte Dora, als sie gemeinsam vor dem Aufzug standen.

»Daran gibt es wenig Zweifel.« Brent schob seine Brille zurecht und vergrub dann die Hände in den Hosentaschen. »Aber das ist noch nicht alles. Die Kugel, die Muriel tötete, stammt aus derselben Waffe, mit der Trainor erschossen wurde.« Er sah Jed an. »Und sie ist identisch mit den Kugeln, die wir aus der Mauer im Laden geholt haben.«

»Demnach ist er noch einmal wegen etwas anderem zurückgekommen.« In Gedanken betrat Jed den Aufzug.

»Der Hund war es nicht – oder war nicht alles. Was immer dieses alles sein mag.«

»Aber dieses Stück war weder besonders wertvoll noch einzigartig«, murmelte Dora. »Es war nicht einmal katalogisiert. Ich habe den Hund eigentlich nur ersteigert, weil er so niedlich war.«

»Du hast ihn auf einer Auktion erstanden.« Jed gingen auf einmal diverse Möglichkeiten durch den Kopf. »Wo?«

»In Virginia. Lea hat mich auf diesem Einkaufstrip begleitet. Du erinnerst dich doch. Ich kam an dem Tag deines Einzuges zurück.«

»Und am nächsten Tag hast du den Hund verkauft.« Er nahm ihren Arm, als sie den Lift verließen. »Da war der Einbruch in deinem Laden; Mrs. Lyle wurde überfallen; und noch ein Einbruch. Was hast du sonst noch gekauft, Dora?«

»Auf der Auktion? Oh, eine ganze Menge.« Sie machte eine ausladende Geste in der Luft. Dora ließ ihren Mantel offen, als sie zwischen den beiden Männern hinaus auf die Straße trat. Die kalte Luft tat gut, wehte den unangenehmen Krankenhausgeruch fort. »Ich habe eine Aufstellung der Einkäufe im Laden.«

»Versteigert man bei Auktionen nicht ganze Lose?«, erkundigte sich Brent. »Warensortimente, die aus einer bestimmten Sammlung oder von einem bestimmten Verkäufer stammen?«

»Sicher. Manchmal kauft man einen ganzen Haufen Mist, um ein ganz bestimmtes Stück zu bekommen. Und ich war nicht bei Sotheby's; diese Auktion war eher ein Flohmarkt, aber es wurden einige interessante Stücke angeboten.«

»Was hast du vor dem Hund erstanden, und was danach?«

Dora war fix und fertig. Und das dumpfe Pochen in ihrer Schläfe kündigte ihr eine saftige Migräne an. »Herrgott, Skimmerhorn, wie soll ich mich denn daran erinnern? Die Tage nach dieser Auktion sind nicht gerade ereignislos verlaufen.«

»Blödsinn, Conroy.« Seine Stimme nahm einen Tonfall an, bei dem sich Brents Stirn automatisch in Falten legte. Er hatte ihn schon öfters gehört, und zwar immer dann, wenn Jed einen störrischen Verdächtigen in die Mangel genommen hatte. »Du kennst jedes einzelne Stück, was du gekauft und verkauft hast, ebenso den genauen Preis einschließlich Steuern. Also, was hast du vor dem Hund ersteigert?«

»Eine Schale für Rasierseife, sie hatte die Form eines Schwans.« Sie spuckte die Worte förmlich aus. »Um neunzehnhundert. Vierundsechzig Dollar, fünfundsiebzig Cent. Für den Wiederverkauf bestimmte Waren sind steuerfrei.«

»Und nach dem Hund?«

»Ein abstraktes Gemälde in einem Elfenbeinrahmen. Primärfarben auf weißer Leinwand, signiert von E. Billingsly. Letztes Gebot: Zweiundfünfzig-fünfundsiebzig –« Sie verstummte und presste eine Hand auf ihren Mund. »Oh, mein Gott!«

»Volltreffer«, raunte Jed.

»Das Bild«, wisperte sie, ihre Augen waren vor Schreck geweitet. »Kein Foto, ein Gemälde. Er wollte das Gemälde.«

»Wir müssen herausfinden, warum.«

Doras Wangen hatten jegliche Farbe verloren, als sie nach Jeds Hand griff.« »Ich habe es meiner Mutter gegeben.« In ihrem Magen machte sich Übelkeit breit. »Ich habe es meiner Mutter gegeben.«

»Ich liebe Überraschungsbesuche.« Mit einem gekonnten Augenaufschlag hakte Trixie sich bei Jed und Brent unter. »Wie schön, dass Sie bei all Ihrer Arbeit noch Zeit für einen Besuch gefunden haben.«

»Mom, wir sind nur auf einen Sprung vorbeigekommen«, begann Dora.

»Unsinn.« Trixie dirigierte die beiden Männer bereits aus dem briefmarkengroßen Flur hinüber in den Raum, den sie gerne als Salon bezeichnete. »Sie müssen zum Lunch bleiben. Ich bin sicher, Carlotta wird ein köstliches Mahl für uns zaubern.«

»Das ist sehr nett von Ihnen, Mrs. Conroy, aber ...«

»Trixie.« Sie ließ ein helles, trillerndes Lachen hören und tippte mit dem ausgestreckten Zeigefinger neckisch gegen Brents Brust. »Mrs. Conroy bin ich nur für Fremde und die Herren von der Steuer.«

»Trixie.« Brent lief ein Schauer über den Rücken. Bisher hatte noch keine Frau mit ihm geflirtet, die seine Mutter hätte sein können. »Wir sind wirklich ein wenig in Zeitdruck.«

»Und Zeitdruck macht Magengeschwüre. In meiner Familie hat noch niemand unter Magenproblemen gelitten – abgesehen von Onkel Will, der sein ganzes Leben damit verbracht hat, Geld zu scheffeln, das er nie genossen hat. Nun, was blieb ihm da anderes übrig, als alles mir zu vererben? Und wir, wir genießen es in vollen Zügen. Bitte, so nehmen Sie doch Platz.«

Sie deutete auf zwei wuchtige Polstersessel vor dem Kamin, in dem ein gemütliches Feuer prasselte. Sie selbst ließ sich mit der Anmut einer Königin auf einem roten Samtkanapee nieder.

»Und wie geht es Ihrer entzückenden Gattin?«

»Ausgezeichnet, danke. Wir haben uns auf Ihrer Party neulich prächtig amüsiert.«

»Ja, das war ein lustiger Abend, nicht wahr?« Ihre Augen glitzerten. Lässig legte sie einen Arm über die Rückenlehne des Sofas – wie eine reife Scarlett, die vor ihren Verehrern Hof hält. »Ich liebe Partys. Isadora, mein Schatz, sei doch so nett und läute nach Carlotta.«

Resigniert zog Dora an dem altmodischen Gobelinband, das neben der Kamineinfassung hing. »Mom, ich bin nur vorbeigekommen, um das Bild abzuholen. Ich habe einen Interessenten dafür gefunden.«

»Bild?« Trixie schlug elegant die Beine übereinander. Ihre weiten blauen Seidenhosen raschelten leise. »Welches Bild meinst du denn, Liebling?«

»Das abstrakte.«

»Ach, ja.« Sie wandte sich Jed zu. »Normalerweise gebe ich ja der traditionelle Malerei den Vorzug, aber dieses Gemälde hat so etwas … etwas Verwegenes, Anmaßendes. Ich kann mir gut vorstellen, dass Sie daran Interesse haben. Es würde zu Ihnen passen.«

»Vielen Dank.« Er vermutete, dass das als Kompliment gedacht war. Jedenfalls erschien es ihm einfacher, das Spiel mitzuspielen. »Ich habe eine Vorliebe für abstrakten Expressionismus – Pollack, zum Beispiel, mit dem komplizierten Rhythmus seiner Pinselführung, der Art, wie er der Leinwand zu Leibe rückt. Ja, und für den energischen Schwung und das künstlerische Feuer eines, sagen wir, de Kooning.«

»Aufregend, nicht wahr?«, begeisterte sich Trixie mit glühenden Augen, obwohl sie keine Ahnung von Malerei hatte.

Mit Genugtuung registrierte Jed das maßlose Erstaunen auf Doras Gesicht. Er lächelte verschmitzt und faltete die Hände. »Und natürlich Motherwell nicht zu vergessen. Diese nüchternen Farben und amorphen Formen.«

»Genial«, stimmte Trixie zu. »Absolut genial.« Als sie das vertraute Trampeln im Flur hörte, sah sie erleichtert zur Tür.

Carlotta kam herein, die Hände über den schwarzen Jogginghosen in die Hüften gestemmt, die sie statt einer Uniform trug. Sie war eine kleine, untersetzte Person, die an einen Baumstamm mit Armen erinnerte. Ihr fahles Gesicht strahlte immer Unzufriedenheit aus.

»Was wollen Sie?«

»Wir hätten gern Tee, Carlotta«, erwiderte Trixie.

»Oolong-Tee.«

Carlotta fixierte die Besucher mit ihren schwarzen Knopfaugen. »Bleiben die zum Lunch?«, erkundigte sie sich barsch mit ihrer exotisch klingenden Stimme.

»Nein«, sagte Dora.

»Ja«, sagte ihre Mutter selben Moment. »Decken Sie bitte für vier.«

Carlotta schob ihr viereckiges Kinn vor. »Dann essen sie Thunfisch. Das habe ich gekocht, was anderes gibt es nicht.«

»Ich bin sicher, er schmeckt köstlich.« Trixie entließ Carlotta mit einer entsprechenden Handbewegung.

»Sie hat wie immer schlechte Laune«, murmelte Dora und ließ sich auf Jeds Armlehne nieder. Da die Aussichten gering waren, ohne Tee und Thunfisch wegzukommen, beschloss Dora, wenigstens auf den Anlass ihres Besuchs zurückzukommen. »Also, das Bild. Ich dachte, du wolltest es hier aufhängen?«

»Habe ich auch, aber es hat einfach nicht gepasst. Zu aufregend«, wandte sie sich erklärend an Jed, den sie inzwischen als Experten auf diesem Gebiet anerkannte. »Im Salon möchte man schließlich seine Gedanken zur Ruhe kommen lassen, nicht wahr? Wir haben es deshalb in Quentins Arbeitszimmer gehängt. Er glaubt, es könnte ihn inspirieren.«

»Ich hole es.«

»Ein außergewöhnliches Mädchen, unsere Isadora«, sagte Trixie, als Dora außer Hörweite war. Sie warf Jed ein Lächeln zu, das jedoch das berechnende Glitzern in ihren Augen nicht zu verbergen vermochte. »So klug und ehrgeizig und willensstark, natürlich. Was bedeutet, dass sie einen ebenso willensstarken Partner braucht. Ich glaube, eine Frau, die ein eigenes Geschäft führen kann, wird eine Familie und ein Heim ebenso erfolgreich führen. Sind Sie nicht auch dieser Meinung, mein Lieber?«

Jede wie auch immer geartete Antwort konnte die Falle zuschnappen lassen. »Ich könnte mir vorstellen, dass sie alles erreicht, was sie sich in den Kopf setzt.«

»Ohne Zweifel. Ihre Frau ist berufstätig, Brent, nicht wahr? Und dreifache Mutter.«

»Das ist richtig.« Brent musste grinste, als er Jed ansah, der ganz offensichtlich auf heißen Kohlen saß. »Es erfordert echte Teamarbeit, um alle Bälle in der Luft zu halten, aber uns gefällt das.«

»Und ein allein stehender Mann in einem gewissen Alter …« Trixie bedachte Jed, der am liebsten in den Erdboden versunken wäre, mit einem viel sagenden Blick, »… profitiert von dieser Teamarbeit. Waren Sie jemals verheiratet, Jed?«

»Nein.« Jed warf Dora einen scharfen Blick zu, als diese mit dem Bild unter dem Arm zurückkam.

»Mom, tut mir Leid, aber wir können leider nicht zum Lunch bleiben. Ich habe gerade im Laden angerufen, um Bescheid zu sagen, dass ich etwas später komme. Anscheinend gibt es dort ein Problem, um das ich mich kümmern muss. Wir müssen leider sofort aufbrechen.«

»Oh, aber Liebling …«

»Wir werden das Mittagessen in den nächsten Tagen nachholen.« Sie beugte sich zu ihrer Mutter und gab ihr einen Kuss auf die Wange. »Ich glaube, ich habe etwas Passenderes für Dads Arbeitszimmer. Kommt doch demnächst mal im Laden vorbei, ja?«

»Bestimmt.« Trixie stellte ihre Teetasse mit einem resignierten Seufzer ab und erhob sich. »Wenn es so wichtig ist, dann musst du eben gehen. Aber ich sage Carlotta, dass sie den Lunch für euch einpackt.«

»Das ist nicht …«

Trixie tätschelte Doras Wange. »Ich bestehe aber darauf. Es dauert nur eine Sekunde.« Damit eilte sie davon.

»Das war sehr gekonnt, Conroy.« Jed nahm Dora das Gemälde aus der Hand, um es eingehender zu betrachten.

»Apropos gekonnt.« Sie drehte sich um, ein neugieriges Lächeln auf den Lippen. »Wie kommst du eigentlich zu amorphen Formen?«

»Ich bin eine Zeit lang mit einer Malerin ausgegangen. Da schnappt man so dies und jenes auf.«

»Es wäre interessant zu erfahren, was du von mir aufschnappst.«

»Ich kann Thunfisch nicht ausstehen. Trotzdem biss Dora herzhaft in ihr Sandwich, während Jed die Leinwand aus dem Rahmen löste.

»Mit den harten Eiern und den Gurken schmeckt er doch prima«, meinte Brent, der gerade sein zweites verschlang.

Sie hatten beschlossen, in Doras Wohnung statt unten im Lager zu arbeiten, da dort mehr Platz und sie zudem ungestört waren. Dora und Jed akzeptierten schweigend, dass Brent nicht darauf bestanden hatte, mit dem Gemälde und den neu erworbenen Informationen zuerst zu seinem Vorgesetzten zu gehen.

Es war offensichtlich, dass Brent Jed immer noch als seinen Vorgesetzten betrachtete.

»Im Rahmen ist nichts.« Trotzdem stellte Jed ihn sorgfältig auf den Boden. »Aber die Jungs vom Labor sollten das Bild noch einmal genau unter die Lupe nehmen.«

»Das Gemälde selbst kann es auch nicht sein.« Dora spülte den Thunfisch mit einem Schluck Diet Pepsi hinunter. »Es stammt von einem unbekannten Künstler, das habe ich gleich am Tag nach dem Kauf überprüft, um sicherzugehen, dass ich nicht zufällig auf ein verschollenes Meisterstück gestoßen bin.«

Nachdenklich drehte Jed das Bild um. »Die Leinwand ist auf einen Sperrholzrahmen aufgezogen. Bring mir mal irgendein Werkzeug, mit dem ich das Bild aus dem Rahmen herauskriege, Conroy.«

»Glaubst du, da könnte was drin sein?«, rief sie aus der Küche, wo sie in diversen Schubladen nach Werkzeug kramte. »Vielleicht ein Päckchen mit Drogen, nein, besser mit Diamanten.« Sie kam mit einem Schraubenzieher zurück. »Rubine vielleicht, die sind heutzutage noch wertvoller.«

»Komm wieder auf den Teppich«, schlug Jed vor, während er sich an den Rahmen machte.

»Könnte doch sein«, beharrte Dora, die ihm gespannt über die Schulter schaute. »Es muss etwas sein, wofür sich ein Mord lohnt, und das ist meistens Geld.«

»Hör auf, mir in den Nacken zu atmen.« Jed schubste sie mit dem Ellbogen weg.

»Das ist immer noch mein Kunstwerk«, erinnerte sie ihn. »Ich habe es ehrlich erworben.«

»Nichts«, murmelte Jed, nachdem er die Abdeckung entfernt hatte. »Keine Geheimfächer.«

Dora funkelte ihn wütend an. »Hätte aber sein können.«

»Richtig.« Ohne sie weiter zu beachten, klopfte er mit der Hand auf die Rückseite der Leinwand.

»Merkwürdig. Die Rückseite der Leinwand sieht ziemlich alt aus«, meinte Dora und schob sich an Jed vorbei, um besser sehen zu können. »Andererseits ist es vorstellbar, dass Billingsly auf eine alte Leinwand malte, um sich das Geld für eine neue zu sparen.«

»Hmm. Und manchmal werden alte Gemälde übermalt, um sie durch den Zoll zu schmuggeln.«

»Glaubst du, dahinter verbirgt sich ein alter Meister?« Dora schüttelte amüsiert den Kopf. »Hah, wer von uns baut jetzt Luftschlösser?«

Jed schenkte ihr nicht mehr Beachtung als einer Fliege an der Wand. »Wir müssen diese abstrakte Schicht abwaschen und sehen, was darunter zum Vorschein kommt.«

»Immer hübsch langsam, Skimmerhorn. Ich habe für das Bild gutes Geld bezahlt und bin eigentlich nicht gewillt, es mir von irgendwelchen Cops auf der Suche nach alten Meistern verhunzen zu lassen.«

»Wie viel?« Ungeduld und aufkeimender Ärger kämpften miteinander, als er sich zu ihr umdrehte.

Zufrieden, dass er so schnell begriffen hatte, verschränkte sie die Arme vor der Brust. »Zweiundfünfzig Dollar und fünfundsiebzig Cent.«

Knurrend zog er seine Brieftasche hervor und zählte die Scheine ab.

Dora klemmte sich bei der Geldübergabe vorsichtshalber die Zunge zwischen die Zähne. Nur ihre Gefühle für Jed hielten sie davon ab, den Betrag nachzuzählen. »Zuzüglich Unkosten«, säuselte sie affektiert, »und einem angemessenen Profit. Sagen wir achtzig, und wir sind quitt.«

»Du meine Güte.« Er knallte ihr noch ein paar Banknoten auf die ausgestreckte Handfläche. »Du bist vielleicht habgierig.«

»Geschäftstüchtig«, korrigierte sie ihn und gab ihm einen Kuss, um den Handel abzuschließen. »Im Lager habe ich bestimmt irgendein Werkzeug, mit dem es gehen könnte. Bin gleich wieder zurück.« Dora ließ das Geld in ihrer Tasche verschwinden und lief nach unten.

»Die hat wirklich bei dir abkassiert.« Voller Bewunderung lehnte Brent sich in seinem Stuhl zurück. »Und hat siebenundzwanzig Dollar und ein paar Zerquetschte Gewinn gemacht. Ich dachte erst, sie macht Spaß.«

»Ich bezweifle, dass Dora je Scherze macht, wenn es um Geld geht.« Jed zündete sich eine Zigarette an und studierte das Gemälde so eindringlich, als könnte er durch die roten und blauen Farbklekse hindurchsehen. »Sie mag ja ein weiches Herz haben, doch ihr Verstand arbeitet wie der eines Börsenspekulanten.«

»Heh!« Dora trat mit dem Fuß gegen die Wohnungstür. »Macht mal auf. Hab' alle Hände voll.« Als Jed die Tür öffnete, kam sie beladen mit einem alten Vorhang, einer Glasflasche und diversen Lappen hereingestürmt. »Wisst ihr, es wäre vielleicht besser, wenn wir einen Spezialisten hinzuzögen. Der könnte das Bild röntgen oder so was.«

»Im Augenblick behalten wir die Sache lieber noch für uns.« Er ließ die Lappen auf den Boden fallen und griff nach der Flasche. »Was ist da drin?«

»Ein Lösungsmittel, das ich benutze, wenn sich ein wildgewordener Heimwerker an alten Erbstücken zu schaffen gemacht hat.« Sie kniete sich auf den Boden, um den Teppich zurückzurollen. »Wir müssen sehr vorsichtig zu Werke gehen. Hilf mir mal.«

Brent war bereits neben ihr und beantwortete grinsend den Blick, mit dem Jed ihn durchbohrte, nachdem er gemerkt hatte, wohin die Augen seines Freundes abgeirrt waren. Er bückte sich und breitete den alten Vorhang auf dem Boden aus.

»Vertrau mir, ich hab' das schon öfter gemacht«, erklärte sie. »Irgendwelche Banausen haben einmal eine wunderschöne alte Anrichte angepinselt, damit sie farblich besser zu der übrigen Esszimmereinrichtung passte. Es hat eine Ewigkeit gedauert, sie wieder in ihren alten Zustand zu versetzen, aber es hat sich gelohnt.« Sie hockte sich auf die Fersen und pustete sich die Haare aus der Stirn. »Soll ich es mal versuchen?«

»Ich habe das Bild bezahlt«, erinnerte Jed sie. »Es gehört jetzt mir.«

»Wollte dir ja nur meine Hilfe anbieten.« Sie hielt ihm einen Lappen hin. »Ich würde in einer Ecke anfangen, wenn ich du wäre. Falls du es vermurkst.«

»Ich werde überhaupt nichts vermurksen«, brummte er. Doch nachdem er sich neben sie hingekniet hatte, fing er tatsächlich in einer Ecke an. Er kippte etwas von der Flüssigkeit auf den Lappen und entfernte mit langsamen, kreisenden Bewegungen die letzten Buchstaben der Signatur.

»Bye-bye, Billingsly«, murmelte Dora.

»Vergiss ihn, Conroy.« Er feuchtete den Lappen nochmals an, entfernte dann die Grundierung. »Da ist was drunter.«

»Komm, du machst Witze.« Aufregung war in ihrer Stimme, als sie sich näher zu ihm beugte. »Was ist das? Ich kann nicht richtig sehen.« Sie sah ihn über die Schulter an und handelte sich damit einen Rippenstoß ein. »Verdammt, Skimmerhorn, ich will doch bloß mal gucken.«

»Bleib mir von der Pelle.« Seine Muskeln verspannten sich, als er behutsam immer mehr von der Grundierung abrubbelte. »Geld«, murmelte er. »Verdammter Hurensohn.«

»Was?« Dora, die nicht gewillt war, sich so einfach abwimmeln zu lassen, drückte sich so nahe an Jed heran, bis sie die Ecke des Bildes deutlich sehen konnte. »Monet.« Sie wisperte den Namen, als befände sie sich in einer Kirche. »Claude Monet. Heiliger Bimbam, ich habe einen Monet für ganze zweiundfünfzig Dollar und fünfundsiebzig Cent erstanden!«

»Irrtum. Ich habe einen Monet erstanden«, rief Jed ihr ins Gedächtnis »Für ganze achtzig Dollar.«

»Kinder.« Brent legte seine Hände auf Jeds und Doras Rücken. »Ich bin zwar kein großer Kunstexperte, aber selbst ich weiß, wer dieser Bursche ist. Ich glaube nicht, dass irgendjemand einen Monet mit diesem abstrakten Geschmiere überpinseln würde.«

»Es sei denn, er will ihn unkenntlich machen, weil er ihn schmuggeln will«, schloss Jed.

»Genau. Ich werde mir mal den Computer vorknöpfen und nachsehen, ob es in den letzten Monaten irgendwelche Kunstdiebstähle gegeben hat, bei denen ein Monet verschwunden ist.«

»Das Bild könnte auch aus einer privaten Sammlung stammen.« Ehrfürchtig hielt Dora ihren Zeigefinger über die Signatur, ohne sie zu berühren. »Lass es damit gut sein, Jed. Du machst sonst noch was kaputt.«

Sie hatte Recht. Jed zügelte seinen Übereifer und legte den Lappen aus der Hand. »Ich kenne eine Restauratorin, die Erfahrung mit Ölgemälden hat. Sie wäre bestimmt in der Lage, diesen Monet wieder sichtbar zu machen, und sie würde Stillschweigen bewahren.«

»Die alte Freundin?«, erkundigte sich Dora.

»Sie ist nicht alt.« Ganz unbewusst strich er Dora übers Haar und ließ seine Hand dann auf ihrem Nacken liegen, während er sich an Brent wandte.

»Du wirst das Goldman melden müssen.«

»Ja, das ist der nächste Schritt.«

Jed betrachtete angelegentlich die Signatur auf dem blassgrünen Hintergrund. »Ich sollte dich eigentlich nicht darum bitten, aber ich tu's trotzdem.«

»Wie viel Zeit brauchst du?«, erkundigte sich Brent, indem er Jeds Frage zuvorkam.

»Genügend, um mir dieses Auktionshaus in Virginia anzusehen und eine Spur zu finden«, erwiderte Jed mit ruhiger Stimme.

Brent nickte und nahm seinen Mantel. »Ich habe vorerst genug mit Nachforschungen über DiCarlo zu tun. Die Kollegen in New York haben mich wissen lassen, dass man ihn seit ein paar Tagen nicht mehr in der Nähe seiner Wohnung gesehen hat. Neben DiCarlo und meiner Pflicht, für die Sicherheit von Frauen und Kindern in Philadelphia zu sorgen, könnte ich ohne weiteres gewisse Kleinigkeiten vorübergehend vergessen. Aber du könntest mir einen Gefallen tun, indem du herausfindest, welcher Zusammenhang zwischen einem Porzellanhund und einem abstrakten Gemälde bestehen könnte.«

»Das werde ich.«

»Und pass auf dich auf. Bis bald, Dora.«

»Tschüs, Brent.« Dora blieb noch einen Moment auf dem Boden hocken. »Wie weit würde er wohl seinen Kopf für dich in die Schlinge stecken?«

»Weit genug.«

»Dann sollten wir besser zusehen, dass wir seinen Hals retten.«

»Wir?« Er nahm ihre Hand, als Dora aufstand. »Ich kann mich nicht erinnern, irgendetwas von wir gesagt zu haben.«

»Dann hast du ein schlechtes Gedächtnis. Warum rufst du nicht deine Freundin, die Malerin, an und buchst uns einen Flug nach Virginia? Ich habe in zehn Minuten gepackt.«

»Keine Frau auf Gottes Erdboden kann in zehn Minuten Koffer packen.«

»Skimmerhorn«, erklärte sie ihm über die Schulter hinweg, bereits auf dem Weg ins Schlafzimmer. »Ich bin quasi auf der Walz geboren. Kein Mensch kann schneller packen als ein Schauspieler nach einem Premieren-Flop.«

»Ich möchte dich aber nicht dabei haben. Es könnte gefährlich werden.«

»Gut, dann buche ich eben selbst meinen Flug.«

»Verdammt, du bist wirklich ein furchtbarer Sturschädel.«

»Das hab' ich schon öfter gehört. Ach, und sieh zu, dass du erster Klasse buchst. Ich fliege nie Touristenklasse.«

Winesap klopfte leise an Finleys Bürotür. Er wusste, dass sein Chef gerade eine 45-minütige Telefonkonferenz hinter sich hatte, und er war sich nicht sicher, in welcher Stimmung er ihn jetzt antreffen würde. Vorsichtig steckte er den Kopf durch die Tür. Finley stand am Fenster, die Hände auf dem Rücken verschränkt.

»Sir?«

»Abel. Ein wunderschöner Tag heute, nicht wahr? Wirklich ein wunderschöner Tag.«

Abels Magen beruhigte sich bei diesen Worten. »Ja, Sir, in der Tat.«

»Ich bin ein glücklicher Mann, Abel. Und ich habe mein Glück mit eigenen Händen gemacht, was das ganze noch um einiges angenehmer gestaltet. Wie viele Leute dort unten, glauben Sie, lieben ihre Arbeit? Wie viele von ihnen gehen am Ende eines arbeitsreichen Tages zufrieden nach Hause? Ja, Abel, ich kann mich wirklich als glücklichen Mann bezeichnen.« Er drehte sich um, ein Strahlen lag auf seinem Gesicht. »Und was kann ich für Sie tun?«

»Ich habe ein Dossier über Isadora Conroy zusammengestellt.«

»Ausgezeichnete Arbeit. Exzellent.« Er winkte Winesap zu sich heran. »Sie sind wirklich ein sehr wertvoller Mitarbeiter, Abel.« Während er mit einer Hand nach der Akte griff, drückte er mit der anderen Abels knochige Schulter. »Wirklich sehr wertvoll. Und ich möchte Ihnen meine Wertschätzung auch beweisen.« Er öffnete seine Schreibtischschublade und holte ein Samtkästchen heraus.

»Danke, Sir.« Tief bewegt öffnete Winesap das Kästchen. »Oh, Mr. Finley«, hauchte er mit Rührung in der Stimme. Er hatte allerdings nicht die geringste Ahnung, was er da in Händen hielt. Es schien eine Art Löffel zu sein, mit einem ungewöhnlich großen Schöpfteil und einem kurzen Stiel, der wie ein Adler geformt war.

»Ich freue mich, dass Ihnen mein kleines Geschenk Freude macht. Dieser Teelöffel stammt aus meiner eigenen Sammlung. Zinn, finde ich, passt am besten zu Ihnen. Ein starkes, dauerhaftes Material, das oft unterbewertet wird.«

»Vielen Dank, Sir. Danke. Ich weiß gar nicht, was ich sagen soll.«

»Nicht der Rede wert.« Finley wischte mit einer Handbewegung Winesaps Dank beiseite. »Nur ein kleines Zeichen meiner Anerkennung.« Er saß jetzt hinter seinem Schreibtisch. »Sie sind ein guter Mitarbeiter, Abel. Ich schätze Loyalität im selben Maße, wie ich Verrat bestrafe.

Schnell, präzise und gründlich. Stellen Sie in der nächsten Stunde keine Telefongespräche zu mir durch.«

»Ja, Sir. Und vielen Dank nochmal.«

Doch Finley hatte Winesap bereits schnell, präzise und gründlich vergessen. Er schlug die Akte auf und konzentrierte sich ganz auf Isadora Conroy.

20. Kapitel

Der Himmel war grau verhangen, und es fiel ein feiner, kalter Nieselregen, als Jed und Dora in Front Royal ankamen. Auf dem Weg vom Philadelphia International Airport nach Dulles hatte sie schlechtes Wetter begleitet, und wie es aussah, war mit einer Besserung so bald nicht zu rechnen. Die Heizung des Mietwagens hatte nur zwei Einstellungen: heißer Wüstensturm oder laues Lüftchen. Jedes Mal, wenn die Scheiben so beschlagen waren, dass Jed das Gebläse auf vollen Touren laufen lassen musste, verwandelte sich das Wageninnere in einen Schmelzofen.

Dora plauderte während der ganzen Fahrt wie ein dahinplätscherndes Bächlein, was auf Jed irgendwie entspannend wirkte. Er war nicht gezwungen zu antworten, ja, nicht einmal richtig zuzuhören. Dora besaß die Gabe, ihn mit ihrer guten Laune zu füttern, während sein Verstand gleichzeitig auf Hochtouren arbeitete und die nächsten Schritte plante.

»Falls du dich je entschließen solltest, Kassetten zu besprechen, die bei Hypnose verwendet werden«, bemerkte Jed, »kann ich dir schon jetzt einen durchschlagenden Erfolg garantieren.«

»Glaubst du das wirklich?« Dora klappte die Sonnenblende herunter und zog sich vor dem kleinen Spiegel die Lippen nach. »Jetzt zweimal rechts«, sagte sie und schob den Lippenstift in die Hülle zurück, »hinter dem Haus ist ein Parkplatz.«

»Vielen Dank für den Hinweis. Wahrscheinlich hätte ich trotz des großen Schildes und des Pfeils den Weg nicht selbst gefunden.«

»Du bist immer noch eingeschnappt, weil ich schneller packen kann als du.«

»Ich war überhaupt nie eingeschnappt.«

»Klar warst du das.« Mit einem strahlenden Lächeln tätschelte Dora seinen Arm. »Eine typisch männliche Reaktion. Die Art und Weise, wie du darauf bestanden hast, den Wagen zu fahren, obwohl ich den Weg genau kenne, war typisch Mann. Aber das kränkt mich nicht. Ich finde es eher niedlich.«

»Ich bin nur deshalb gefahren, weil ich eine Massenkarambolage vermeiden wollte, nachdem dich deine Ausführungen über ZZ Top und das Ozonloch so beschäftigt haben.«

»Ah.« Sie lehnte sich zu ihm rüber und küsste ihn auf die Wange. »Du hast mir ja tatsächlich zugehört.«

»Allerdings. Mir klingeln jetzt noch die Ohren.« Jed steuerte den Wagen auf den Parkplatz und brachte ihn neben einem verbeulten Ford Pick-up zum Stehen. »Und vergiss nicht, Conroy, wir sind hier nicht zum Einkaufen hergekommen.«

»Ich weiß, ich weiß«, meinte sie gedehnt und verdrehte genervt die Augen, als sie aus dem Wagen stieg. »Und du stellst die Fragen«, fuhr sie fort. »Ich bleibe zwei Schritte hinter dir wie ein wohlerzogenes kleines Mädchen und halte meinen Mund.«

Er wartete, bis sie die Tür zugeschlagen hatte. »Ganz genau, du hast einen hübschen Mund – selbst wenn er nur selten einmal zur Ruhe kommt.«

»Solch ein Kompliment lässt mein Herz in Verzückung geraten.« Sie hakte sich bei ihm unter und führte ihn zum Hintereingang. »Mach dich darauf gefasst, dass es da drinnen kalt wie in einer Gruft ist«, sagte sie, während sie die Eisentür aufstieß, die kläglich in den Angeln quietschte. »Aber wenigstens trocken. Mr. Porter hat eine Vorliebe für extreme Genügsamkeit. Keine Kinkerlitzchen, keine aufgemotzten Schauräume, aber verdammt günstige Angebote.« Sie atmete tief ein und riss begeistert die Augen auf. »Mein Gott, sieh dir nur diese Auswahl an!«

Das tat er und sah nur reihenweise verstaubte Möbel und blinde Glasscheiben, hinter denen sich Trödel aller Art stapelte. Es gab unendlich viel Schmuck, völlig altmodisch und im Laufe der Jahre stumpf und unansehnlich geworden; einen Schrank voller Salz- und Pfefferstreuer, einen anderen mit Flaschen in allen Größen, von denen keine einzige vom Staub vergangener Epochen verschont geblieben war.

»Ich glaube, das ist ein Druck von Maxfield Parrish.«

Ehe Dora schnurstracks darauf lossteuern konnte, hatte Jed schon geistesgegenwärtig nach ihrem Arm gegriffen. Das Funkeln ihrer Augen sagte ihm, wie schwierig es sein würde, Dora hier auf kürzestem Wege durchzuschleusen. Es musste schnell und ohne einen Blick zurück vonstatten gehen.

»Wo ist das Büro?«

»Da vorne rechts. Jed, ich möchte nur mal kurz …«

Ungerührt zog er Dora weiter, die an seinem Arm zerrte wie ein junger Hund an der Leine. »Reiß dich zusammen, Conroy. Du hast ja schon ganz feuchte Hände.«

»Du bist wirklich grausam«, murmelte sie trotzig. »Meinst du nicht, es wäre besser ich würde mit Porter sprechen? Von Händler zu Händler, sozusagen.«

»Ich sagte bereits, dass ich mit ihm rede.«

»Typischer Fall von Testosteron-Überschuss«, maulte Dora leise.

Die Tür stand offen, doch das Büro war leer. Diese paar Quadratmeter, so schien es Jed, waren offenbar die einzigen in dem ganzen Gebäude, die in den letzten zehn Jahren mit einem Staubtuch oder einem Schrubber in Berührung gekommen waren. Im Gegensatz zu dem Durcheinander in der Verkaufshalle war der Schreibtisch blitzsauber und aufgeräumt, die Aktenschränke glänzten, die Schubladen waren ordentlich verschlossen. Und es roch entfernt nach Möbelpolitur mit einem Schuss Zitronenduft.

»Sieht so aus, als hätte seit meinem letzten Besuch hier ein Großreinemachen stattgefunden.« Neugierig steckte Dora den Kopf durch die Tür. Die Schreibunterlage war makellos sauber, und auf der linken Ecke des Schreibtischs stand eine Vase mit frischen Treibhausrosen. »Das letzte Mal hing hier an der Wand ein vergilbter Kalender aus dem Jahre 1956, ansonsten sah es aus wie nach einem mittleren

Bombenangriff. Ich weiß, dass ich mir überlegte, wie in diesem Chaos überhaupt ein Mensch arbeiten kann.« Sie fing Jeds zynischen Blick auf und zuckte ungerührt die Schultern. »Mein Chaos hat immerhin System.« Sie sah sich um und vermied es, sehnsüchtig nach dem Tisch mit den Sonderangeboten zu schielen. »Wahrscheinlich kramt Porter irgendwo draußen in der Halle herum. Er ist kaum zu übersehen, hat eine verblüffende Ähnlichkeit mit einem Frettchen.«

»Kann ich Ihnen helfen?«

Jed legte Dora die Hand auf die Schulter, um sie zum Schweigen zu bringen. Er drehte sich zu einer adrett gekleideten Dame um, die ihre Brille an einer goldenen Kette um den Hals trug. »Wir möchten gerne mit Mr. Porter sprechen.«

Helen Owings Augen füllten sich beängstigend schnell mit heißen Tränen. »Oh«, machte sie und kramte in ihrer Tasche nach einem Taschentuch. Und noch einmal, »Oh«, bevor sie sich damit die Tränen abtupfte.

»Verzeihung.« Bevor Jed noch reagieren konnte, hatte Dora sie schon am Arm gefasst und führte sie ins Büro und zu einem Stuhl. »Soll ich Ihnen ein Glas Wasser bringen?«

»Nein, nein«, schniefte Helen und zerpflückte nervös ihr nasses Taschentuch in lauter kleine Stücke. »Es war nur der Schock, dass Sie nach ihm fragten. Sie wissen es vermutlich noch nicht.«

»Was wissen wir nicht?« Jed schloss leise die Tür und wartete.

»Sherman – Mr. Porter ist tot. Ermordet.« Die dramatische Betonung des letzten Wortes ließ Helens Lippen zittern.

»Oh, mein Gott!« Dora sank seufzend auf einen Stuhl. Ihr wurde schwindelig.

»Kurz vor Weihnachten.« Helen putzte sich mit der Ecke, die von dem Taschentuch noch zu gebrauchen war, die Nase. »Ich habe ihn gefunden. Dort.« Sie deutete mit einer schwachen Geste auf den Schreibtisch.

»Wie wurde er ermordet?«, wollte Jed wissen.

»Erschossen.« Helen schlug die Hände vors Gesicht und ließ sie dann kraftlos in den Schoß sinken. »Durch den Kopf geschossen. Ach, der arme Sherman.«

»Hat die Polizei irgendeinen Verdacht?«, fragte Jed.

»Nein.« Helen seufzte und versuchte, einen letzten Rest Haltung zu bewahren. »Anscheinend gibt es auch keinerlei Motiv. Es wurde nichts gestohlen, soweit wir feststellen konnten. Und es gab keine … Anzeichen für einen Kampf. Verzeihung, wie war Ihr …?«

»Skimmerhorn.«

»Mr. Skimmerhorn. Kannten Sie Sherman?«

»Nein.« Er überlegte einen Augenblick, wie viel er ihr erzählen sollte, und entschied sich dann, so wenig wie möglich zu sagen. »Miss Conroy hat ein Antiquitätengeschäft in Philadelphia. Wir sind wegen einiger Stücke gekommen, die hier am einundzwanzigsten Dezember versteigert wurden.«

»Unsere letzte Auktion.« Ihr Stimme brach. Nach einem tiefen Atemzug straffte sie die Schultern in dem offensichtlichen Versuch, sich zusammenzunehmen. »Bitte entschuldigen Sie meine gedrückte Stimmung. Ich habe das Geschäft erst heute wieder eröffnet und bin immer noch etwas durcheinander. Hat es irgendein Problem gegeben?«

»Nein, wie haben nur eine Frage.« Jed lächelte sie mitfühlend und freundlich an. »Miss Conroy hat zwei Stücke ersteigert. Und wir würden gerne wissen, wie und wo sie diese erworben haben.«

»Darf ich Sie nach dem Grund fragen? Normalerweise geben wir unsere Quellen nicht preis, wegen der Konkurrenz, Sie verstehen?«

»Wir sind in erster Linie an Informationen über diese Stücke interessiert. Wir haben gewiss nicht vor, Ihnen Ihre Einkaufsquellen streitig zu machen.«

»Nun …« Es war zwar ganz und gar unüblich, aber Helen konnte eigentlich nichts daran finden. »Möglicherweise kann ich Ihnen behilflich sein. Erinnern Sie sich an die Losnummer?«

»F-fünfzehn und F-achtzehn«, antwortete Dora abwesend. Sie erinnerte sich noch an etwas anderes, etwas, das ihr schwer auf den Magen schlug. Doch als Jed sie leise ansprach, schüttelte sie nur mit dem Kopf.

»F-fünfzehn und F-achtzehn«, wiederholte Helen, dankbar, etwas Praktisches tun zu können. Sie stand auf und ging zum Aktenschrank. »Ah, die F-Lose stammen von einer Sendung aus New York. Nur ein kleiner Nachlass.« Sie lächelte und legte den Ordner auf den Schreibtisch. »Um ehrlich zu sein, Mr. Skimmerhorn, ich glaube, die meisten Stücke wurden bei Garagenverkäufen zusammengekauft. Ich erinnere mich, dass die Qualität nicht unseren Erwartungen entsprochen hatte. Conroy ... ja, Sie haben zwei Lose ersteigert. Aber mehr, fürchte ich, kann ich Ihnen über die Sachen auch nicht erzählen. Ich ...«

Das Klopfen an der Tür unterbrach sie. »Miss Owings?«

»Ja, Richie?«

»Wir hätten da draußen eine Frage zu dem Waschbecken. Die Kunden haben es eilig.«

»Okay. Sag Ihnen, ich komme sofort.« Helen stand auf und strich sich die Frisur und den Rock glatt. »Wenn Sie mich bitte eine Minute entschuldigen wollen.«

Jed wartete, bis Helen das Büro verlassen hatte, ehe er sich die Akte selbst vornahm. Er überflog die Listen, die Aufstellungen und Preise und steckte dann ein, was er für wichtig hielt.

»Was machst du da?«, flüsterte Dora empört. »Das geht doch nicht.«

»Es spart uns Zeit. Komm.«

»Sie kennt doch meinen Namen.«

»Gut, dann machen wir davon Kopien und schicken ihr die Originale zurück.« Vorsichtshalber nahm er Dora an die Hand, was diesmal völlig unnötig war. Sie versuchte erst gar nicht, gemütlich durch die Halle zu schlendern und irgendwelche verstaubten Möbel näher in Augenschein zu nehmen. Als sie wieder im Wagen saßen, sprach er sie an. »Also, spuck's schon aus. Du bist vorhin da drinnen weiß wie ein Leintuch geworden.«

»Mir ist Mr. Ashworth eingefallen. Ich habe dir von ihm

erzählt. Er war der Händler, den ich auf dieser Auktion kennen gelernt habe. Er hat auch ein Los aus dieser Sendung erstanden.«

»Der Ashworth, der bei einem Einbruch getötet wurde«, murmelte Jed. »Sagtest du nicht, dass sich sein Geschäft irgendwo in der Nähe befindet?.«

»Ja, nur ein paar Meilen von hier.«

»Dann ist das unser nächstes Ziel.« Er startete den Motor. »Bist du dazu in der Lage?«

»Ja. Aber ich möchte vorher kurz im Laden anrufen.«

»Du bist gerade mal ein paar Stunden weg, Conroy. Die werden ohne dich schon zurechtkommen.«

»Ich möchte nicht, dass Terri oder Lea sich jetzt in der Nähe des Ladens aufhalten.« Sie starrte stur geradeaus. »Ich will, dass sie ihn schließen.«

»Okay.« Er nahm ihre Hand, die sich eiskalt und starr anfühlte. »Okay.«

Obwohl Jed vorsichtshalber eine kleine Tasche gepackt hatte, hatte er doch gehofft, den Trip nach Virginia in einem Tag erledigen zu können. Doch nach dem Besuch in Ashworth' Laden konnte davon nicht mehr die Rede sein.

Dora brauchte dringend eine Verschnaufpause, und Jed war entschlossen, dafür zu sorgen, dass sie diese bekam.

Sie sagte nichts, als sie ein Hotelzimmer in der Nähe des Flughafens nahmen. Die Tatsache, dass sie während der regnerischen Fahrt von Front Royal kaum ein Wort gesprochen hatte, beunruhigte Jed beinahe ebenso sehr wie die Informationen, die sie von Tom Ashworth' Enkel erhalten hatten: Ashworth war ermordet, der Laden bei dem Einbruch völlig verwüstet und die Figur, die er auf der Auktion ersteigert hatte, offenbar gestohlen worden.

Jed schloss die Tür zu ihrem Hotelzimmer auf, stellte die beiden Taschen ab und dirigierte Dora zu einem Sessel. »Setz dich. Du musst etwas essen.«

»Ich habe keinen Hunger.«

»Doch, hast du schon.« Er ging ans Telefon und bestellte beim Zimmerservice zwei Steaks, Kaffee und eine Flasche

Brandy, ohne sie nach ihren Wünschen zu fragen. »Dreißig Minuten«, sagte er, als er den Hörer auflegte. »Was wahrscheinlich bedeutet, dass wir uns auf eine Dreiviertelstunde einrichten können. Zeit genug, dass du dich ein wenig hinlegst.«

»Ich …« Wie betäubt starrte sie auf das Bett. »Ich glaube, ich nehme lieber ein Bad.«

»Auch gut. Lass dir Zeit.«

Dora stand auf und nahm ihre Tasche. »Fühlst du nicht irgendetwas?«, fragte sie mit einer Stimme, die unendlich müde klang. »Drei Menschen sind tot – mindestens drei. Es können noch mehr sein. Menschen, die mir nahe stehen, befinden sich möglicherweise in Lebensgefahr, nur weil sie für mich arbeiten. Und du bestellst Steaks. Macht dir das keine Angst? Wird dir bei dieser Vorstellung denn nicht übel? Empfindest du überhaupt irgendetwas dabei?«

Die letzte Frage klang wie ein Peitschenhieb. Sie presste ihre Tasche an die Brust und zwang sich, ihn anzusehen. Jed erwiderte ihren Blick sehr gelassen. »Doch, ich empfinde etwas dabei. Ich bin stinksauer. Geh und nimm dein Bad, Dora. Und vergiss das alles für eine Weile.«

Nachdenklich wandte sie sich ab. »So einfach geht das nicht«, murmelte sie und machte leise die Badezimmertür hinter sich zu. Kurz darauf hörte er das Wasser in der Wanne rauschen.

Er zündete sich eine Zigarette an und fluchte leise, als das Streichholz wieder ausging. Sie war enttäuscht von ihm – das las er in ihren Augen. Und es war ihm wichtig, vielleicht zu wichtig, was sie von ihm hielt.

Dora war ihm sehr wichtig.

Er ging zum Badezimmer, blieb vor der Tür stehen und hob die Hand, um anzuklopfen. Doch dann unterließ er es. Es gab nichts zu sagen. Taten waren erforderlich. Jed ging ans Telefon und wählte Brents Nummer.

»Lieutenant Chapman.«

»Ich bin's, Jed.«

»Was gibt's Neues?«

»Ein paar Tote.« Jed sprach mit leiser Stimme. »Sherman Porter, Besitzer des Auktionshauses, in welchem Dora das Bild und den Hund ersteigert hat. In seinem Büro ermordet, kurz vor Weihnachten. Vielleicht erkundigst du dich bei den Kollegen hier nach weiteren Informationen.«

»Okay, hab' ich notiert.«

»Ashworth, Thomas, Antiquitätenhändler im selben Ort, bei einem Ladeneinbruch ermordet, ungefähr zur gleichen Zeit wie Porter. Er war mit Dora auf der Auktion, hatte dort eine Porzellanfigur ersteigert.« Jed warf einen Blick auf die Liste. »Ein tanzendes Paar, etwa sechzig Zentimeter hoch, im Stil der Jahrhundertwende gekleidet. Er hatte die Figur nicht lange.«

»Wert?«

»Keine Kostbarkeit. Ich habe eine Aufstellung vor mir liegen, was sich sonst noch in der Partie befunden hat, und wer was ersteigert hat.«

»Du warst ganz schön fleißig, Captain. Lies mal vor, aber langsam, bitte. In Stenografie war ich noch nie eine Leuchte.«

Als er mit der Liste durch war, drückte Jed seine Zigarette aus. »Du würdest mir einen großen Gefallen tun, wenn du diese Leute so schnell wie möglich ausfindig machen könntest, Brent.«

»Darum musst du nicht extra bitten.«

»Die Partie kam aus New York, angeblich aus einem Nachlass, doch die verantwortliche Dame bei Porter meinte, die Sachen sahen eher so aus, als stammten sie von einem Flohmarkt. Die Sendung war nicht das, was sie erwartet hatte. Ich habe den Namen des Burschen, der den Plunder verschickt hat. Werde ihm morgen mal persönlich auf den Zahn fühlen.«

»Gib mir den Namen. Wir checken das ab, für alle Fälle.«

»Franklin Flowers, Brooklyner Adresse. Gibt's was Neues von Mrs. Lyle?«

»Ihr Zustand scheint sich stabilisiert zu haben. Aber sie kann sich nur an das erinnern, was sie uns bereits erzählt hat.«

»Und was ist mit dem Bild?«

»Deine alte Freundin hat es noch in der Mache. Gute Idee, sie im Haus deiner Großmutter arbeiten zu lassen.« Brents Stimme klang amüsiert. »Deine Großmutter hat mich klipp und klar wissen lassen, dass sie sich nicht zur Eile zwingen lassen.«

»Lässt du sie bewachen?«

»Rund um die Uhr. Musste Goldman dafür ein bisschen um den Bart gehen. Du weiß schon, dicke Berichte nebst Petits Fours und Cappucino. Hätte nichts dagegen, selbst Wache zu schieben. Gib mir deine Nummer, falls sich heute Abend noch etwas tut.«

Jed nannte sie ihm. »Willst du etwa selbst den Kopf hinhalten?«

»Keine Angst, mir passiert schon nichts. Goldman hat sich nun doch entschlossen, ein gewisses Interesse für den Mörder von Trainor zu bekunden. Hat sich vor Gericht richtig ins Zeug gelegt. Nach dem Motto: ›Einer meiner Männer wurde ermordet, und deshalb werde ich nicht eher ruhen, bis der Täter vor seinem Richter steht‹ – Kriminalfilm, gleich nach den Nachrichten.«

»Wir werden ihm diesen DiCarlo mitten auf den Schoß setzen.«

Die Verachtung in Jeds Stimme gab Brent Hoffnung. »Wenn wir ihn finden. Der Bursche scheint untergetaucht zu sein.«

»Dann graben wir ihn eben wieder aus. Ich rufe dich von New York aus an.«

Er legte auf, lehnte sich ans Kopfteil des Bettes und rauchte noch eine Zigarette. Das Wasser im Bad lief jetzt nicht mehr. Hoffentlich hat sie sich in der Wanne ausgestreckt, die Augen zugemacht, und denkt an gar nichts, wünschte sich Jed.

Dora hatte sich ausgestreckt, sie hatte die Augen zugemacht, und dank des heißen Wassers und des Badesalzes entspannte sie sich ein wenig. Ihre Gedanken auszuschalten, gestaltete sich hingegen weitaus schwieriger. Immer wieder sah sie Helen Owings vor sich, sah die Tränen in ihren Augen. Sie hörte Thomas Ashworth' Stimme, die zu zittern begonnen hatte, sobald er von seinem Großvater sprach. Sie erinnerte sich, wie fahl und blass Mrs. Lyle in dem Krankenhausbett gelegen hatte, umgeben von Maschinen.

Selbst in der Wärme des Badewassers konnte sie noch den kalten Lauf der Pistole spüren, den DiCarlo ihr an die Brust gepresst hatte.

Sie hatte aber auch Jeds ausdruckslose Stimme im Ohr, als er die Opfer befragte. Sie konnte seine Augen sehen, diese wunderschönen blauen Augen, die keinerlei Gefühle zeigten; keine Wut, keine Angst, kein Mitleid.

War das nicht auch eine Form von Tod?, fragte sie sich. Nichts zu empfinden – nein, verbesserte sie sich, keine Empfindungen und Gefühle zuzulassen. War es nicht schrecklich, die Fähigkeit zu besitzen, beiseite zu treten, zu beobachten und zu sezieren, ohne sich von der Trauer berühren zu lassen?

Vielleicht hatte sie ihn die ganze Zeit über völlig falsch eingeschätzt. Vielleicht berührte ihn überhaupt nichts, konnte nichts diese sorgfältig aufgebaute Mauer durchdringen.

Er erledigte ganz einfach seinen Job, setzte die Teile des jeweiligen Puzzles zusammen, die ihm nicht mehr bedeuteten als einen weiteren Schritt hin zur Lösung des Problems.

Sie blieb so lange in der Wanne liegen, bis das Wasser unangenehm kalt wurde. Um den Augenblick herauszögern, Jed ins Gesicht sehen zu müssen, trocknete Dora sich ganz langsam ab und cremte sich dann sorgfältig von Kopf bis Fuß ein. Sie ließ das Handtuch fallen und griff nach ihrem Morgenrock. Nach kurzem Zögern strich sie über den grünen Frotteestoff. Diese Seite von Jed hatte sie bewusst verdrängt, das merkte sie jetzt. Sie erwartete immer zu viel, und war stets gekränkt, wenn diese Erwartungen nicht erfüllt wurden. Aber es war so schwer, sich damit zufrieden zu geben, dachte sie, und knotete energisch den Gürtel fest. So verdammt schwer.

Dora öffnete die Tür. Jed stand am Fenster und starrte hinaus in den Regen. Der für zwei gedeckte Servicewagen wartete bereits auf sie. Jed trank gerade einen Schluck Kaffee, als er sich zu Dora umdrehte.

Sie ins Zimmer kommen zu sehen, traf ihn wie ein Faustschlag auf den Solarplexus. Das heiße Bad hatte ihre Wangen gerötet, ihr Haar, das sie achtlos zu einem Dutt hochgesteckt hatte, schimmerte feucht. Und plötzlich roch das ganze Zimmer nur noch nach ihr.

Er hatte das Licht der Lampen abgeschwächt, nicht der Romantik wegen, sondern weil er dachte, das sanftere Licht würde ihr gut tun. In dieser Beleuchtung wirkte sie sehr zerbrechlich.

Jed musste sich zwingen, seinen Kaffee auszutrinken. »Das Abendessen ist da« bemerkte er. »Setz dich hin und iss, bevor es kalt wird.«

Seine Augen hatten ihren leeren Ausdruck verloren. Was sie darin sah, war mehr als nur Begehren. Es war das ungezügelte Verlangen nach ihr.

»Du versuchst, es mir leichter zu machen.« Warum hatte sie das nicht schon früher kapiert?

»Ich hab dir nur etwas Treibstoff besorgt.« Er wollte einen Stuhl an den Tisch schieben, aber sie schnitt ihm den Weg ab, schlang die Arme um seinen Nacken und drückte ihr Gesicht an seine Halsbeuge. Sie machte es ihm unmöglich, ihr nicht all die Zärtlichkeit zu geben, zu der er fähig war. Er hielt sie im Arm und sah versonnen den Regentropfen hinterher, die an der Fensterscheibe herunterliefen.

»Ich hatte Angst«, murmelte sie leise.

»Du brauchst keine Angst zu haben.« Sein Griff verstärkte sich kaum merklich, um gleich wieder nachzulassen. »Dir wird nichts geschehen.«

»Ich hatte vor etwas anderem Angst. Ich fürchtete, du könntest nicht hier sein, um mich in den Arm zu nehmen. Oder dass deine Anwesenheit nur Teil des Jobs ist, den du erledigen musst und vor dem du dich nicht elegant drücken kannst.«

»Du redest Unsinn. Ich halte mich nie damit auf, mich vor etwas elegant zu drücken.«

Sie ließ ein kleines Lachen hören, war überrascht, dass ihr das gelang. »Ich weiß. Ja, das weiß ich. Aber ich bin dir zu nahe getreten.« Sie beugte den Kopf zurück, um in seinem Gesicht lesen zu können. »Wollte dich dazu bringen, Dinge zu fühlen, die zu fühlen du dir nicht leisten kannst, wenn du dein gestecktes Ziel erreichen willst. Wollte, dass du Gefühle für mich aufbringst, die du nicht aufbringen willst.«

»Ich weiß nicht, was ich für dich empfinde.«

»Auch das weiß ich.« Sie berührte seine Wange, streichelte über die verspannten Muskeln. »Im Moment willst du mich, und damit sollten wir es gut sein lassen.« Sie gab ihm einen zärtlichen Kuss. »Schlaf mit mir.«

Er spürte, wie sich die Lust in seinem Innern zu regen begann. »Das ist es aber nicht, was du im Augenblick brauchst.«

»Doch, es ist genau das, was ich brauche.« Sie zog ihn zum Bett. »Genau das Richtige.«

Später kuschelte sie sich zufrieden und schläfrig an ihn. Er war so zärtlich gewesen, so geduldig. Und er hatte sich gehen lassen. Auch er hatte alles um sich herum vergessen. Er hatte ihr alles gegeben, worum sie gebeten hatte, und hatte sich alles genommen, was sie ihm hatte geben wollen. Jetzt lauschte sie wohlig entspannt dem Regen.

»Die Steaks sind jetzt bestimmt schon kalt«, meinte Jed. »Aber du musst etwas essen. Als wir hier reinkamen, befürchtete ich schon, du würdest jeden Moment umkippen.«

»Jetzt geht es mir schon wieder viel besser.« Sie lächelte, als er mit ihren Fingern spielte. Solche Dinge tat er jetzt häufiger, dachte sie und fragte sich, ob ihm das überhaupt bewusst war. »Erzähl, was machen wir als Nächstes.«

»Wir fliegen morgen früh nach New York.«

»Du hast ›wir‹ gesagt.« Sie drückte sich noch näher an ihn heran. »Du machst Fortschritte, Skimmerhorn.«

»Wollte mir nur eine längere Debatte ersparen.«

»Ach komm. Du hast mich gerne um dich. Gib's doch zu.«

»Im Bett ja. Ansonsten gehst du mir meistens gewaltig auf die Nerven.«

»Das kann schon sein, aber trotzdem magst du es.« Dora setzte sich auf und fuhr sich durchs Haar. »Du hast es wirklich geschafft, dass ich mich besser fühle.«

Er tippte mit der Fingerspitze an ihre Brustwarze. »Gern geschehen.«

Dora lachte und schüttelte sich die Haare aus der Stirn. »Nicht nur deswegen – obwohl es wirklich super war.« Mit einem verliebten Lächeln rieb sie ihre Fingerknöchel an seinem Kinn. »Ich habe dich nämlich auch gern um mich.«

Er hielt ihr Handgelenk fest. »Vielleicht solltest du zusehen, möglichst schnell in die andere Richtung zu rennen.«

»Das glaube ich nicht.«

»Du kennst mich nicht, Dora. Du hast keine Ahnung, woher ich komme, und selbst wenn, würdest du es nicht verstehen.«

»Das käme auf einen Versuch an.«

Er schüttelte den Kopf und stand auf.

»Komm, gib mir eine Chance«, drängte sie.

»Ich habe Hunger.« Er zog seine Jeans an und kehrte ihr den Rücken zu, um die kalten Steaks abzudecken.

»Also gut. Wir können uns ja auch beim Essen unterhalten.« Diese Gelegenheit wollte Dora sich nicht entgehen lassen. Sie zog sich den Morgenmantel über und setzte sich an den Servicewagen. Es gab nur eine Kaffeetasse. Anscheinend hatte er ihn nur für sich bestellt, weil er wusste, dass sie danach nicht schlafen konnte. So goss sie den Kaffee in das Brandyglas und trank ihn, wie er war – schwarz und kalt. »Woher kommst du, Skimmerhorn?«

Er bereute bereits seine Zusage und hätte die heikle Lage, in die sie ihn gebracht hatte, gern vermieden. »Aus Philadelphia«, antwortete er knapp,

»Aus dem reichen Philadelphia«, verbesserte sie. »Das weiß ich bereits.« So konnte sie ihm vielleicht auf die Sprünge helfen. »Und ich weiß außerdem, dass auf beiden

Seiten Geld war und somit die Heirat deiner Eltern einer kochkarätigen Firmenfusion gleichkam.« Sie streute Salz auf ihr Steak. »Und dass sie sich des Öfteren in aller Öffentlichkeit stritten.«

»Solange ich zurückdenken kann, hassten sie einander.« Er zuckte die Achseln. »Fusion ist der richtige Ausdruck. Keiner von beiden war gewillt, auch nur auf einen Cent seines Vermögens zu verzichten. Deshalb blieben sie zusammen und verbrachten siebenundzwanzig Jahre in gegenseitiger Verachtung und Feindschaft. Und ironischerweise starben sie gemeinsam, als nämlich ihr Chauffeur die Kontrolle über ihre Limousine verlor.«

»Es war gewiss hart für dich, beide auf diese Weise zu verlieren.«

»Nein«, er sah sie an, »war es nicht. Ich habe nichts für sie empfunden, außer einer Art milder Verachtung. Ich sagte dir doch, du würdest das nicht verstehen.«

Sie wartete einen Moment, aß, um die Pause zu überbrücken. »Du hast Unrecht. Ich glaube, ich verstehe dich schon. Du hast sie nicht respektiert und im Laufe der Jahre aufgehört, sie zu lieben.«

»Ich habe sie nie geliebt.«

»Aber natürlich hast du das. Jedes Kind liebt seine Eltern so lange, bis diese Liebe auf das Schändlichste missbraucht wird – und oft hält sie sogar danach noch an. Als sie dann starben, hast du sehr wohl etwas empfunden, möglicherweise Schuldgefühle, weil du ihnen nicht mehr Liebe hast entgegenbringen können.« Sie machte wieder eine Pause, musterte ihn schweigend. »Liege ich richtig?«

Sie hatte den Nagel auf den Kopf getroffen, aber das zuzugeben, dazu war Jed noch nicht bereit. »Sie bekamen zwei Kinder, die sie nicht unbedingt hatten haben wollen«, fuhr er fort. »Elaine, und dann mich, weil es wichtig war, einen Sohn zu haben, der den Familiennamen weiterführte. Und daran wurde ich während meiner ganzen Kindheit immer wieder erinnert.«

›Du bist ein Skimmerhorn‹, so hieß es immer, ›du bist unser Erbe. Das Mindeste, was du dafür tun kannst, ist, ein bisschen Intelligenz zu zeigen. Und Dankbarkeit. Fall uns nicht dauernd zur Last!‹

»An meine Verpflichtungen«, fuhr er, gegen die bösen Geister der Erinnerung ankämpfend, nach einer Weile fort. »Und an ihre Erwartungen. Deine Eltern wollten, dass du Schauspielerin wirst; meine wollten, dass ich das Familienvermögen weiter vermehre.«

»Und wir haben sie beide auf unsere Weise enttäuscht.«

»Das ist nicht das Gleiche, Dora. Die Erwartungen deiner Eltern, deine Zukunft betreffend, hatten etwas mit Stolz zu tun. Die meiner Eltern gründete sich nur auf Gier. So etwas wie Liebe zum Beruf gab es in unserer Familie nicht.«

Er hasste es, darüber zu sprechen, hasste die Erinnerung daran, aber Dora hatte den Stein ins Rollen gebracht, und er war nicht in der Lage, ihn aufhalten.

»Deine Schwester …«

»Bedeutete mir nicht mehr, als ich ihr bedeutete.« Seine Stimme klang gleichmütig. »Das Schicksal machte uns zu Gefangenen, die dieselbe Zelle teilten, doch selbst Blutsverwandte müssen nicht notwendigerweise tiefere Gefühle füreinander entwickeln. Wir vier versuchten eigentlich überwiegend, uns aus dem Weg zu gehen.« Auf seinem Gesicht erschien ein freudloses Lächeln. »Was sogar in einem riesengroßen Haus wie dem unseren nicht immer einfach war.«

Obgleich sie wusste, dass er das nicht beabsichtigt hatte, empfand sie plötzlich Mitleid mit ihm. »Gab es denn niemanden, mit dem du reden konntest?«

»Worüber?« Er ließ ein abfälliges Lachen hören. »Es war kein Geheimnis, dass meine Eltern sich hassten. Die Kämpfe, die sie in der Öffentlichkeit ausfochten, waren quasi immer nur die Vorrunden. Der Entscheidungskampf fand anschließend zu Hause statt. Und wenn sie sich nicht gegenseitig am Wickel hatten, dann gingen sie auf Elaine oder mich los. Ich flüchtete mich in kleinere Diebstähle, mutwillige Sachbeschädigungen und Betrügereien. Elaine flüchtete sich in die Arme fremder Männer. Sie war noch keine Zwanzig, da hatte sie schon zwei Abtreibungen hinter sich. Meine Eltern ließen uns mit unseren Problemen allein. Uns auf Internate zu schicken, nutzte auch nicht viel. Mich warf man nach kürzester Zeit wieder raus, und Elaine hatte ein Verhältnis mit einem ihrer Lehrer.

Am Ende gaben sie auf. Das war eine der wenigen Entscheidungen, über die sie sich einig waren. Sie schlossen mit Elaine ein Abkommen. Sie würde eine gewisse Summe erhalten, wenn sie einen Ehemann ihrer Wahl akzeptierte. Mich schickten sie zu meiner Großmutter. Elaines erste Ehe hielt nur knapp zwei Jahre. Ungefähr zur Zeit ihrer Scheidung trat ich in die Polizeiakademie ein. Das war für sie ein Schock.« Er machte die Brandyflasche auf und füllte die beiden Gläser großzügig. »Sie drohten damit, uns beide zu enterben. Sie machten diese Drohung allerdings nicht wahr, denn sie wollten, dass das Geld in der Familie blieb. Also heiratete Elaine ein zweites Mal, und ich wurde Polizist. Kurz darauf starben sie.«

Dora wurde von Gefühlen überschwemmt. Sie hatte Mitleid mit dem kleinen Jungen, teilte die Wut und die Trauer mit ihm über eine Familie, die nichts besaß, was sie zusammenhielt.

»Vielleicht hast du Recht«, sagte sie langsam. »Ich kann wirklich nicht verstehen, wie Menschen ohne Liebe zusammenleben können, wie sie nicht einmal in der Lage sind, wenigstens ihre Kinder zu lieben. Aber das bedeutet nicht, dass ich dich nicht verstehe.«

»Was du verstehen musst, ist, dass ich möglicherweise nicht fähig bin, dir das zu geben, was du brauchst.«

»Nun, das ist mein Problem, oder nicht?« Sie trank einen großen Schluck Brandy. »Mir scheint, Skimmerhorn, du hast viel mehr Angst, dass ich dir genau das geben könnte, was du brauchst.«

21. Kapitel

Dora hatte schon immer eine Vorliebe für New York gehabt, hatte vor Jahren davon geträumt, in dieser Stadt zu leben. Ein Loft im Village, eine Stammkneipe, in der sich Gott und die Welt trafen, Künstlerfreunde. So hatte sie sich ihr Leben vorgestellt.

Aber damals war sie vierzehn gewesen, und ihre Ansichten über das Leben hatten sich seither etwas geändert. Doch nicht bezüglich New York. Sie liebte diese Stadt noch immer wegen ihrer unerbittlichen Dynamik, ihrer prickelnden Energie, ihres Dünkels. Sie liebte es, wie die Menschen die Bürgersteige entlanghetzten, sorgsam darauf bedacht, jeglichen Augenkontakt mit anderen zu vermeiden; wie sie mit Tragetaschen von Saks und Macy's und Bendels beladen von einem Kaufhaus ins nächste stürmten. Sie liebte die Hi-Fi-Shops, die Straßenverkäufer mit ihren gerösteten Kastanien und lockeren Sprüchen und die Unverschämtheit der Taxifahrer.

»Idiot«, murmelte Jed, als einer dieser Taxifahrer ihn so knapp überholte, dass kaum ein Blatt Papier zwischen die beiden Wagen gepasst hätte.

»Toll, nicht?«, begeisterte sich Dora.

»Ja, sehr toll. Ich bezweifle, dass ein Cop hier seit der Jahrhundertwende auch nur irgendeinem Autofahrer einen Strafzettel verpasst hat.«

»Es hätte wohl auch kaum etwas genützt. Immerhin – oh, schau nur!« Dora kurbelte ihr Fenster runter und streckte den Kopf hinaus.

»Wenn du dreimal tief Luft holst, fällst du tot um.«

»Hast du dieses Kleid gesehen?« Dora versuchte die Adresse der Boutique zu entziffern. »Das war sagenhaft! Ich brauche nur fünf Minuten. Meinst du, du findest hier einen Parkplatz?«

»Sehr geistreiche Frage, Conroy«, brummte er.

Sie war beleidigt und ließ sich in ihren Sitz zurückfallen. »Vielleicht können wir ja später noch einmal vorbeikommen. Du brauchst dann nur einmal um den Block zu fahren.«

»Vergiss es. Gibt es in Philadelphia denn keine Boutiquen?«

»Klar doch. Aber darum geht es nicht. Ach, die Schuhe …«, seufzte sie leidenschaftlich und verrenkte wieder den Hals, während Jed sich durch den Stoßverkehr auf der Madison Avenue kämpfte. »Hier ist jetzt überall Winterschlussverkauf.«

»Ich hätte es wissen müssen. Verdammt, schleich hier nicht so rum!«, brüllte er und scherte hinter einem Taxi auf die Überholspur aus. »Ich hätte es wissen müssen«, wiederholte er. »Mit dir durch Manhattan zu fahren, ist das Gleiche, wie einem ausgehungerten Hund ein Steak vor die Nase zu halten.«

»Du hättest mich fahren lassen sollen«, hielt sie dagegen. »Ich wäre den anderen Fahrern freundlicher gesinnt gewesen und hätte zudem keine Zeit gehabt, mir die Läden anzuschauen. Außerdem warst du es, der DiCarlos Wohnung in Augenschein nehmen wollte.«

»Und wir werden dort auch lebendig ankommen.«

»Oder wir hätten ein Taxi nehmen können.«

»Die Betonung lag auf lebendig.«

Dora fühlte sich ausgesprochen lebendig. »Weißt du was? Wir könnten über Nacht bleiben und uns irgendwo in einem teuren Hotel mitten im Zentrum einmieten. Und wir könnten uns Wills Stück anschauern.« Ihr Blick musterte sehnsüchtig eine weitere Boutique. »Und einkaufen gehen.«

»Wir befinden uns nicht auf einer Vergnügungsreise, Conroy.«

»Ich versuche doch nur, das Beste aus der Situation zu machen.«

Jed blieb ihr eine Antwort schuldig und bog in die 83. Straße ein. Da er auch nicht die winzigste Parklücke finden konnte, parkte er seinen Mietwagen entgegen seiner

Prinzipien in der zweiten Reihe. »Ich muss dir jetzt einfach vertrauen.«

»In Ordnung. Inwiefern?«

»Ich möchte, dass du dich hinters Steuer setzt, während ich hineingehe und mich nach DiCarlo erkundige, den Hausmeister befrage und vielleicht ein paar Nachbarn.«

Sie sah etwas beleidigt aus. »Warum kann ich nicht mitkommen?«

»Weil ich möchte, dass der Wagen hier steht, wenn ich zurückkomme. Falls du ihn bewegen musst, dann fahr einmal um den Block, aber halte nirgends wegen Schuhen oder irgend welcher Fummel an, sondern parke ihn wieder genau an dieser Stelle. Verstanden?«

»Ich bin doch nicht taub«, maulte sie. Er gab ihr einen Kuss und stieg aus.

»Verriegle die Türen, Conroy.«

Nachdem sie bereits zwanzig Minuten gewartet hatte, beschloss Dora, Jed einen Zettel an die Windschutzscheibe zu klemmen, mit der Bitte, sie in besagter Boutique abzuholen. Sie kramte gerade in ihrer Handtasche nach dem Notizblock, als er zum Wagen kam.

Er startete den Motor und wartete auf den richtigen Moment, um sich in den Verkehr einzufädeln. »Wie zum Teufel kommen wir von hieraus am schnellsten nach Brooklyn?«

»Ist das alles, was du mir zu sagen hast? Lässt mich fast eine halbe Stunde hier rumsitzen und verlangst dann eine genaue Straßenbeschreibung von Brooklyn.«

»Der Hausmeister hat mich in DiCarlos Wohnung gelassen.«

»Eine äußerst lahme Entschuldigung.« Sie schmollte eine Weile, doch dann gewann die Neugier die Oberhand. »Und? Was hast du dort gefunden?«

»Einige Dutzend italienische Schuhe, etliche Armani-Anzüge, ein paar Flaschen Dom Perignon und seidene Unterwäsche in allen Regenbogenfarben.«

»DiCarlo besitzt anscheinend einen Hang zum Exklusiven.«

»Und dann fand ich ein Sparbuch mit etwas über siebentausend Dollar, eine Porzellanmadonna und Familienfotos.«

»Er spart sein Geld, hält an seinen religiösen Wurzeln fest und verehrt seine Familie. Klingt eigentlich nicht so richtig nach einem kaltblütigen Mörder.«

»Und Ted Bundy hatte ein hübsches Gesicht und ein nettes Lächeln.« Er bog in die Lexington Richtung Stadtmitte ein. »Außerdem fand ich einige leere Briefbögen von E. F. Incorporated, einer Firma in Los Angeles mit einer Niederlassung in Manhattan, sowie etliche Schreiben selbiger Firma. Auf seinem Anrufbeantworter sind Nachrichten von Mama, Cousin Adolpho, Tante Sophia und einem Flittchen namens Bambi.«

»Wie kommst du zu dem Schluss, dass eine Frau ein Flittchen ist, nur weil sie Bambi heißt?«

»Mein Fehler. Wie komme ich nur darauf, sie als Flittchen zu bezeichnen, nur weil sie DiCarlo Tonymausi nennt und ihm mit säuselnder Kleinmädchenstimme eine Nachricht aufs Band kichert? Das ist wahrhaftig kein ausreichender Grund.«

»Schon besser.«

»Nicht gefunden habe ich hingegen ein Adressbuch, seinen Pass oder einen Cent Bargeld. Das und die Tatsache, dass der Anrufbeantworter fast voll ist, ihn seit knapp einer Woche niemand gesehen hat und der Briefkasten überquillt, veranlasst mich zu der Annahme, dass er schon eine Weile nicht mehr hier war.«

»Eine vernünftige Schlussfolgerung. Glaubst du, dass er noch in Philadelphia ist?«

Die Frage klang beiläufig, doch Jed konnte die Angst dahinter spüren. »Möglich. Aber niemand wird deine Familie belästigen, Dora. Dazu besteht keinerlei Grund.«

»Ich glaube, du hast Recht. Wenn er noch dort ist, wird er warten, dass ich zurückkomme.« Sie schnitt eine Grimasse. »Welch tröstlicher Gedanke.«

Jed kämpfte sich unverdrossen von Manhattan bis nach Brooklyn Heights, mit Hilfe etlicher Zigaretten und dem nicht unangenehmen Gefühl durch, den Kampf Mensch-Maschine recht gut zu meistern. Als er schließlich Franklin Flowers Adresse fand, hatte er bereits alle Fakten, die er bislang sammeln konnte, im Geiste ausgebreitet, durcheinander geworfen und neu geordnet. Lässig ließ er den Wagen in eine schmale Parklücke gleiten.

»Hier kennst du dich ja aus, Conroy.« Er beugte sich über sie, um durch ihr Fenster einen Blick auf die Ladenfassade zu werfen.

F. FLOWERS
WIR KAUFEN UND VERKAUFEN

»Wer tut das nicht?«, meinte er. »Vergiss nicht, Conroy ...«

»Ich weiß, du redest, ich schweige.«

Sie betraten den Laden. Er war kaum größer als ein durchschnittliches Wohnzimmer und voll gestopft mit Trödel aller Art. Von abgegriffenen Teddybären bis hin zu verbeulten Stehlampen war alles zu haben. Im Laden war niemand, doch hinter einem Perlenvorhang hörte Jed eine Stimme. Dem Hinweis auf dem Schild folgend, das an der Kasse lehnte, drückte Jed auf die alte Messingklingel, die einst den Empfang eines schäbigen Bordells in der Bronx geziert hatte.

»Einen Augenblick, bitte«, ließ sich eine männliche Stimme vernehmen, die die Worte beinahe sang.

Flowers hielt, was sein Name versprach. Bevor Dora noch die Betrachtung einer Sammlung von Avon-Fläschchen abschließen konnte, kam er, begleitet von einer würzigen Rauchwolke, hinter dem Vorhang hervor.

Er war ein stattlicher Mann, fast eins neunzig groß und etwas mollig um die Hüften. Sein Gesicht war so rund wie das seiner Teddybären und strahlte eine freundliche Gemütlichkeit aus. Der Scheitel, den er knapp über dem Ohr gezogen hatte, ermöglichte es ihm, die verbliebenen dünnen blonden Strähnen quer über den Kopf zu kämmen, um somit seine rosige Glatze notdürftig zu bedecken. Zwischen seinen dicken Fingern klemmte eine zierliche braune Zigarette.

»Guten Morgen!«, trällerte er wieder. »Ach nein«, verbesserte er sich und schnalzte ein paar Mal geziert mit der Zunge, »es ist ja bereits Nachmittag. Wo bleibt sie nur, die Zeit? Rinnt mir durch die Finger wie Sand durch ein Stundenglas. Die Welt dreht sich einfach viel zu schnell für mich. Und was darf ich für Sie tun?«

Dora, die sich kaum von dem Anblick des jovialen Riesen losreißen konnte, hatte keine Probleme damit, Jed das Reden zu überlassen.

»Mr. Flowers?«

»Ja, der bin ich. Frank Flowers, und das ist mein kleines Reich.« Er nahm einen Zug von seiner Zigarette und schürzte dabei die Lippen wie zu einem Kuss. »Wie Sie sehen können, kaufen und verkaufen wir beinahe alles. Womit kann ich Ihnen heute dienen?«

»Kennen Sie Sherman Porter?«

Flowers fröhliche Miene erstarrte. »Armer Sherman. Ich habe gerade erst vor zwei Tagen davon erfahren. Wie tragisch. Die Welt, in der wir leben, entsetzt mich immer wieder aufs neue. Niedergeschossen wie ein Hund an seinem eigenen Schreibtisch.« Er schauderte. »Abscheulich. Einfach abscheulich.«

»Sie haben ihm einen Posten Waren geschickt«, fuhr Jed fort, als Flowers für einen Moment schwieg. »Die Sendung traf am einundzwanzigsten Dezember in Virginia ein.«

»Oh, ja.« Flowers lächelte traurig. »Wer hätte geahnt, dass das das letzte Mal sein sollte, dass Sherman und ich zusammen ein Geschäft machen? Das Schicksal ist eine so grausame und unberechenbare Gefährtin. Beinahe sechs Jahre. Wir waren Kollegen, und wie ich glauben möchte, auch Freunde.«

Jed zog die Papiere, die er aus Helens Akte genommen hatte, aus der Innentasche seines Sakkos. »Ich hätte bezüglich dieser Sendung ein paar Fragen an Sie.«

»Wirklich?« Flowers schüttelte seine Trauer ab und legte besorgt die Stirn in Falten. »Wie seltsam. Helen hat nichts davon erwähnt – nun ja, verständlich, unter diesen tragischen Umständen. Aber sie hätte mich doch anrufen können, anstatt Sie nach New York zu schicken.«

»Wir hatten noch andere Dinge hier zu erledigen«, sagte Jed freundlich. »Sie haben die Sachen bei einem Nachlassverkauf erworben?«

»Ja, eine kleine Haushaltsauflösung in den Catskills. Die Landschaft dort und die Luft, herrlich, sage ich Ihnen. Ich habe ein paar kleine Prachtstücke herausgepickt und die größeren Teile hier vor Ort weiterverkauft. Es ist unwirtschaftlich, schwere Möbel nach Virginia zu verschicken, wenn ich dafür Kunden in der Nähe habe.«

Er blies zwei weiße Rauchkringel in die Luft. »Ich arbeite häufig als Agent für andere Händler, müssen Sie wissen. Mein kleines Reich« – der Blick, mit dem er sich jetzt in seinem Laden umsah, war sehr liebevoll – »ist mir sehr ans Herz gewachsen, obzwar ich mich damit nur knapp über Wasser halten kann. Ja, ich habe ein paar sehr hübsche Dinge für Sherman ausgesucht.« Er drückte seine Zigarette in einem Marmoraschenbecher aus. »Aber ich kann mir nicht vorstellen, welche Probleme es damit gegeben haben könnte.«

»Das Gemälde«, begann Jed.

»Gemälde?« Flowers runzelte die Stirn, »Ein Gemälde habe ich ihm nicht geschickt.«

»Das abstrakte Gemälde von E. Billingsly.«

»Abstrakt?« Flowers kicherte wie ein Schulmädchen. »Du liebe Güte, nein. Ein abstraktes Gemälde würde ich niemals anfassen. Viel zu bizarr für meinen Geschmack und sehr schwer zu verkaufen. Nein, ich fürchte, hier liegt ein Missverständnis vor.«

»Besitzen Sie eine Aufstellung der Waren, die Sie verschickt haben?«

»Selbstverständlich. Ich bin ein wahres Talent, was Buchhaltung anbetrifft. Ein abstraktes Gemälde, sagten Sie? Kein Wunder, dass Helen damit Probleme hat. Gedulden Sie sich bitte einen Augenblick, bin sofort zurück.«

Damit verschwand er hinter dem Perlenvorhang.

»Vielleicht hat er einen Partner«, wisperte Dora. »Und dieser Partner hat das Bild mit in das Paket gepackt. Oder vielleicht …« Sie verstummte, als Flowers mit zwei Aktenordnern zurückkam, der eine war gelb, der andere rot.

»Ich ordne meine Buchhaltung nach Farben, wie Sie sehen.« Lächelnd breitete er die Ordner auf dem Ladentisch aus. »In dem gelben finden Sie eine exakte Aufstellung dessen, was ich bei diesem Nachlass erstanden habe.« Er schlug den Ordner auf. Darin befanden sich säuberlich getippte Listen mit genauen Beschreibungen der einzelnen Posten. »Das war am … zwölften Dezember, glaube ich.« Er blätterte rasch die Listen durch. »Und jetzt haben wir schon wieder Januar. Nein, wie die Zeit vergeht. Hier, bitte.« Er drehte die Seite um, zeigte sie Jed und tippte mit dem Finger auf die entsprechende Stelle. »Woodlow Estate, Catskills, zwölfter Dezember. Das ist die komplette Aufstellung, wie Sie sehen können, mit beiliegender Rechnung. Ein Gemälde ist nicht darunter.«

Und auch kein Porzellanhund, wie Jed feststellen musste, oder eine Statuette, die der Beschreibung jener entsprach, wegen der Tom Ashworth sterben musste.

»Und dieser Ordner enthält die Frachtpapiere aller Sendungen, die an Sherman – Gott hab ihn selig – gingen. Wie Sie sehen können«, sagte er, als er den roten Ordner aufklappte, »war das hier die letzte Sendung an ihn – der Packzettel der Spedition liegt bei. Kein Gemälde weit und breit. Es muss nach dem Auspacken versehentlich zu meiner Sendung geraten sein. Sherman, Friede seiner Seele, war ein kleines bisschen schlampig, wenn ich so sagen darf.«

»Ja«, sagte Jed. »Ich glaube, Sie haben Recht.«

»Nein, hat er nicht«, erklärte Dora, als sie die Wagentür aufmachte. »Ich habe gesehen, wie das Los zusammengestellt wurde. Die Sendung war gerade erst eingetroffen.«

»Hmm.« Jed nahm den Zündschlüssel, steckte ihn aber nicht ins Schloss. Er starrte eine Weile vor sich hin und schüttelte dabei nervös die Schlüssel in der Hand.

»Da war ein Gemälde. Ich habe das verdammte Ding ja gekauft.«

»Da war ein Gemälde«, stimmte Jed ihr zu. »Und da war

auch ein Porzellanhund und eine Menge anderer Dinge. Aber nichts davon findet sich auf Flowers Liste. Kein einziges Stück.«

»Vielleicht hat er ja gelogen.« Sie drehte sich um und warf kopfschüttelnd einen Blick auf den Laden. »Aber ich glaube es eigentlich nicht.«

»Nein, er hat nicht gelogen.« Jed sah Dora an. »Sag mir eins, Conroy. Wenn du einen Monet und diverse andere illegale Kunstschätze schmuggeln wolltest, zum eigenen Gebrauch oder für jemand anderen, und du hättest dir die Mühe gemacht, sie so zu kaschieren, dass sie nicht zu erkennen sind …«

»Hätte ich sie niemals an ein Auktionshaus geschickt«, beendete sie seinen Satz. »Und ganz bestimmt nicht von irgendwelchen Leuten ersteigern lassen, die an der Ostküste leben«

»Denn dann müsstest du durchs halbe Land tingeln und ein gewaltiges Risiko eingehen, um die Stücke wieder einzusammeln – obwohl du es viel einfacher hättest haben können.«

»Demnach hat irgendjemand Mist gebaut. DiCarlo?«

»Möglich.«

»Was noch?«, wollte sie wissen. »Das war noch nicht alles. Das kann ich dir an der Nasenspitze ablesen.«

»Die Packzettel, sowohl der in Flowers Akte, als auch der andere, den ich von Porter habe. Die stammen beide von Premium Shipping.« Er ließ den Motor an. »Ich glaube, ich sollte mich mal ans Telefon hängen.«

Dora saß in einem kleinen Brooklyner Restaurant, trank etliche Tassen Kaffee, knabberte an einem Club Sandwich und dachte über die ganze Sache nach, während sie auf Jed wartete, der zum Telefonieren gegangen war. Um die vielen Informationen zu einem anschaulichen Ganzen zu ordnen, holte sie ihren Notizblock aus der Tasche, schrieb einiges nieder und zeichnete Diagramme.

»Sieht so aus, als ob dieser Monet tatsächlich ein Original ist.« Jed setzte sich an den Tisch und zog den Teller mit dem Sandwich zu sich heran. »Sie müssen noch ein paar Tests machen, um den hundertprozentigen Beweis zu erbringen, aber Großmutter und ihr Freund sind sich ihrer Sache bereits ganz sicher.«

»Wer ist dieser Freund?«

»Er war früher Kurator an der Met.« Jed schlang ein ganzes Sandwichdreieck auf einmal hinunter und bestellte noch eine Tasse Kaffee. »Es hat sich außerdem herausgestellt, dass jeder auf der Liste, jeder, der etwas von dieser Sendung gekauft hat, zwischen dem zweiundzwanzigsten Dezember und Neujahr überfallen worden ist.«

»Überfallen?« Du meinst, sie sind alle tot?«

»Nein.« Jed nahm ihre Hand und drückte sie aufmunternd. »Beraubt. In jedem Fall wurde das Stück gestohlen, das sie auf der Auktion ersteigert hatten. Und immer noch keine Spur von DiCarlo. Er ist so etwas wie der stellvertretende Chef der New Yorker Zweigstelle von E. F. Incorporated. Vor Weihnachten wurde er zum letzten Mal im Büro gesehen. Anschließend hat er noch ein paar Mal dort angerufen, aber seit Neujahr nicht mehr. Seine Sekretärin und seine Mitarbeiter behaupten, nichts über seinen Verbleib zu wissen. Seine Mutter hat ihn heute Morgen bei der New Yorker Polizei als vermisst gemeldet.«

»Demnach ist er also auf der Flucht.« Dora trank einen Schluck Kaffee. »Gut. Ich hoffe, er rennt so lange, bis er über eine Klippe stürzt. Was tun wir jetzt?«

Jed machte sich erst einmal achselzuckend über ein weiteres Sandwichdreieck her. »Wenn wir genügend Beweise gesammelt haben, um ihn mit den Morden in Philadelphia und Viginia in Verbindung zu bringen, können wir uns ans FBI wenden.«

»Du brauchst mir nicht zu erzählen, dass du das nicht unbedingt vorhast. Meine Fähigkeit, deine Gedanken zu lesen, macht nämlich ganz allmählich Fortschritte, Captain.«

»Ich führe eben gern zu Ende, was ich angefangen habe.« Nachlässig drehte er Doras Notizbuch zu sich herum, sodass er darin lesen konnte. Er lächelte, als er fragte: »Na, spielen wir wieder Nancy Drew?«

»Du trägst keine Dienstmarke, Skimmerhorn. Ich schätze, das macht dich zu Joe Hardy.«

Er ging auf ihre Bemerkung nicht ein. Stattdessen betrachtete er das Diagramm voller Interesse. An den oberen Rand des Blattes hatte sie *Premium Shipping* geschrieben und davon ausgehend rechts und links zwei Pfeile gezogen. Am Ende des einen Pfeils stand *Porter*, am anderen ein Fragezeichen. Darunter hatte sie alle Objekte aufgelistet, die Flowers angeblich verschickt hatte. Unter Porter standen die Namen der Käufer, die auf der Auktion gewesen waren sowie eine kurze Beschreibung der jeweiligen Gegenstände, die sie erworben hatten. Von Doras Namen führte ein Pfeil zu Mrs. Lyle.

»Was willst du damit veranschaulichen, Nancy?«

»Es ist nur eine Theorie.« Sie verkrampfte sich angesichts seines zynischen Tonfalls. »Genau genommen habe ich zwei Theorien. Die eine lautet, dass DiCarlo reingelegt wurde. Wen immer er mit den Kunstschätzen betraut hat, hat ihn übers Ohr gehauen und das Zeug nach Virginia verschickt.«

»Motiv?«

»Keine Ahnung.« Sie wurde ärgerlich und griff nach ihrer Kaffeetasse. »Ein enttäuschter Angestellter, den er nicht befördert hat, eine rachsüchtige Geliebte – oder vielleicht nur eine schlampige Packerin bei der Spedition, der dieser Fehler unterlaufen ist.«

»Das könnte einen Sinn ergeben, wenn dieser enttäuschte Angestellte oder die rachsüchtige Geliebte sich einen Teil der Sachen unter den Nagel gerissen hätten. Und selbst eine schlampige Packerin müsste schon sehr unkonzentriert gewesen sein, wenn sie eine Sendung dieser Art an irgendein unbedeutendes Auktionshaus in Virginia geschickt hat, zu dem DiCarlo anscheinend keinerlei Verbindungen hatte.«

»Vielleicht hat DiCarlo Porter schon seit Jahren als Umschlagplatz für geschmuggelte Waren benutzt. Ist das nicht auch möglich?« Sie warf ihr Haar zurück und funkelte Jed finster an. »Ich nehme an, du hast eine bessere Theorie auf Lager, stimmt's?«

»Ja, habe ich. Aber lass uns mal weitersehen.« Er grinste jetzt, amüsierte sich und tippte auf das Diagramm. »Was hast du da?«

»Ich muss mir dein überhebliches Grinsen nicht antun, Skimmerhorn.«

»Übe Nachsicht mit mir.« Er nahm ihre Hand und knabberte zärtlich an ihren Fingerknöcheln. »Nur eine Minute.«

»Also schön. Für mich steht fest, dass es zwei Frachtsendungen gegeben haben muss. In der einen befand sich der aufgekaufte Nachlass, und in der anderen waren die geschmuggelten Kunstschätze. Da wir uns darüber einig sind, dass DiCarlo nicht so dumm gewesen sein kann, die Schmuggelware nach Virginia zu schicken, wo sie versteigert wurde, lautet die logische Schlussfolgerung, dass die beiden Sendungen verwechselt worden sind.«

»Weiter«, ermutigte er sie. »Du bist auf dem besten Weg, dir eine Medaille zu verdienen.«

»Und nachdem beide Sendungen laut Packzettel von Premium verschickt worden sind, kann man davon ausgehen, dass die Verwechslung dort stattgefunden hat.«

»Nicht schlecht, Nancy.« Jed nickte anerkennend, als er seine Brieftasche zückte und einige Dollarscheine auf den Tisch legte. »Komm, wir sehen uns mal in Queens um.«

»Halt, nicht so schnell.« Sie holte ihn an der Tür ein. »Willst du damit sagen, dass ich Recht habe?«

»Ich sagte, wir sollten uns dort mal umsehen.«

»Moment, damit gebe ich mich nicht zufrieden.« Sie huschte an ihm vorbei und verstellte ihm den Weg. »Schau mich an, Skimmerhorn, und sag mir, dass du glaubst, dass ich Recht habe.«

»Ich glaube, du hast Recht.«

Mit einem leisen Triumphschrei riss sie die Tür auf. »Also, worauf warten wir dann noch?«

»Weißt du«, sagte Dora, nachdem sie bereits eine Viertelstunde in Bill Tarkingtons Büro gewartet hatten, »die Arbeit der Polizei kann auch äußerst langweilig sein.«

»Spielst du mit dem Gedanken, das Handtuch zu werfen, Conroy?«

»Ist es das, was du all die Jahre tagaus, tagein gemacht hast?«

Er hatte ihr den Rücken zugekehrt, beobachtete die Förderbänder und sah den Packern bei ihrer Arbeit zu. »Die Stunden, die ich mit Warten verbracht habe, lassen sich nicht zählen.«

Dora gähnte. »Ich nehme an, dabei lernt man, Geduld zu üben.«

»Nein. Nicht unbedingt. Du lernst aber stets auf der Hut zu sein.«

Von ihrem Platz aus konnte sie sein Profil sehen. Er schien mit seinen Gedanken woanders zu sein. »Wie arrangierst du dich mit der Gefahr?«

»Indem ich sie erkenne und sie akzeptiere.«

»Ich kann mir nicht vorstellen, dass du jemals Angst hast«, murmelte sie.

»Ich sagte dir ja bereits, dass du mich nicht kennst. Ich glaube, da kommt unser Mann.«

Tarkington stieß die Tür auf, ein leutseliges Lächeln lag auf seinem Gesicht. »Mr. Skimmerhorn?« Er nahm Jeds Hand und schüttelte sie kräftig. »Und Miss Conroy, nehme ich an. Verzeihen Sie bitte, dass ich Sie warten ließ. Wie wär's mit einer Tasse Kaffee? Einem Doughnut? Oder einem Stück Plundergebäck?«

Bevor Jed ablehnen konnte, erklärte Dora mit ihrem strahlendsten Lächeln: »Ja, eine Tasse Kaffee wäre jetzt genau das Richtige.«

»Gerne, einen Augenblick bitte.« Ganz der gute Gastgeber, machte Tarkington sich daran, drei Tassen Kaffee einzuschenken. Dora warf Jed einen verschmitzten Blick zu.

»Wir wissen, dass Sie ein sehr beschäftigter Mann sind, Mr. Tarkington. Ich hoffe, wir halten Sie nicht über allzu lange auf.«

»Machen Sie sich darüber mal keine Sorgen. Für Kunden habe ich immer Zeit. Zucker? Milch?«

»Schwarz«, erklärte Jed, und beobachtete leicht entsetzt,

wie Tarkington eine der Tassen reichlich mit Zucker versah.

»So, bitte sehr.« Er reichte Dora und Jed ihren Kaffee und trank dann einen stark gesüßten Schluck aus seiner Tasse. »Sie hatten eine Frage wegen einer Fracht, nicht wahr?«

»Ja, ganz recht.« Jed griff in seine Jackentasche und holte den Zettel heraus, auf dem er sich die Nummer von Flowers Frachtrechnung notiert hatte.

»Es geht um eine Sendung, die am siebzehnten Dezember Ihr Haus verlassen hat. Der Absender war ein gewisser Franklin Flowers, der Empfänger hieß Sherman Porter in Front Royal, Virginia. Die Frachtnummer war ASB-fünf-vier-vier-sechs-sieben.«

»Gut.« Tarkington nahm hinter seinem Schreibtisch Platz. »Wir werden den Vorgang gleich einmal aufrufen. Um was für ein Problem handelt es sich?«

»Das abgeschickte Warengut entsprach nicht der Bestellung.«

Tarkingtons Finger verweilten einen Moment unbeweglich auf der Tastatur seines Computers. Sein Gesicht nahm einen gequälten Ausdruck an. »Ach, du liebes Lieschen. Nicht schon wieder!«

»Sie hatten das Problem bereits?«, erkundigte sich Jed.

Tarkington fasste sich sogleich wieder und begann, einige Tasten zu drücken. »Ich versichere Ihnen, Mr. Skimmerhorn, dass Premium einen hervorragenden Ruf in der Branche genießt. Ich kann zu meiner Entschuldigung nur anführen, dass wir um Weihnachten herum weit mehr zu tun hatten als in den Jahren davor. Am siebzehnten Dezember, sagten Sie?« Seine kleinen Äuglein blitzten auf. »Das könnte es sein!«

»Was?«

»Ich hatte da noch eine andere Reklamation, sie betraf eine Sendung, die am selben Tag rausging. Der Kunde war stinksauer, kann ich Ihnen flüstern. Keineswegs so ruhig und geduldig wie Sie und Miss Conroy.«

»DiCarlo«, entfuhr es Dora.

Bevor Jed reagieren konnte, setzte Tarkington wieder sein Strahlegesicht auf. »Richtig. Kennen Sie ihn etwa?«

»Ja, wir sind uns einmal begegnet«, erwiderte Dora mit einem verbindlichen Lächeln.

»Nein, so ein Zufall.« Tarkington schüttelte den Kopf, offenbar zutiefst bewegt von den seltsamen Wegen des Schicksals. Er tippte fröhlich auf die Tasten. »Jetzt fällt mir aber ein Stein vom Herzen, das kann ich Ihnen versichern. Alles Menschenmögliche habe ich versucht, um Mr. DiCarlos Frachtgut ausfindig zu machen, und jetzt stellt sich heraus, dass diese beiden Sendungen höchstwahrscheinlich falsch adressiert und verwechselt worden sind. Wie das passieren konnte, kann ich Ihnen im Augenblick leider auch nicht erklären, aber die Lösung scheint klar zu sein. Ich werde Mr. DiCarlo umgehend informieren.«

»Lassen Sie nur, das erledigen wir selbst.« Jed schielte über Tarkingtons Schulter hinweg auf den Monitor und merkte sich den Namen des Packers.

»Prima. Das würde mir ein peinliches Gespräch ersparen.« Er schlürfte seinen Kaffee und zwinkerte dabei Jed und Dora verschwörerisch zu. »Wir werden Ihnen und Mr. DiCarlo selbstverständlich alle Unkosten zurückerstatten.«

»Fein.«

»Ich hatte also doch Recht«, flüsterte Dora beim Hinausgehen.

»Auf die Schulter klopfen kannst du dir später.« Jed ging auf den nächsten Packer zu. »Wo finde ich Johnson?«

»Opal?« Der Mann deutete mit dem Kopf auf ein anderes Förderband. »Dort drüben. Band sechs.«

»Und was kommt jetzt?«, erkundigte sich Dora.

»Langweilige Detailermittlung.«

Dora fand es keineswegs langweilig. Nicht, als sie mit Opal in der Betriebskantine saßen und ihre Geschichte hörten. Da sie von der Frau anscheinend völlig fasziniert war und ihr so andächtig lauschte, lehnte Jed sich zurück, zündete sich eine Zigarette an und überließ es Dora, die freundliche Polizistin zu spielen.

»Ist das denn die Möglichkeit?« Dora hüpfte beinahe

vor Begeisterung, als sie über den Parkplatz gingen. »Sie lässt einen Stapel Rechnungen fallen – und am Ende stehen wir mit einem geschmuggelten Monet da.« Sie grinste, als Jed die Autotür aufsperrte. »Kann gut sein, dass mir die Polizeiarbeit doch gefällt.«

»Bleib lieber bei deinem Trödel«, riet ihr Jed.

»Zumindest könntest du zugeben, dass ich gute Arbeit geleistet habe.«

»Du hast gute Arbeit geleistet. Aber das ist kein Grund, gleich überzuschnappen.«

»Ich schnappe nicht über.« Dora zog ihre Schuhe aus. »Aber jetzt wissen wir endlich, wie das alles geschehen konnte, warum, und wer dahintersteckt. Jetzt müssen wir nur noch DiCarlo finden.«

»Überlass das mal lieber den großen, starken Jungs, Baby.«

»Du willst den Fall abgeben?« Dora war völlig fassungslos. »Du willst den Fall jetzt abgeben?«

»Das habe ich nicht gesagt. Ich sagte nur, dass für dich die Zeit gekommen ist, die Front zu verlassen.«

»Ohne mich wirst du keinen Schritt tun, Skimmerhorn. Wenn ich die Schmuggelware nicht gekauft hätte und anschließend in diese üble Situation geraten wäre, würdest du noch immer Trübsal blasen und Gewichte stemmen.«

»Erwartest du, dass ich mich dafür bei dir bedanke?«

»Das wirst du noch. Wenn du wieder bei klarem Verstand bist.« Dora seufzte zufrieden und lächelte. »Bist du sicher, dass du mich nicht in dieses sündteure Hotel entführen willst?«

»Ich habe vorerst genug von New York, vielen Dank.«

Und es gab noch eine andere Spur, die er verfolgen wollte. Bill Tarkingtons Computer war eine wahre Quelle an Informationen gewesen, der unter anderem den Namen des vorgesehenen Empfängers von DiCarlos illegaler Sendung ausgespuckt hatte: Abel Winesap, E. F. Incorporated, Los Angeles.

22. Kapitel

Die Kälte konnte Finley nicht davon abhalten, sein morgendliches Ritual zu absolvieren. Jeden Tag und bei jedem Wetter schwamm er, begleitet von Vivaldis Vier Jahreszeiten, die aus den in den Jasminbüschen verborgenen Lautsprechern tönten, fünfzig Runden in seinem sanduhrförmigen Swimmingpool. Für ihn war das eine Frage der Disziplin. Das Wasser freilich war stets auf angenehme 26 Grad Celsius erwärmt – und zwar exakt auf den Strich.

Als er mit kräftigen, geübten Zügen durch das warme Wasser glitt, stiegen dünne Dampfwölkchen in der kalten Winterluft auf. Er zählte die zurückgelegten Bahnen, und mit jeder Wende steigerten sich seine Befriedigung und sein Hochgefühl.

Dieses Schwimmbecken gehörte ihm, ihm ganz allein. Finley gestattete es keinem Angestellten, keinem Freund und keinem Gast, sein Wasser zu besudeln.

Einmal, bei einer Gartenparty, war ein beschwipster Gast in den Pool gefallen, worauf Finley am nächsten Tag, das Wasser erneuern ließ, nachdem der Pool mit Desinfektionsmittel gesäubert worden war. Unnötig zu sagen, dass dieser unmanierliche Partygast nie wieder eingeladen wurde.

Jetzt richtete er sich am seichten Ende des Pools auf und genoss es, wie das Wasser an seiner Haut herunterlief. Eine angenehme Gänsehaut überzog seinen Körper, als er die breiten, gewundenen Stufen emporstieg und auf den Terrakotta-Beckenrand trat, wo sein Butler bereits mit einem schneeweißen Bademantel auf ihn wartete.

»Zeit?«, fragte er, indem er sich kurz abrubbelte.

»Zwölf Minuten, achtzehn Sekunden, Sir.«

Der Butler hielt die Stoppuhr stets bei dieser Zeit an. Einmal hatte er den Fehler begangen, bei etwas über dreizehn Minuten auf den Knopf zu drücken. Das hatte ihm eine hässliche Szene eingehandelt, in deren Verlauf er um ein Haar seinen gut bezahlten Job verloren hätte. Seither überschritt Finley nie mehr die magische Grenze von zwölf-achtzehn.

»Exzellent.« Mit sich und der Welt zufrieden, nahm Finley seinen Vitamindrink entgegen, eine von seinem Trainer eigens für ihn persönlich zusammengestellte Fitness-Mixtur. Obgleich in einem Waterford-Schwenker serviert, schmeckte das dickflüssige, recht unappetitlich aussehende Getränk das aus Heilkräutern, rohem Gemüse und chinesischen Wurzeln zusammengesetzt war, nicht sehr gut. Finley trank es aber in einem Zug aus, als wäre es frisches klares Wasser aus dem Brunnen ewiger Jugend. Und er glaubte fest an seine Wirkung.

Nachdem er den ersten Teil seines Morgenrituals absolviert hatte, beschloss Finley, seine Gedanken auf das Problem Isadora Conroy zu lenken. Alles in allem war das kein unangenehmes Problem, überlegte er. Die Aussicht, sich eingehender mit einer wunderschönen jungen Frau zu beschäftigen, sollte ihn eigentlich nicht allzu sehr verstimmen. Er schlenderte durch die offene Verandatür in den Salon, wobei er in Gedanken bereits diverse Möglichkeiten der Problemlösung durchspielte.

In dem sicheren Gefühl seiner Macht schwelgend, duschte Finley, frisierte sich und kleidete sich an. Anschließend nahm er auf der Terrasse, nur wenige Schritte von der Stelle entfernt, von wo aus er DiCarlo erschossen hatte, sein Frühstück ein, das aus Fruchtsalat, Vollkorntoast und Kräutertee bestand. Dabei konzentrierte er sich ausschließlich auf Isadora. Als er die Lösung des Problems gefunden hatte, erhellte ein Lächeln seine Züge, er kicherte leise und tupfte sich die Lippen ab.

Es könnte funktionieren. Und wenn nicht – nun, dann würde er sie einfach töten.

Dora versuchte, sich nicht zu ärgern. Diese Reaktion wurde im Allgemeinen von Männern erwartet. Jede andere Frau wäre eingeschnappt, wenn sie alleine in ihrem Bett aufwachen würde und nicht die geringste Ahnung hätte, wohin ihr Liebhaber entschwunden war, oder wann er zurückkäme.

Sie aber war aber nicht wie andere Frauen. Und sie war auch nicht bereit, sich zu ärgern – ja, nicht einmal einen Ansatz von Verstimmung erkennen zu lassen. Sie waren beide unabhängige Menschen, die kommen und gehen konnten, wie es ihnen passte. Sie würde ihn nicht einmal fragen, wo zum Teufel er gewesen war.

Doch als sie das Klopfen an der Tür hörte, zog sie ihr voluminöses Sweatshirt herunter, und marschierte entschlossen ins Wohnzimmer.

»Okay, Skimmerhorn, du Mistkerl«, murmelte sie, »ich hoffe, du hast eine gute Ausrede parat.«

Dora riss die Tür auf. Sie hatte einige bissige Bemerkungen auf der Zunge und war bereit, ihm diese unzensiert ins Gesicht zu schleudern. Diese schluckte sie jedoch schnellstens hinunter, als sie sich Honoria Skimmerhorn Rodgers gegenübersah.

»Oh«, war alles, was ihr einfiel, und sie zupfte verlegen an ihrem Haar, das sie zu einem schlampigen Dutt hoch gesteckt hatte. »Mrs. Rodgers. Hallo.«

»Guten Morgen, Dora.« Nicht das kleinste Wimpernzucken verriet Honorias Belustigung, als sie das rasch wechselnde Mienenspiel in Doras ausdrucksvollem Gesicht beobachtete, die Wut, den Schock, die Verlegenheit. »Habe ich Sie zu einem ungünstigen Zeitpunkt überrascht?«

»Nein. Nein. Ich war gerade …« Dora unterdrückte ein nervöses Kichern und lächelte. »Wenn Sie Jed suchen, der scheint nicht im Haus zu sein.«

»Eigentlich hatte ich gehofft, mit Ihnen sprechen zu können. Darf ich hereinkommen?«

»Selbstverständlich.« Dora trat einen Schritt zurück und bereute zutiefst, dass sie den Laden heute nicht aufgemacht hatte und daher nicht ordentlich angezogen war. Sie kam sich etwas ärmlich vor, als sie jetzt barfuß und in dem ausgeleierten Sweatshirt Honoria gegenüberstand, die nach Parfüm duftete und in eine teure Pelzjacke gehüllt war.

»Nein, wie hübsch!« Die Aufrichtigkeit in Honorias Stimme half Dora, ihr Selbstbewusstsein wiederzugewinnen. »Wirklich, ausgesprochen hübsch.« Honorias anerkennender Blick wanderte durch Doras Wohnzimmer, während sie die Handschuhe abstreifte. »Ich muss zugeben, dass ich mich oft gefragt habe, wie diese Apartments über den Läden in der South Street wohl von innen aussehen mögen. Es ist recht geräumig, nicht wahr?«

»Ich brauche eine Menge Platz. Darf ich Ihnen die Jacke abnehmen?«

»Ja, vielen Dank.«

Während Dora den Nerz aufhängte, sah Honoria sich weiter um. »Ich habe mir eben Ihr Schaufenster angesehen und auch einen Blick in den Laden geworfen und war ganz enttäuscht, dass er geschlossen ist. Aber dies hier« – sie fuhr mit dem Zeigefinger die weiblich geschwungene Form einer Jugendstillampe nach – »zu betrachten, entschädigt mich dafür.«

»Der größte Vorteil, einen solchen Laden zu haben, liegt darin, dass ich mit den Dingen, die mir gefallen, so lange leben kann, wie ich möchte. Darf ich Ihnen eine Tasse Kaffee oder Tee anbieten?«

»Eine Tasse Kaffee, gern. Wenn es nicht zu viele Umstände macht.«

»Keineswegs. Bitte, nehmen Sie doch Platz. Fühlen Sie sich wie zu Hause.«

»Vielen Dank. Ich glaube, das fällt nicht schwer.«

Honoria hielt sich nicht für neugierig – nur für interessiert. Interessiert genug, um die Aussicht von Doras großen Wohnzimmerfenstern auf die geschäftige South Street zu genießen. Außerdem gefiel ihr Doras Einrichtung. Sie war freundlich und gemütlich, mit Bedacht und einem Hauch Theatralik ausgewählt. Doch, sie mochte den Raum – er sagte viel über Doras Persönlichkeit aus. Das Mädchen war in Ordnung, befand sie. Das Mädchen war absolut in Ordnung.

»So, da bin ich wieder.« Dora hielt ein Tablett mit einer Kaffeekanne und zwei Gedecken in der Hand. Sie hätte sich nur zu gerne für fünf Minuten ins Badezimmer zurückgezogen, um sich wenigstens die Lippen anzumalen. »Sollen wir ihn hier trinken?«

»Ja, gerne. Warten Sie, ich mache rasch ein wenig Platz auf dem Tisch. Ach, was für ein herrliches Aroma. Und Scones?« Ihre Augen leuchteten. »Köstlich.«

»Ja, Scones habe ich immer im Haus.« Dora entspannte sich zusehends unter Honorias aufrichtiger Freundlichkeit. »Feines Teegebäck gehört für mich zu den Errungenschaften der Zivilisation, die ich überaus schätze.«

Honoria lachte und setzte sich an den Tisch. »Es ist sehr höflich von Ihnen, mich nicht zu fragen, weshalb ich um neun Uhr morgens unangemeldet vor Ihrer Tür stehe.« Honoria trank einen Schluck Kaffee. »Das ist recht ungewöhnlich.«

»Freut mich, dass ich diesen guten Eindruck erwecke.« Dora wartete, bis Honoria sich etwas Brombeergelee auf ihr Gebäck gestrichen hatte. »Ehrlich gesagt, fällt es mir viel schwerer, Sie nicht nach dem Bild zu fragen.«

»Köstlich.« Honoria ließ das Gebäck ein Weilchen auf der Zunge zergehen und schluckte es dann mit einem zufriedenen Seufzer hinunter. »Meine Liebe, meine Mutter wäre von Ihnen begeistert gewesen. Seit ihrem Tod habe ich keine so guten Scones mehr gegessen.«

»Ich gebe Ihnen gerne das Rezept für Ihre Köchin.«

»Ach, da wäre ich Ihnen wirklich sehr verbunden. So.« Sie lehnte sich zurück und balancierte dabei ihre Kaffeetasse mit der nachtwandlerischen Sicherheit, die Frauen aus gewissen Gesellschaftsschichten angeboren zu sein schien. »Ich vermute, wir beide haben einiges an Informationen auszutauschen.«

»Wie bitte? Ich verstehe nicht ganz.«

»Mein Enkel bittet mich, ein gewisses Gemälde in meinem Haus aufzubewahren und einem alten Freund zu erlauben, daran zu arbeiten. Er erwartet von mir, striktes Stillschweigen darüber zu bewahren und fügt hinzu, dass alles in Einverständnis mit der Polizei geschieht.« Sie lächelte und legte den Kopf schräg. »Weitere Erklärungen zu dieser ungewöhnlichen Bitte gibt er freilich nicht ab.«

»Selbstverständlich nicht.« Dora erwiderte das Lächeln und beugte sich vor. »Sagen Sie, Mrs. Rodgers, warum lassen wir uns das eigentlich klaglos gefallen?«

»Nennen Sie mich doch Ria – so hat mich mein Mann immer genannt. Wir lassen uns das gefallen, mein liebes Kind, weil wir ihn viel zu sehr mögen.« Es folgte eine kurze Pause. »Habe ich Recht?«

»Ja. Ja, Sie haben wahrscheinlich Recht. Aber das heißt doch nicht, dass sein Verhalten richtig ist.« Doras anfängliche Verunsicherung kehrte wieder zurück. »Ich erzähle Ihnen alles, was ich weiß, Ria, und dann berichten Sie mir von Ihren Resultaten.«

»Genau das hatte ich im Sinn.«

Dora berichtete von Anfang an. Jed wäre dafür gewesen, seiner Großmutter eventuell einige unangenehme Einzelheiten zu ersparen. Doch Dora war der Meinung, ihr alles zu sagen, da er Honoria ja in die Sache mit hineingezogen hatte.

Honoria hörte ihr zu, ohne sie ein einziges Mal zu unterbrechen. Sie trank ihren Kaffee und reagierte auf den Bericht nur mit Gesten, düsteren Blicken, zusammengekniffenen Lippen und dem gelegentlichen Zucken einer ihrer edel geformten Augenbrauen. Zorn und Wut waren ihr freilich nicht fremd, doch war sie viel zu gut erzogen, um sie sich anmerken zu lassen. Dora vermutete, dass seine Großmutter Jed Beherrschung beigebracht hatte.

»Das muss ja schrecklich für Sie gewesen sein«, sagte Honoria schließlich.

»Ach, am meisten belastet mich Mrs. Lyles Schicksal. Ganz gleich, was Jed dazu sagt, ich fühle mich einfach dafür verantwortlich.«

»Das kann ich Ihnen nachempfinden«, entgegnete Honoria mit einer Überzeugung, die Dora gut tat. »Sie wären nicht die Frau, die Sie sind, wenn Sie nicht so empfinden würden. Dieser DiCarlo ...« Sie sprach den Namen mit leichtem Abscheu aus. »Haben die Behörden irgendeine Vorstellung, wo er sich versteckt halten könnte?«

»Ich glaube nicht.« Resigniert hob Dora die Hände.

»Und falls doch, so haben sie es nicht für nötig gehalten, mich davon in Kenntnis zu setzen.«

»Ja, ja, so sind die Herren der Schöpfung. Wissen Sie, ich glaube, dieses Verhalten stammt noch aus der Zeit, als die Männer aus ihren Höhlen krochen und mit Prügeln und Steinen bewaffnet auf die Jagd gingen. Jäger.« Sie sagte dies lächelnd und mit jener kühlen Nachsicht, die Dora so an ihr bewunderte. »Die Frauen mussten natürlich in den Höhlen bleiben, dort auf dem schmutzigen Boden im Dunkeln ihre Kinder zur Welt bringen, über einem Dungfeuer das Fleisch braten und die Häute trocknen. Doch die Männer glauben auch heute noch, den Frauen überlegen zu sein.«

»Jed hat mir nicht einmal erzählt, was mit dem Gemälde geschehen soll.«

»Da sehen Sie es.« Nachdem der Beweis erbracht war, schenkte Honoria Dora und sich noch einmal Kaffee ein. »Ich wünschte, ich könnte Ihnen verraten, was er vorhat. Aber Jed hielt es leider nicht für nötig, auch mich in seine Pläne einzuweihen. Über das Gemälde hingegen kann ich Ihnen etwas berichten. Es ist fantastisch. Freilich müssen noch abschließende Tests gemacht werden, aber es gibt keine Zweifel bezüglich der Authentizität. Ich habe jedenfalls keine. Es ist eine der Wasserlilien-Studien, die Monet zweifellos in Giverny gemalt hat.« Ihr Blick wurde träumerisch.

»Ach, das Licht – weltentrückt und so poetisch. Diese sanfte, verführerische Kraft, die den Betrachter in dieses Bild hineinzieht und glauben macht, den Duft der Blüten und des Wassers förmlich riechen zu können.« Ihre Augen klärten sich wieder. »Die Serie umfasst mehr als siebzehn Bilder.«

»Ich weiß. Zufällig ist Monet von allen Impressionisten mein Lieblingsmaler. Ich hätte nie gedacht, jemals eines seiner Bilder in Händen zu halten, geschweige denn es zu besitzen.«

»Ich besitze ein Bild. Es ist ein Geschenk meines Mannes zu unserem zehnten Hochzeitstag – eine von Monets Gartenstudien. Beide Gemälde nebeneinander zu sehen ist atemberaubend. Bevor die Polizei das eine mitnahm, stand ich in meinem Schlafzimmer, betrachtete beide und weinte dabei. Ich wünschte, ich könnte daran glauben, dass DiCarlo dieses Gemälde wegen seiner Schönheit gestohlen hat und nicht des schnöden Mammons wegen. Dafür könnte ich wenigstens noch einen Funken Verständnis aufbringen.«

»Glauben Sie, sie hätten mich wenigstens einen Blick daraufwerfen lassen?«, beklagte sich Dora. »Schließlich war ich es, die das Bild erworben hat. Aber nein, ich wache heute Morgen auf, das Bett ist leer und Jed verschwunden. Und lässt er mich etwa wissen, wohin er gegangen ist oder was er vorhat? Keineswegs. Nicht einmal eine kleine Notiz an der Kühlschranktür. Das kommt mir so vor, als …« Sie hielt entsetzt inne. Sie sprach mit Jeds Großmutter. »Verzeihen Sie bitte«, presste sie mühsam hervor.

»Aber nicht doch.« Zur Bekräftigung warf die alte Dame den Kopf in den Nacken und lachte. »Genieren Sie sich nicht, meine Liebe. Ich bin entzückt und hoffe wirklich inständig, dass Sie ihm ordentlich die Hölle heiß machen, wenn er zurückkommt. Das braucht er ab und an von Menschen, die ihn lieben. Er hat weiß Gott genug von anderen einstecken müssen, die ihn nicht liebten.«

»Ja, da haben Sie wohl Recht.« Ihre Verlegenheit hatte Dora inzwischen abschütteln können, aber auf ihren Wangen lag noch immer die Schamröte. »Mrs. Rodgers – Ria, hoffentlich denken Sie jetzt nicht, dass ich mit allen meinen Mietern … äh, vertrauliche Beziehungen anknüpfe.«

»Sie erwarten anscheinend immer noch, dass ich völlig schockiert bin.« Honoria, die Doras Reaktion zutiefst erfreute, lächelte verschwörerisch und bediente sich noch einmal an den Scones. »Zu Ihrer Beruhigung werde ich Ihnen erzählen, warum ich Jeds Großvater geheiratet habe, ja? Er war ein unglaublich attraktiver Mann – sehr groß, kräftig, blond, körperlich unwahrscheinlich anziehend. Mit anderen Worten, ich war verrückt nach ihm.«

Sie knabberte genüsslich an dem Teegebäck. »Glücklicherweise hat Jed nur die körperlichen Vorzüge seines

Großvaters geerbt, nicht aber seinen Charakter. Walter Skimmerhorn war ein gefühlskalter, oft grausamer und unendlich langweiliger Mensch, alles unverzeihliche Eigenschaften eines Ehemannes. Ich brauchte weniger als ein Jahr, um meinen Fehler einzusehen. Zu meinem Bedauern dauerte es jedoch unverhältnismäßig lange, diesen zu korrigieren.«

Und die bitteren Erinnerungen an diese Enttäuschung nagten noch immer an ihr.

»Sie hingegen«, fuhr Honoria fort, »haben bereits erkannt, dass mein Enkel sehr viel mehr zu bieten hat als ein ansprechendes Äußeres. Wenn ich heute den jungen Leuten in Sachen Ehe einen Rat geben darf, so lautet dieser, dass sie erst einmal eine Weile zusammenleben sollten – wie Sie und Jed es tun – ehe sie heiraten.«

»Wir haben nicht …« Doras Herz begann heftiger zu schlagen. »Ich hoffe, ich habe nicht den Eindruck vermittelt, als trügen wir uns mit Heiratsgedanken.«

»Keineswegs«, entgegnete Honoria leichthin, hoffte aber doch auf die wunderschönen Urenkel, die Dora und Jed ihr schenken könnten. »Jed hat mir übrigens erzählt, dass Ihren Eltern das Liberty Theater gehört. Ich habe viele wunderbare Stücke dort gesehen und würde mich sehr freuen, sie einmal kennen zu lernen.«

»Ah …« Ein Klopfen an der Tür enthob Dora einer Antwort. »Entschuldigen Sie mich bitte einen Augenblick.«

Reichlich verwirrt von den diskreten Anspielungen auf Ehe und Familienzusammenführung machte Dora die Tür auf. Vor ihr stand Jed. Wortlos unterzog er sie einer ausgiebigen Musterung, die bei ihren nackten Beinen begann und bei ihrer zerzausten Frisur endete. Sie sah zerknautscht aus, sehr sexy und hinreißend verlegen mit ihren roten Wangen.

»Conroy.« Er zog sie an sich, und bevor sie noch ein Wort sagen konnte, verschloss er ihren Mund mit einem heißen, gierigen Kuss. »Hast du da was drunter an?«

»Skimmerhorn.« Wenn ihre Wangen vorher nur noch leicht gerötet waren, so glühten sie jetzt in der Farbe eines Feuermelders. »Deine …«

»Gut, ich finde es auch selbst heraus.« Er hob sie hoch, trug sie ins Wohnzimmer, wobei seine Lippen ihren Mund nicht losließen.

Dora, die vor Scham am liebsten im Erdboden versunken wäre, stemmte sich mit aller Kraft gegen seine Brust. »Skimmerhorn«, keuchte sie, nachdem sie sich von seinem Kuss befreit hatte. »Ich glaube, du lässt mich jetzt am besten runter und sagst deiner Großmutter guten Tag.«

»Was?

»Guten Morgen, Jedidiah«, begrüßte ihn Honoria lächelnd und wischte sich die Finger an ihrer Serviette ab. »Dora und ich trinken gerade Kaffee. Möchtest du uns Gesellschaft leisten?«

»Guten Morgen«, erwiderte er ihren Gruß in lockerem Ton, während er Dora dabei recht unsanft auf die Beine stellte. »Hast du auf mich gewartet?«

»Nein, keineswegs, ich wollte Dora besuchen.« Sie warf Dora einen bedeutungsvollen Blick zu, die gerade mit einer Tasse für Jed aus der Küche kam. »Wir haben uns über Monet ausgetauscht, der, wie sich herausstellte, unser beider Lieblingsmaler ist.«

»Das ist jetzt Sache der Polizei.«

»Gut, und wo ist deine Dienstmarke, Skimmerhorn?«, erkundigte sich Dora zuckersüß, während sie ihm Kaffee einschenkte.

»Halt die Klappe, Conroy.«

»Zu meiner Schande muss ich gestehen, dass ich bei dem Versuch, meinem Enkel Manieren beizubringen, kläglich versagt habe«, erklärte Honoria. »Ich hoffe, Sie verzeihen mir.«

»Machen Sie sich nichts draus«, wehrte Dora ab. »Ich tu's auch nicht. Jedidiah«, fuhr sie höchst erfreut fort, als er die Zähne zeigte, »deine Großmutter und ich möchten gerne wissen, was mit dem Monet weiterhin geschieht.«

Es erschien Jed einfacher, ihnen eine Erklärung zu geben, als sich mit ihnen zu streiten. »Wir – Brent«, verbesserte er sich schnell, »haben den Fall heute Morgen Commissioner Riker vorgetragen. Und vorläufig unterliegt er strengster Geheimhaltung.«

»Aha«, kombinierte Honoria. »Demnach hat er diesen abscheulichen Goldman einfach übergangen. Sehr klug. Dieser Mann ist ein absoluter Vollidiot und als Führungsperson denkbar ungeeignet.«

»Ist das dein professionelles Urteil, Großmutter?«, wollte Jed wissen und erntete dafür jenen abschätzenden Blick, der ihm in seiner Jugend jedes Mal die Schamröte ins Gesicht getrieben hatte.

»Wissen Sie, Dora«, fuhr Honoria ungerührt fort, »ich habe den Fehler begangen, Jeds Entscheidung, in den Polizeidienst einzutreten, nie ganz zu billigen, tat es erst, als er den Dienst quittierte. Leider habe ich ihm auch zu spät gesagt, wie stolz auf ihn bin.«

»Es ist nie zu spät«, beruhigte sie Dora.

»Ich bewundere Ihr Einfühlungsvermögen, Dora.« Äußerst zufrieden mit diesem morgendlichen Besuch, erhob sich Honoria. »Jed wird das brauchen. Vielen Dank für den Kaffee. Ich hoffe, ich darf Sie wieder einmal besuchen.«

»Jederzeit.« Dora nahm Honorias Hand und tat, was eigentlich Jeds Aufgabe gewesen wäre: Sie küsste Honoria auf die Wange. »Ich hole Ihre Jacke.«

»Jed, ich habe gleich anschließend eine Verabredung«, Honoria zupfte an ihren Handschuhen, »und daher leider keine Zeit mehr, mir deine Wohnung anzusehen.«

»Da gibt es auch nicht viel zu sehen«, entgegnete Jed. Er nahm Dora die Jacke ab und half seiner Großmutter hinein. »Ich bin dir für deine Hilfe sehr dankbar.« Er gab seiner Großmutter einen Kuss, obwohl es ihm unangenehm war, dass Dora ihnen dabei zusah. »Aber ich wäre dir noch sehr viel dankbarer, wenn du die ganze Sache schleunigst wieder vergessen würdest.«

Sie lächelte nur. »Ich möchte, dass du bald einmal mit Dora zu mir zum Abendessen kommst. Ruf mich an, dann legen wir einen Tag fest. Danke nochmals, meine Liebe«, sagte sie zu Dora. »Ich schaue demnächst wieder vorbei, wenn der Laden offen ist. Mich interessiert die Jägerin aus Bronze im Schaufenster.«

»Ja, ich weiß, welche Sie meinen.«

»An der bin ich sehr interessiert.« Sie winkte Dora kurz zu und ging hinaus.

»Eine tolle Frau.«

»Was wollte sie denn?«

»Ein paar Informationen, wie es das Gesetz der Höflichkeit verlangt.« Dora nahm das Tablett und stellte es unter lautem Klirren wieder ab, als Jed sie an der Schulter packte.

»Wenn ich sie mit Informationen hätte füttern wollen«, begann er mit kaum verhohlener Wut, »hätte ich das bereits getan.«

»Du hast Ria quasi schon mit einbezogen, als du ihr das Gemälde brachtest. Es tut mir Leid, Jed, wenn du jetzt sauer auf mich bist, aber sie hat mir ganz direkt ein paar Fragen gestellt, und ich habe sie ihr beantwortet.«

»Verdammt nochmal!« Ihre Ruhe war es, die seine Wut zum Überlaufen brachte. »Bist du dir überhaupt darüber im klaren, welche Balanceakte wir aufführen, um die ganze Sache so geheim wie möglich zu halten?«

»Ich habe eine gewisse Vorstellung davon, ja. Glaubst du etwa, deine Granny gibt morgen eine ganzseitige Anzeige in der Zeitung auf?«

Die elegante Honoria als seine Granny zu bezeichnen, entlockte ihm ein abfälliges Grinsen. »Je weniger Leute davon wissen, desto besser.«

»Einschließlich meiner Wenigkeit«, setzte Dora spitz hinzu, nahm das Tablett vom Tisch und marschierte damit in die Küche. »Deshalb bin ich heute Morgen wohl auch allein aufgewacht, ohne eine Erklärung von dir, wohin du gehst oder was du vorhast, wie?«

»Moment mal. Was, zum Teufel, willst du damit sagen?«

»Nichts.« Ihre Stimme wurde dunkel vor Wut, als sie die Teller und Tassen ins Spülbecken stellte. »Überhaupt nichts. Warum gehst du nicht und erwürgst einen Bären mit bloßen Händen?«

»Conroy.« Hin und her gerissen zwischen Belustigung und heillosem Zorn, lehnte er sich an den Türpfosten. »Bist du etwa so zornig, weil ich heute Morgen weggegangen bin?«

»Warum sollte ich?« Er sah ihren Augen an, dass sie zutiefst verletzt war. »Ich bin es gewohnt, alleine aufzuwachen.«

»Verdammt!« Etwas verunsichert fuhr er sich mit den Händen übers Gesicht. »Schau, ich bin früh aufgestanden und wollte dich nicht wecken …« Er erinnerte sich nur zu gut, wie sie neben ihm gelegen hatte, zusammengerollt, das Haar über das Kopfkissen ausgebreitet. Ja, eigentlich hatte er sie aufwecken wollen, aber nicht, um ihr zu sagen, dass er aus dem Haus gehen würde. »Ich war eine Stunde im Fitnessstudio und habe anschließend mit Brent gefrühstückt. Wir hatten etwas zu besprechen.«

»Habe ich dich um eine Erklärung gebeten?« Ihre Stimme klang eiskalt, doch innerlich kochte sie vor Wut, als sie sich an ihm vorbeischob.

»Jawohl.« Wachsam folgte er ihr ins Wohnzimmer. »Hast du.«

»Ach, vergiss es!«

»Entschuldige, aber ich bin schrecklich neugierig. Ich muss unbedingt wissen, was eine Dame unter einem ausgeleierten Footballhemd trägt.« Ohne Vorwarnung hob er sie hoch und knabberte auf dem Weg ins Schlafzimmer zärtlich an ihrem Nacken.

»Nichts Aufregendes. Genau genommen …« Sie lachte, als sie wie balgende Kinder aufs Bett fielen. »Genau genommen überhaupt nichts.«

»An der Schulter ist ein Loch.«

»Ich weiß. Es war mir schrecklich peinlich, dass deine Großmutter mich in diesem Aufzug überraschte.«

»Und da ein Fleck.« Er bohrte seinen Finger zwischen ihre Brüste. »Genau da.«

»Ein hübsches Burgunderrot. Ich weiß, ich habe mich neulich beim Kochen bekleckert.« Seufzend griff sie in sein Haar und wickelte eine Strähne um ihren Finger. »Eigentlich hatte ich vor, das Hemd zu zerschneiden und Putzlappen draus zu machen, aber …« Sie hielt erschrocken den Atem an, als er ihr das Hemd mit einem Ruck vom Kragen bis zum Bund aufriss.

»Das sollte den gleichen Zweck erfüllen.« Ehe sie sich noch entscheiden konnte, ob sie lachen oder ihn anbrüllen sollte, hatte er eine ihrer Brustwarzen in den Mund genommen, was augenblicklich ihr Blut zum Kochen brachte und ein gieriges Verlangen in ihr auslöste. »Ich wollte dir schon die Kleider vom Leib reißen, als ich dich zum ersten Mal sah.«

»Du …« Sie war so erregt, dass ihr fast die Luft wegblieb, als seine Hände besitzergreifend über ihren Oberkörper glitten. »Du hast mir die Tür vor der Nase zugeknallt, als du mich zum ersten Mal gesehen hast.«

»Das schien mir damals die vernünftigere Reaktion zu sein.« Mit einer einzigen, schnellen Bewegung riss er ihr auch noch die Jogginghose vom Körper. »Vielleicht war das ein Fehler.«

Er lehnte sich zurück. Die Sonne, die durch die offenen Vorhänge direkt auf das Bett schien, tauchte ihr Gesicht, ihre Haut und ihr Haar in leuchtendes Gold. Als Jed das ruinierte, zerknüllte Footbalhemd sah, kam er sich wie ein siegreicher Krieger vor, der wohlgefällig seine Beute betrachtet.

Ihr zur Liebe bereiter, erregter, lockender Körper zitterte, als wären es seine Hände, die ihn Zentimeter für Zentimeter eroberten, und nicht nur seine Augen. Ihre kleinen, festen Brüste waren weiß wie Milch, die Knospen reckten sich ihm verlangend entgegen.

Er senkte den Kopf und umkreiste nacheinander diese rosaroten Knospen mit seiner Zunge, bis ihr Atem in kurzen, schwachen Stößen kam, und ihr Körper so gespannt war wie die Sehne einer Armbrust. Ihr Puls vibrierte unter seinen Fingern.

»Ich will dir zuschauen.« Seine Stimme hatte ihren Klang verändert, als er ihre Hand nahm und sie zwischen ihre Schenkel führte. Der Höhepunkt näherte sich wie eine

Schlange, die sich zusammenrollt, sich dann erhebt, um pfeilschnell und unerbittlich zuzubeißen. Doras Körper bäumte sich auf, als sich endlich der erlösende Schrei von ihren Lippen löste.

»Du scheinst nie genug kriegen zu können«, flüsterte er. Dora in ihrer Ekstase zu beobachten, war unbeschreiblich erotisch, unwahrscheinlich verführerisch. Sie genoss ihn gierig, und sie gab sich ihm offen und freimütig hin. Ihre Fähigkeit, Lust zu schenken und zu empfangen war schonungslos ehrlich und unwiderstehlich.

Erst als sie ruhig geworden war, konnte er seine Augen von ihr abwenden, um sich auszuziehen. Es war wie ein Zwang, für ihn, sie anzuschauen, jede Regung ihrer Lust in ihrem Gesicht zu verfolgen. Jed kniete sich vor sie hin, hob ihre Hüften an, um dann langsam in sie einzudringen.

Die Laute, die sie bei ihrer Vereinigung ausstieß, klangen wie das kehlige Schnurren einer Raubkatze. Nicht eine Sekunde löste er den Blick von ihrem Gesicht, auch dann nicht, als ihn die letzte Welle der Lust ergriff.

»Ich schulde dir ein Sweatshirt.« Jed lächelte freundlich, als er ihr seins über den Kopf zog.

Dora betrachtete es genau. »Das ist ja noch zerfledderter als das, was du zerrissen hast.« Doch sie hätte es nicht gegen eine Hand voll Diamanten eingetauscht. »Außerdem schuldest du mir noch eine Jogginghose.«

»Die meine passt dir aber beim besten Willen nicht.« Er zog sie an und betrachtete Dora, die auf der Bettkante hockte. Nachdenklich nahm er eine ihrer Locken und wickelte sie sich um den Finger. »Wir könnten den Kamin anmachen und den restlichen Vormittag im Bett vor dem Fernseher zubringen.«

»Das hört sich zwar unglaublich verlockend an, Skimmerhorn, aber verrate mir trotzdem, warum ich das komische Gefühl nicht loswerde, dass du versuchst, mich von etwas fern zu halten.«

»Von was denn?«

»Von dir.«

»Wie kann ich dich von mir fern halten wollen, wenn ich gerade Pläne schmiede, wie ich möglichst viel Zeit mit dir verbringen kann, hm?«

»Du und Brent, ihr arbeitet an etwas, und du willst mir nicht sagen, was es ist.« Sie war enttäuscht, dass er keinerlei Reaktion auf ihre Anschuldigungen erkennen ließ. »Macht nichts.« Sie schüttelte sich und strich abwesend das zerknüllte Laken glatt. »Ich finde es ohnehin heraus.«

»Und wie?«

Sie lächelte. Immer, wenn ich auf dir liege, sauge ich die Wahrheit aus dir heraus wie ein Vampir.«

»Vampir?« Er unterdrückte ein Lachen, als er eine plattgedrückte Zigarette aus der Packung fummelte. »Du kannst nicht erwarten, dass ich mich nach einer Aussage wie dieser auf Bob Barker oder Vanna White konzentrieren kann.«

»Bob Barker?« Sie lachte und war plötzlich so entzückt von ihm, dass sie aufsprang und sich in seine Arme stürzte. »Bob Barker? Ach, Skimmerhorn, ich liebe dich.«

Während sie ihn intensiv küsste, merkte sie, wie er sich steif machte. Ganz langsam begriff sie, warum.

»Scheiße.« Verzweifelt bemühte sie sich um einen lockeren Tonfall und machte sich von ihm los. »Das hätte mir nicht entschlüpfen dürfen, nicht wahr? Tut mir Leid.« Der Schmerz war so heftig, dass sie sich umdrehte, um ihm nicht in die Augen sehen zu müssen. »Mach die Hitze der vergangenen halben Stunde dafür verantwortlich.«

Es was ihm kaum möglich zu sprechen, doch schließlich gelang es ihm, wenigstens ihren Namen zu nennen. »Dora …«

»Nein, im Ernst.« O mein Gott, mein Gott dachte sie und zitterte vor Panik. Sie würde auf der Stelle losheulen, wenn sie nicht ganz schnell etwas dagegen unternahm. »Es war nur ein Versprecher, nichts, weshalb du dir den Kopf zerbrechen musst.«

Sie zwang sich zu einem Lächeln und drehte sich wieder zu ihm um. Sein Gesichtsausdruck war verkniffen, sein Blick absolut ausdruckslos.

»Hör mal, Skimmerhorn, dieses Wort mit ›L‹ kommt mir nur allzu leicht über die Lippen. Meine Familie schmeißt nur so damit um sich – du kennst ja unseren Hang zur Theatralik.«

Verlegen fuhr sie sich mit den Händen durchs Haar, es war eine Geste, die Jed so sehr an ihr mochte.

»Also schau.« Ihre Stimme klang jetzt hell und übertrieben fröhlich. »Warum bringst du nicht das Kaminfeuer in Gang, während ich uns ein paar Snacks zum Fernsehen zurechtmache?«

Sie ging einen Schritt auf ihn zu und blieb dann abrupt stehen. Er hatte sich nicht bewegt, und doch konnte sie nicht weitergehen.

»Du hast es doch so gemeint, nicht wahr?«, stellte er mit ruhiger Stimme fest, und sein durchdringender Blick, machte es ihr unmöglich zu lügen.

»Ja, ich meinte es so.« Unwillkürlich nahm ihr Körper eine Verteidigungsstellung ein. Er sah, wie sich ihre Schultern strafften, wie sie das Kinn trotzig vorschob. »Aber es sind meine ganz persönlichen Gefühle, Jed, und ich weiß, wie ich damit umzugehen habe. Ich erwarte nicht, dass du sie teilst oder auch nur akzeptierst, wenn dir das nicht möglich ist.« Schon loderte Zorn in ihren Augen auf. »Und da es dir offenbar so unangenehm ist, wenn ich diese Gefühle in Worte fasse, werde ich ab jetzt strengstens darauf achten, dich damit nicht mehr zu behelligen. Niemals. Ist das in Ordnung?«

Nein, es war keineswegs in Ordnung. Jed wusste nicht, wann sich die Dinge zwischen ihnen gewandelt hatten, noch war er in der Lage, seine eigenen Gefühle genau zu beschreiben. Er musste versuchen, die Situation in den Griff zu bekommen, die gefährlich zu werden schien.

»Zieh dich an«, sagte er. »Ich möchte dir etwas zeigen.«

23. Kapitel

Zumindest das Wetter zeigte sich viel versprechend. Die Sonne brannte auf die Windschutzscheibe des Thunderbird und erlaubte es Dora, sich hinter ihrer Sonnenbrille zu verstecken.

Während Jed unter einem strahlend blauen Himmel die Germantown Avenue entlangfuhr, vertrieb sich Dora die Zeit damit, die Fußgänger zu betrachten. Die Temperatur war auf zehn Grad angestiegen, und die Leute waren sehr viel fröhlicher als sonst. Sie fuhren durchs Stadtzentrum, weit entfernt von den Flüssen und ihren feuchtkalten Winden, in Richtung Chestnut Hill.

In Meilen gemessen war die Distanz zwischen Chestnut Hill und der South Street nicht sonderlich groß. Was aber den Lebensstandard und das Einkommen der Bewohner betraf, so gab es Unterschiede.

Jed hatte seit ihren Aufbruch kein Wort gesprochen, und Dora hatte nicht gefragt, wohin sie fuhren. Sie war sich ziemlich sicher, das Ziel zu kennen. Der Anlass für diese Fahrt würde sich bald zeigen, ebenso wie die Folgen ihrer unbesonnenen, spontanen Liebeserklärung.

Sie wollte nicht darüber nachdenken, und so lehnte sie sich bequem zurück und versuchte, die wunderschön restaurierten Fassaden der Häuser und Geschäfte zu genießen, die Dekorationen in den Schaufenstern und das dumpfe Dröhnen, das die breiten Reifen des Thunderbird auf dem Kopfsteinpflaster verursachten.

Je weiter sie den Hügel hinauffuhren, desto eleganter wurden die Häuser, die im Schatten alter, stattlicher Bäume standen. Hier waren Nerze und Diamanten zu Hause, Erbstücke und dicke Brieftaschen, Mitgliedschaften im Countryclub und wohlerzogene Schoßhunde. Flüchtig überlegte Dora, wie diese Umgebung wohl auf einen kleinen Jungen gewirkt haben mochte, der hier großgeworden war.

Jed steuerte den Wagen in eine schmale Auffahrt, die zu einem entzückenden alten Kolonialhaus führte. Die Klinkersteine hatten im Laufe der Jahre einen sanften Rosaton angenommen, der Verputz jedoch leuchtete noch immer in einem satten Wedgwood-Blau. Große Fenster glänzten und funkelten im grellen Sonnenschein, reflektierten das Licht und verhinderten so einen Einblick in das Innere des Hauses.

Ein wunderschönes Haus, stellte Dora fest. Gut erhalten, perfekte Lage und irgend wie sehr feminin wirkend in seiner eleganten Würde. Wenn sie es für sich selbst ausgesucht hätte, hätte es nicht vollkommener sein können. Das Alter, der Baustil, die Lage, alles passte perfekt mit ihrer Vorstellung von einem idealen Familienwohnsitz zusammen.

Sie stellte sich das Anwesen im Sommer vor, wenn die Rosensträucher unter den großen Fenstern in Blüte standen und ihren schweren Duft verbreiteten. Oder im Herbst, wenn die Kronen der alten Bäume golden glänzten. Spitzenvorhänge und ein freundlicher Hund im Garten rundeten ihr Fantasiebild ab.

Und weil sie dieses Bild so klar und deutlich vor sich sah, wurde ihr plötzlich das Herz schwer. Bezweifelte sie doch stark, dass Jed das Haus mit den gleichen Augen sah wie sie.

Schweigend stieg sie aus dem Wagen, blieb stehen und ließ die Eindrücke auf sich wirken. Nur eine Ahnung von hektischen Stadtgeräuschen fand den Weg hinauf auf diesen Hügel. Hierher würden sich keine Touristen verirren, die Kamera im Anschlag auf der Jagd nach Sehenswürdigkeiten, keine Wahnsinnigen auf Rollschuhen, keine Pizzagerüche und weggeworfene Pommes-frites-Tüten.

Aber war das nicht genau das, was ihr so gefiel?, fragte sie sich. Der Krach, die Gerüche und die Freiheit, dort zu leben, wo das Leben sich abspielte?

»Das ist das Haus, in dem du aufgewachsen bist?«

»Ja.« Er ging voraus auf die Eingangstür zu, die zu beiden Seiten mit wunderschönen geschliffenem Buntglas eingefasst war. Nachdem er aufgesperrt hatte, trat er einen Schritt zurück, um Dora den Vortritt zu lassen.

In der Mitte des zweigeschossigen Foyers hing ein prächtiger Kristalllüster, der abends den Weg über die breite Eichentreppe hinauf zur Galerie stilvoll beleuchtete. Der Fußboden war mit schwarzen und weißen Marmorplatten im Schachbrettmuster ausgelegt. Doras weiche Wildlederstiefeletten verursachten kaum ein Geräusch, als sie die große Halle durchquerte.

Leere Häuser umgibt stets eine ganz eigene Faszination. Unwillkürlich stellt sich die Frage nach den Bewohnern, nach der Art und Weise, wie sie gelebt haben mochten. Vielleicht sieht man sich selbst in diesen Räumen leben.

Dora spürte diese Faszination jetzt ebenfalls, und sie fragte sich neugierig, wo Jed in diesem Meisterwerk an Architektur und Design seinen Platz gehabt hatte. Ihn konnte sie in diesen Räumen nicht spüren. Obgleich er neben ihr stand, konnte sie sich des Eindrucks nicht erwehren, als habe der Teil von Jed, den sie lieben gelernt hatte, vor der Türschwelle innegehalten und sie alleine eintreten lassen.

Die etwas helleren Vierecke auf der Tapete mit dem eleganten Teerosenmuster bezeichneten die Stellen, wo früher Gemälde gehangen hatten. Das leere Foyer schrie förmlich nach Blumen, dachte Dora. Nach hohen, bauchigen Vasen mit üppigen Fresiensträußen, schlanken Amphoren, aus denen stolze Lilien emporragten, einem Perserteppich auf den kalten Marmorfliesen, um die strenge Förmlichkeit des Eingangs abzumildern.

Sie strich mit der Hand über den glänzenden Endpfosten des Treppengeländers – ein Geländer, dachte sie, wie gemacht für den Hosenboden eines Kindes oder die tastenden Finger einer Frau.

»Hast du vor, es zu verkaufen?«

Er beobachtete sie sehr aufmerksam, als sie vom Foyer in den vorderen Salon schlenderte. Schon beim Betreten des Hauses hatten sich seine Nackenmuskeln verspannt. Doras Überlegungen waren richtig gewesen, Jed sah keine hübschen Blumensträuße und auch keinen Teppich.

»Ja, es steht zum Verkauf. Elaine und ich haben es Fünfundfünfzig geerbt, aber sie war nie mit den Angeboten, die man uns dafür machte, zufrieden gewesen. Mich hat das im Grunde wenig gekümmert.« Seine Hände ballten sich zu Fäusten, und er vergrub sie in den Tiefen seiner Jackentaschen. »Da Elaine ein eigenes Haus besaß, habe ich eine Zeit lang hier gewohnt.« Er blieb stehen, als Dora auf den sauber ausgekehrten Kamin zuging. »Jetzt gehört es mir, und die Immobilienmakler stürzen sich drauf.«

»Verstehe.« Über dem Kamin sollten eigentlich gerahmte Familienfotos hängen, ging es ihr durch den Kopf, Fotos, die das Kommen und Gehen der einzelnen Generationen dokumentierten. Und in der Mitte könnte eine Uhr leise tickend den Lauf der Zeit verkünden.

Wo waren die schweren, silbernen Kerzenleuchter mit den halb heruntergebrannten Bienenwachskerzen?, fragte sich Dora beinahe verzweifelt. Wo waren die tiefen Polstersessel mit den gobelinbezogenen Fußbänkchen, die sich um den Kamin gruppierten?

Ein leise flackerndes Kaminfeuer würde diese schreckliche Kälte vertreiben, dachte sie und rieb sich fröstelnd die Arme, als sie den Salon verließ und in die Halle hinausging.

Sie fand eine Bibliothek, in der kein einziges Buch mehr stand; entdeckte einen Salon, durch dessen Fenster eine gekieste Veranda zu sehen war, die nach Blumenkästen verlangte; fand das Esszimmer, weitläufig und leer bis auf einen weiteren Kristalllüster und landete schließlich in der Küche mit einem altmodischen Herd und dem eingebauten Kamin.

Hier sollte sich die häusliche Wärme konzentrieren, dachte sie, die Sonne durch die großen Fenster auf die Spüle scheinen und frisches Brot im Ofen duften. Doch sie fand keine Wärme, nur das kalte Schweigen eines unbewohnten und verhassten Hauses.

»Eine hübsche Aussicht hat man von hier«, bemerkte sie, nur um die Leere auszufüllen. Im Garten sollte ein

Sandkasten stehen, überlegte sie weiter, eine Schaukel an dem dicken Ast des Ahornbaumes hängen.

»Wir durften uns hier nicht aufhalten.«

»Wie bitte?« Sie drehte sich zu ihm, überzeugt, ihn falsch verstanden zu haben.

»Wir durften uns hier nicht aufhalten«, wiederholte er, »nur das Personal. Die Angestellten wohnten im Seitenflügel.« Er deutete auf eine Tür. »Neben der Waschküche, dem Bügelzimmer und den Vorratsräumen. Die Küche war für uns absolut tabu.«

Sie wollte schon loslachen und ihm Übertreibung vorwerfen, sah dann aber ganz deutlich, dass er die Wahrheit gesagt hatte. »Und was passierte, wenn du plötzlich einen Riesenhunger auf Kekse hattest?«

»Außerhalb der Mahlzeiten wurde nichts gegessen. Die Köchin wurde schließlich für die Zubereitung bezahlt. Von uns wurde erwartet, dass wir sie entsprechend würdigten – um acht Uhr morgens, ein Uhr mittags und sieben Uhr abends. Ich habe mich oft nachts in die Küche geschlichen.« Er sah sich mit leeren, ausdruckslosen Augen um. »Ich komme mir immer noch wie ein Eindringling hier vor.«

»Jed …«

»Komm, du solltest dir auch noch den Rest anschauen.« Er drehte sich um und ging aus der Küche.

Ja, er wollte, dass sie es sah. Jeden Ziegelstein, jede Stuckverzierung, jeden Zentimeter Tapete. Und wenn sie es gesehen hatte, wenn er mit ihr durch alle Räume gegangen war, wünschte er sich, dieses Haus niemals wieder zu betreten.

Sie holte ihn am unteren Treppenabsatz ein, wo er auf sie wartete. »Jed, das ist wirklich nicht nötig.«

»Lass uns raufgehen.« Er nahm ihren Arm, ignorierte ihr Zögern.

Er erinnerte sich noch genau, wie es früher hier gerochen hatte – nach Bienenwachs und Friedhofsblumen, den schweren, teuren Parfums seiner Mutter und seiner Schwester, dem scharfen Rauch der Havannas seines Vaters.

Er erinnerte sich auch an die ständig wütend erhobenen Stimmen, die sich Vorwürfe zubrüllten, oder an die leise verächtlichen Stimmen, was noch schlimmer war. Er sah die Angestellten mit auf den Boden gerichteten Augen und verschlossenen Ohren vor sich, die geschäftig ihrer Arbeit nachgingen.

Er erinnerte sich, wie er sich im unschuldigen Alter von sechzehn Jahren in eines der Hausmädchen verliebt hatte. Wie seine Mutter sie beide bei ihren harmlosen Flirtereien in der oberen Halle ertappte – genau hier an dieser Stelle – und das Mädchen sofort fristlos entließ.

»Das Schlafzimmer meiner Mutter«, erklärte Jed und nickte in Richtung einer Tür. »Das meines Vaters lag am anderen Ende des Ganges. Wie du sehen kannst, lagen da etliche Zimmer dazwischen.«

Dora hätte am liebsten laut geseufzt und ihm erklärt, dass sie genug gesehen hätte, wusste aber, dass es für ihn noch nicht genug war. »Wo war dein Zimmer?«

»Dort.«

Dora ging darauf zu und spähte hinein. Es war ein großer, luftiger Raum, in den jetzt die Nachmittagssonne schien. Durch die Fenster blickte man auf den hinteren Teil des Gartens und auf die dichte Ligusterhecke, die das gesamte Grundstück umgab. Sie setzte sich auf die schmale Fensterbank und schaute hinaus.

Sie wusste, dass es in allen alten Häusern Geister gab. Ein Gebäude, das zweihundert Jahre alt war, barg die Erinnerungen an seine Bewohner. Es waren Jeds Geister, die dieses Haus bevölkerten, und er hielt eifersüchtig an ihnen fest. Was würde es nützen, wenn sie ihm erklärte, wie leicht man diese vertreiben konnte?

Dieses Haus brauchte Menschen, die laut lachend die Treppe hinunterliefen, die vor dem Kamin saßen und gemütlich vor sich hinträumten. Kinder, die lärmend durch die Halle tobten und mit den Türen knallten.

»Früher stand vor meinem Fenster ein Kastanienbaum. An dem bin ich nachts oft in den Garten hinuntergeklettert, dann per Anhalter in die Stadt getrampt, und dort habe ich mich in der Market Street herumgetrieben. Eines Nachts hat mich einer der Angestellten dabei erwischt, und es sofort meinem Vater gemeldet. Am nächsten Tag hat er den Baum fällen lassen. Dann kam er zu mir in mein Zimmer, sperrte die Tür ab und schlug mich windelweich. Damals war ich vierzehn.« Jed erzählte das so emotionslos, als spräche er von einem Fremden. Dann machte er eine Pause, um sich eine Zigarette anzuzünden. »Danach habe ich angefangen, Gewichte zu stemmen.« Dora sah, wie seine Augen hinter der Rauchwolke aufblitzten. »Er sollte mich nicht noch einmal verprügeln. Und falls er es versuchte, wollte ich stark genug sein, um ihm Widerstand leisten zu können. Ein paar Jahre später gelang mir das auch. So endete ich schließlich im Internat.«

Dora hatte plötzlich einen sauren Geschmack im Mund. Sie schluckte ihn tapfer hinunter. »Du denkst sicher, dass es mir schwer fällt, das alles zu verstehen«, sagte sie leise, »weil mein Vater niemals die Hand gegen uns erhoben hat, nicht einmal dann, wenn wir eine ordentliche Tracht Prügel verdient hätten.«

Jed betrachtete nachdenklich die Asche seiner Zigarette, ehe er sie auf den Boden schnipste. »Mein Vater hatte große Hände. Er benutzte sie nicht oft, doch wenn er einmal zuschlug, dann ohne jede Kontrolle.«

»Und deine Mutter?«

»Sie zog es vor, mit Gegenständen um sich zu werfen, teuren Gegenständen, wohlgemerkt. Einmal hat sie mich mit einer Meißener Vase bewusstlos geschlagen und mir den Schaden von zweitausend Dollar vom Taschengeld abgezogen.«

Dora nickte schweigend und starrte dabei angestrengt aus dem Fenster, während sie gegen die Übelkeit ankämpfte. »Und deine Schwester?«

»Die behandelten sie abwechselnd wie eine Dresdner Puppe oder wie einen Zögling. Teeparty an dem einen Tag, abgeschlossene Türen am nächsten.« Er zuckte die Schultern. »Sie wollten aus ihr eine perfekte Lady machen, eine jungfräuliche Debütantin, die die Skimmerhorn-Tradition weiterführte und reich heiratete. Und wenn sie sich den Regeln nicht fügte, steckten sie sie in Einzelhaft.«

»Wie bitte?«

»Sperrten sie in ihr Zimmer ein, manchmal ein paar Tage lang, manchmal eine ganze Woche. Dann erpressten sie sie so lange mit Einkaufsbummeln oder tollen Partys, bis sie tat, was sie von ihr verlangten.« Auch Jed hatte jetzt einen bitteren Geschmack im Mund. »Man sollte glauben, dass das gemeinsam erlebte Elend uns zu Freunden oder Verbündeten gemacht hätte, aber dem war nicht so. Wir scherten uns eigentlich einen Dreck um einander.«

Langsam drehte Dora den Kopf und sah Jed über die Schulter hinweg an. »Du brauchst dich bei mir für deine Gefühle nicht zu entschuldigen.«

»Ich entschuldige mich auch nicht«, gab er fast bissig zurück. »Ich erkläre sie nur.« Er weigerte sich hartnäckig, sich von ihrem unausgesprochenen Mitgefühl trösten zu lassen.

»Ich erhielt einen Anruf, mich mit Elaine zu treffen – von einem ihrer Angestellten, wie ich glaubte –, aber es war einer von Specks Leuten. Sie wollten mich dabeihaben, wenn es passierte. Sie wussten, dass sie jeden Mittwoch um elf Uhr zum Frisör fuhr. Ich wusste das nicht.« Er hob seinen Blick und fixierte Dora. »Ich wusste überhaupt nichts von ihr, wollte auch gar nichts wissen. Ich war nur wenige Minuten von ihrem Haus entfernt und stinksauer, weil sie mich zu sich zitiert hatte, als mich die Meldung von der Bombendrohung über Funk erreichte. Speck hatte ein gutes Gespür für perfektes Timing.«

Er unterbrach sich, um seine Zigarette in dem kleinen Kamin auszudrücken. »Ich war als Erster am Tatort, genau wie Speck es geplant hatte. Ich sah sie in ihrem Wagen sitzen und rannte los. Die Rosenbüsche waren in voller Blüte«, setzte er leise hinzu. Die Szene stand ihm wieder deutlich vor Augen, sie lief in genau diesem Augenblick noch einmal ab. »Sie drehte sich zu mir um. Ich konnte die Überraschung in ihrem Gesicht sehen – und die Entrüstung. Elaine liebte es gar nicht, wenn man ihre Routine unterbrach. Ich glaube, sie war wütend, dass die Nachbarn sehen könnten, wie ich mit gezogenem Revolver über die Wiese rannte. Dann drehte sie den Zündschlüssel um, und der Wagen explodierte. Die Druckwelle war so stark, dass ich rückwärts in die Rosenbüsche geschleudert wurde.«

»Du hast versucht, ihr das Leben zu retten, Jed.«

»Ich habe sie aber nicht gerettet«, entgegnete er. »Damit muss ich leben, und mit dem Schuldgefühl, dass sie mir nichts bedeutet hat. Wir haben beinahe achtzehn Jahre im selben Haus gelebt und nichts miteinander zu tun gehabt.«

Dora drehte sich jetzt ganz zu ihm um und blieb still auf der Fensterbank sitzen. Überrascht stellte Jed fest, dass sein Herz einen freudigen Sprung tat. Sie sah so schön aus, so vollkommen, eingehüllt in das warme Sonnenlicht, die Augen ruhig und aufmerksam, die Lippen in stiller Ernsthaftigkeit geschlossen. Seltsam, dachte er, es hatte in diesem Haus nie etwas gegeben, das er als schön empfunden hatte. Bis jetzt.

»Ich verstehe, warum du mich hierher gebracht hast«, begann sie. »Warum du das Gefühl hattest, es tun zu müssen – obwohl dafür keine Veranlassung bestand. Ich bin froh, dass du es getan hast, doch es wäre nicht nötig gewesen.« Dora seufzte und verschränkte die Hände im Schoß. »Du wolltest mir dieses kalte, leere Haus zeigen, das jetzt nichts mehr beherbergt außer dem Elend seiner früheren Bewohner. Und du wolltest mir zu verstehen geben, dass du, genau wie dieses Haus, nichts zu geben hast.«

Er verspürte den Wunsch, den verzweifelten Wunsch, zu ihr hinzugehen und seinen Kopf in ihren Schoß zu betten. »Ich habe nichts zu geben.«

»Du willst nichts geben«, korrigierte sie ihn. »Und wenn man die Muster in deinem Leben betrachtet, ist das auch ganz logisch. Das Problem ist nur, Skimmerhorn, dass Gefühle nun mal keiner Logik gehorchen. Meine jedenfalls nicht.« Sie neigte den Kopf ein wenig, und die Sonne schien auf ihr Gesicht, wärmte es, und auch in ihrer Stimme schwang Wärme mit. »Ich sagte dir, dass ich dich liebe, und dir wäre es wahrscheinlich lieber gewesen, ich hätte dich ins Gesicht geschlagen. Ich hatte es nicht sagen wollen – oder vielleicht doch ...«

Sie strich sich das Haar aus der Stirn und wirkte dabei so verletzbar und erschöpt. »Vielleicht doch«, wiederholte sie leise. »Ich konnte mir zwar ausmalen, wie du darauf reagieren würdest, bin es aber einfach nicht gewöhnt, meine Gefühle für mich zu behalten. Doch es sind meine Gefühle, Jed. Und sie erwarten nichts von dir.«

»Wenn eine Frau einem Mann sagt, dass sie ihn liebt, dann erwartet sie alles von ihm.«

»So siehst du das, Jed?« Ein kleines Lächeln erschien auf ihrem Gesicht, aber ihre Augen blickten traurig. »Ich werde dir erklären, wie ich das sehe. Die Liebe ist ein Geschenk und kann als solches natürlich abgelehnt werden. Doch eine Ablehnung zerstört dieses Geschenk nicht, sondern stellt es quasi nur beiseite. Das zu tun, steht dir selbstverständlich frei. Ich erwarte kein Gegengeschenk. Was nicht heißt, dass ich mich nicht darüber nicht freuen würde, ich erwarte es nur nicht.«

Sie stand auf, ging auf ihn zu und nahm sein Gesicht zärtlich zwischen beide Hände. Ihre Augen blickten ihn immer noch traurig an, und das unendliche Mitgefühl, das in dieser Traurigkeit mitschwang, beschämte Jed zutiefst. »Nimm, was man dir anbietet, Jed, besonders, wenn es so großzügig und ohne Erwartungen angeboten wird. Und hab keine Sorge, ich werde es nicht wieder sagen. Das würde uns beide nur in Verlegenheit bringen.«

»Du gibst dir mir gegenüber eine ungeheure Blöße, Dora.«

»Ich weiß. Für mich ist das in Ordnung.« Sie küsste ihn, erst auf die eine Wange, dann auf die andere, dann auf den Mund. »Zerbrich dir darüber nicht weiter den Kopf, Skimmerhorn, genieße es. Ich tue das jedenfalls.«

»Ich bin nicht der Mann, den du brauchst.« Dabei drückte er sie ganz eng an sich und hielt sie fest, denn sie war die Frau die er brauchte. Hundertprozentig die Frau, die er brauchte.

»Du täuschst dich.« Sie machte die Augen zu, kämpfte gegen die aufsteigenden Tränen an. »Und du täuschst dich auch mit dem Haus. Ihr beide wartet nur auf etwas.«

Jeds Gedanken stahlen sich immer wieder davon. Er wusste zwar, dass die Einzelheiten, die er gerade mit Brent besprach, von höchster Wichtigkeit waren, sah aber pausenlos Dora vor sich, wie sie in seinem alten, verhassten Zimmer auf der Fensterbank saß, eingehüllt vom warmen Licht der Sonne.

Er konnte noch immer ihre Hände auf seinem Gesicht spüren, während sie ihn anlächelte und ihn bat, die Liebe zu akzeptieren.

»Jed, ich komme mir wie ein langweiliger Geschichtslehrer ...«

Jed blinzelte, richtete seinen Blick wieder auf Brent. »Was?«

Brent seufzte resigniert und lehnte sich in seinem Stuhl zurück. »Möchtest du mir nicht erklären, was dir im Kopf herumspukt?«

»Ach, nichts.« Er spülte seine melancholische Stimmung mit einem Schluck schwarzem Kaffee hinunter, der selbst Tote aufgeweckt hätte. »Was du da über Winesap herausgefunden hast, hört sich so an, als ob auch er nur ein Untergebener ist. Ich bin immer noch der Meinung, dass es am besten wäre, sich mit dem Boss zu beschäftigen, mit Finley. Aber nicht direkt. Je länger wir das geschmuggelte Gemälde aus dem Spiel lassen können, desto besser.«

»Was ich über den Kerl an Informationen zusammentragen konnte, füllt nicht einmal eine Teetasse«, erklärte Brent. »Er hat Geld, so viel Geld, dagegen bist du ein armer Schlucker. Er ist erfolgreich, allein stehend, und hütet sein Privatleben wie ein Staatsgeheimnis.«

»Und böte sich als Chef einer großen Import-Export-Firma, die ein idealer Umschlagplatz für Schmuggelware ist, geradezu an.«

»Schön wär's«, murmelte Brent. »Wir haben keinerlei

404

Beweise gegen Finley. Sicherlich, die Sendung war an seinen Assistenten adressiert, und DiCarlo arbeitet für ihn.«

»DiCarlo ist ein kleiner Fisch, ein Schmalspurganove. Man muss sich nur sein Vorstrafenregister anschauen.«

»Finley dagegen hat keine Vorstrafen. Er verkörpert das amerikanische Idol, ein Selfmademan, bescheiden und unbescholten.«

»Dann schadet es ihm bestimmt nicht, wenn wir ein wenig in seinem Leben herumstöbern«, betonte Jed. »Ich glaube, ich höre mich mal in Los Angeles um.«

»So etwas in der Art habe ich befürchtet.« Brent rutschte unbehaglich auf seinem Stuhl herum. »Hör mal, Jed, ich weiß, dass du ein persönliches Interesse an dem Fall hast, und ohne dich hätte die Polizei sich wohl kaum so ins Zeug gelegt.«

»Aber«, fiel ihm Jed ins Wort, »ich arbeite nicht mehr für die Polizei.«

Nervös rückte Brent seine Brille zurecht und kramte in den Papieren auf seinem Schreibtisch. »Goldman stellt schon Fragen.«

»Vielleicht ist es Zeit, dass du sie ihm beantwortest.«

»Der Meinung ist der Commissioner auch.«

»Ich bin ein freier Bürger, Brent. Und nichts und niemand kann mich davon abhalten, einen Ausflug an die Küste zu machen – es ist meine Zeit, die ich verschwende, und ich trage die Reisekosten.«

»Hör auf mit dem Mist«, entgegnete Brent aufgebracht. »Ich weiß, dass du in einer Stunde eine Unterredung mit dem Commissioner hast, und wir beide wissen, was er dir erzählen wird. Du kannst nicht länger so herumlavieren. Mach mir doch das Leben ein bisschen leichter und sag mir, dass du wieder an deinen Schreibtisch zurückkehrst.«

»Das kann ich dir nicht sagen. Ich kann dir nur sagen, dass ich mit dem Gedanken spiele.«

Der Fluch, der Brent auf der Zunge lag, wurde nicht ausgesprochen.

»Ernsthaft?«

»Ernsthafter, als ich es je für möglich gehalten hätte.« Jed stand auf, marschierte in Brents Büro auf und ab, betrachtete die Tür mit der Milchglasscheibe, den verkratzten Aktenschrank, die Kaffeemaschine mit der fleckigen Glaskanne. »Verdammt, ich vermisse diesen Ort.« Amüsiert über seine Gedanken, drehte Jed sich zu Brent um. »Ist das nicht ein Witz? Ich vermisse das alles – das stundenlange Warten, die verfluchten Berichte, die kleinen, schmierigen Gauner. Ich habe mir sogar schon überlegt, ob ich mir nicht ein Radio mit Polizeifunk anschaffe, damit ich weiß, was hier so vor sich geht.«

»Halleluja!«, rief Brent aus und faltete seine Hände wie ein Priester. »Lass mich Goldman die frohe Botschaft überbringen. Bitte, gönn mir dieses Volksfest.«

»Ich habe nicht gesagt, dass ich zurückkomme.«

»Doch, das hast du.« Einem spontanen Impuls folgend, sprang Brent von seinem Stuhl hoch, packte Jed bei den Schultern und küsste ihn.

»Himmel, Chapman, krieg dich wieder ein!«

»Die Jungs werden dich empfangen wie einen Gott. Was denkt Dora darüber?«

Jeds Grinsen verschwand. »Überhaupt nichts. Ich habe mit ihr nicht darüber gesprochen. Das geht sie nichts an.«

»Mary Pat und ich, wir beide haben eine Wette abgeschlossen. Sie sagt, dass ich mir noch vor Ablauf des Schuljahres einen Frack ausleihen werde, um einen ordentlichen Trauzeugen für dich abzugeben. Ich tippe eher auf die Osterferien. Weißt du, wir haben uns angewöhnt, nach dem Schulkalender zu rechnen.«

Das panikartige Flattern, das sich plötzlich in Jeds Magengrube breit machte, brachte ihn einigermaßen aus dem Gleichgewicht. »Du bist total auf dem falschen Dampfer.«

»Komm, Captain, du bist doch verrückt nach ihr. Vor zehn Minuten noch hast du tagträumend hier gesessen und Löcher in die Luft gestarrt. Und wenn sie nicht die Hauptdarstellerin dieser Träume gewesen ist, dann gehe ich sofort zu Goldman und knutsche ihn ab.«

»Du bist neuerdings erschreckend freizügig mit deinen Liebesbezeugungen. Unterlass das bitte.«

Brent kannte diesen Ton – Jed wollte Distanz. »Einverstanden, aber dafür gehst du mit mir ins Chart House zum Abendessen. Ich würde zu gerne erfahren, was du und der Commissioner ausgehandelt habt. Und ganz gleich, ob du offiziell nach Los Angeles fährst oder nicht, ich kann dir dort auf jeden Fall ein paar Männer zur Unterstützung bereitstellen.«

»Darüber unterhalten wir uns morgen.«

»Und, Captain«, setzte Brent hinzu, bevor Jed die Tür erreicht hatte, »tu mir den Gefallen und verkauf dich nicht zu billig, okay? Ich kann dir eine Liste machen, was wir hier dringend benötigen.«

Brent grinste und setzte sich an seinen Schreibtisch, in Gedanken formulierte er bereits die passenden Worte, mit denen er Goldman die Neuigkeit beibringen würde.

Es war beinahe Mitternacht, als Dora endlich den Versuch aufgab einzuschlafen. Sie stand deshalb auf und zog ihren Morgenmantel an. Ein ganz normaler Fall von Schlaflosigkeit, beruhigte sie sich, der nichts damit zu tun hatte, dass Jed noch nicht heimgekommen war und auch nicht angerufen hatte. Es musste wirklich schlimm um sie stehen, gestand sie sich ein, wenn sie anfing, sich selbst zu belügen.

Sie stellte die Stereoanlage an, aber da Bonnie Raitts schwermütiger Blues nur allzu gut zu ihrer Stimmung passte, drehte sie die Musik gleich wieder ab. Sie ging in die Küche, um heißes Wasser aufzusetzen.

Wie hatte sie es nur so vermasseln können?, fragte sie sich und überlegte dabei lustlos, ob sie Kamillen- oder Zitronentee trinken sollte. Hatte sie denn nicht gewusst, dass jeder Mann sofort das Weite sucht, wenn er diese drei schicksalhaften Worte hört? Nein, hatte sie nicht. Wütend warf sie einen Teebeutel in die Tasse. Sie hatte es nicht gewusst, weil sie sie bisher nicht ausgesprochen hatte. Und jetzt, mitten in der Show, hatte sie nicht auf ihr Stichwort warten können, sondern ihn wie eine Dampfwalze mit ihrem Text überfahren.

Nun, zurücknehmen ließen sich die Worte nicht mehr. Und es grämte sie zutiefst, dass sie und Jed nach verschiedenen Drehbüchern spielten.

Er hatte diese Worte nicht leise wiederholt oder sie glücklich in die Arme gerissen. Er hatte sich seit diesem fatalen Augenblick vor sechsunddreißig Stunden systematisch und ganz bewusst zurückgezogen, Zentimeter für Zentimeter. Und sie musste befürchten, dass er sich noch weiter zurückziehen würde, bis er ganz aus ihrem Sichtfeld verschwunden war.

Nun, dagegen konnte sie nichts machen. Sie goss heißes Wasser in die Tasse und suchte nach Keksen, solange der Tee zog. Sie konnte ihn nicht zwingen, sich von ihr zeigen zu lassen, wie schön es sein konnte, Liebe zu geben und zu nehmen. Sie konnte nur ihr Versprechen halten und ihn zukünftig nicht mehr mit ihren Liebeserklärungen konfrontieren. So weh das auch tat.

Und sie besaß noch einen Funken Stolz – Bonnie Raitt hatte Unrecht, dachte sie. Liebe und Stolz passen zueinander. Sie würde sich zusammenreißen und ihr Leben weiterleben – mit ihm, hoffte sie. Falls nötig, auch ohne ihn. Und damit fing sie am besten gleich an. Sie beschloss nach unten zu gehen, um sich zu beschäftigen.

Mit ihrer Teetasse bewaffnet, marschierte sie zur Tür und erinnerte sich im letzten Moment daran, die Schlüssel mitzunehmen und hinter sich abzuschließen. Sie hasste die Vorstellung, in ihren eigenen vier Wänden nicht sicher zu sein, und knipste auf dem Weg in den Laden sämtliche Lichter an.

Als sie dann in ihrem kleinen Büro saß, machte sie sich an die langweilige Aufgabe, die Ordner wieder neu zu sortieren, die DiCarlo durcheinander gebracht hatte.

Wie immer wirkten die Ruhe und diese Art von methodischer Arbeit entspannend und ablenkend auf Dora. Es machte ihr Spaß, die richtigen Papiere an den richtigen Platz zu legen, dabei gelegentlich eine Pause zu machen, um eine Rechnung genauer zu lesen und sich das Verkaufsgespräch noch einmal in Erinnerung zu rufen.

Ein Briefbeschwerer mit dem Logo der New Yorker Weltausstellung, 40 Dollar. Ein Frisierspiegel mit Holzeinlegearbeiten, 3000 Dollar. Drei alte Reklameschilder für Brasso, Olympic Ale und Players Zigaretten für je 190, 27 und 185 Dollar.

Jed stand auf der Treppe und beobachtete sie. Er sah, dass sie alle Lichter eingeschaltet hatte, wie ein Kind, das abends allein zu Hause bleiben muss. Dora trug den grünen Morgenrock und dazu dicke knallrosa Socken. Wann immer sie sich zur Seite beugte, um das eine oder andere Papier zu lesen, fiel ihr das Haar über die Wange und verdeckte ihr Gesicht. Und jedes Mal strich sie es mit einer fließenden Bewegung zurück, ehe sie das jeweilige Stück Papier abheftete und nach dem nächsten griff.

Sein Herzschlag, der sich unwillkürlich beschleunigt hatte, als er sah, dass die Tür zum Lager offen stand, beruhigte sich wieder. Er spürte das Verlangen, das ihn jedes Mal überfiel, wenn er in ihre Nähe kam, und es machte ihm immer wieder Spaß, sie zu beobachten.

Er hatte bereits seine Waffe unter dem Sakko verschwinden lassen, als sie sich umdrehte. Dora, die nur eine dunkle Gestalt auf der Treppe stehen sah, zuckte erschrocken zusammen. Die Papiere flogen durcheinander, während sie einen schrillen Schrei unterdrückte.

»Was machst du hier?«, rief sie wütend. »Willst du mich zu Tode erschrecken?

»Nein.« Er kam die restlichen Stufen herunter. »Und was zum Teufel machst du hier, Conroy? Es ist schon weit nach Mitternacht.«

»Was glaubst du denn, was ich hier mache? Ein Menuett einstudieren?« Beschämt über ihre hysterische Reaktion, beugte sie sich hinunter und sammelte die Papiere ein.

»Du bist sehr anmutig zusammengezuckt«, sagte er und berührte ihre Hand. »Tut mir Leid, wenn ich dich erschreckt habe. Wahrscheinlich warst du so mit deiner Arbeit beschäftigt, dass du mich nicht gehört hast.«

»Ist schon gut.«

»Du solltest schon längst im Bett liegen.« Er nahm ihr Kinn und drehte ihr Gesicht zum Licht. »Du siehst müde aus.«

»Vielen Dank für das Kompliment.«

»Und du bist zickig.«

»Ich bin nicht zickig.« Sie holte beleidigt Luft. »Ich verwehre mich gegen diesen Ausdruck.«

Nachsichtig strich er ihr das Haar hinters Ohr. Sie hatte sich bemerkenswert schnell gefangen, überlegte er. Aber in ihren Augen hatte er Angst und Misstrauen gesehen, nachdem der erste Schock überwunden war. Er hatte sie bereits verletzt, und war auf dem besten Weg, es wieder zu tun.

»Komm mit nach oben, Kleine.«

»Ich bin noch nicht fertig.«.

Jed runzelte die Stirn. Er hörte einen Anflug von Groll in ihrer Stimme und kam sich plötzlich klein und unglaublich dumm vor.

»Du bist sauer auf mich.«

»Nein, bin ich nicht.« Sie streckte den Rücken durch, holte tief Luft und nahm ihre ganzen Mut zusammen, um die Wahrheit zu sagen. »Ich bin nicht sauer auf dich«, wiederholte sie ruhig. »Wenn ich nicht ganz auf der Höhe bin, dann deshalb, weil ich mir überflüssig vorkomme, solange ich den Laden geschlossen halten muss, und hinterhältig, weil ich meine Familie belüge.«

»Du musst weder das eine noch das andere tun. Es spricht nichts dagegen, dass du morgen deinen Laden wieder aufsperrst, und du wirst dich besser fühlen, wenn du deiner Familie reinen Wein einschenkst.«

Dora dachte darüber nach. »Ja, ich mache den Laden morgen auf«, entschied sie, »aber meine Familie weihe ich nicht ein. Noch nicht. Es ist meine Sache, wie ich damit fertig werde.«

Er wollte darüber reden und stellte fest, dass er es nicht konnte. Er wollte ihr auch nichts von dem Gespräch mit dem Commissioner erzählen oder von seinem Entschluss, wieder in den Polizeidienst einzutreten. Noch nicht.

410

»Komm mit rauf«, sagte er noch einmal. »Ich werde dir eine Rückenmassage verpassen.«

»Weshalb?«

»Weil du verspannt bist«, entgegnete er. »Verdammt, Conroy, warum willst du wissen, weshalb? Leg dich einfach hin und genieße es.«

Dora kniff argwöhnisch die Augen zusammen und trat einen Schritt zurück. »Du bist so nett zu mir. Warum? Ich weiß, du bereitest mich auf etwas vor, Skimmerhorn. Du planst etwas, von dem du weißt, dass es mir nicht gefällt.« Sie rannte hinter ihm die Treppe hinauf.

»Du verschweigst mir etwas.« Sie legte eine Hand auf seinen Arm, als er seine Tür aufschloss. »Bitte, sag es mir. Es hat etwas mit DiCarlo zu tun, stimmt's? Mit dem Gemälde und der ganzen unseligen Geschichte.«

Es war viel mehr als das. Und weniger. Er fragte sich, ob es feige war, wenn er ihr nur einen Teil der Wahrheit sagte.

»Ich fliege nach L.A., um mich mit DiCarlos Boss zu unterhalten.«

»Winesap?« Sie dachte scharf nach und runzelte dabei die Stirn. »Das ist der, an den die Sendung eigentlich gehen sollte, nicht wahr?«

»Der Top-Mann ist ein gewisser Finley, Edmund G. Finley«, erklärte Jed. »Ich fange bei ihm an.«

»Und du glaubst, dass er – Finley – diese Sendung erwartet hat, dass er den Schmuggel arrangiert hat?«

»Genau.« Er schenkte ihnen beiden Whiskey ein. »Genau das glaube ich.«

»Was weißt du über ihn?«

»Genug, um ein Flugticket nach L.A. zu kaufen.« Er reichte ihr ein Glas und gab ihr eine kurze Zusammenfassung dessen, was er in Erfahrung gebracht hatte.

»Import-Export«, überlegte sie laut, nachdem er seinen Bericht beendet hatte. »Dann ist er höchstwahrscheinlich ein Sammler. Das sind sie fast alle. Möglich, dass er keine Ahnung von DiCarlos Machenschaften hatte – immerhin ist es eine große Firma, wie du sagst. Aber wenn doch …«

Jed bemerkte das Blitzen in ihren Augen und unterdrückte ein Stöhnen. »Hör auf zu denken, Conroy. Du kannst gefährlich werden, wenn du denkst.«

»Ich denke aber trotzdem.« Sie hob das Glas und trank es mit einem Schluck aus. »Und ich denke, dass du nicht der geeignete Gesprächspartner für Finley bist.« Sie streckte ihm das Glas hin, damit er ihr nachschenkte. »Sondern ich.«

24. Kapitel

»Du spinnst doch total.«

»Das ist eine absolut kluge und vernünftige Aussage.« Da Jed keine Anstalten machte, ihrer stummen Aufforderung nachzukommen, schenkte Dora sich selbst noch einen Whiskey ein. »Und wenn du dein männliches Ego mal für eine Minute zum Schweigen bringst, wirst du auch einsehen, weshalb.«

»Das hat nichts mit meinem Ego zu tun.« Es hatte sehr wohl etwas damit zu tun, und diese Erkenntnis traf Jed wie ein Schlag ins Gesicht. »Es hat mit gesundem Menschenverstand zu tun.« Du bist überhaupt nicht in der Lage, mit einer derartigen Situation umzugehen.«

»Ganz im Gegenteil.« Sie erwärmte sich zusehends für diese Idee und begann, rastlos im Zimmer umherzugehen, ließ den Whiskey in ihrem Glas kreisen und genoss bereits im Geiste die Rolle, die sie zu spielen gedachte. »Ich bin absolut in der Lage dazu. Ich war immerhin das Opfer seines Handlangers. Ich, die Ahnungslose, kann an Finleys Mitgefühl appellieren, falls er nichts weiß. Und da ich auch eine begeisterte Kunstsammlerin bin, kann ich mit seinem Verständnis rechnen, falls er unschuldig ist. Kurz gesagt, Skimmerhorn«, sie ging um ihn herum und prostete ihm zu, »diese Rolle ist mir quasi auf den Leib geschnitten.«

»Verdammt, Conroy, das hier ist kein Theater.«

»Im wesentlichen schon. Wann gedenkst du endlich ein paar Möbel hier aufzustellen?« In Ermangelung eines Stuhls setzte sie sich auf den Tisch. »Wie sah denn dein Plan aus, Captain? Wolltest du mit gezogenem Revolver in sein Büro stürmen?«

»Mach dich doch nicht lächerlich.«

»Das habe ich auch keineswegs vor. Du würdest ihn, so stelle ich mir die Szene vor, um ein Gespräch bitten, ihm

413

die Geschichte vortragen und ihn dann wahrscheinlich um Mithilfe bitten, diesen DiCarlo ausfindig zu machen.«

Sie wartete auf seine Reaktion, die aber ausblieb. Unbekümmert spann sie daher ihren Faden weiter. »Während des Gesprächs wirst du herauszufinden versuchen, ob er etwas zu verbergen hat und welcher Methode er sich dabei bedient.«

»Du hörst dich wie ein geschwätziger Anwalt an«, murmelte er. »Ich hasse Anwälte.«

»Das ist typisches Cop-Gerede. Ich habe ein paar sehr gute Freunde, die Anwälte sind – und mein Vater war exzellent als Clarence Darrow. Also, lass uns mal sehen.« Sie schlug die Beine übereinander; der Morgenmantel klaffte über ihren langen, schlanken Schenkeln auseinander. »Wie würde ich das spielen?«

»Du wirst überhaupt nichts spielen, Conroy.« Weil er das Gefühl hatte, dass ihm gerade etwas Wesentliches durch die Finger glitt, sprach er mit lauter Stimme, während er sie am Kinn festhielt. »Einen Teufel wirst du.«

»Oh, doch«, gab sie ungerührt zurück. »Weil wir beide wissen, dass das die perfekte Lösung ist.« Mit einem anmutigen Lächeln löste sie seine Hand von ihrem Kinn und küsste sie. »Du kannst ja mitkommen und mich vom Rodeo Drive fern halten.«

Es gab nur einen Weg, mit Dora fertig zu werden, dachte Jed, und der hieß Ruhe bewahren. »Dora, ich habe diesen Mann nicht im Griff. Wir wissen so gut nichts über ihn. Möglich, dass er ein netter, großväterlicher Typ ist, der in seiner Freizeit Briefmarken sammelt und nichts mit dem Schmuggel zu tun hat. Möglich aber auch, dass DiCarlo sein Handlanger war. In seinen Gefilden herumzuschürfen, ist riskant, und ich habe nicht vor, dich irgendeinem Risiko auszuliefern.«

»Warum nicht?«, fragte sie mit zuckersüßer Stimme. »Man könnte ja fast denken, dass dir etwas an mir liegt.«

Resigniert vergrub er seine Hände in den Jackentaschen. »Verdammt, du weißt genau, dass mir etwas an dir liegt.«

»Ich weiß, dass du das möchtest, aber echte Zuneigung sieht anders aus. Trotzdem ist es schön, so was zu hören.«

»Bitte, verschon mich mit deinen Haarspaltereien.« Er hatte nicht vor, sich schon wieder von ihr in eine Diskussion über seine Gefühle verwickeln zu lassen. »Finley ist der Angelpunkt. Wenn er in dieser Sache Dreck am Stecken hat, dann genügt ihm ein kurzer Blick in dein hübsches Gesicht, und er liest darin wie in einem Buch.«

»Du liebe Güte. Du erklärst mir, dass ich hübsch bin, und dass dir etwas an mir liegt. Und das alles an einem Abend. Ich fühle mich ja richtig geschmeichelt!«

»Ich sollte dir eine Ohrfeige verpassen«, zischte er.

»Aber das tust du natürlich nicht.« Dora streckte ihm lächelnd die Hand entgegen. »Bellende Hunde beißen nicht, auch du nicht, Skimmerhorn. Komm, gehen wir schlafen. Morgen früh können wir dann noch einmal ausführlich über alles reden.«

»Da gibt's nichts mehr zu reden. Ich fahre. Und du bleibst hier.«

Dora ließ ihre Hand fallen. »Du vertraust mir nicht. Darum geht es, habe ich Recht?« Sie biss sich auf die Unterlippe, damit er nicht sah, wie sie zitterte. Doch ihre Stimme bebte, und sie musste schlucken. Ihre Augen füllten sich mit Tränen.

»Das hat nichts mit Vertrauen zu tun.« Er zog eine Hand aus der Tasche und fuhr sich damit durchs Haar. »Nimm es nicht so persönlich.«

»Wie soll ich es sonst nehmen?« Die erste Träne machte sich selbstständig und zog eine einsame Spur über ihre Wange. Ihre Augen wurden feucht, und sie schaute ihn zutiefst verletzt an. »Verstehst du denn nicht, dass ich etwas tun muss? Dass ich mich nicht tatenlos in meinem Lehnstuhl verschanzen kann, nachdem man mich und mein Haus auf diese Weise angegriffen hat? Ich halte das nicht aus, Jed. Ich kann den Gedanken nicht ertragen, dass du mich als hilfloses Opfer betrachtest, das dir nur im Weg steht.«

»Hör auf zu weinen.« Ihre Tränen brachten ihn völlig

aus der Fassung, machten ihn weich wie Butter. »Komm, Baby, hör auf zu weinen.« Unbeholfen strich er ihr übers Haar. »Ich ertrage das nicht.« Sehr zärtlich küsste er ihre zitternden Lippen. »Ich halte dich nicht für hilflos.«

»Dann für unfähig, wie?«, schluchzte sie.

»Nein.« Er wischte ihr die Tränen ab und war fast so weit, vor ihr in die Knie zu gehen. »Du bist nur für so etwas nicht ausgebildet. Falls Finley irgendeinen Verdacht hegt, kann die ganze Sache platzen, bevor sie noch begonnen hat.«

Schniefend presste Dora ihr Gesicht an seinen Hals. »Ahnst du etwas?«

»Was?«

»Ob du etwas ahnst?«, fragte sie ihn und hatte ihre Stimme plötzlich wieder völlig im Griff. Sie lehnte sich zurück und grinste ihn frech an. »Reingefallen, stimmt's?«, lachte sie und tätschelte nachsichtig seine Wange, während er sie anfunkelte. »Mach dir nichts daraus, Skimmerhorn. Ich sagte dir doch, dass ich gut bin.« Sie hob ihr Glas und prostete sich zu. »Sehr, sehr gut sogar. Und das war nur eine Kostprobe.«

»Kann gut sein, dass du dir doch noch eine Ohrfeige einfängst. Beim nächsten Mal, wenn du wieder in Tränen ausbrichst, ist es so weit, das schwöre ich dir.«

»Du kamst dir vor wie der letzte Scheißkerl, nicht wahr? Hab' ich gut hingekriegt, das musst du zugeben.« Sie stieß einen wohligen Seufzer aus. »Zuweilen verwechsle ich allerdings Realität und Bühne.« Sie zuckte mit den Schultern. »Aber nicht sehr oft. Und du kannst dich darauf verlassen, Captain, dass unser Mr. Finley genau das sieht, was ich ihn sehen lassen will. Ich werde ihn tanzen lassen wie eine Marionette.«

Dazu war sie absolut fähig. Und sich das eingestehen zu müssen, behagte ihm überhaupt nicht. »Falls ich mich tatsächlich dazu hinreißen lassen sollte, dieser wahnwitzigen Idee zuzustimmen, kann ich mich dann wenigstens darauf verlassen, dass du haargenau meine Anweisungen befolgst?«

»Nein, aber ich werde es versuchen. Erfolg ist allerdings nicht garantiert – genau wie beim Angeln.

Das wusste er nur zu gut, und deshalb wäre es ihm auch lieber gewesen, sein Gewässer zu kennen und den Köder selbst auszuwerfen. »Ich will nicht, dass dir etwas passiert.«

Dora schmolz dahin wie Butter in der Sonne. »Das ist eins der nettesten Dinge, die du mir bisher gesagt hast.«

»Wenn er dir irgendetwas antut, dann bringe ich ihn um.«

Ihr fröhliches Lächeln verschwand. »Pack mir bitte nicht diese Last auf den Buckel. Das macht mir nur Angst.«

Er hob sie vom Tisch herunter und stellte sie auf die Füße. »Conroy, ich sagte dir, dass ich dich nicht für hilflos halte, und dass ich auch nicht glaube, dass du zu nichts zu gebrauchen bist. Aber ich habe dir noch nicht gesagt, was du meiner Meinung nach bist.«

»Nein, das hast du nicht.« Sie zog eine Grimasse, machte sich auf das Schlimmste gefasst.

»Wichtig«, sagte er schlicht und versetzte damit ihr Herz in Aufregung. »Sehr wichtig.«

Gegen Mittag des nächsten Tages stellte Dora fest, dass zumindest ein Teil ihres Lebens wieder in normalen Bahnen verlief. Der Laden war wieder offen, und der erste Verkauf machte sie so glücklich, dass sie dem Kunden spontan zehn Prozent vom Preis nachließ. Als Lea dann erschien, um ihr beim Nachmittagsgeschäft zu helfen, begrüßte Dora sie mit einer innigen Umarmung.

Lachend machte Lea sich frei. »Was soll das denn bedeuten? Hast du etwa im Lotto gewonnen?«

»Viel besser. Wir haben wieder geöffnet.«

Lea schälte sich aus ihrem Mantel und zupfte sich die Frisur zurecht. »Du hast mir nie erklärt, warum du den Laden eigentlich zugemacht hast.«

»Zu kompliziert«, entgegnete Dora leichthin. »Ich brauchte einfach ein, zwei Tage Ruhe.«

»Dieser Einbruch hat dich mehr mitgenommen, als du

zugibst«, meinte Lea und nickte selbstzufrieden. »Das weiß ich.«

»Ja, wahrscheinlich. Na, wie auch immer, ich war vorhin beim Bäcker und habe ein paar Teekuchen gekauft, die mit Schokoladenfüllung.«

Lea holte tief Luft. »Und wie soll ich, bitteschön, die vier Pfund wieder loswerden, die ich über die Feiertage zugenommen habe?«

»Kraft deines Willens, meine Liebe.«

»Aha. Ach, übrigens, Mom hat mich gebeten, dich wegen des Bildes zu fragen.«

Dora ließ beinahe die Kuchenschachtel fallen. »Welches Bild?«

»Sie sagte etwas von einem Bild, das du ihr geliehen und dann wieder mitgenommen hast.« Lea gab den Kampf gegen die Pfunde vorübergehend auf und nahm sich einen Teekuchen mit Zuckerguss. »Sie spielt mit dem Gedanken, es Dad zum Valentinstag zu schenken. Scheint so, als habe er einen Narren an dem Bild gefressen.«

»Oh … ich, äh, das ist leider schon verkauft.« Das war zumindest nicht gelogen, beruhigte sich Dora. Sie hatte immer noch Jeds 80 Dollar, die sie wie einen Liebesbrief in ihrer Schmuckschatulle aufbewahrte.

»Was ist mit dir?« Lea musterte sie mit einem scharfen Blick. »Du siehst plötzlich so verwirrt aus.«

»Ja? Nein, es ist überhaupt nichts, muss erst wieder richtig in die Gänge kommen. Aber du hast Recht, ich bin tatsächlich ein bisschen nervös. Ich werde nämlich für ein paar Tage nach Los Angeles fliegen müssen.«

»Wozu das?«

»Ach, ich habe da eine Geschäftsverbindung aufgetan, die ich ein wenig vertiefen möchte. Aber ich will den Laden nicht schon wieder zumachen.« Sie wusste, dass Brent ihn überwachen lassen würde.

»Mach dir darüber keine Sorgen. Terri und ich werden das Kind schon schaukeln.« Das Telefon, das auf dem Ladentisch stand, klingelte zweimal. Lea runzelte fragend die Stirn. »Soll ich drangehen?«

»Nein.« Dora schüttelte ihre Schuldgefühle ab und nahm den Anruf entgegen. »Doras Antiquitäten- und Trödelladen, guten Tag.«

»Ich möchte gern mit Miss Isadora Conroy sprechen.«

»Am Apparat.«

»Miss Conroy.« An seinem Schreibtisch in Los Angeles sitzend, beugte Winsesap sich über seine methodisch eingeübte Textvorlage. »Mein Name ist, äh, Francis Petroy.«

»Ja, Mr. Petroy«, sagte Dora, während Lea einen Kunden begrüßte.

»Ich hoffe, ich störe Sie nicht, aber ich habe Ihren Namen und die Telefonnummer von einer Mrs. Helen Owings aus Front Royal, Virginia, erhalten.«

»Ja.« Doras Finger schlossen sich fester um den Hörer. »Was kann ich für Sie tun?«

»Ich hoffe eigentlich, dass wir uns gegenseitig behilflich sein können.« Winesap las die Worte ›aufmunterndes Lachen‹ von seinem Notizblock ab und tat sein Bestes, dieses folgen zu lassen. »Es geht um ein Gemälde, das Sie im Dezember auf einer Auktion ersteigert haben, einen Billingsly.«

Doras Mund wurde trocken. »Ja, ich erinnere mich. Ein abstraktes Gemälde.«

»Genau. Die Sache ist die, dass ich ein Sammler abstrakter Kunst bin. Ich habe mich auf unbekannte Künstler spezialisiert – in sehr bescheidenem Rahmen allerdings, Sie verstehen.«

»Gewiss.«

»Es war mir leider aus familiären Gründen nicht möglich, dieser Auktion im Dezember beizuwohnen. Als Mrs. Owings mir dann sagte, dass dieses Gemälde von einer Kunsthändlerin und nicht von einem Sammler ersteigert worden sei, habe ich ein wenig Hoffnung geschöpft.«

»Genau genommen«, sagte Dora, »bin ich beides.«

»Ach, so ein Pech.« Er kramte in seinen Papieren. Keine seiner zahlreichen Notizen bezog sich auf diese Antwort. »So ein Pech.«

»Doch an einem fairen Angebot bin ich eigentlich immer interessiert, Mr. Petroy. Kommen Sie doch einfach mal bei mir vorbei, und sehen Sie sich das Gemälde an. Aber bitte nicht vor Ende nächster Woche.« Sie machte eine Pause und tat so, als blättere sie ihren Terminkalender durch. »Ja, vorher werde ich leider keine Zeit haben.«

»Das wäre ausgezeichnet, wirklich ausgezeichnet.« Erleichtert wischte sich Winesap mit einem Taschentuch über den verschwitzten Nacken. »Welcher Tag wäre Ihnen denn angenehm, Miss Conroy?«

»Ich könnte Sie am Donnerstag einschieben, sagen wir um zwei?«

»Perfekt.« Eilig notierte er Zeit und Datum auf seinem Notizblock. »Ich hoffe, Sie legen mir das Bild so lange zurück. Es täte mir wirklich Leid, diese Gelegenheit zu verpassen.«

»Oh, ganz meinerseits«, gab Dora zurück und lächelte grimmig. »Ich verspreche Ihnen, das Bild verlässt meinen Laden nicht eher, als bis wir beide uns darüber eingehend unterhalten haben. Kann ich Sie irgendwo erreichen, für den Fall, dass sich etwas an dem Termin ändert?«

»Selbstverständlich.« Wie auf seiner Textvorlage vermerkt, gab Winesap ihr die Nummer eines von Finleys Strohmännern in New Jersey. »Aber nur während der Bürozeiten«, erklärte er. »meine Privatnummer behalte ich gerne für mich.«

»Das verstehe ich. Also, dann bis nächsten Donnerstag, Mr. Petroy.«

Sie legte auf, viel zu aufgebracht, um das Gefühl der Hochstimmung genießen zu können. Der Kerl hält mich wohl für absolut bescheuert, dachte Dora wütend. Aber warte nur, DiCarlo oder Finley oder Petroy oder wer zum Teufel du sein magst, du kannst dich auf eine Überraschung gefasst machen!

»Lea! Ich muss schnell mal für eine Stunde weg. Wenn Jed kommt, sag ihm bitte, dass ich unbedingt mit ihm reden muss.«

»Mach' ich, aber wohin …?« Lea verstummte, sie stemmte die Hände in die Hüften und starrte sprachlos auf die Tür, die laut hinter Dora ins Schloss fiel.

Sie hätte vorher anrufen sollen. Ihre Fahrt zum Polizeipräsidium war vergeblich gewesen, sodass sie gleich wieder nach Hause zurückgefahren war. Lieutenant Chapman befand sich im Feld, wurde ihr mitgeteilt. Hört sich an, als ob er auf Fasanenjagd gegangen ist, dachte Dora säuerlich.

Wie sollte sie umgehend Bescheid geben, dass man Kontakt zu ihr aufgenommen hatte, wenn niemand da war, dem sie es hätte melden können? Dann sah sie Jeds Wagen und gestattete sich ein verschmitztes Grinsen. Der sollte gleich mal erfahren, dass er nicht der Einzige war, der seinen Kopf zum Denken benutzte.

Sie fand ihm im Lager, wo er leise vor sich hin pfeifend die Regale strich.

»Da steckst du also. Kannst du mir eine Frage beantworten? Wo bitte sind die Cops, wenn man sie braucht?«

Jed strich ungerührt weiter. »Wenn du einen Cop brauchst, dann hättest du neun-eins-eins anrufen müssen.«

»Ich bin stattdessen zum Präsidium gefahren.« Um die Spannung zu erhöhen, schlüpfte sie umständlich aus ihrem Mantel. »Aber Brent war nicht da. Weshalb sagen sie, er sei im Feld? Kann mich nicht erinnern, in Philadelphia jemals an einem Feld vorbeigekommen zu sein.«

»Nur ein kleiner Trick, um Zivilisten zu beeindrucken. Weshalb brauchtest du Brent denn?«

»Weil«, sie machte eine dramatische Pause, »weil ich Kontakt geschlossen habe.«

»Womit?«

»Mit wem, Skimmerhorn. Stell dich nicht dumm. Ich habe einen Anruf von einem gewissen Mr. Petroy bekommen, glaube aber nicht, dass es tatsächlich Mr. Petroy war. Könnte DiCarlo gewesen sein, aber die Stimme ähnelte seiner nicht. Vielleicht hat er sie auch verstellt, was ich aber nicht glaube. Das hätte ich gemerkt. Er könnte auch jemand anderen gebeten haben, den Anruf zu tätigen«, fuhr sie nachdenklich fort. »Oder es war Finley, aber ...«

»Setz dich hin, Conroy.« Jed legte den Pinsel quer auf die Farbdose. »Fällt dir etwas zu Kürze und Würze ein?«

»Wie bitte?«, fragte sie verdutzt, dann fiel der Groschen. »Ah, schon kapiert. Du willst Fakten.«

»Mein Gott, bist du eine Zappelliese. Jetzt setz dich endlich hin.«

»Okay.« Sie tat, wie ihr geheißen, und stellte sich vor, sie müsse einen Bericht schreiben. Schließlich war sie in der Lage, Jed das ganze Telefongespräch Wort für Wort wiederzugeben, ohne Abschweifungen und Ausschmückungen. »Und, was sagst du dazu?«, fragte sie am Ende.

»Was, zum Kuckuck, hast du dir dabei gedacht, einen Termin mit diesem Kerl zu vereinbaren, ohne dich vorher mit mir abzusprechen?«

Eigentlich hatte sie erwartet, dass er sich beeindruckt zeigte. »Ich musste schließlich irgendwie reagieren, oder nicht? Er wäre doch gewiss misstrauisch geworden, wenn ein Händler wie ich ein Verkaufsgespräch schnöde abgeblockt hätte.« Instinktiv nahm sie eine abwehrende Haltung ein. »Aber an der Sache ist definitiv etwas faul. Ein Kunstsammler erkundigt sich nach dem Gemälde eines Künstlers, der mit höchster Wahrscheinlichkeit gar nicht existiert. Ich habe mich nämlich bereits informiert. Kein Mensch hat je etwas von diesem Mann gehört. Wenn es also keinen Billingsly gibt, warum sollte sich dann jemand die Mühe machen, nach einem Werk von ihm zu suchen? Doch nur …«, unterbrach sie sich und hob viel sagend den Finger, »weil er in Wirklichkeit einen Monet sucht.«

»Das ist brillant, Conroy, absolut brillant, jedoch nicht der springende Punkt.«

»Aber natürlich.« Sie war empört. »Er hielt mich für total bescheuert, für eine vertrottelte Trödlerin. Aber der wird sich noch wundern.«

»Das ist auch nicht der springende Punkt. Du hättest ihn bis zu meiner Rückkehr hinhalten sollen.«

»Ich habe mich auch ohne männlichen Beistand recht tapfer geschlagen, danke schön. Ich bin doch nicht doof.«

»Ist die Nummer des Anrufers in deiner Anlage gespeichert?«

Sie starrte ihn verständnislos an.

»Oder hast du vergessen, die entsprechende Taste zu drücken?«

»Oh.« Da er ihr so plötzlich den Wind aus den Segeln genommen hatte, betrachtete sie angelegentlich ihre Fingernägel. »Ja, ich glaube schon.«

Jed sah auf ihren gesenkten Kopf. »Ich nehme an, du hast nicht daran gedacht, stimmt's?«

Dora stand von ihrem Stuhl auf .

»Komm, sag mir schon, dass ich alles vermasselt habe.«

»Das brauche ich nicht, es ist ohnehin schon gelaufen.« Er zupfte aufmunternd an einer ihrer Haarsträhnen. »Nimm's nicht so schwer, Nancy Drew. Selbst Amateurschnüffler machen Fehler.«

Sie schlug seine Hand weg. »Themawechsel, Skimmerhorn.«

»Brent und ich werden uns überlegen, wie wir am Donnerstag mit Petroy verfahren. Bis dahin sind wir wieder zurück.«

»Zurück? Fahrt ihr weg?«

»Nein, ich meine uns beide.« Er war zwar nicht sonderlich glücklich über diesen Entschluss, doch Doras Argumente hatten ihn überzeugt. »Wir beide fliegen morgen nach L.A.«

»Ich werde es tun?« Sie drückte eine Hand ans Herz, breitete dann die Arme aus und warf sich an seine Brust. »Ich werde es tatsächlich tun?« Vor lauter Begeisterung pflasterte sie sein Gesicht mit Küssen zu. »Ich wusste, dass du meinen Vorschlag akzeptieren würdest.«

»Habe ich gar nicht, bin überstimmt worden.« Er hatte nicht vor zuzugeben, dass ihm ihre Idee wirklich als die beste erschienen war. Er hatte sie auch Brent vorgetragen.

»Wie auch immer.« Sie drückte ihm noch einen Kuss auf den Mund. »Morgen?«, murmelte sie und machte einen Schritt zurück. »Du liebe Güte, so bald? Ich muss mir ja noch überlegen, was ich anziehe.«

»Das sollte deine geringste Sorge sein.«

»Nein, nein. Das richtige Kostüm ist entscheidend für eine Rolle. Mein dunkelblaues mit den Nadelstreifen?«, überlegte sie. »Sehr geschäftsmäßig und korrekt. Oder vielleicht das rote Jackenkleid, das ist sexy und schindet Eindruck. Und zeigt mehr Bein.«

»Lieber das Geschäftsmäßige.«

Da ihr der leicht grimmige Unterton in seiner Stimme nicht entgangen war, erklärte sie mit einem honigsüßen Lächeln: »Definitiv das Rote.«

»Mach dich darauf gefasst, dass er dich wahrscheinlich sowieso nicht sieht.«

»Natürlich wird er mich sehen.« Sie runzelte beleidigt die Stirn. »Warum denn nicht?«

»Weil du ihn anrufen und ihm genau das sagen wirst, was ich dir vorgebe.«

»Verstehe.« Sie legte den Kopf auf die Seite und hob fragend eine Augenbraue. »Hast du einen Text für mich ausgearbeitet, Skimmerhorn? Ich bin ein Ass im Auswendiglernen.«

»Tu nur genau das, was ich dir sage.«

Mit sorgenschwerer Miene betrat Winesap Finleys Büro. »Mr. Finley, Sir. Miss Conroy, auf Leitung zwei. Sie möchte mit Ihnen sprechen.«

»Tatsächlich?« Finley schloss die Akte, die er gerade durchgesehen hatte. »Eine höchst interessante Entwicklung.«

Winesap war offensichtlich nervös. »Mr. Finley, als ich sie heute Vormittag am Apparat hatte, zeigte sie sich sehr kooperativ. Und ich habe Sie selbstverständlich mit keinem Wort erwähnt. Ich kann mir nicht vorstellen, was dieser Anruf zu bedeuten hat.«

»Dann finden wir das am besten gleich heraus, meinen Sie nicht? Setzen Sie sich, Abel.« Er nahm den Hörer ab und lehnte sich lächelnd in seinen ledernen Chefsessel zurück. »Miss Conroy? Edmund Finley am Apparat.«

Er lauschte interessiert, wobei sein Lächeln zusehends in die Breite ging und einen raubtierhaften Ausdruck annahm. »Ich fürchte, ich kann Ihnen nicht ganz folgen, Miss Conroy. Sie erkundigen sich nach einem meiner Mitarbeiter … Anthony DiCarlo? Verstehe. Verstehe.« Er griff nach dem Brieföffner, der vor ihm auf dem Schreibtisch lag, und ließ nachdenklich den Daumen über die messerscharfe Spitze gleiten. »Aber gerne, wenn Sie ein persönliches Gespräch für wichtig halten. Ich kann Ihnen nur nicht versprechen, dass ich Ihnen weiterhelfen kann. Wir haben der Polizei bereits alles mitgeteilt, was wir über Mr. DiCarlos unerklärliches Verschwinden wissen, und das war leider nicht sehr viel … In Ordnung«, setzte er nach einer kleinen Pause hinzu. »Wenn Sie die Angelegenheit nicht am Telefon besprechen möchten, dann bin ich gerne zu einem Treffen bereit … Morgen?« Zärtlich bohrte er die Spitze des Brieföffners in die Conroy-Akte. »Nun, das ist sehr kurzfristig. Es geht doch hoffentlich nicht um Leben und Tod?« Er gab sich keine Mühe, ein leises Kichern zu unterdrücken. »Ich werde sehen, ob ich etwas arrangieren kann. Wenn Sie sich bitte einen Augenblick gedulden wollen. Ich verbinde Sie mit meinem Sekretär. Er wird einen Termin mit Ihnen vereinbaren. Fein, bis morgen dann. Ich freue mich.«

Mit einer gezierten Handbewegung drückte er eine Taste auf seinem Apparat. »Geben Sie ihr einen Termin für vier Uhr.«

»Sie haben bereits einen Termin um halb vier.«

»Vier Uhr«, wiederholte Finley und hielt ihm den Hörer entgegen.

»Jawohl, Sir.« Winesap nahm ihn in seine schweißnasse Hand und stellte die Verbindung her. »Miss Conroy? Abel Winesap, Mr. Finleys Sekretär. Sie möchten einen Termin für morgen vereinbaren? Ich kann Ihnen nur einen um vier Uhr anbieten. Ja? Haben Sie die Adresse? Fein. Wir erwarten Sie dann morgen um vier.«

»Ausgezeichnet.« Finley nickte Winesap anerkennend zu, als dieser den Hörer auflegte. »Ganz ausgezeichnet, Abel.« Er schlug wieder Doras Akte auf und betrachtete wohlgefällig ihr Dossier. »Ich freue mich ganz besonders auf dieses Treffen. Sagen Sie alle Termine für morgen Nachmittag ab. Ich möchte nicht gestört werden, wenn Miss

Conroy kommt. Sie wird sich meiner ungeteilten Aufmerksamkeit erfreuen.«

»Morgen, vier Uhr«, teilte Dora Jed mit. »Er klang erstaunt, aber hilfsbereit, freundlich, jedoch zurückhaltend.«

»Und du klangst leicht hysterisch, aber kontrolliert.« Wider Willen doch sehr beeindruckt, gab er ihr einen Kuss. »Nicht übel, Conroy. Wirklich, nicht übel.«

»Da ist noch was.« Obwohl es sie danach verlangte, griff sie nicht nach seiner Hand. Sonst hätte er nämlich gemerkt, dass ihre eiskalt war. »Ich glaube, ich habe gerade mit Mr. Petroy gesprochen.«

»Finley?«

»Nein.« Sie zwang sich zu einem Lächeln. »Winesap, sein Sekretär.«

25. Kapitel

Dora war höchst beeindruckt, als das Taxi vor dem Beverly Hills Hotel vorfuhr. »Donnerwetter, Skimmerhorn, du überraschst mich. Ich glaube, das wird mich für die Nacht entschädigen, die du nicht mit mir im Plaza in New York verbracht hast.«

»Das Zimmer ist auf deinen Namen reserviert.« Jed beobachtete Dora, wie sie dem Portier graziös die Hand reichte. Es war die Geste einer Dame, die es gewohnt war, sich aus Limousinen helfen zu lassen. »Du wirst es auf deine Kreditkarte nehmen müssen.«

Der Blick, den sie ihm daraufhin über die Schulter zuwarf, war vernichtend. »Deine Großzügigkeit beschämt mich.«

»Willst du es an die große Glocke hängen, dass du in Begleitung hier absteigst?«, fragte er sie, als sie durch die Schwingtür in die Lobby segelte. »In Begleitung eines Cops?«

»Du hast das ›Ex‹ vergessen.«

»Ja, habe ich«, raunte er und wartete, bis Dora eingecheckt hatte. Die feudale Lobby des Hotels schien ihm nicht der passende Ort für die Erklärung zu sein, dass das ›Ex‹ bereits Vergangenheit war.

Diskret suchte Doras Blick die Halle nach vorbeischlendernden Hollywoodstars ab, während sie dem Herrn an der Rezeption ihre Kreditkarte reichte. »Das stelle ich dir in Rechnung, Skimmerhorn.«

»Es war doch deine Idee mitzukommen.«

Das war richtig. »Dann eben die Hälfte.« Sie nahm ihre Karte und zwei Schlüssel in Empfang. Einen davon reichte sie dem wartenden Hotelpagen. »Nicht jeder ist finanziell unabhängig.«

»Und nicht jeder«, entgegnete er, während seinen Arm um ihre Hüfte legte, »hat für sein Flugticket bezahlt.«

Die Selbstverständlichkeit, mit der er sie in den Lift und zu ihrem Zimmer geleitete, stimmte Dora wieder versöhnlich.

Kaum hatte der Page die Tür hinter ihnen geschlossen, zog sie die Schuhe aus und marschierte zum Fenster, um die Aussicht zu betrachten. Es ging doch nichts über Kalifornien mit seinen grünen Rasenflächen, den imposanten Palmen und den malerischen Villen, stellte sie fest.

»Ich bin mit fünfzehn das letzte Mal in Los Angeles gewesen. Wir wohnten in einem unglaublich miesen Hotel in Burbank, während mein Vater mit Jon Voight einen ebenso miesen kleinen Film drehte. Mit Ruhm haben sich die beiden damals nicht bekleckert.«

Sie streckte sich, bog den Rücken durch und rollte die Schultern. »Ich schätze, ich bin ein Snob. Ein Ostküsten-Snob. Diese Stadt hier ist einfach nicht mein Fall. Wenn ich an L.A. denke, fallen mir sofort überflüssiges Augenlifting und Designer-Joghurt ein, oder umgekehrt, ganz wie du willst. Wer braucht schließlich Joghurt zum Leben?«

Sie drehte sich zu ihm um, und ihr Lächeln bröckelte ein wenig, als Jed sie nur schweigend anstarrte. »Was ist denn?«

»Nichts. Ich schaue dich manchmal einfach gern an, das ist alles.«

»Oh.«

Als er feststellte, dass seine Erklärung ihr schmeichelte und sie gleichzeitig verlegen machte, erwiderte er ihr Lächeln. »Du bist in Ordnung, Conroy, Selbst mit deinem spitzen Kinn.«

»Mein Kinn ist nicht spitz«, gab sie zurück und rieb liebevoll daran herum. »Es hat einen sehr delikaten Schnitt. Weißt du, wir hätten lieber eine Suite buchen sollen. Dieses Zimmer ist kaum größer als ein Schrank. Oder vielleicht sollten wir eine Weile rausgehen, etwas essen und uns eine Nase Smog genehmigen.«

»Du bist nervös.«

»Quatsch, überhaupt nicht.« Sie warf ihre Tasche aufs Bett und zog den Reißverschluss auf.

»Klar bist du nervös«, beharrte Jed. »Du redest zu viel, wenn du nervös bist. Eigentlich redest du ständig zu viel, aber wenn du nervös bist, nimmt dein Gequassel andere Qualitäten an. Und du kannst deine Hände nicht still halten.« Er legte liebevoll nachsichtig seine Hand auf die ihre.

»Offenbar kennst du mich schon in- und auswendig. Und das ist das Ende jeder Beziehung.«

»Du hast allen Grund, nervös zu sein. Es würde mich beunruhigen, wenn du es nicht wärest.«

»Ich will aber nicht, dass du dir Sorgen um mich machst.« Und da es ihr ernst damit war, zwang sie sich dazu, ihre Hand locker in der seinen liegen zu lassen. »Ich bin schon in Ordnung. Ich leide nur unter dem typischen Premierenfieber, das ist alles.«

»Du weißt, dass du das nicht tun musst. Ich kann diese Verabredung für dich übernehmen.«

»Ich lasse mir doch nicht von einem Laien die Schau stehlen.« Sie holte tief Luft und atmete sie in zwei langen Zügen aus. »Ich bin okay. Warte nur, bis du die Kritiken liest.«

Da es ihr offensichtlich gut tat, spielte er ihr Spiel mit. »Was hast du denn früher immer vor der Premiere gemacht?«

Nachdenklich ließ sie sich auf der Bettkante nieder. »Hm, im Zimmer auf und ab marschiert. Bewegung tut gut. Und mir immer wieder meinen Text vorgesagt und die Positionen rekapituliert. Ich habe mir meine Straßenklamotten ausgezogen und mich in meinen Morgenrock gewickelt, habe Sprechübungen gemacht. Ich hatte ein ganzes Repertoire an Zungenbrechern, die ich immer wieder geübt habe.«

»Zungenbrecher?«

»Fischers Fritz fischt frische Fische … und dergleichen.« Lächelnd ließ sie ihre Zunge sich zwischen den Zähnen hin und her bewegen. »Man muss seine Zunge elastisch halten.«

»Deine scheint mir außergewöhnlich elastisch zu sein.«

»Danke.« Lachend sah sie ihn an. »Gut gemacht, Skimmerhorn. Jetzt fühl' ich mich schon viel besser.«

»Wunderbar.« Er fuhr ihr mit der Hand übers Haar und ging, dann zum Telefon. »Ich werde uns etwas zu essen bestellen, und dann werden wir alles noch einmal durchsprechen.«

Dora stöhnte und ließ sich rückwärts aufs Bett fallen. »Ich hasse autoritäre Regisseure.«

Aber er gab nicht nach. Zwei Stunden später hatten sie gegessen, argumentiert, jeden unvorhergesehenen Zwischenfall besprochen, doch Jed war immer noch nicht zufrieden. Er hörte sie im Badezimmer ihre Zungenbrecher üben und runzelte besorgt die Stirn. Es wäre ihm wohler gewesen, wenn er ihr eine Wanze hätte verpassen können. Unsinn, schalt er sich. Schließlich hatte sie am helllichten Nachmittag eine Verabredung in einem vollbesetzten Bürohaus – aber es hätte ihn dennoch beruhigt. Wenn er nicht damit rechnen müsste, dass Finleys Sicherheitsleute die Wanze entdeckten, hätte er darauf bestanden.

Die Sache war wirklich ungefährlich, beruhigte er sich, war mit so gut wie keinem Risiko verbunden. Und er hatte bereits alle Vorsichtsmaßnahmen getroffen, um sicherzustellen, dass auch die kleinste gefährliche Situation nahezu ausgeschaltet war.

Es war das nahezu, das ihn bedrückte.

Die Tür ging auf, und Dora erschien in dem roten Kostüm, das ihren reizvollen Körper wie eine zweite Haut umhüllte und ihre Beine in einer Art betonte, die jeden Mann auf Gottes Erdboden unruhig machen würden.

»Was meinst du?« Sie hielt sich zwei verschiedene Ohrringe an die Ohrläppchen. »Die Perlen oder die Hänger?«

»Wie zum Teufel soll ich das wissen?«

»Die Perlen«, entschied sie. »Wirken diskreter. Ich hatte ganz vergessen, wie viel sicherer ich mich in einem Kostüm fühle. Bleibt nur noch das bisschen Nervenflattern, aber das ist gut für den Adrenalinspiegel.« Sie griff nach ihrer Parfumflasche.

Jed legte die Stirn in Falten, als sie sich einsprühte – den Hals, den Haaransatz im Nacken, die Handgelenke und die Kniekehlen. Dieses ganz und gar weibliche Ritual verursachte ein seltsames flaues Gefühl in seiner Magengrube. Als sie ihre antike Silberbürste zur Hand nahm und sich sorgfältig das Haar bürstete, wusste er, was dieses Gefühl bedeutete. Er kam sich wie ein Voyeur vor.

»Du siehst gut aus.« Er musste sich räuspern. »Du kannst jetzt aufhören, dich so in Szene zu setzen.«

»Sich das Haar zu bürsten, hat nichts mit Sich-in-Szene-setzen zu tun, sondern gehört hierzulande zur täglichen Körperpflege.« Während sie die Bürste noch ein paar Mal durch ihr Haar zog, kreuzten sich ihre Blicke im Spiegel. »Ich glaube, du bist viel nervöser als ich.«

»Halt dich nur ganz genau an unseren Plan und versuche, alles zu behalten, was du siehst. Und erwähne ja nicht das Gemälde. Du hast nicht die geringste Ahnung von diesem Bild. Versuche, das Thema auf Winesap zu bringen. Wir überprüfen ihn zwar, aber mich interessieren deine Eindrücke – deine Eindrücke, wie gesagt, nicht deine Mutmaßungen.«

»Hab' ich verstanden.« Ohne Hast legte sie die Bürste beiseite. »Jed, ich weiß genau, was ich tue und wie ich es tue. Es ist doch ganz einfach.«

»Pass auf dich auf.«

»Keine Sorge, Darling.«

Sehr beeindruckt von dem geschmackvollen Ambiente, sah Dora sich gewissenhaft in der Empfangshalle vor Finleys Büro um, bemüht, sich jede Einzelheit einzuprägen. Wie sie bereits vermutet hatte, war er ein passionierter Kunstsammler, und dieses gemeinsame Interesse versprach eine solide Gesprächsgrundlage. Ihre Hände waren eiskalt. Und das war gut so. Diese ungekünstelte Nervosität war genau das, was sie brauchte, um den Anlass ihres Besuchs ins richtige Licht zu rücken.

Es fiel ihr nicht leicht, sich zu beherrschen, da sie am liebsten kreuz und quer durch den Raum gegangen wäre und Finleys Schätze aus nächster Nähe in Augenschein genommen hätte. Sie war jedem Menschen wohlgesonnen, der sein Foyer mit Malachitvasen und Chiparus-Figurinen verschönerte. Und bei dem kleinen Sofa, auf dem sie Platz genommen hatte, handelte es sich auch nicht um eine Reproduktion. Ein früher Chippendale, dachte Dora träumerisch, erstklassiges Rokoko.

Sie hoffte ernsthaft, dass Finley sich als ›sauber‹ erwies. Denn dann würde sie nur zu gerne eine Geschäftsverbindung mit ihm anknüpfen.

Aber wenn nicht …

Bei dem Gedanken an diese Möglichkeit lief es ihr kalt über den Rücken. Sie spielte nervös mit der Lilienbrosche an ihrem Revers, strich sich den Rock glatt, warf einen Blick auf ihre Armbanduhr.

Verdammt, es war schon zehn nach vier. Wie lange wollte er sie noch warten lassen?

»Exzellent. Exzellent«, murmelte Finley, der in den Anblick von Dora vertieft war, die er auf einem Monitor sehen konnte. Sie war sogar noch hübscher als auf den verblichenen Fotos, die Winesap in den Kulturteilen alter Tageszeitungen ausgegraben hatte. Ihre Garderobe bewies, dass sie ein ausgezeichnetes Farb- und Stilempfinden und eine Vorliebe für Eleganz besaß. Er hatte großen Respekt vor Frauen, die es verstanden, sich vorteilhaft zu präsentieren.

Es gefiel ihm, wie ihre Finger an ihrer Frisur zupften, ihre Hände rastlos über ihren Körper wanderten. Sie war nervös, stellte er erfreut fest. Eine ängstliche Fliege war viel aufregender für eine Spinne als eine, die sich klaglos ihrem Schicksal ergab. Und ihr unsteter Blick wurde immer wieder von seinen Kunstobjekten angezogen, was ihm über die Maßen schmeichelte.

Sie würden sich blendend verstehen, entschied er.

Er gab seiner Empfangsdame per Knopfdruck zu verstehen, dass er bereit war. Die Show konnte beginnen.

»Mr. Finley würde Sie jetzt gerne empfangen.«

»Danke sehr.« Dora erhob sich, klemmte sich die flache Handtasche unter den Arm und folgte der Empfangsdame durch die Doppeltür.

Als sie das Büro betrat, stand Finley lächelnd neben seinem Schreibtisch. »Miss Conroy, es tut mir Leid, dass ich Sie warten ließ.«

»Ich freue mich, dass Sie sich überhaupt freimachen konnten.«

Sie schwebte über den schneeweißen Teppich auf ihn zu und ergriff seine ausgestreckte Hand. Die ersten spontanen Eindrücke, die sich ihr aufdrängten, waren seine Vitalität, sein gesundes Aussehen und das Gefühl von Macht.

»Es schien Ihnen sehr wichtig zu sein. Was darf ich Ihnen anbieten? Kaffee, Tee, ein Glas Wein?«

»Ein Glas Wein bitte.« Gut für die Nerven und bestens geeignet, sich daran festzuhalten, während sie ihre Geschichte erzählte.

»Den Pouilly-Fumé, Barbara. Bitte, nehmen Sie doch Platz, Miss Conroy. Machen Sie es sich bequem.« In der Absicht, sie zu entwaffnen, kam er mit lautlosen Schritten auf sie zu und setzte sich neben sie. »Und wie war Ihr Flug?«

»Lang. Aber ich darf mich nicht beklagen. Das Wetter zu Hause hat sich gerade dramatisch verschlechtert. Leider muss ich morgen schon wieder zurück.«

»So schnell?« In seinen freundlichen Blick mischte sich eine wohldosierte Spur von Neugier. »Ich fühle mich sehr geschmeichelt, dass eine hübsche junge Dame wie Sie wegen mir die Strapazen einer so weiten Reise auf sich nimmt.«

Seine Empfangsdame hatte inzwischen die Flasche geöffnet. Sie reichte Finley den Korken und goss zum Probieren einen Finger breit Wein in sein Glas.

»Ja«, sagte er, nachdem er den Wein mehrmals über die Zunge hatte rollen lassen. »Sehr gut.« Sie schenkte daraufhin beide Gläser zur Hälfte voll und verließ anschließend geräuschlos den Raum. Finley hob sein Glas. »Auf Ihr Wohl, Miss Conroy, und auf einen guten Heimflug.«

»Vielen Dank.« Der Wein war ausgezeichnet, seidig auf der Zunge, vollmundig im Geschmack. »Ich weiß, es mag Ihnen seltsam vorkommen, Mr. Finley, dass ich die weite

Reise unternommen habe, um mit Ihnen zu sprechen. Aber offen gestanden, ich konnte nicht anders.« Sie heftete den Blick eine Weile auf die goldene Flüssigkeit in ihrem Glas, so als ob sie sich sammeln wollte. »Und jetzt weiß ich nicht, wie ich beginnen soll.«

»Ich merke, dass Sie etwas bedrückt, Miss Conroy«, sagte Finley freundlich. »Nehmen Sie sich Zeit. Sie sagten mir am Telefon, dass Ihr Besuch in einem gewissen Zusammenhang mit Anthony DiCarlo steht. Sind Sie …« Er legte eine bedeutungsvolle Pause ein. »Ist er ein Freund von Ihnen?«

»Oh, nein.« In ihrer Stimme und ihren Augen, spiegelte sich unverhüllte Angst. Sie erinnerte sich, wie DiCarlo ihr ins Ohr geflüstert hatte, und sofort war aus ihrer Stimme tiefste Abscheu zu hören. »Nein. Er … Mr. Finley, ich muss Sie fragen, wie viel Sie über ihn wissen.«

»Persönlich?« Finley schürzte nachdenklich die Lippen. »Ich muss zu meinem Leidwesen gestehen, dass ich nicht so viel über meine Angestellten weiß, wie ich vielleicht wissen sollte. Diese Firma hat sich mit den Jahren sehr vergrößert, was unseligerweise auch eine gewisse Unpersönlichkeit den Mitarbeitern gegenüber mit sich bringt. Wir hatten hier kurz vor Weihnachten ein Treffen, aber ich kann mich nicht erinnern, irgendetwas Außergewöhnliches an ihm bemerkt zu haben. Er erschien mir so kompetent und tüchtig wie eh und je.«

»Dann arbeitet er also schon eine ganze Weile für Sie?«

»Sechs Jahre, wenn ich mich nicht irre. Aber nageln Sie mich nicht auf den Tag fest.« Er nahm einen Schluck Wein. »Nach seinem seltsamen Verschwinden habe ich mir seine Akte noch einmal vorgenommen, um mein Gedächtnis aufzufrischen. Mr. DiCarlo genießt einen ausgezeichneten Ruf in der Firma. Er hat sich sehr schnell die Karriereleiter hinaufgearbeitet, indem er Initiative und Ehrgeiz bewies. Zwei Eigenschaften, die ich stets belohne. Er stammt aus recht einfachen Verhältnissen, müssen Sie wissen.«

Als Dora nur den Kopf schüttelte, lächelte er sie an und fuhr fort: »Wie ich selbst auch. Der Wunsch, sich zu verbessern, das ist etwas, was ich an einem Angestellten sehr schätze und, wie gesagt, auch entsprechend belohne. Als einer meiner Top-Geschäftsführer an der Ostküste hat er sich als verlässlich und zudem sehr tüchtig erwiesen.« Er lächelte unentwegt. »In meinem Geschäft muss man tüchtig sein. Ich fürchte, irgendetwas ist da faul. Seiner Personalakte nach zu schließen, ist Mr. DiCarlo nicht der Typ, der seine Verantwortung missbrauchen würde.«

»Ich glaube, ich glaube, ich weiß, wo er sich aufhält.«

»Tatsächlich?« In Finleys Augen blitzte es kurz auf.

»Ich glaube, er ist in Philadelphia.« Als ob sie sich Mut antrinken müsste, griff Dora nach ihrem Weinglas; ihre Hand zitterte dabei leicht. »Ich glaube … dass er mich beobachtet.«

»Aber meine Liebe.« Finley nahm ihre Hand. »Sie beobachten? Wie meinen Sie das?«

»Verzeihung. Ich weiß, das klingt etwas zusammenhanglos. Lassen Sie mich von Anfang an erzählen.«

Sie erzählte ihre Geschichte gut, machte etliche Pausen, um sich zu fassen, und eine längere, ehe sie den Überfall schilderte.

»Ich verstehe das alles nicht«, beendete sie ihren Bericht mit feucht schimmernden Augen. »Ich verstehe nicht, warum?«

»Meine Liebe, das muss ja schrecklich für Sie gewesen sein.« Finley signalisierte tiefstes Mitgefühl, während sein Verstand auf Hochtouren arbeitete. Allem Anschein nach hatte DiCarlo ihm einige wichtige Einzelheiten verschwiegen. Er hatte weder die versuchte Vergewaltigung erwähnt, noch einen ritterlichen Nachbarn, der Dora zu Hilfe geeilt war. Nun, immerhin erklärte das die Blutergüsse, die er bei seinem letzten und endgültigen Besuch im Gesicht gehabt hatte.

»Sie sind also der Meinung«, begann Finley, wobei er einen angemessen schockierten Ton anschlug, »dass der Mann, der den Einbruch in Ihr Geschäft verübt und Sie überfallen hat, Anthony DiCarlo war.«

»Ich habe sein Gesicht gesehen. Das werde ich nie vergessen. Und ich habe ihn der Polizei genau beschreiben können. Er hat einen Polizisten umgebracht, Mr. Finley, und eine Frau getötet. Eine andere Frau hat er so schwer verwundet, dass sie nur knapp mit dem Leben davongekommen ist. Sie ist eine Kundin von mir.« Der Gedanke an Mrs. Lyle ließ die erste Träne über ihre Wange rollen. »Verzeihung, ich bin so durcheinander. Und ich habe Angst … Danke«, schluchzte sie, als Finley ihr galant sein Taschentuch anbot. »Für mich ergibt das alles überhaupt keinen Sinn, verstehen Sie? Er hat bei mir nur ein paar Kleinigkeiten gestohlen, und auch in Mrs. Lyles Fall nichts von tatsächlichem Wert mitgenommen. Lediglich einen Porzellanhund, den sie am Tag zuvor bei mir gekauft hatte. Ich glaube, er ist verrückt«, murmelte sie und ließ kraftlos die Hand mit dem Taschentuch in den Schoß sinken. »Er muss verrückt sein.«

»Ich hoffe, Sie verstehen, dass es mir einige Mühe bereitet, das alles zu akzeptieren. Mr. DiCarlo hat viele Jahre für mich gearbeitet. Die Vorstellung, dass einer meiner Mitarbeiter Frauen überfällt und einen Polizisten ermordet, ist geradezu abscheulich. Miss Conroy – Isadora.« Er griff wieder nach ihrer Hand, verständnisvoll wie ein Vater, der sein Kind tröstet, das aus einem schlechten Traum erwacht ist. »Sind Sie absolut sicher, dass es Anthony DiCarlo gewesen ist?«

»Ich habe sein Gesicht gesehen«, erklärte sie noch einmal nachdrücklich. »Von der Polizei erfuhr ich, dass er vorbestraft ist. Nicht wegen Delikten wie … wie diesen, und dass er sich auch die letzten Jahre nichts mehr hat zu Schulden kommen lassen, aber …«

»Ich wusste, dass er früher einmal gewisse Schwierigkeiten hatte.« Seufzend lehnte Finley sich zurück. »Doch ich war damals der Meinung, ich sollte ihm eine Chance geben, sich zu beweisen. Ich hätte niemals gedacht … Wie es scheint, habe ich mich in ihm getäuscht, schwer getäuscht. Wie kann ich Ihnen nur helfen?«

»Ich weiß nicht.« Doras Hände zerknüllten abwesend das Taschentuch. »Ich bin in der Hoffnung gekommen, dass Sie möglicherweise eine Idee haben könnten, wo die Polizei suchen sollte. Falls er zu Ihnen Kontakt aufnehmen ...«

»Meine liebe Miss Conroy, wenn er sich bei mir melden sollte, werde ich alles tun, was in meiner Macht steht, um die Polizei auf seine Spur zu führen. Vielleicht weiß ja seine Familie etwas über seinen Verbleib.«

Sie trocknete sich die Tränen ab und schüttelte, jetzt etwas gefasster, den Kopf. »Die Polizei hat seine Familie bereits befragt, glaube ich. Eigentlich hatte ich vor, seine Mutter aufzusuchen, aber ich konnte es nicht. Ich konnte mich dem nicht aussetzen.«

»Ich werde ein paar Telefonate führen, werde alles tun, was Ihnen irgendwie helfen kann.«

»Vielen Dank.« Sie ließ einen schwachen Seufzer hören und versuchte dann ein ebenso schwaches Lächeln. »Es geht mir besser, wenn ich etwas unternehme. Das Schlimmste ist das Warten, nicht zu wissen, wo er ist oder was er vorhat. Ich habe Angst, mich abends schlafen zu legen. Wenn er noch einmal kommt ...« Sie schüttelte sich, und diesmal war es nicht gespielt. »Ich weiß nicht, was ich dann tun würde.«

»Sie haben keinen Grund zu der Annahme, dass er noch einmal zurückkommt. Sind Sie sicher, dass er Ihnen keinen Hinweis gegeben hat, weshalb er ausgerechnet in Ihren Laden eingebrochen ist?«

»Nicht den geringsten. Das ist ja das Schreckliche daran. Einfach so zufällig zum Opfer zu werden. Und Mrs. Lyle. Er hat ihre Haushälterin erschossen und sie lebensgefährlich verletzt, und das alles wegen einer lächerlichen Porzellanfigur.« Ihre noch immer feuchten Augen blickten ihn offen und vertrauensvoll an. »Deshalb begeht man doch keinen Mord, oder?«

»Ich wünschte, ich könnte Ihnen darauf eine Antwort geben.« Finley stieß einen Seufzer aus, der direkt aus seinem Herzen zu kommen schien. »Vielleicht hat er, wie Sie schon sagten, tatsächlich den Verstand verloren. Aber ich setze größtes Vertrauen in die Polizei. Und ich glaube, Ihnen versichern zu können, dass Sie von DiCarlo nichts mehr zu befürchten haben.«

»Ich versuche, mich daran festzuhalten. Sie waren sehr freundlich, Mr. Finley.«

»Edmund.«

»Edmund.« Sie schenkte ihm ein tapferes Lächeln. »Es hat mir bereits sehr geholfen, mit Ihnen darüber zu sprechen. Darf ich Sie bitten, mich anzurufen, falls Sie irgendetwas in Erfahrung bringen? Die Polizei hält sich mit Informationen nämlich sehr bedeckt.«

»Ich verstehe. Selbstverständlich werde ich mit Ihnen in Kontakt bleiben. Wir haben einen exzellenten Sicherheitsdienst an der Hand. Ich werde ihn auf DiCarlo ansetzen. Wenn es irgendeine Spur von ihm gibt, wird er sie finden.«

»Ja.« Sie schloss die Augen und ließ erleichtert die Schultern sinken. »Ich wusste, es war richtig, zu Ihnen zu kommen. Vielen Dank.« Als sie sich erhob, nahm er ihre beiden Hände.

»Ich danke Ihnen vielmals, dass Sie mir so geduldig zugehört haben.«

»Ich bedauere nur, dass ich im Augenblick nicht mehr für Sie tun kann. Aber Sie würden mir eine große Freude machen, wenn ich Sie heute zum Abendessen einladen dürfte.«

»Heute Abend?« In ihrem Kopf herrschte plötzlich ratlose Leere.

»Die Vorstellung, Sie allein in dieser Stadt zu wissen, und dazu noch nervlich so belastet, behagt mir überhaupt nicht. Ich fühle mich für Sie verantwortlich. DiCarlo ist immerhin mein Angestellter. Oder war es«, korrigierte er sich mit einem dünnen Lächeln.

»Das ist sehr liebenswürdig.«

»Dann machen Sie mir die Freude. Erleichtern Sie mir ein wenig mein schlechtes Gewissen. Ich könnte mir nichts Schöneres vorstellen, als den Abend in Gesellschaft einer hübschen, jungen Dame zu verbringen, die zudem noch eine meiner Lieblingsinteressen teilt.«

»Interessen?«

»Das Sammeln.« Finley deutete auf eine antike Vitrine. »Da Sie ein Antiquitätengeschäft führen, nehme ich an, dass Sie sich für einige meiner Kunstschätze interessieren könnten.«

»Oh, ja, gewiss. Ich vermute, dass Sie von Antiquitäten sehr viel mehr verstehen als ich, und muss zugeben, dass ich bereits einige Ihrer Stücke hier bewundert habe. Dieser Pferdekopf dort«, sie nickte in Richtung einer Steinbüste, »Han Dynastie?«

»Ausgezeichnet.« Er strahlte sie an wie ein Professor einen eifrigen Studenten. »Sie haben einen guten Blick.«

»Ich liebe schöne Dinge«, gestand sie ihm, »und umgebe mich gern damit.«

»Ja. Das verstehe ich gut.« Er berührte vorsichtig ihre Brosche. »Eine Plique-à-jour, frühes neunzehntes Jahrhundert.«

Sie erwiderte sein strahlendes Lächeln. »Sie haben ebenfalls ein gutes Auge.«

»Ich besitze eine ähnliche Brosche, die ich Ihnen gerne zeigen möchte.« Er dachte an die Saphire und das Vergnügen, das es ihm bereiten würde, sie damit zu verhöhnen. »Ich habe sie erst kürzlich erstanden und bin mir sicher, sie wird Ihnen gefallen. Gut, dann steht unsere Verabredung also? Ich werde Ihnen einen Wagen zum Hotel schicken, der sie abholt. Sagen wir … halb acht?«

»Ich …«

»Bitte, verstehen Sie mich nicht falsch. Ich beschäftige in meinem Haus viele Angestellte. Sie werden also wohl behütet sein. Wissen Sie, ich habe nicht häufig Gelegenheit, meine Schätze einem Menschen zu zeigen, der ihren wahren Wert erkennt. Es wäre mir ein Vergnügen, Ihre Meinung über meine Sammlung von Ambrakugeln einzuholen.«

»Ambrakugeln?«, wiederholte Dora und seufzte. Konnte sie sich wirklich eine derartige Sammlung entgehen lassen? »Danke, ich nehme Ihre Einladung gerne an.«

Erfüllt von dem wohligen Gefühl des Erfolgs, betrat Dora eine Weile später ihr Hotelzimmer. Es roch nach abgestandenem Zigarettenrauch, im Fernsehen lief ein alter Kriegsfilm, dem Jed, der nervös durchs Zimmer marschierte, keinerlei Beachtung schenkte.

»Was zum Teufel hast du so lange getrieben?«

»Ich war doch nur eine Stunde weg.« Sie schlüpfte aus ihren Schuhen und ging auf ihn zu. »Ich war brillant«, rief sie euphorisch und schlang die Arme um seinen Nacken.

»Ob du brillant warst, werde ich dir sagen.« Er schubste sie in einen Sessel, schnappte sich dann die Fernbedienung, um die Kriegsmaschinerie zum Schweigen zu bringen. »Und du erzählst mir jetzt erst einmal von Finley, und zwar alles, von Anfang bis Ende.«

»Ist noch ein Schluck Kaffee da?« Sie klappte den Deckel der Kaffeekanne auf und sah nach. »Lass mich den Moment doch noch ein bisschen genießen, bitte.« Dora schenkte sich eine Tasse ein und nippte genussvoll an dem schwarzen, lauwarmen Gebräu. »Ich hätte Lust auf ein Stück Käsekuchen«, verkündete sie dann. »Sei so lieb, und bestell uns einen, ja?«

»Treib's nicht zu weit, Conroy.«

»Du verstehst es prächtig, mir die gute Laune zu verderben. Also schön.« Sie trank einen letzten Schluck Kaffee, lehnte sich zurück und begann zu erzählen.

»Er war wirklich sehr nett«, schloss sie ihren Bericht. »Sehr verständnisvoll und angemessen schockiert von meiner Geschichte. Ich spielte die hypernervöse Heldin, die bei jedem Schatten an der Wand in Panik gerät, und das mit absoluter Perfektion. Da die Polizei, wie ich ihn glauben machte, einfach nicht genügend unternimmt, um mich zu beruhigen, bot er mir, galant wie er ist, jedwede Hilfe an, einschließlich der Zusicherung, einen privaten Schnüffeldienst mit der Suche nach DiCarlo zu beauftragen.«

»Und Winesap?«

»Der war nicht da. Ich fragte zuerst nach ihm, aber die Empfangsdame erklärte mir, dass er heute nicht im Büro sei.«

»Wenn er wirklich derjenige ist, der sich mit dir für nächsten Donnerstag verabredet hat, dann hat er auch gut daran getan, sich heute dort nicht blicken zu lassen.«

»Das nehme ich auch an. Deshalb habe ich auf dem Weg nach draußen in der unteren Lobby einen der Sicherheitsleute angesprochen. Ich erzählte ihm, ich hätte Abel Winesaps Namen auf dem schwarzen Brett gelesen und wüsste, dass mein Vater vor vielen Jahren einmal mit einem Abel Winesap zusammengearbeitet, aber leider den Kontakt zu ihm verloren hätte. Ich fragte ihn, ob dieser Winesap ein großer, untersetzter Mann mit roten Haaren sei. Wie sich herausstellte, ist er klein, dürr, hat runde Schultern und eine beginnende Glatze.«

»Gut gemacht, Nancy. Braves Mädchen.«

»Danke, Jed. Glaubst du, dass Nancy und Ned jemals was zusammen hatten? Du weißt schon, im Fond ihres Coupés, nach einem besonders kniffligen Fall?«

»Schon möglich. Zurück zur Sache, Conroy.«

»Also schön.« Jetzt kam der schwierige Teil, an den sie sich ganz behutsam heranarbeiten musste. »Finleys Büro ist der absolute Clou – oh, ich vergaß die Monitore zu erwähnen. Er hat eine ganze Wand damit bestückt. Ziemlich unheimlich, kann ich dir sagen. Diese Bildschirme, die das Gebäude bis in den letzten Winkel erfassen. Ich glaube, er hat im ganzen Haus Videokameras installiert. Aber das ist nicht der Clou, den ich meine. Er hat eine Gallé-Leuchte in seinem Büro, bei deren Anblick ich schier in Ehrfurcht erstarrt bin. Und ein Han-Pferd, das allerdings weniger wertvoll ist. Na ja, ich werde seine Sammlung heute Abend beim Dinner noch ausgiebig bewundern können.«

Jed hatte sie bereits am Handgelenk gepackt, noch bevor sie aufspringen konnte. »Sag das noch einmal, Conroy, und zwar ganz langsam.«

»Ich werde heute Abend mit ihm essen.«

»Und weshalb bist du dir da so sicher?«

»Weil er mich eingeladen hat – und ich bereits zugesagt habe. Und bevor du die ganze Liste mit Argumenten abspulst, die dagegen sprechen, erkläre ich dir lieber gleich, was dafür spricht.« Sie hatte sich diese Erklärung auf dem Heimweg im Taxi Punkt für Punkt zurechtgelegt. »Finley war ausgesprochen liebenswürdig – ehrlich besorgt und onkelhaft. Er glaubt, dass ich alleine gekommen und zudem sehr durcheinander und verängstigt bin. Und er weiß, dass ich Antiquitäten und Sammlerstücke liebe. Wenn ich seine Einladung abgelehnt hätte, hätte ich ihm einen völlig falschen Eindruck von mir vermittelt.«

»Wenn er mit der Sache etwas zu tun hat, dann ist sein Haus wirklich der letzte Ort, an dem du dich allein mit ihm treffen solltest.«

»Wenn er etwas damit zu tun hat!«, konterte sie, »ist sein Haus der letzte Ort, den er wählen würde, um mir etwas anzutun. Besonders wenn ich ihm erzähle, dass ich vom Hotel aus noch kurz mit meinen Eltern telefoniert und erwähnt habe, dass ich heute Abend bei ihm zum Dinner eingeladen bin.«

»Das ist keine gute Idee.«

»Doch, eine sehr gute sogar. Ich werde die Gelegenheit nutzen, unsere freundschaftliche Beziehung zu vertiefen. Er mag mich«, fügte sie hinzu und ging zum Schrank. Sie hatte ein kleines Schwarzes eingepackt, dazu einen rotgold gestreiften Satinbolero. Die beiden Teile nahm sie jetzt aus dem Schrank, stellte sich vor den Spiegel und hielt sie sich an: »Die Vorstellung, dass ich in meiner momentanen Gemütsverfassung den Abend allein in Los Angeles verbringe, behagt ihm gar nicht.«

Jed betrachtete die aufregende Garderobe aus schmalen Augen. »Hat er dich irgendwie angemacht?«

Dora, die gerade ihre Kostümjacke aufknöpfte, hielt unvermittelt inne. »Bist du etwa eifersüchtig, Skimmerhorn?« Sie lachte los. »Ach, ist das niedlich.«

»Ich bin nicht eifersüchtig.« Er war in seinem ganzen Leben noch nie auf eine Frau eifersüchtig gewesen, und er hatte nicht vor zuzugeben, dass er es jetzt zum ersten Mal war. »Ich habe dir eine einfache Frage gestellt und warte auf eine Antwort.«

Sie zog ihre Jacke aus, unter der ein cremefarbenes, mit

Spitzen besetztes Seidentop zum Vorschein kam. »Du bringst dich gerade in die unangenehme Situation, dass ich mich genötigt fühle, dir wieder meine Liebe zu gestehen. Und das wollen wir doch beide nicht, nicht wahr?«

Sein Magen zog sich zusammen. Er stieß einen lautlosen Fluch aus und zündete sich eine Zigarette an. »Vielleicht bin ich es leid, dir dabei zuzusehen, wie du dich für einen anderen Mann herausputzt.«

»Deshalb bin ich doch hier, oder? Um mich mit ihm zu treffen, sein Vertrauen und seine Sympathie zu gewinnen und so viel Informationen wie möglich aus ihm herauszuholen.« Sie betrachtete Jeds eiserne Miene. »Würdest du dich wohler fühlen, wenn ich dir sage, dass ich nicht die geringste Absicht habe, mit ihm ins Bett zu steigen?«

»Danke, das beruhigt mich ungemein.« Er stieß frustriert eine Rauchwolke aus. »Trotzdem passt es mir ganz und gar nicht, dass du allein dorthin gehst. Wir wissen nicht genug über Finley.«

»Warte nur, bis ich zurückkomme. Dann wissen wir mehr.« Sie ging zum Schrank, um ihre Jacke aufzuhängen. Jed schlich ihr so lautlos hinterher, dass sie zusammenfuhr, als er seine Hände auf ihre Schultern legte.

»Ich bin es nicht gewöhnt, zu warten.«

Dora arrangierte ihre Jacke übertrieben ordentlich auf dem Kleiderbügel. »Ja, das kann ich verstehen.«

»Es gab bisher niemanden in meinem Leben, wegen dem ich mir Sorgen machen musste. Ich mag das nicht.«

»Ja, das kann ich ebenfalls verstehen.« Sie öffnete den Reißverschluss ihres Rocks, schlüpfte heraus und hängte ihn auf einen anderen Bügel neben ihre Jacke. »Keine Sorge, ich krieg' das schon hin.«

»Bestimmt.« Er legte seine Wange an ihren Hinterkopf. »Dora …« Was konnte er ihr sagen?, überlegte er fieberhaft. Alle Worte, die ihm durch den Kopf gingen, klangen irgendwie unzulänglich. »Dora, ich werde dich heute Abend vermissen. Ich schätze, ich habe mich schon zu sehr daran gewöhnt, dich um mich zu haben.«

Zutiefst gerührt legte Dora eine Hand auf seine und lächelte. »Du bist ein durch und durch sentimentaler Kerl, Skimmerhorn. Mit dir schwebt man immerzu auf einem Teppich von roten Rosen.«

»Und, ist es das, was du willst?« Er drehte zu sich herum. »Ist es das, was du von einem Mann erwartest?«

Ihr Lächeln schaffte es nicht ganz bis zu ihren Augen, als sie ihm liebevoll übers Kinn strich. »Einen Teppich habe ich bereits, und Rosen kann ich mir jederzeit kaufen.« Um ihn zu trösten, liebkoste sie seine Lippen. »Ich habe noch eine ganze Stunde Zeit, bevor ich mich fertig machen muss. Warum schleppst du mich nicht einfach ins Bett?«

Es wäre ihm ein Vergnügen und ein Trost gewesen, aber beides musste warten. »Wir haben noch eine Menge Arbeit vor uns, Conroy. Zieh deinen Morgenrock an, und dann besprechen wir die Strategie für dein Dinner.«

Ärgerlich trat sie einen Schritt zurück. »Ich stehe hier in Strapsen aus Spitze vor dir, und du sagst mir, ich soll meinen Morgenrock anziehen. Habe ich das richtig verstanden?«

»Goldrichtig.«

»Du hast dich in der Tat schon zu sehr an mich gewöhnt«, maulte sie.

26. Kapitel

Punkt halb acht Uhr stieg Dora in einen schneeweißen Mercedes. Auf dem Rücksitz lag eine einzelne weiße Rose, und aus der Stereoanlage erklang leise eine Beethoven-Sonate. Neben einer Kristallschüssel mit Beluga-Kaviar stand eine eisgekühlte Flasche Champagner.

Während sie die Rosenblüte an ihre Wange drückte, blickte sie zu dem Fenster empor, hinter dem, wie sie wusste, Jed stand und sie beobachtete.

Zu schade, dachte sie, als der Mercedes sich langsam in Bewegung setzte. Offenbar brauchte sie doch einen Teppich aus Rosen, doch den würde sie von dem Mann, der ihr so viel bedeutete, nicht bekommen.

Während sie noch zum Hotel zurückblickte, bemerkte sie, wie ein Mann in einem grauen Anzug in eine dunkle Limousine stieg und sich hinter ihnen in den Verkehr einfädelte.

Dora schloss die Augen und schlüpfte aus ihren Schuhen. Genießerisch ließ sie die Fußsohlen über den weichen Teppich gleiten. Sie war entschlossen, alle Gedanken an Jed hinter sich zu lassen.

Die nächsten Stunden war sie allein und auf sich gestellt.

Mit einem Glas Champagner in der einen und einem Kaviartoast in der anderen Hand, genoss sie die Fahrt hinauf zu den Hügeln. Unter anderen Umständen hätte sie den Fahrer vielleicht in ein Gespräch verwickelt, doch jetzt hüllte sie sich bewusst in Schweigen, um sich auf den zweiten Akt vorzubereiten.

Nachdem sie Finleys Büro gesehen hatte, erwartete sie nun einen Luxuspalast. Und sie wurde nicht enttäuscht. Am Ende der weitläufigen Auffahrt, die sich den Hügel hinaufschlängelte, bot sich ihr schließlich der atemberaubende Anblick eines architektonischen Meisterwerks aus

Ziegel, Stein und Glas, illuminiert von den gleißenden Strahlen der untergehenden Sonne.

Eine eindrucksvolle Kulisse für ihren Auftritt.

Sie nahm die Rose mit.

Es blieb ihr nur ein kurzer Augenblick, um den Türklopfer, der die Form eines Delfins hatte, zu bewundern, als auch schon eine Hausangestellte die Tür öffnete.

»Miss Conroy. Mr. Finley bittet Sie, ihn im Salon zu erwarten.«

Dora machte sich nicht die Mühe, ihre Bewunderung für die prachtvolle Eingangshalle zu verbergen. Im Salon wurde ihr ein Glas Wein angeboten und sie war froh, als sie wieder allein war, denn sie wollte sich den Raum genau ansehen.

Dora hatte das Gefühl, sich in ein Privatmuseum zu befinden. Alles um sie herum war einzigartig, und jedes Stück, an dem sie sich erfreute erschien ihr noch bezaubernder und erlesener als das vorangegangene. Der Anblick dieser schönen Dinge überwältigte sie.

Sie betrachtete sich in einem George-III.-Spiegel, ließ ihre Fingerspitzen zärtlich über die Lehne eines Mahagoni-Sessels aus derselben Periode gleiten, stand begeistert vor einem japanischen Kakiemon-Tiger.

Als Finley sich zu ihr gesellte, bewunderte sie gerade eine Sammlung von Netsukes.

»Ich sehe, Sie finden Gefallen an meinem Spielzeug.«

»Oh, ja.« Mit vor Bewunderung glänzenden Augen wandte sie sich ihm zu. »Ich fühle mich wie Alice, die gerade den schönsten Winkel im Wunderland entdeckt hat.«

Er lachte und schenkte sich ein Glas Wein ein. Er hatte gewusst, dass er sie entzücken würde. »Ich war sicher, dass es mir Freude bereiten wird, meine Schätze mit Ihnen zu teilen. Zu meinem Leidwesen verbringe ich viel zu viel Zeit alleine damit.«

»Meine Reise hat sich wirklich gelohnt, Edmund.«

»Dann bin ich zufrieden.« Er trat neben sie und legte eine Hand auf ihren Rücken. Es war keine zweideutige Geste, deshalb wunderte Dora sich, warum sie eine Gänsehaut bekam. »Sie haben sich gerade die Netsukes angesehen.« Er öffnete die Vitrine und wählte mit Absicht eines der Stücke aus, die in den Buchstützen ins Land geschmuggelt worden waren. »Nicht jeder weiß den Humor und die sensible Erotik sowie die erstklassige Handwerkskunst dieser Stücke zu schätzen.«

Kichernd nahm sie die kleine Figur des Liebespaares in die Hand. »Die beiden sehen so glücklich aus, für immer gefangen in dem erregenden Moment der Erwartung. Es fällt nicht leicht, sich dieses Kunstwerk am Gürtel eines unerschütterlichen Samurai vorzustellen.«

Finley deutete ein Lächeln an. »Für mich ist es genau der Platz, an dem ich sie mir am liebsten vorstelle, am Gürtel eines Kriegers, der sein Netsuke stets mit sich trägt, in der Schlacht wie auch im Bett. Ein Krieger aus der Tokugawa-Familie zum Beispiel. Es macht mir Spaß, jedem meiner Stücke eine eigene Geschichte zu geben. Finley legte die Figur zurück. »Sollen wir vor dem Dinner einen kleinen Besichtigungsrundgang machen?«

»Ja, bitte.« Bereitwillig nahm sie seinen Arm.

Er besaß ein ausgezeichnetes Sachwissen, war belesen und unterhaltsam, stellte Dora fest. Weshalb sie sich, kaum eine Stunde später, so unwohl fühlte, hätte sie nicht sagen können.

Er ließ eine habgierige Freude an seinem Besitz erkennen, doch diese Habgier konnte Dora sehr gut nachempfinden. Er war absolut korrekt in seinem Benehmen ihr gegenüber, und dennoch fühlte sie sich in zunehmendem Maße von ihm erniedrigt. Sie musste ihr ganzes Können einsetzen, um ihre vorgeschriebene Rolle zu spielen, während sie von einem Raum zum anderen schlenderten. Am Ende des Rundgangs wusste sie, dass man auch von den schönsten und wertvollsten Dingen zu viel besitzen kann.

»Das ist die Anstecknadel, die ich heute Nachmittag erwähnte.« Die Vorstellung, ihr die geschmuggelten Kunstschätze Stück für Stück zu präsentieren, versetzte ihn in einen Zustand euphorischer Erregung. Er reichte ihr die Saphirbrosche. »Der Stein an sich ist schon ein Traum, doch

die kunstvolle Fassung und auch die dazugehörige Geschichte geben diesem Stück erst seinen einzigartigen
Wert.«

»Sie ist wunderschön.« Das war sie wirklich, mit dem
kristallklaren blauen Stein, der von feinstem Goldfiligran
und funkelnden Diamanten gehalten wurde – wunderschön und tragisch zugleich. Tragisch deshalb fand Dora,
weil sie für immer in diese Vitrine verbannt war, nie wieder das Kleid einer Frau zieren oder sie zum Lächeln bringen würde, wenn sie sich damit schmückte.

Hierin unterschieden sie sich voneinander. Sie gab ihre
Schätze weiter, ermöglichte ihnen ein neues Leben. Finley
hingegen sperrte die seinen ein.

»Es heißt, sie gehörte einst einer Königin«, erklärte Finley, während er Doras Miene beobachtete und auf ein Zeichen des Erkennens wartete. »Man sagt, es handelte sich
um Maria, die Königin von Schottland. Ich frage mich oft,
ob sie sie wohl getragen hat, als sie wegen Hochverrats
festgenommen wurde.«

»Ich stelle mir lieber andere Gelegenheiten vor, bei denen sie die Brosche getragen hat.«

»Und das hier.« Er griff nach dem Etui. »Das gehörte
ebenfalls einer Königin, die ein trauriges Schicksal erwartete. Ein Geschenk Napoleons an Josephine, bevor er sich
von ihr scheiden ließ. Sie konnte ihm keine Kinder schenken.«

»Sie versehen Ihre Schätze aber wirklich mit traurigen
Geschichten, Edmund.«

»Bitterkeit und Schmerz erhöhen ihre Bedeutung für
mich. Einst der Besitz von Königen und Königinnen und
jetzt ein Stück in der Sammlung eines gemeinen Bürgers.
Sollen wir uns zu Tisch begeben?«

Nach der Hummersuppe wurde Peking-Ente gereicht,
Beide Speisen waren so köstlich zubereitet, sie zergingen
auf der Zunge. Serviert wurde auf Limoges-Porzellan, ge-
speist mit greorgianischem Silberbesteck; der Dom Perignon wurde aus antiken Waterford-Gläsern getrunken.

»Erzählen Sie mir etwas über Ihr Geschäft«, begann Finley die Konversation. »Es ist gewiss sehr aufregend, zu kaufen und zu verkaufen, täglich mit schönen Dingen umzugehen.«

»Ja, es macht mir sehr viel Spaß.« Dora musste sich regelrecht zwingen, sich zu entspannen und das delikate Mahl zu genießen. »Leider kann sich mein bescheidenes Angebot nicht mit den Stücken messen, die sich in Ihrem Besitz befinden. Was ich anzubieten habe, ist eine bunte Mischung aus Antiquitäten, Posten aus Haushaltsauflösungen und ...« Trödel – hörte sie Jed mit seiner spöttischen und ach so wohltuenden Stimme hinzufügen. »Krimskrams«, ergänzte sie ein wenig steif. »Ich muss gestehen, dass ich neben meiner Liebe zu Antiquitäten auch eine Vorliebe für Kitsch habe.«

»Und Sie lieben, ebenso wie ich, den Besitz, die Macht über diese Dinge. Es ist ungeheuer befriedigend, sein Geld mit Dingen zu verdienen, die man liebt. Nicht jeder hat die Chance oder den Mut, dieses Geschäft mit Erfolg zu betreiben. Und ich glaube, Isadora, dass Sie eine große Portion Mut besitzen.«

Dora war etwas nervös. »Meine Familie nennt es Sturheit. Doch wenn ich ehrlich bin, muss ich zugeben, dass man mir sehr leicht Angst einjagen kann.«

»Sie stellen Ihr Licht unter den Scheffel, Isadora. Immerhin sind Sie hierher gekommen, zu mir.« Er lächelte, doch der Blick, mit dem er sie über den Rand seiner Brille hinweg fixierte, war messerscharf. »Und nach allem, was Sie wussten, besteht doch immerhin die Möglichkeit, dass DiCarlo in meinem Auftrag gehandelt haben könnte. Schließlich ist – war – er mein Angestellter.«

Als Dora blass wurde und ihre Gabel laut auf den Teller sinken ließ, lachte er und tätschelte ihre Hand. »Jetzt habe ich Sie erschreckt. Verzeihen Sie mir. Ich wollte eigentlich nur meine Vermutung, Ihren Mut betreffend, etwas deutlicher untermauern. Weshalb sollte ich wohl DiCarlo in Ihren Laden einbrechen und ein paar wertlose Stücke stehlen lassen, wenn ich es mir leisten kann, sie ehrlich zu erwerben?«

»Ich bezweifle, dass ich sehr viel anzubieten hätte, was Sie interessieren könnte.«

»Oh, da möchte ich aber widersprechen«, entgegnete er lächelnd und bestellte mit einer knappen Handbewegung das Dessert. »Ich bin sicher, ich könnte mich für einiges erwärmen, das Sie anzubieten haben. Sagen Sie«, fuhr er fort, »stoßen Sie gelegentlich auf einen Grueby?«

»Ich hatte einmal eine Statuette von einem Jungen – leider fehlte eine Ecke.« Sie ballte ihre Hände im Schoß zusammen, als das herrliche Schokoladen-Soufflé serviert wurde. »Ich habe Ihre Grueby-Vase in der Bibliothek gesehen. Sie ist entzückend.«

Sie entspannte sich erst ein wenig, als sie sich über Keramik unterhielten, und sie begann zu glauben, dass sie sich nur eingebildet hatte, er habe sie ködern wollen.

Der Kaffee und der Brandy wurden im Salon vor dem Kamin serviert, in dem ein behagliches Feuer knisterte. Ihre Unterhaltung plätscherte so locker dahin wie zwischen alten Freunden. Und dennoch waren Doras Nerven zum Zerreißen gespannt. Sie wäre am liebsten aufgestanden und davongerannt.

»Schade, dass Sie Ihren Aufenthalt hier nicht ein wenig verlängern können.« Finley spielte mit einer kleinen Porzellanfigur, die eine nackte Frau darstellte.

»Ein eigenes Geschäft beansprucht sehr viel Zeit. Ich bin sicher, Sie verstehen das.«

»Ja, in der Tat. Ich fühle mich zuweilen wie der Gefangene meines eigenen Erfolgs. Und Sie?« Er fuhr mit der Fingerspitze über die nackte, glänzende Brust der Figur. »Kennen Sie das Gefühl, in der Falle zu sitzen?«

»Nein.« Doch sie konnte sich des Eindrucks nicht erwehren, als kämen die Wände des Raumes unaufhaltsam auf sie zu. »Sie müssen über ausgezeichnete Kontakte verfügen.« Ihr Blick wanderte angelegentlich durch den Salon. Sie konnte ihm nicht dabei zusehen, wie er mit der Figur spielte. »Gehen Sie viel auf Reisen, um all diese Schätze ausfindig zu machen?«

»Leider nicht so oft, wie mir lieb wäre. Inzwischen muss

ich dieses Vergnügen häufig anderen überlassen. Doch ich reise gelegentlich noch in den Orient oder nach Europa. Und dann und wann führt mich mein Weg sogar an die Ostküste.«

»Ich hoffe, Sie geben mir Gelegenheit, mich bei Ihnen zu revanchieren, falls Sie einmal nach Philadelphia kommen.«

»Ich denke nicht, dass ich die Reise antreten würde, ohne mich vorher telefonisch bei Ihnen zu melden.«

»Dann hoffe ich doch, dass ich recht bald mit Ihrem Besuch rechnen kann. Ein wunderbares Dinner, Edmund, und ein wunderbarer Abend.« Sie erhob sich, um die Schlussszene zu spielen, der zufriedene Gast, der sich nur ungern auf den Heimweg macht.

»Glauben Sie mir, das Vergnügen war ganz auf meiner Seite.« Er stand ebenfalls auf, ergriff ihre Hand und verabschiedete sich mit einem galanten Handkuss. »Und erlauben Sie mir, Ihnen morgen meinen Wagen zum Hotel zu schicken, damit Sie mein Chauffeur zum Flughafen bringt.«

»Das ist sehr aufmerksam von Ihnen.« Ihr Wunsch, sich die Hand an ihrer Jacke abzuwischen, beschämte sie. »Ich habe bereits einen Transport arrangiert. Bitte, rufen Sie mich an, falls es irgendetwas Neues über DiCarlo gibt.«

»Das mache ich. Ich habe das Gefühl, dass sich diese Geschichte sehr bald aufklärt.«

Als sie vor dem Beverly Hills Hotel ankamen, wartete Dora, bis die Limousine abgefahren war. Sie blieb noch eine Weile auf dem Gehsteig stehen, atmete tief durch und versuchte sich zu beruhigen. Sie wollte Jed erst gegenübertreten, wenn sie sich wieder unter Kontrolle hatte.

Es ärgerte sie, dass sie innerlich wie Espenlaub zitterte. Und obwohl sie wusste, dass sie ihm erzählen musste, wie sehr der Abend sie mitgenommen hatte, wollte sie ruhig und gefasst sein, wenn sie dies tat.

Und dann sah sie die dunkle Limousine auf der gegenüberliegenden Straßenseite anhalten, sah den Mann im grauen Anzug.

Panikartig stürzte sie in die Hotelhalle.

Du siehst Gespenster, redete sie sich ein. Mit hoch erhobenem Kinn drückte sie den Knopf, um den Aufzug zu holen. Sie war übermüdet und überanstrengt. Wenn sie Jed die ganze Geschichte erzählt hatte, würde sie sich sofort schlafen legen und morgen früh wieder fit sein.

Als sie aus dem Lift trat und den Schlüssel in ihre Zimmertür steckte, hatte sie sich wieder völlig im Griff. Sie war sogar in der Lage zu lächeln, als sie ins Zimmer trat und Jed am Fenster stehen sah.

»Du bist wegen mir aufgeblieben?«

»Du bist immer für einen Lacher gut, Conroy. Du solltest wirklich …« Er verstummte, nachdem er einen Blick auf ihr Gesicht geworfen hatte. Sie sah sehr erschöpft aus.

»Was ist denn?«

»Nichts. Habe nur laut gedacht. Setz dich.«

»Zuerst muss ich aus meinen Klamotten raus.« Der Gewohnheit folgend, ging sie auf der Suche nach einem Kleiderbügel zum Schrank.

»Komm, lass mich dir helfen.« Er öffnete den Reißverschluss und massierte ihr ein wenig die Nackenmuskeln, die, wie er richtig vermutet hatte, hart wie Stein waren. »Soll ich dir ein Nachthemd oder so was bringen?«

»Oder so was.« Sie ließ sich erschöpft auf die Bettkante sinken und zog sich die Strümpfe aus. »Du hast doch hoffentlich etwas gegessen, oder?«

»Ich bin schon ein großer Junge, Conroy.« Er hakte den schwarzen, trägerlosen Bh auf, warf ihn beiseite und zog ihr dann das dünne Nachthemd über den Kopf.

»Wir hatten Ente.«

»Damit kann mein Cheeseburger freilich nicht konkurrieren.«

»Es war exzellent. Das Haus – du meine Güte, das hättest du sehen sollen. Vom Feinsten, sage ich dir, ein Palast. Riesige Räume. Ich habe noch nie so viele museumsreife Stücke an einem Ort gesehen.«

Sie schüttelte den Kopf; ihr fielen immer wieder die Augen zu. »Ich muss mir das Gesicht waschen. Du solltest versuchen, etwas über den finanziellen Hintergrund von E. F. Incorporated in Erfahrung zu bringen.« Im Badezimmer drehte sie den Kaltwasserhahn auf und ließ das Wasser über ihr Gesicht laufen. »Das Meißener Service, in dem der Butler uns den Kaffee servierte, war gut und gerne seine zehn- bis zwölftausend Dollar wert.« Sie gähnte und wiederholte ihre Kaltwassergüsse. »Und der Briefbeschwerer in der Bibliothek – ein Alméric Walter. Vor ein paar Jahren wurde ein ähnlicher bei Christie's für fünfzehn Riesen versteigert. Und erst die ...«

»An einer Inventur bin ich nicht interessiert.«

»Verzeihung.« Sie griff nach der Tube mit Reinigungsmilch und entfernte ihr Make-up. »So eine Sammlung habe ich noch nirgends gesehen und auch noch nie von einer ähnlichen gehört, die sich mit seiner messen könnte.« Sorgfältig verteilte sie die Feuchtigkeitscreme auf ihrer Haut. »Aber die Art, wie er mir seine Schätze präsentierte, kam mir irgendwie seltsam vor.«

»Inwiefern?«

»Nun, es war, als wartete er darauf, dass ich etwas sagte, etwas unternahm.« Sie schüttelte den Kopf. »Ich weiß nicht. Es ist schwer zu erklären, aber die Atmosphäre war anders als in seinem Büro.« Ihre Blicke trafen sich im Spiegel. Dora hatte dunkle Ringe unter den Augen, und ihre Haut, jetzt ohne Make-up, wirkte fahl und beinahe durchsichtig. »Er hat mir irgendwie Angst gemacht, obwohl er sich als perfekter Gentleman, als perfekter Gastgeber gab. Doch mit ihm allein zu sein war schaurig.«

»Erzähl einfach.« Er ließ seine Finger durch ihr Haar gleiten. »Es muss keinen Sinn ergeben.«

Dora nickte erleichtert, verließ das Badezimmer und setzte sich wieder aufs Bett. »Er hat mich durch das ganze Haus geführt«, begann sie. »Und wie ich schon sagte, war die Art und Weise, wie er mir seine kostbaren Schätze zeigte, irgendwie eigenartig, besonders bei einigen bestimmten Stücken. Ich spürte genau, wie er mich beobachtete, während ich sie in Händen hielt und sie betrachtete. Ich versuchte, mein Gefühl zu ignorieren, weil er die ganze Zeit über eigentlich ungeheuer charmant war. Dann haben wir gegessen – ein elegantes Dinner in einem eleganten Raum auf elegantem Porzellan serviert – und uns über Kunst, Musik und dergleichen unterhalten. Wenn er mich berührte, dann stets in einer absolut korrekten Art und Weise, und doch ...«

Sie ließ ein kleines Lachen hören. »Ich würde es wirklich begrüßen, wenn du mich nicht gleich als hypersensibles Wesen mit einer übersteigerten Einbildungskraft bezeichnest, wenn ich dir sage, was meine Empfindung war: Ich hatte das Gefühl, nackt vor ihm zu sitzen. Wir löffelten dieses unglaublich köstliche Dessert, und ich konnte mich verdammt nochmal des Eindrucks nicht erwehren, als würde er durch mein Kleid hindurchsehen. Ich kann es nicht erklären, aber ich habe es so stark gespürt, es war ein unheimliches Gefühl, das sich nicht abschütteln ließ.«

»Vielleicht hat er sich wirklich versucht vorzustellen, wie du unter deinem Kleid aussiehst. Männer tun so etwas mitunter, selbst elegante Herren.«

Sie konnte nur den Kopf schütteln. »Nein, so war es nicht – es hatte weder bei ihm noch bei mir etwas mit Sex zu tun. Es war vielmehr so, dass ich mir absolut schutzlos vorkam.«

»Du warst allein?«

»Nicht wirklich – oder nicht oft. Er beschäftigt eine ganze Armee von Dienstboten. Nein, ich habe mich nicht davor gefürchtet, dass er mir etwas antut. Und dann war da die komische Geschichte in der Toilette.«

»Er war mit dir in der Toilette?«

»Nein. Ich habe nach dem Dinner das Bad aufgesucht, um mein Make-up aufzufrischen, und hatte dabei die ganze Zeit das Gefühl, als schaute er mir über die Schulter.«

Sie atmete langsam aus, dankbar, dass Jed sie nicht als Dummerchen bezeichnete. »Ernsthaft, ich habe nicht daran geglaubt, dass er mit der Geschichte etwas zu tun hat, als ich heute Nachmittag sein Büro verließ. Aber jetzt, jetzt bin ich mir da nicht mehr so sicher. Ich weiß nur, dass ich dieses Haus nicht noch einmal betreten möchte, selbst wenn er mir anböte, dass ich mir eine seiner Ambrakugeln aussuchen dürfte, die, wie ich hinzufügen muss, wunderschön sind.«

»Du musst da nicht noch einmal hin, Dora. Mal sehen, ob die Kollegen von der Steuerfahndung nicht mal ein bisschen an Finleys Fassade kratzen wollen.«

»Gut.« Das nervöse Zucken über ihrem linken Auge hörte einfach nicht auf. »Sieh zu, was du über eine Saphirbrosche – wahrscheinlich sechzehntes Jahrhundert – in Erfahrung bringen kannst. Der Stein hat gut und gerne seine acht Karat, wird von einer Goldfiligran-Fassung mit einigen rund geschliffenen Diamanten gehalten. Er hatte es ungeheuer wichtig, mir dieses Stück zu zeigen.«

»Fein. Du hast gute Arbeit geleistet.«

»Hm.« Sie schenkte ihm ein schläfriges Lächeln. »Bekomme ich dafür den goldenen Detective-Stern?«

»Der ist nur vergoldet, Nancy. Nein, du gehst jetzt ins Bett.«

»Auch recht.«

»Möchtest du etwas gegen deine Kopfschmerzen?«

Sie hörte auf, sich die Schläfen zu reiben und schnitt eine gequälte Grimasse. »Ja, Morphium wäre das richtige Mittel. Aber das habe ich leider zu Hause gelassen. In meinem Schminkbeutel sind nur ein paar weniger wirkungsvolle Pillen.«

»Ich hole sie dir. Leg dich inzwischen lang.«

Das tat sie, ohne sich die Mühe zu machen, unter die Bettdecke zu kriechen. »Oh, das habe ich ganz vergessen. Ich sah diesen Typ in einer dunklen Limousine – mein Gott, das hört sich nach einem Charlie-Chan-Film an. Egal, jedenfalls ist er dem Mercedes gefolgt, als wir vom Hotel abfuhren. Er tauchte auf als ich vorhin zurückkam. Keine Ahnung, warum Finley mich auf dem Weg zu und von seinem Haus hat beschatten lassen.«

»Hat er auch nicht. Ich habe das veranlasst. Wo zum Teufel hast du die Tabletten versteckt? In diesem Beutel sind Dutzende von Fläschchen.«

»Sie sind nicht in einem Fläschchen, sondern in einer Dose. In einem Pillendöschen«

»Schlauberger.«

»In dem kleinen Emaildöschen mit den Veilchen auf dem Deckel. Was hast du gesagt, du hast mich beschatten lassen?«

»Du wirst schon den ganzen Tag observiert, von einem privaten Sicherheitsdienst.«

Sie lächelte, als er mit den Tabletten zurückkam. »Ach, das ist fast so schön wie Blumen«, murmelte sie. »Du hast einen Bodyguard für mich angeheuert.«

»Nein, für mich«, meinte er leichthin.

Sie legte den Kopf auf die verschränkten Arme und machte die Augen zu. Jed kniete sich rittlings über sie und begann, ihr den Nacken und die Schultern zu massieren. »Entspann dich, Conroy. Wenn du dich so verkrampfst, wirst du die Kopfschmerzen nie los.«

Aber seine Finger bewirkten bereits Wunder. »Jed?« Ihre Stimme war nur mehr ein kaum hörbares Flüstern.

»Ja?«

»Die Spiegel habe ich vergessen. Er hat Dutzende von Spiegeln an den Wänden hängen. Man kann keinen Raum betreten, ohne sich ein dutzend Mal kommen und gehen zu sehen.«

»Demnach ist er eitel.«

»Ich habe einen Drehspiegel, den könnte ich ihm verkaufen.«

»Halt jetzt die Klappe, Conroy. Dein Dienst ist beendet.«

»Gut, aber ich glaube nicht, dass er nur sich selbst beobachten will. Ich glaube, er liebt es generell zu beobachten.«

»Dann ist er eben ein eitler Spanner.« Er fuhr mit dem Handrücken seitlich an ihrer Wirbelsäule entlang.

»Wahrscheinlich. Aber das macht ihn noch nicht zum Schmuggler. Ich wünschte ...«

»Du wünschst was?«

Doch was immer sie sich wünschen mochte, blieb ungesagt. Sie war eingeschlafen. Vorsichtig zog er die Bettdecke unter ihr hervor und deckte sie zu, ohne dass sie etwas bemerkte. Jed betrachtete sie einen Moment, ehe er das Licht ausmachte und sich neben sie legte. Erst nachdem er ihren Körper spüren konnte, schlief er ebenfalls ein.

Weil sie noch immer in seinen Armen lag, erwachte er bei ihrem ersten Zittern. Seine Umarmung wurde fester und er kraulte sie zärtlich im Nacken.

»Heh. Heh, Dora, wach auf.« Er hörte, wie sie nach Luft rang, spürte, wie ihr Körper zitterte als sie aus ihrem Traum erwachte. »Schlecht geträumt, wie?«, murmelte er.

Sie antwortete nicht, sondern drückte ihr Gesicht an seine Brust. »Kommst du an die Nachttischlampe ran? Ich brauche Licht.«

»Sicher.« Ohne sie loszulassen, beugte er sich nach hinten und tastete nach dem Schalter. Das Licht verscheuchte die Dunkelheit. »Besser?«

»Ja.« Aber sie hörte nicht auf zu zittern.

»Möchtest du einen Schluck Wasser?«

»Nein.« Panik lag ihrer Stimme, als sie sein Angebot ablehnte. »Bleib einfach so liegen, ja?«

»Okay.«

»Und lass mich nicht los.«

»Nein, ich lass dich nicht los.«

Eingebettet in seine Umarmung, beruhigte sie sich allmählich. »Das war der erste Albtraum, seit ich *The Shining* von Stephen King gelesen habe.«

»Ein unheimliches Buch.« Obwohl er innerlich alles andere als ruhig war, gelang es ihm, ihr einen federleichten Kuss aufs Haar zu hauchen. »Viel unheimlicher als der Film.«

»Ja.« Ihr Lachen klang nervös, aber es war ein Lachen. »Ich wusste gar nicht, dass du auf Horror-Geschichten stehst, Skimmerhorn.«

»Sie helfen, Spannungen abzubauen.«

»Ich liebe Zombie-Geschichten.« Weil er nicht nachbohrte, sie nicht unter Druck setzte, war sie schließlich in der Lage, ihm ihren Traum zu erzählen. »Ich war in diesem Haus, Finleys Haus. Auch in meinem Traum gab es diese vielen Zimmer und Spiegel, die wunderschönen Dingen. Kennst du Bradbury?«

»Ray Bradbury? Na klar.«

»Diese Karneval-Geschichte, das Haus der Spiegel. Erinnerst du dich an dieses Buch? Mit dem Kauf einer Eintrittskarte wird versprochen, dass alles, was man sich wünscht, in diesem Haus zu finden ist. Aber das ist ein ganz übler Trick. Genauso war es auch in meinem Traum. Ich wollte all diese wunderschönen Dinge sehen. Und dann kam ich nicht mehr raus. DiCarlo und Finley waren ebenfalls da. Jedes Mal, wenn ich mich umdrehte, stand einer von ihnen hinter mir, und ich sah ihre Gesichter hundertfach in diesen Spiegeln. Ich rannte immer wieder gegen Mauern aus Glas.« Sie fand Trost in Jeds Armen, der starke Druck seiner Muskeln tat ihr gut, und sie kuschelte sich noch näher an ihn. »Ich komme mir wie eine hysterische Ziege vor.«

»Das brauchst du nicht. Ich kann auch mit ein paar Prachtexemplaren von Albträumen aufwarten.«

»Du?«

»Ich hatte gerade bei der Polizei angefangen, fuhr Streife. Da kam die Meldung durch, dass irgendwo Schüsse gefallen seien. Ich hatte das Glück, als Erster an diesem Ort einzutreffen. Jemand hatte sich in den Mund geschossen.« Auf eine nähere Beschreibung der Leiche verzichtete er. »Mein Unterbewusstsein hat mir anschließend wochenlang diese Szene im Traum vorgespielt. Und nach Elaine …« Er zögerte, fuhr dann aber fort: »Ihren Tod habe ich auch noch viele Male im Traum durchlebt. Wie ich über den Rasen und durch die Rosen gerannt bin. Wie sie den Kopf zu mir umdrehte und mich anstarrte. Dann die Explosion, als sie den Wagen startete. Da sind mir blutrünstige Vampire als Hauptdarsteller meiner Träume lieber.«

»Ja, mir auch.« Sie lagen eine Weile schweigend nebeneinander. »Jed?«

»Hmm?«

»Willst du mal schauen, ob nicht auf irgendeinem Programm ein alter Horrorfilm läuft?«

458

»Conroy, es ist kurz vor sechs.«

»Ach, was. Es ist noch viel zu dunkel.«

»Die Vorhänge sind geschlossen.«

»Oh.«

»Ich habe einen anderen Vorschlag.« Er rollte sich blitzschnell auf sie und knabberte an ihrem Kinn »Wie wär's, wenn ich mit dir Vampir spiele?«

Dora schlang gerade kichernd die Arme um seinen Nacken, als das Telefon neben dem Bett schrillte. Sie fuhr voller Angst zusammen.

»Halte diesen Gedanken kurz fest«, murmelte er und angelte nach dem Hörer. »Skimmerhorn.«

»Jed. Tut mir Leid, wenn ich dich aufgeweckt habe«, hörte er Brent aufgeregt sagen. »Ich habe hier etwas, das dich interessieren dürfte.«

»Ja?« Jed rollte sich auf die Seite und griff zu Kugelschreiber und Block, die auf dem Nachttisch lagen.

»Gerade ist vom Büro des Sheriffs aus L.A. ein Fax bei mir eingegangen. Ein paar Wanderer sind vor einigen Tagen über eine Leiche gestolpert, die in einem seichten Flussbett oben in den Hügeln lag. Es war noch möglich, Fingerabdrücke zu nehmen. Wir können die Suche nach DiCarlo einstellen. Er ist mausetot.«

»Wie lange schon?«

»Die Jungs in der Pathologie haben einige Mühe, den genauen Zeitpunkt seines Todes zu bestimmen. Aber sie gehen von der ersten Januarwoche aus. Ich dachte mir, dass du dich vielleicht mit dem Coroner und den zuständigen Ermittlungsbeamten in Verbindung setzen möchtest.«

»Gib mir ihre Namen.«

»Ich werde dich gleich per Fax anmelden. Sag ihnen, dass du hier Ermittlungen durchführst, die mit DiCarlo in Verbindung stehen. Sie werden dich erwarten.«

»Danke. Wir bleiben in Kontakt.«

Dora saß aufrecht im Bett, sie hatte das Kinn auf die angezogenen Knie gestützt, als Jed den Hörer auflegte. »Du siehst auf einmal aus wie ein diensteifriger Cop auf dem

Sprung. Eine sehr interessante Verwandlung, die ich da beobachte.«

»Vergiss deine Beobachtungen und bestell lieber Frühstück.« Er war bereits auf dem Weg zur Dusche. »Wir werden eine spätere Maschine nehmen müssen.«

»Geht in Ordnung.« Ärgerlich schlug Dora die Bettdecke zurück, sprang aus dem Bett, marschierte ins Badezimmer und riss den Duschvorhang auf. »Befehle geben allein reicht nicht, Captain. Selbst Anfänger wie ich haben ein gewisses Anrecht auf ein Minimum an Informationen.«

»Ich muss etwas überprüfen.« Er griff nach der Seife. »Rein oder raus, Conroy. Das ganze Bad schwimmt bereits.«

»Was musst du überprüfen?«

Er beschloss, ihr die Entscheidung abzunehmen, indem er ihr das Nachthemd über den Kopf zog, sie hochhob und neben sich unter die Dusche stellte. Dora wehrte sich nicht, sie drehte nur wortlos am Kaltwasserhahn, denn sie war nicht gewillt, sich bei lebendigem Leib kochen zu lassen. Während sie sich die nassen Haare aus dem Gesicht strich, wiederholte sie ihre Frage: »Was musst du überprüfen?«

»DiCarlo«, erwiderte er mit ausdrucksloser Stimme. »Sie haben ihn gefunden.«

27. Kapitel

Sheriff Curtis Dearborne hegte ein tief verwurzeltes Misstrauen gegen Außenseiter. Und da er bereits die Beamten des L.A. Police Departement als Außenseiter betrachtete, war ein Cop von der Ostküste erst recht ein Wesen, dem man mit größter Aufmerksamkeit begegnen musste.

Sheriff Dearborne war ein hünenhafter, durchtrainierter Mann, der seine stets gestärkte Uniform mit Stolz trug, seinen sandfarbenen Schnurrbart täglich trimmte und seine Stiefel mit Spucke auf Hochglanz polierte. Hinter seinem militärischen Sinn für Bügelfalten und Disziplin verbarg sich jedoch der freundliche Charme eines Naturburschen, den er klug und sehr erfolgreich einzusetzen verstand.

Er erhob sich hinter seinem Schreibtisch, als Jed und Dora sein Büro betraten. Sein viereckiges, gut geschnittenes Gesicht wirkte ernst, sein Händedruck war trocken und fest.

»Captain Skimmerhorn. Wie praktisch, dass Sie sich gerade jetzt in der Nähe befinden.«

Jed genügte ein Blick, um sein Gegenüber einzuschätzen. Da Dearborne offenbar entschlossen war, den Platzhirsch zu spielen, lautete das erste Gebot, seine Autorität zu respektieren.

»Es war sehr freundlich von Ihnen, diese Informationen sofort weiterzugeben, Sheriff. Ich bin sicher, Lieutenant Chapman hat Sie in die Probleme eingeweiht, mit denen wir zu Hause zu kämpfen haben. Die schnelle Reaktion Ihrerseits wird der Witwe von Officer Trainor gewiss ein großer Trost sein.«

Er hatte genau den richtigen Knopf gedrückt. Dearbornes Blick wurde frostig. »Ihr Lieutenant sagte mir, dass die Leiche, die wir gefunden haben, die eines mutmaßlichen Polizistenmörders ist. Ich bedaure es wirklich zutiefst, dass sich die Kojoten nicht eingehender mit ihm be-

461

schäftigt haben. Bitte, nehmen Sie doch Platz, Captain, Miss Conroy.«

»Danke.« Obwohl Jed auf glühenden Kohlen saß, ließ er sich das nicht anmerken. Wenn er Dearborne jetzt hetzte, würde ihn das wahrscheinlich nur stundenlange Übungen in Diplomatie kosten. »Soviel ich weiß, wurde bei der Leiche nichts gefunden, was ein Hinweis sein könnte.«

»Nicht die Spur.« Dearbornes Stuhl knarrte gemütlich, als er sich zurücklehnte. »Einen Raubüberfall haben wir von Anfang an ausgeschlossen. Die Brieftasche fehlte, aber der Bursche hatte noch seinen Brillantring am kleinen Finger und eine dicke Goldkette um den Hals.« Seiner Stimme war anzuhören, dass er derartige Schmuckstücke für absolut unmännlich hielt. »Die Leiche war nicht in bestem Zustand, aber ich brauchte nicht erst den Bericht des Coroners abzuwarten, um zu wissen, wie der gute Mann zu Tode gekommen ist. Er wurde erschossen. Die Plane, in die er eingewickelt worden war, wies nicht viel Blut auf. Die Vermutung liegt nahe, dass man ihn erst nachdem er verblutet war in dem Flussbett abgelegt hat. Sein Todeskampf muss Stunden gedauert haben. Verzeihung, Ma'am«, fügte er an Dora gewandt hinzu. »Der Coroner hat das bestätigt.«

»Ich würde mir gerne den Bericht des Coroners ansehen, wenn Sie nichts dagegen haben«, begann Jed, »und alle Beweisstücke, die Sie gesammelt haben. Je mehr an Informationen ich mit nach Hause bringe, desto besser.«

Dearborne trommelte mit den Fingern auf seinen Schreibtisch, während er sich Jeds Bitte durch den Kopf gehen ließ. Die von der Ostküste waren nicht zudringlich, entschied er. »Ich denke, das lässt sich arrangieren. Wir haben die Plane, und das, was von seinen Kleidern noch übrig ist, hier unten. Ich werde Ihnen inzwischen die übrigen Berichte besorgen lassen. Wenn Sie einen Blick auf die Leiche werfen wollen, fahren wir rasch beim Coroner vorbei.«

»Das wäre mir sehr recht, falls Miss Conroy hier warten kann«, setzte er hinzu, als Dora Anstalten machte aufzustehen.

»Selbstverständlich.« Dearborne bewunderte Frauen, die ihren Platz kannten. »Machen Sie es sich bitte bequem.«

»Danke, Sheriff. Ich möchte Ihnen nicht im Weg sein«, erwiderte sie mit einem Hauch Sarkasmus in der Stimme, doch Dearborne besaß keine Antennen für derartige Feinheiten. »Gibt es hier einen Apparat, von dem aus ich mit meiner Kreditkarte telefonieren kann?«

»Bitte, bedienen Sie sich.« Dearborne deutete auf sein eigenes Telefon. »Leitung eins.«

»Vielen Dank.« Es gab keinen Grund, sich über Jed zu ärgern. Während er seine Arbeit erledigte, konnte sie die Zeit nutzen und ihre Familie wissen lassen, dass sie sich ein paar Stunden verspäten würde. Nachdem Jed und Dearborne das Büro verlassen hatten, nahm sie hinter dem Schreibtisch des Sheriffs Platz. Sie lächelte und fragte sich, ob es Jed aufgefallen war, dass Dearborne ihn mit ›Captain‹ angesprochen hatte. Spätestens im Frühling würde er seine Dienstmarke zurückerhalten, vermutete Dora und fragte sich, wie ein vollkommen glücklicher Skimmerhorn wohl sein würde.

»Doras Antiquitäten- und Trödelladen, guten Tag.«

»Sie haben eine hinreißende Stimme, Süße. Schon mal an Telefon-Sex gedacht?«

Lea antwortete mit einem fröhlichen Kichern. »Ich denke an nichts anderes. Heh, wo bist du? In zehntausend Meter Höhe?«

»Nein.« Dora strich sich das Haar zurück und warf dem Beamten, der soeben mit einem Becher Kaffee und einem Stoß Akten hereingekommen war, ein nettes Lächeln zu. »Vielen Dank, Sergeant«, sagte sie, ihn absichtlich befördernd.

»Oh, so weit bin ich noch nicht, Ma'am«, erwiderte er, wurde aber ein wenig rot dabei und grinste. »Gern geschehen.«

»Sergeant?«, wiederholte Lea am anderen Ende der Leitung. »Sitzt du etwa im Gefängnis oder so was? Muss ich dich auslösen?«

»Noch nicht.« Sie nahm den Kaffeebecher und tippte abwesend mit dem Zeigefinger auf den Aktenstapel, den der Mann auf dem Schreibtisch abgelegt hatte. »Wir sind nur ein bisschen aufgehalten worden. Jed hatte hier auch noch etwas zu erledigen.« Die Leiche und die Schüsse zu erwähnen, hielt sie nicht für nötig. Absolut nicht nötig. »Wir nehmen deshalb eine spätere Maschiene. Alles klar in der kalten Heimat?«

»Alles in Ordnung. Wir haben heute Morgen den Sherbourne-Sekretär an den Mann gebracht.«

»Oh.« Wie stets, wenn es sich um ihre Lieblingsstücke handelt, schwankte sie zwischen Freude und Bedauern.

»Gehandelt hat er auch nicht«, verkündete Lea stolz. »Und wie ist deine Besprechung gelaufen?«

»Besprechung?«

»Mit dem Import-Export-Menschen.«

»Hm«, meinte Dora ausweichend, »ging so. Aber ich glaube nicht, dass wir miteinander ins Geschäft kommen werden. Sein Angebot bewegt sich auf einem Preisniveau, von dem ich nur träumen kann.«

»Trotzdem hoffe ich doch, dass du deine Reise nicht für eine Zeitverschwendung hältst. Hast du wenigstens ein paar Filmstars gesichtet?«

»Nicht einen einzigen, leider.«

»Na ja. Hast ja immerhin Jed, der dir dabei Gesellschaft leistet, wenn du dich in der kalifornischen Sonne aalst.«

»Gewiss.« Sie verzichtete darauf, zu erwähnen, dass sie mit Jed mehr Zeit im Flugzeug verbrachte hatte als in L.A.

»Ruf mich an, wenn du angekommen bist, damit ich weiß, dass du heil gelandet bist.«

»Geht in Ordnung, Mommy. Ich glaube nicht, dass wir es vor zehn Uhr eurer Zeit schaffen, also gerate vor elf bitte nicht in Panik.«

»Ich werde versuchen, mich zusammenzunehmen. Oh, ich sollte dich vorwarnen. Mom plant ein formloses Zusammensein, damit sie Jed auf einer persönlicheren Ebene prüfen kann. Ich dachte, du solltest das wissen.«

»Hab Dank, meine Liebe.« Seufzend schlug Dora den

Ordner auf. »Ich werde versuchen, Jed schonend ...« Sie hielt den Atem an, als sie das Foto sah. Wie aus weiter Ferne hörte sie die Stimme ihrer Schwester.

»Dora? Dora? Bist du noch dran? Mist. Sind wir getrennt worden?«

»Nein. Es viel ihr sehr schwer ihrer Schwester zu antworten. »Entschuldige, ich muss gehen. Ich rufe dich später an.«

»Okay. Bis morgen. Guten Flug.«

»Danke. Tschüß.« Ganz bedächtig, ganz vorsichtig legte Dora den Hörer auf die Gabel. Ihre schweißnassen Hände waren eiskalt. Sie wagte kaum zu atmen, als sie erneut den Blick senkte.

Es war DiCarlo. Von seinem Gesicht war gerade noch so viel zu erkennen, dass sie ihn identifizieren konnte. Es war offensichtlich, dass er keinen schönen Tod gehabt hatte, nicht leicht gestorben war. Sie schob das oberste Bild beiseite und starrte auf das nächste. Dora wusste jetzt, wie ungeheuer grausam der Tod sein konnte. Selbst Dutzende von Horrorfilmen hatten sie nicht auf diese grässliche Realität vorzubereiten vermocht. Sie konnte sehen, wo die Kugeln eingedrungen waren, wo die wilden Tiere sich an seinem Fleisch gelabt hatten.

Sie konnte nicht aufhören, dieses Bild anzustarren, war nicht fähig, den Blick abzuwenden. Das Summen in ihrem Kopf schwoll zu einem infernalischen Getöse an. Sie konnte selbst dann nicht wegsehen, als das Bild vor ihren Augen verschwamm.

Jed unterdrückte einen Fluch, als er ins Büro trat und Dora mit kalkweißem Gesicht vor der aufgeschlagenen Akte sitzen sah. Er war noch nicht ganz bei ihr, als ihr schlecht wurde.

Mit zwei schnellen Bewegungen war Jed an ihrer Seite und drückte ihren Kopf nach unten.

»Ganz langsam atmen.« Seine Stimme klag angespannt. Er hatte eine Hand sanft an ihren Hinterkopf gelegt, während er mit der anderen die Akte zuklappte.

»Ich habe Lea angerufen.« Dora schluckte tapfer gegen

die aufsteigende Übelkeit an. »Ich habe nur Lea angerufen.«

»Lass deinen Kopf unten«, sagte er, »und atme gleichmäßig.«

»Versuchen Sie es damit.« Dearborne hielt Jed ein Glas Wasser hin. In seiner Stimme schwang Mitgefühl. Er konnte sich nur noch allzu gut an sein erstes Mordopfer erinnern. »Im Hinterzimmer steht eine Liege, falls sich Ihre Bekannte ein bisschen hinlegen möchte.«

»Danke, aber ich glaube, sie fängt sich gleich wieder.« Jed ließ seine Hand an ihrem Hinterkopf liegen und griff nach dem Glas. »Würde es Ihnen etwas ausmachen, uns eine Minute allein zu lassen, Sheriff?«

»Selbstverständlich nicht. Und nehmen Sie sich ruhig Zeit«, fügte Dearborne noch hinzu, ehe er die Tür hinter sich schloss.

»Versuch mal ganz langsam den Kopf hochzuheben«, schlug Jed vor. »Wenn dir schwindlig wird, dann lass ihn wieder hängen.«

»Es geht schon.« Doch das Zittern war schlimmer als die Übelkeit und schwerer unter Kontrolle zu bringen. Sie lehnte den Kopf langsam an die Rückenlehne des Stuhls, ohne die Augen aufzumachen. »Ich schätze, ich habe einen bleibenden Eindruck auf den Sheriff gemacht.«

»Trink einen Schluck.« Jed hielt ihr das Glas an die Lippen und zwang sie zu trinken. »Ich will, dass du dich besser fühlst, bevor ich dich anbrülle.«

»Da wirst du dich noch eine Weile gedulden müssen«, erwiderte sie und öffnete die Augen. Ja, er war wütend, stellte sie mit einem Blick in sein Gesicht fest. Richtig wütend. Doch darüber wollte sie sich jetzt keine Gedanken machen. »Wie kannst du das nur aushalten?«, fragte sie leise. »Wie kannst du dir das nur jeden Tag ansehen?« Jed tauchte zwei Finger in das Glas und feuchtete ihr den Nacken an. »Möchtest du dich hinlegen?«

»Nein, ich möchte mich nicht hinlegen«, sagte sie. »Und wenn du mich unbedingt anbrüllen musst, dann bring es hinter dich. Doch vorher will ich dir noch sagen, dass ich weder geschnüffelt habe, noch Detektiv spielen wollte. Glaub mir, ich wollte das nicht anschauen. Ich musste das nicht unbedingt sehen.«

»Dann kannst du ja jetzt anfangen, die Bilder zu vergessen.«

»Ist das deine Art, damit umzugehen? Du legst solche Dinge einfach ab wie ein Stück Papier und verschwendest keinen weiteren Gedanken daran?«

»Wir sprechen im Augenblick nicht von mir. Du hast keinen Grund, dir das so nahe gehen zu lassen, Dora.«

»Keinen Grund?« Sie fuhr sich mit der Zungenspitze über die trockenen Lippen und stellte das Glas auf dem Schreibtisch ab. Dann stand sie auf. »Der Mann in dieser Akte hat versucht, mich zu vergewaltigen. Und sehr wahrscheinlich hätte er mich anschließend umgebracht. Ich finde, das bringt mich ihm verdammt noch mal sehr nahe. Doch obwohl ich weiß, was er getan hat, kann ich nicht gutheißen, was ich auf diesen Bildern gesehen habe. Ich kann es einfach nicht. Und ich würde gerne wissen, ob du das kannst.«

Jed hatte genug gesehen, um zu wissen, dass ihr diese Bilder auf ewig im Gedächtnis bleiben würden. Er hatte genug gesehen, um zu wissen, dass diese Bilder scheußlicher waren als die meisten dieser Art. »Ich heiße das ebenfalls nicht gut, Dora. Und wenn du wissen willst, ob ich damit leben kann – ja, das kann ich. Ich kann sie mir anschauen. Ich kann jetzt gleich zum Coroner in die Pathologie gehen und mir diese Bilder in natura anschauen. Und ich kann damit leben.«

Sie nickte und ging dann auf unsicheren Beinen zur Tür. »Ich werde im Auto warten.«

Jed nahm sich die Akte vor und betrachtete die Fotos. Und er fluchte, weil Dora sie gesehen hatte.

»Ist sie in Ordnung?«, fragte Dearborne beim Hereinkommen.

»Sie wird schon wieder.« Jed reichte dem Sheriff die Akte. »Ich würde gern auf Ihr Angebot zurückkommen und mich mit dem Coroner unterhalten.«

»Schätze, Sie wollen sich auch die Leiche anschauen.«

»Ja, wenn das möglich ist.«

»Kein Problem.« Dearborne setzte seine Uniformmütze auf und rückte sie ordentlich zurecht. »Den Autopsiebericht können Sie sich ja unterwegs durchlesen. Sehr interessant. Die Henkermahlszeit unseres Freundes muss eine wahre Schlemmerorgie gewesen sein.«

Dora lehnte den Snack ab, den die Stewardess ihr anbot, und verlangte nur nach einem eiskalten Ginger Ale. Allein der Gedanken an Essen verursachte ihr Übelkeit. Es kostete sie einige Anstrengung, den Geruch von Schinken und Mayonnaise zu ignorieren, der in der Luft lag.

Sie hatte viel Zeit zum Nachdenken gehabt, als sie, ausgestreckt auf dem Vordersitz des Mietwagens, auf Jeds Rückkehr wartete, der mit Dearborne unterwegs war. Zeit genug, um sich darüber klar zu werden, dass sie ihren Schock und ihre Abscheu an Jed ausgelassen hatte, während er wiederum seine Wut auf sie unterdrückt hatte.

»Du hast mich immer noch nicht angebrüllt.«

Jed wandte den Blick nicht von seinem Kreuzworträtsel. Er hätte es vorgezogen, Dearbornes Berichte zu studieren, doch die mussten warten, bis er allein war. »Es schien mir letztlich nicht der Mühe wert.«

»Mir wäre es aber lieber gewesen, du hättest mich angebrüllt, dann wärst du jetzt nicht mehr sauer auf mich.«

»Ich bin nicht sauer auf dich.«

»Komm, mach mir nichts vor. Seit wir L.A. verlassen haben, hast du kaum ein Wort mit mir gesprochen. Und wenn mir im Büro des Sheriffs nicht schlecht gewesen wäre, hättest du mich angebrüllt.« Er sah von seinem Kreuzworträtsel auf und begegnete ihrem müden Lächeln. »Vorgehabt hast du es ja.«

»Hm, stimmt. Aber ich war nicht sauer auf dich. Ich war wütend, weil du die Bilder gesehen hast. Ich wusste, dass du sie nie ganz vergessen wirst. Leider konnte ich es nicht verhindern.«

Sie legte eine Hand auf seine. »Ich kann nicht behaupten, froh darüber zu sein, diese Akte aufgeschlagen zu haben. Aber du hast Recht, es bringt mich der Sache näher. Ich glaube, ich komme besser damit zurecht, wenn du mir sagst, was du beim Sheriff und dem Coroner herausgefunden hast. Spekulationen können nämlich manchmal schlimmer sein als die Wirklichkeit.«

»Da gibt es nicht viel zu erzählen. Wir wissen, dass DiCarlo am Neujahrsabend an die Küste geflogen ist, sich einen Mietwagen genommen und ein Hotelzimmer gebucht hat. Er hat in dieser Nacht weder in dem Zimmer geschlafen, noch später den Mietwagen zurückgegeben. Das Auto ist bis heute nicht wieder aufgetaucht. Anscheinend hat er auch einen Flug nach Cancún gebucht, das Tikket aber nicht abgeholt.«

»Demnach hatte er nicht vor, bald wieder an die Ostküste zurückzukehren. Glaubst du, dass er Finley besuchen wollte?«

»Möglich, aber er hat sich dort nicht gemeldet. Es gibt keinen Hinweis darauf, dass er an diesem Tag dessen Büro aufgesucht hat. Wenn wir davon ausgehen, dass er selbstständig gearbeitet hat, kann es gut sein, dass er irgendwo seinem Schicksal begegnet ist. Möglich auch, dass er mit einem Partner gearbeit und es Unstimmigkeiten gegeben hat.«

»Gut, dass ich mein eigener Boss bin«, murmelte Dora.

»Oder Variante Nummer drei, die Theorie, die mir persönlich am wahrscheinlichsten erscheint: Er hat für Finley gearbeitet, kam, um ihm Bericht zu erstatten, und Finley hat ihn umgebracht, beziegungsweise umbringen lassen.«

»Aber warum? DiCarlo hat seinen Job doch nicht zu Ende geführt, oder? Ich hatte das Gemälde schließlich noch.«

»Vielleicht ist das der Grund für sein Verschwinden«, erklärte Jed achselzuckend. »Doch zum jetzigen Zeitpunkt haben wir keinerlei Beweis, um Finley mit DiCarlo in Verbindung zu bringen. Wir wissen nur, dass DiCarlo nach Los Angeles geflogen und dort ums Leben gekommen ist. Er wurde irgendwann zwischen dem einunddreißigsten

Dezember und dem zweiten Januar ermordet – enger kann der Coroner den Zeitpunkt seines Todes nicht eingrenzen. Er starb an einem Schuss in den Unterleib. Da kaum Blut an der Plane gefunden wurde, ist anzunehmen, dass er erst Stunden nach Eintritt des Todes an einen anderen Ort transportiert wurde. Die Blutergüsse im Gesicht waren schon etliche Tage alt. Sie stammen von mir. Alle anderen Verletzungen wurden ihm später zugefügt.«

Er brachte es nicht übers Herz, ihr zu erzählen, dass man DiCarlo auch beide Kniescheiben durchgeschossen hatte.

»Verstehe. Es gibt also keine Hinweise darauf, dass ein Kampf stattgefunden hat.«

»Das ist richtig, Miss Drew.« Er drückte anerkennend ihre Hand. Dora versuchte, die Sache zu verarbeiten, und sie schonte sich nicht dabei, was Jed bewunderte. »Kurz vor seinem Ende hat DiCarlo noch ein fürstliches Mahl zu sich genommen. Es gab Fasan, eine erheblichen Menge Wein und Himbeeren mit weißer Schokolade.«

Nein, dachte Dora, deren Magen rebellierte, ich werde in nächster Zeit ganz gewiss keinen Bissen herunterkriegen. »Dann kann man davon ausgehen«, meinte sie, »dass der Verstorbene vor seinem Tod recht entspannt gewesen sein muss.«

»Ja. Es fällt schwer, sich vorzustellen, ein solches Mahl in nervösem Zustand zu verdrücken. Dearborne wird alle Hände voll zutun haben, die Menükarten sämtlicher Restaurants auszukundschaften. In der Plane hat man außerdem ein paar weiße Kieselsteine und Reste von Mulch gefunden. So etwas findet sich in Blumenbeeten und um Sträucher herum.«

»Ich frage mich, wie viele Blumenbeete es wohl in Los Angeles geben mag.«

»Ich sagte dir doch, Polizeiarbeit ist anstrengend. Übrigens, hat Finley einen Garten?«

»Garten? Der wohnt mitten in einer riesigen Parkanlage. Er ist sehr stolz darauf und war enttäuscht, dass es an dem Abend bewölkt war und er mir sein Anwesen nicht im

Sternenlicht präsentieren konnte. Einen Teil davon konnte ich jedoch von seiner Sonnenterrasse aus bewundern. Seine Gartenanlage ist außerordentlich gepflegt und gemulcht, und es gibt etliche weiße Kieswege.«

»Du hast scharfe Augen, Conroy.« Er beugte sich zu ihr und küsste sie. »Gönne ihnen jetzt eine Weile Ruhe.«

»Ich glaube, ich schau' mir lieber den Film an.« Sie angelte mit zitternden Fingern die Kopfhörer. »Welchen Film zeigen sie?«

»Den neuen Costner. Ich glaube, er spielt diesmal einen Cop.«

»Na, das passt ja prima«, seufzte sie und setzte sich die Kopfhörer auf.

In L.A. betrat Winesap Finleys Büro. Furchtsame Menschen erkennen, wie auch kleine Hunde, oft die Stimmung ihres Herrn an dem Geruch, der in der Luft liegt. Winesap rang die Hände hinter seinem Rücken.

»Sie wollten mich sprechen, Mr. Finley?«

Ohne von seinen Papieren aufzusehen, winkte Finley Winesap herein. Mit einem Bleistiftstrich nahm er gerade Vertragsänderungen vor, die zweihundert Arbeitern den Job kosten würden. Seine Augen glänzten, als er sich zurücklehnte.

»Wie lange arbeiten Sie schon für mich, Abel?«

»Sir?« Winesap feuchtete sich mit der Zunge die Lippen an. »Acht Jahre sind das jetzt.«

»Acht Jahre.« Finley nickte bedeutungsvoll. »Eine recht lange Zeit. Sind Sie glücklich mit Ihrer Arbeit, Abel? Finden Sie, dass Sie gut behandelt und angemessen entlohnt werden?«

»O ja, Sir. Absolut, Sir. Sie sind sehr großzügig, Mr. Finley.«

»Das hoffe ich doch. Und gerecht, Abel. Finden Sie, dass ich ein gerechter Mensch bin?«

»Immer.« Ungebeten erschien das Bild von DiCarlos blutüberströmten Körper vor seinem inneren Auge. »Ausnahmslos, Sir.«

»Ich habe heute Morgen an Sie gedacht, Abel, den ganzen Morgen über bis zum Nachmittag. Und dabei ist mir aufgefallen, dass ich in all diesen – acht Jahren, sagten Sie?«

»Ja, acht sind es.« Winesap fühlte sich inzwischen wie die sprichwörtliche Fliege im Spinnennetz. »Acht Jahre.«

»Dass ich in diesen acht Jahren«, fuhr Finley fort, »kaum jemals einen Anlass sah, Ihre Arbeit zu kritisieren. Sie arbeiten schnell, effizient und – in den meisten Fällen – sorgfältig.«

»Danke, Sir«, sagte Winesap, doch er hörte nur die Worte »in den meisten Fällen«. Er hatte Angst. »Ich tue mein Bestes.«

»Das glaube ich Ihnen. Deshalb bin ich ja auch so enttäuscht. Ich glaube, dass Sie Ihr Bestes getan haben, und das war nicht gut genug.«

»Sir?«, quiekte Winesap.

»Sie haben bei Ihrem dicht gedrängten Arbeitsprogramm möglicherweise noch keine Zeit gefunden, die Morgenzeitung zu lesen, nehme ich an.«

»Ich habe die Schlagzeilen überflogen«, murmelte Winesap entschuldigend. »Im Augenblick geht es etwas hektisch zu.«

»So viel Zeit, um sich über die laufenden Tagesereignisse zu informieren, sollte man sich immer nehmen.« Den glühenden Blick auf Winesaps Gesicht geheftet, stieß Finley mit dem Zeigefinger auf die Zeitung, die vor ihm auf dem Schreibtisch lag. »Solche wie diese, zum Beispiel. Seien Sie doch bitte so freundlich und holen das wenigstens jetzt nach.«

»Ja, Sir.« Innerlich vor Angst schlotternd, schlich Winesap an den Schreibtisch und nahm sich die Zeitung. Der Artikel, den Finley angesprochen hatte, war mehrmals mit blutroter Tinte eingekreist. »Wanderer finden Leiche«, las Winesap laut und spürte, wie er blass wurde. »I-in einem ausgetrocknetem F-flussbett wurde vor einigen Tagen die bisher nicht i-identifizierte Leiche eines Mannes gefunden …«

Finley riss ihm mit einem Ruck die Zeitung aus der Hand. »Sie sind ein miserabler Vorleser, Abel. Lassen Sie mich Ihnen behilflich sein.« In fließendem, melodischem Tonfall las er ihm den Zeitungsartikel vor. »Selbstverständlich«, fügte Finley hinzu, wobei er beinahe zärtlich über die ausgebreitete Zeitung strich, »wären wir in der Lage, die Leiche zu identifizieren, nicht wahr, Abel?«

»Mr. Finley … Sir. Die Leiche wurde etliche Meilen von hier entdeckt. Niemand würde jemals …« Er duckte sich unterwürfig und senkte die Stimme.

»Ich habe Besseres von Ihnen erwartet, Abel. Das war mein Fehler. Sie haben nicht genug Sorgfalt walten lassen«, meinte er vorwurfsvoll, indem er jedes einzelne Wort in die Länge zog. »Früher oder später wird die Polizei die Leiche identifizieren. Und ich werde gezwungen sein, Fragen zu beantworten. Freilich bin ich zuversichtlich, dass es mit der Polizei keine Probleme geben wird, aber diese Unannehmlichkeiten, Abel … Ich bin wirklich der Meinung, dass Sie mir diese Unannehmlichkeiten hätten ersparen können.«

»Jawohl, Sir. Es tut mir aufrichtig Leid.« Winesap dachte an die schreckliche Fahrt hinauf in die Berge und an den endlosen Pfad, auf dem er die Leiche hinter sich hergezerrt hatte. Er fiel in sich zusammen. »Ich kann mich nicht genug bei Ihnen entschuldigen.«

»Nein, in der Tat, der Meinung bin ich auch. Aber nachdem ich Ihre Personalakte eingehend studiert und keine hässlichen Schandflecken darin habe entdecken können, will ich über diesen gravierenden Fehler, den Sie sich da geleistet haben, noch einmal großzügig hinwegsehen. Sie werden in ein oder zwei Tagen an die Ostküste fliegen, Abel. Ich setze mein ganzes Vertrauen in Sie, dass Sie Miss Conroy gegenüber mehr Fingerspitzengefühl zeigen werden als im Falle DiCarlo.«

»Jawohl, Sir. Ich danke Ihnen. Ich werde sehr … sorgfältig zu Werke gehen.«

»Dessen bin ich mir ganz sicher.« Finley bedachte ihn mit einem gewinnenden Lächeln, das Abel unwillkürlich an einen gefräßigen Hai denken ließ. »Wir werden diesen unglückseligen Patzer vergessen. Ich denke, es ist nicht nötig, noch einmal darüber zu diskutieren.«

»Das ist sehr verständnisvoll von Ihnen, Mr. Finley.« Auf alles gefasst, schlich sich Winesap zur Tür. »Vielen Dank, Sir.«

»Ach, und Abel ...« Vergnügt beobachtete Finley, wie Winesap zusammenfuhr und wie angenagelt stehen blieb. »Ich denke, dass Sie angesichts der gegebenen Umstände den Teelöffel zurückbringen sollten.«

»Oh. Selbstverständlich.«

In erheblich besserer Stimmung lehnte sich Finley in seinem Sessel zurück, nachdem Winesap respektvoll die Tür hinter sich zugezogen hatte. Nach dem Studium der Morgenzeitung war sein Verstand auf Hochtouren gelaufen, und jetzt sorgte er für einen Zustand innerlicher Ruhe, indem er seine Atemübungen absolvierte. Für eine ausgeglichene Seele gab es nichts Besseres als Yoga.

Er musste Winesap mehr im Auge behalten, beschloss er betrübt. Und sollte die Sache mit DiCarlos Leiche zu brenzlig werden, würde er den lieben, ihm zutiefst ergebenen Abel eben auch den Wölfen zum Fraß vorwerfen müssen. Doch er hoffte inständig, dass das nicht nötig sein würde. Um seine Person machte er sich keine Sorgen. Jemand der so reich und einflussreich war wie er, befand sich automatisch außer Reichweite des Gesetzes.

Die Polizei konnte ihm nichts anhaben. Niemand konnte das. Und falls sie ihm doch aus irgendeinem unerfindlichen Grund zu nahe kommen sollten, gab es genügend kleine Köder – wie Abel –, mit deren Hilfe er die Polizei auf eine falsche Fährte locken konnte.

Aber er war ein Mensch, der verzeihen konnte. Lächelnd nahm er das Etui, das er wieder mit ins Büro genommen hatte, in die Hand und betrachtete es liebevoll. Er war ein Mensch, der sehr viel verzeihen konnte – mitunter zu viel.

Solange Abel seine Anweisungen Punkt für Punkt befolgte und mit Miss Conroy entsprechend verfuhr, sah er keine Notwendigkeit, ihn umzubringen. Absolut keine.

28. Kapitel

Es tat gut, wieder zu Hause zu sein und den gewohnten Alltag zu leben. Damit tröstete sich Dora und versuchte, nicht an das bevorstehende Treffen mit Mr. Petroy zu denken. Im Augenblick hatte sie keine Sehnsucht nach Abenteuern.

Zum Glück hatte Jed ihren Sinneswandel noch nicht bemerkt. Dora war sicher, dass sie sich sonst von ihm bereits eine Hand voll bissiger Kommentare eingehandelt hätte. Aber sie war ja einen gute Schauspielerin. Ebenso gut setzte sie die Kosmetik ein. Mit Hilfe von Packungen, Cremes und Puder gelang es ihr, die dunklen Augenringe und den fahlen, müden Teint so zu bearbeiten, dass ihr morgens aus dem Spiegel eine perfekte Maske entgegenlächelte. Sie hoffte nur, dass diese Maskerade bis Donnerstag hielt. Den pochenden Schmerz zwischen ihren Augen den auch eine kräftige Dosis Aspirin bisher nicht hatte vertreiben können, versuchte sie gerade mit einer Druckmassage zu lindern, als die Ladentür aufging. Nichts hätte sie glücklicher machen können als das Lächeln auf dem leicht angeheiterten Gesicht ihres Vaters.

»Izzy, mein Schatz.«

»Dad, meine einzig wahre Liebe.« Sie ging auf ihn zu, um ihn mit einem Kuss zu begrüßen, dann presste sie spontan das Gesicht an seine Schulter und drückte ihn heftig an sich. Er erwiderte ihre Umarmung. Obwohl sich kurzzeitig eine gewisse Besorgnis in seinem Blick zeigte, strahlten seine Augen wieder, als er sich von ihr löste. »Ganz allein, mein kleines Mädchen?«

»Jetzt nicht mehr. Es war nicht viel los heute Vormittag. Möchtest du einen Kaffee?«

»Eine halbe Tasse.« Er beobachtete sie, während sie mit der Kaffeekanne hantierte, und machte sich seine Gedanken. Er kannte seine Kinder – ihre Mienen, ihre Stimme, die Feinheiten ihrer Körpersprache. Dora verbarg etwas, das spürte er. Was, das würde er sehr schnell herausfinden.

»Deine Mutter hat mich als Boten geschickt«, begann er, während er ihr die Tasse abnahm, seinen Flachmann aus der Tasche holte und den Kaffee mit einem kräftigen Schuss Whiskey verfeinerte. »Ich soll dir und deinem jungen Freund eine Einladung zu einer lauschigen Cocktailstunde in unserem bescheidenen Heim überbringen.«

»Wenn du damit Jed meinst, so glaube ich, dass er diese Bezeichnung ablehnen, die Einladung aber gerne annehmen wird. Wann?«

»Donnerstagabend.« Er sah einen Schatten über ihr Gesicht huschen. »Vor der Vorstellung, natürlich.«

»Natürlich. Ich werde es mit ihm besprechen.«

»Ach, ich werde ihm die Einladung persönlich überbringen. Ist er oben?«

»Nein, ich glaube, er ist weggegangen.« Sie nippte an ihrem Kaffee und registrierte dankbar, dass die Schaufensterbummler vor dem Laden ihren Weg fortsetzten. »Du kannst es ja später noch einmal versuchen, wenn du möchtest.«

Quentin beobachtete seine Tochter, die angelegentlich mit der Zuckerdose spielte. »Habt ihr euch gekabbelt?«

»Wir kabbeln uns nie.« Sie brachte ein Lächeln zustande. »Wir liefern uns hin und wieder einen saftigen Streit, aber Kabbeleien gehören nicht zu unserem Repertoire.« Sie nahm sich ein Plätzchen, legte es aber gleich wieder auf den Teller zurück. »Weißt du, ich bin heute ein wenig nervös. Hast du Lust, mit mir eine Runde spazieren zu gehen?«

»Mit einer wunderschönen Frau? Immer.«

»Ich hole nur rasch meinen Mantel.«

Quentin runzelte nachdenklich die Stirn, als er darüber nachdachte, ob es wohl sein handverlesener Mieter war, der seinem kleinen Mädchen Kopfzerbrechen machte. Doch als sie zurückkam und sich den Mantel zuknöpfte, strahlte er wieder übers ganze Gesicht. »Wie wär's mit einem gemütlichen Schaufensterbummel durch New-Market? Mal sehen, was die Konkurrenz zu bieten hat.«

»Du bist mein Held!«, rief Dora vergnügt, schloss den Laden ab und hakte sich bei ihrem Vater unter.

Er kaufte ihr eine Tüte Gummibärchen, und sie brachte es nicht übers Herz, nicht davon zu naschen. Sie standen auf dem Gehsteig, genossen die Kälte, das Kopfsteinpflaster, das kosmopolitische Flair der Schaufensterdekorationen. Und als sie beinahe der Versuchung erlag, erst eine Limoges-Dose zu erstehen und ein paar Läden weiter einen Kaschmirpullover, da wusste Dora, dass es mit ihrer Stimmung wieder aufwärts ging. Sie ließen sich auf einer Bank unter den kahlen Bäumen nieder.

»Soll ich dir etwas Hübsches schenken?«, fragte er. »Es hat bisher noch immer ein Lächeln auf dein Gesicht gezaubert, wenn du mich dazu überreden konntest, dir irgendeinen Schnickschnack zu kaufen.«

»Ich bin schon immer käuflich gewesen, stimmt's?«, meinte sie belustigt und lehnte kumpelhaft ihren Kopf an seine Schulter.

»Du hast schon immer schöne Dinge geliebt – und sie auch zu schätzen gewusst. Das ist eine Gabe – kein Spleen.«

Sie kam sich schrecklich albern vor, als sie die heißen Tränen spürte, die ihr in den Augen brannten. »Ich fürchte, ich habe schlechte Laune. Und ich dachte immer, nur Will sei eine so launische Mimose.«

»Alle meine Kinder waren wunderbar launisch«, erwiderte Quentin. »Ihr habt eben Theaterblut. Künstler haben kein einfaches Gemüt. Das ist nicht unsere Bestimmung.«

»Und was ist mit Cops?«

Er hielt einen Augenblick inne, trank einen Schluck Whiskey und genoss die Situation. »Ich halte diese Arbeit ebenfalls für eine Art von Kunst – das Timing, die Choreografie, die Dramaturgie.« Er legte tröstend den Arm um sie. »Komm, Izzy, erzähl mir, was dir auf der Seele liegt.«

Und sie konnte es. Ihm hatte sie schon immer ihr Herz

ausschütten können, ohne Angst, dass er sie kritisierte oder abfällig auf ihre Beichte reagierte. »Ich bin so schrecklich verliebt in ihn. Und ich möchte darüber glücklich sein können. Meistens gelingt mir das auch, aber er traut dieser Art von Gefühlen nicht. Er hat keine Erfahrung damit. Seine Eltern haben ihm nie das gegeben, was du und Mom uns gegeben habt.«

Sie seufzte tief und beobachtete eine junge Frau, die einen Kinderwagen über das holprige Plaster schob. Das Baby darin hatte rote Backen und lachte über das ganze Gesicht. Überrascht registrierte Dora ein Gefühl von Sehnsucht. Das will ich auch, meldete sich ihre innere Stimme. Ich will auch mein Kind durch die sonnenbeschienenen Straßen schieben und dabei lächeln.

»Ich fürchte, wir können uns gegenseitig nicht das geben, was wir brauchen«, erklärte sie vorsichtig.

»Zuerst einmal müsst ihr herausfinden, was für Bedürfnisse und Wünsche das genau sind.«

Wehmütig sah sie Mutter und Kind hinterher. »Die meinen kenne ich ziemlich genau. Aber kann man von einem Mann erwarten, dessen Kindheit leidvoll war, dass er den ersten Schritt in Richtung Familiengründung unternimmt? Es ist nicht fair, ihn zu diesem Schritt zu drängen, aber es ist auch nicht fair, wenn ich es mir versage, diesen ersten Schritt zu tun.«

»Glaubst du, nur Kinder aus glücklichen Familien gründen Familien?«

»Ich weiß nicht.«

»Jeds Großmutter scheint der Meinung zu sein, dass er bereits den ersten Schritt getan hat und dabei ist, sich den zweiten zu überlegen.«

»Ich weiß nicht …« Sie hielt mitten im Satz inne und starrte ihren Vater an. »Seine Großmutter? Hast du mit ihr gesprochen?«

»Ria, deine Mutter und ich haben einen ausgesprochen netten Nachmittag zusammen verbracht, als ihr in Kalifornien wart. »Eine tolle Frau«, setzte er hinzu, »sie ist von dir sehr angetan.«

Dora wurde ärgerlich. »Offenbar muss ich dich daran erinnern, dass ich bereits das Erwachsenenalter erreicht habe, und Jed ebenfalls. Ich empfinde es als absolut überflüssig und anmaßend, wenn ihr zusammengluckt und über unser Wohl sprecht, als wären wir Kleinkinder.«

»Aber ihr seid nun mal unsere Kinder.« Er lächelte nachsichtig und tätschelte ihre glutroten Wangen. »Wenn du erst einmal eigene Kinder hast, wirst du verstehen, dass die Liebe und Sorge von Eltern niemals aufhört, dass sie sich immer einmischen wollen.« Er schenkte ihr sein strahlendstes Lächeln. »Ich liebe dich, Izzy, und ich vertraue dir.« Er kniff sie ins Kinn. »So, und jetzt erzähl mir, was dich sonst noch bedrückt.«

»Ich kann nicht.« Und das tat ihr Leid. »Aber ich kann dir versichern, dass sich mein Problem in wenigen Tagen gelöst haben wird.«

»Ich werde nicht nachbohren.« Schon gar nicht, da sie so offensichtlich auf der Hut zu sein schien. »Aber wenn du nicht bald ein fröhlicheres Gesicht machst, muss ich dir deine Mutter auf den Hals hetzen.«

»Ich lächle doch.« Zumindest versuchte sie es. »Siehst du, ich könnte nicht glücklicher sein, oder?«

Quentin beschloss, sich einstweilen damit zufrieden zu geben, und erhob sich. Er streckte ihr eine Hand entgegen. »Komm, lass uns einkaufen gehen.«

»Sie ist ein einziges Nervenbündel.« Jed hatte sich mit Brent im Fitnessstudio getroffen, um seine eigene Spannung am Punchingball abzureagieren. »Sie würde es nie zugeben, aber sie ist innerlich total blockiert.« Selbst nicht weniger blockiert, versetzte er dem Sandsack eine schnelle Folge harter Geraden. Brent, dem die undankbare Aufgabe zufiel, den Sandsack festzuhalten, stöhnte missmutig, als ihm der Aufprall schmerzhaft in die Arme fuhr. »Und ich kann ihr nicht helfen.«

»Wir arbeiten auf Hochtouren«, gab Brent zurück. Der Schweiß lief in Strömen an ihm herab, und er wünschte, er hätte sich mit Jed in einem gemütlichen Kaffeehaus verabredet. »Nach diesem Treffen am Donnerstag sollten wir in der Lage sein, sie dann aus der Sache rauszuhalten.«

»Das ist es nicht allein.« Jed wechselte von dem schweren Punchingball zu einem leichteren, was Brent nur begrüßte. Mit zusammengekniffenen Augen holte Jed aus und katapultierte den Sandsack fast bis unter die Decke. »Sie hat sich in mich verliebt.«

Brent nahm die Brille ab, um die beschlagenen Gläser zu putzen. »Ach, soll das eine Neuigkeit sein?«

»Sie erwartet von mir mehr, als ich ihr geben kann. Und sie hat ein Recht darauf.«

»Möglich. Hat sie sich beklagt?«

»Nein.« Jed ließ weiter seine Fäuste fliegen.

»Dann beruhig dich und genieße die Romanze.«

Jed wirbelte so blitzartig herum, dass Brent automatisch in Deckung ging. »Das ist keine verdammte Romanze! Mit Dora ist es was anderes. Es ist …« Er hielt unvermittelt inne, wütend über das blasierte Lächeln, das sich auf Brents Gesicht breit gemacht hatte. »Treib keine Spielchen mit mir«, zischte er drohend.

»Wollte nur mal die emotionale Lage abchecken, Captain.« Als Jed ihm wortlos die Boxhandschuhe hinhielt, schnürte Brent sie gehorsam auf. »Ach, apropos Lage, inoffiziell habe ich läuten hören, dass du am Ersten wieder das Kommando übernehmen wirst. Goldman grollt und schmollt bereits hinter seinem Schreibtisch.«

»Warte nur, dem wird es gleich besser gehen, sobald ich seine Versetzungspapiere unterschrieben habe.«

»Oh, lass mich dir die Füße küssen.«

Jed grinste, als er seine Hände massierte. »Die offizielle Bekanntgabe findet am Montag statt. Und wenn du versuchst, mich hier zu küssen, Brent, Freundchen, haue ich dir die Nase platt.« Er schnappte sich sein Handtuch und trocknete sich das Gesicht ab. »Bis dahin ist Goldman noch am Ruder. Ist alles klar für Donnerstag?«

»Zwei Männer werden im Laden sein, zwei weitere draußen, und einen halben Block entfernt postieren wir einen Übertragungswagen. Solange Dora sich an die Anweisungen hält, werden wir jedes Wort mithören, das gesprochen wird.«

»Sie wird sich daran halten.«

Die nachmittägliche Stunde mit ihrem Vater hatte in Dora eine Sehnsucht nach Familie ausgelöst. Und der gab sie denn auch nach, indem sie den Laden etwas früher zusperrte und den Abend bei Lea verbrachte. Das Getöse, das aus dem Wohnzimmer zu ihnen herüberdröhnte, war Balsam für ihre Seele.

»Richie macht definitiv Fortschritte auf der Trompete«, kommentierte Dora.

Lea lauschte den quäkenden Disharmonien mit einer Mischung aus Stolz und Verzweiflung. »In drei Wochen findet in der Schule ein Konzert statt. Ich werde dir einen Platz in der ersten Reihe reservieren.«

»Gott segne dich.« Die Töne, die jetzt aus dem Nachbarzimmer kamen, konnte man mit genügend Fantasie für das Angriffssignal der Kavallerie und den gellenden Schrei eines Rebellen halten. »Genau das habe ich gebraucht.« Zufrieden kletterte Dora auf einen Hocker in der Küche.

»Ich hätte nichts dagegen, dir für ein paar Stunden das Kommando hier zu überlassen«, seufzte Lea und gab noch einem Schuss Burgunder an den Eintopf, der auf dem Ofen köchelte.

»So dringend brauche ich es nun auch wieder nicht.« Dora trank einen Schluck Rotwein. »Nein. Ich habe den Nachmittag mit Dad verbracht und mir dabei überlegt, wie es wohl wäre, ihn nicht stets in der Nähe zu wissen. Das ist alles.«

»Etwas geht hier vor.« Mit gerunzelter Stirn klopfte Lea den Kochlöffel am Topfrand ab und platzierte ihn auf einer dafür vorgesehenen Ablage. »Zwischen deinen Augenbrauen hat sich diese senkrechte Falte breit gemacht, und du bist leichenblass. Du hast immer so eine ungesunde Farbe, wenn dir etwas im Magen liegt.«

»Dir würde es auch auf den Magen schlagen, wenn du

kurz vor der Inventur einen neuen Buchhalter auftreiben müsstest.«

»Das war nicht schlecht, aber nicht gut genug.« Lea lehnte sich zu ihrer Schwester hinüber und musterte sie mit einem forschenden Blick. »Du bist nervös, Dora, und das hat mit deinem Laden nichts zu tun. Wenn du mir nicht erzählst, was mit dir los ist, werde ich Mom auf dich ansetzen müssen.«

»Warum droht mir heute nur jeder mit Mom?«, wollte Dora wissen. »Ich bin ein bisschen außer der Reihe, okay. Aber mein Leben hat in letzter Zeit auch einige merkwürdige Wendungen genommen. Ich wünsche, dass meine Familie meine Privatsphäre insoweit akzeptiert, dass es mir möglich ist, meine Probleme selbst zu bewältigen.«

»In Ordnung. Es tut mir Leid. Ehrlich.«

Dora fuhr sich mit der Hand übers Gesicht. »Nein, ich muss mich entschuldigen. Ich hätte dich nicht so anfahren dürfen. Wahrscheinlich leide ich immer noch unter diesem verdammten Jetlag. Ich glaube, das Beste wird sein, nach Hause zu fahren, ein heißes Bad zu nehmen und für zwölf Stunden in meinem Bett zu verschwinden.«

»Wenn du dich morgen früh nicht besser fühlst, kann ich auch schon früher kommen.«

»Danke. Ich sage dir noch Bescheid.« Sie war gerade dabei, vom Hocker zu rutschen, als es an der hinteren Küchentür klopfte.

»Hallo.« Mary Pat steckte den Kopf durch die Tür. »Ich komme, um meinen Teil der Monstertruppe abzuholen.« Sie lauschte einen Moment dem Geschrei und den kläglichen Lauten der Trompete. »Ach, das Getrampel kleiner Füßchen. Wunderbar, nicht?«

»Komm, setz dich einen Augenblick«, forderte Lea sie auf. »Falls du nicht in Eile bist.«

»Ja, kurz einmal sitzen tut mir bestimmt gut.« Seufzend ließ sie sich auf dem Hocker neben Dora nieder. »Bin seit acht Stunden ununterbrochen auf den Beinen.« Sie holte tief Luft. »Du meine Güte, wie schaffst du es bloß, deine

Kinder aufzuziehen, arbeiten zu gehen und nebenbei auch noch deine ganze Familie zu bekochen?«

»Ich habe einen verständnisvollen Boss.« Lächelnd schenkte Lea Mary Pat ein Glas Wein ein. »Sie hat mir heute freigegeben.«

»Ach, weil wir gerade von der Arbeit sprechen – tolle Neuigkeit, das mit Jed, nicht?«

»Welche Neuigkeit?«

»Dass er seinen alten Job wieder aufnimmt.« Sie ließ mit geschlossenen Augen den Kopf kreisen und sah deshalb Doras verdutztes Gesicht nicht. »Brent ist ganz aus dem Häuschen. Er hasst Goldman. Aber das tun alle dort. Doch es ist mehr als das. Das Revier braucht Jed, und Jed braucht das Revier. Und da er die Entscheidung, zurückzukommen, endlich getroffen hat, wird er bald wieder ganz der Alte sein. Ich glaube auch nicht, dass er bis zum Monatsersten warten wird, um das Kommando zu übernehmen. Ansonsten …« Ein Blick in Doras Gesicht genügte, um Mary Pats Wortschwall Einhalt zu gebieten. »Oh, verdammt. Habe ich mich etwa verplappert? Da Brent mir sagte, dass die Sache am Montag offiziell wird, habe ich angenommen, dass Sie das bereits wissen, Dora.«

»Nein, Jed hat es nicht erwähnt.« Sie zwang sich zu einem etwas verunglückten Lächeln. »Aber es ist trotzdem eine gute Nachricht, nein, eine großartige Nachricht. Ich bin sicher, das ist genau das, was er braucht. Seit wann wissen Sie denn davon?«

»Seit ein paar Tagen.« Idiot, fluchte Mary Pat im Stillen, wobei sie sich nicht ganz im Klaren war, ob sie damit sich oder Jed meinte. »Bestimmt hatte er vor, es Ihnen selbst zu erzählen. Sobald er, äh …« Aber es wollte ihr keine passende Entschuldigung einfallen. »Es tut mir Leid.«

»Das braucht es nicht. Ich freue mich wirklich darüber.« Damit rutschte Dora von ihrem Hocker und griff nach ihrem Mantel. »Ich muss jetzt gehen.«

»Bleib doch zum Essen. Es ist genug für uns alle da.«

»Nein, ich habe noch einiges zu erledigen. Einen schönen Gruß an Brent«, meinte sie an Mary Pat gewandt.

»Mach' ich.« Als die Tür hinter Dora zugefallen war ließ Mary Pat die Stirn auf ihre zu Fäusten geballten Hände sinken. »Ich komme mir vor, als hätte ich ein Hundebaby überfahren. Warum, zum Teufel, hat er es ihr denn nur verschwiegen?«

»Weil er ein Trottel ist«, meinte Lea wütend. »Alle Männer sind Trottel.«

»Das ist leider wahr«, pflichtete ihr Mary Pat bei. »Aber dies war eine Meisterleistung an Blödheit. Und es war gefühllos. Lea, ich kenne Jed jetzt schon eine ganze Weile, aber gefühllos ist er nicht. Vorsichtig, aber nicht gefühllos.«

»Vielleicht hat er den Unterschied vergessen.«

Seltsame Dinge können einem Menschen morgens um zwei durch den Kopf gehen, besonders einem Mann, der auf eine Frau wartet. Er fängt an, sich alles Mögliche vorzustellen, sich zu sorgen. Jed tigerte in seinem Wohnzimmer umher, schlich durch die Wohnungstür, die er offen gelassen hatte, auf den Korridor hinaus und setzte dort seinen Marsch fort.

Wie schon zigmal innerhalb der letzten vier Stunden zog es ihn immer wieder zur hinteren Haustür, die er erwartungsvoll öffnete, um in den Hof hinauszuspähen. Sein Wagen stand genauso einsam und verlassen auf dem Parkplatz wie er in der Tür. Weit und breit kein Zeichen von Dora.

Wo um alles in der Welt steckte sie? Er ging zurück in seine Wohnung, verglich die Zeit auf seinem Wecker, mit der auf seiner Armbanduhr. Zwei Uhr und eine Minute. Wenn sie in zehn Minuten nicht zu Hause war, beschloss er, würde er eine Vermisstenanzeige aufgeben und sämtliche Kollegen aus den Betten klingeln und sie suchen lassen.

Er starrte auf das Telefon. Erst als er den Hörer in die Hand nahm, merkte er, dass seine Handfläche schweißnass war. Fluchend knallte er den ihn auf die Gabel zurück. Nein, er würde nicht sämtliche Krankenhäuser anrufen. Er würde sich nicht einmal gestatten, in diese Richtung zu denken.

Doch wo, zum Teufel, steckte sie? Was, zum Teufel, konnte sie um zwei Uhr morgens zu tun haben?

Er griff wieder zum Hörer, hielt dann aber inne, als ihm ein neuer Gedanke durch den Kopf schoss. Vielleicht wollte sie sich ja auch nur an ihm rächen, ihm etwas heimzahlen. Mit diesem ungefährlichen, fast schon tröstlichen Gedanken spielte er eine Weile. Hatte sie sich damals auch so gefühlt wie er jetzt, als er so spät nach Hause gekommen war, ohne eine Nachricht zu hinterlassen? Tat sie jetzt das Gleiche, um ihm zu zeigen, wie es ist, wenn man sich in der Stille der Nacht um einen Menschen Sorgen macht, der einem nahe steht?

Damit kam sie nicht durch, beschloss er. Dafür würde sie verdammt nochmal bezahlen. Doch schon wanderte seine Hand wieder zum Telefon. Da hörte er ihren Schlüssel in der Haustür. Er war im Korridor und an der Tür, ehe sie noch aufgeschlossen hatte.

»Wo, zum Teufel, bist du gewesen?«, fuhr er sie an, spuckte ihr seinen Zorn förmlich ins Gesicht. »Weißt du eigentlich, wie spät es ist?«

»Ja.« Betont lässig zog sie die Tür hinter sich zu und sperrte sie ab. »Verzeihung. Mir muss wohl entgangen sein, dass ich Ausgangsverbot habe.«

Sie schlenderte an ihm vorbei, und er war zu verblüfft, um sie aufzuhalten. Doch davon erholte er sich rasch, und an ihrer Wohnungstür holte er sie ein.

»Nur eine verdammte Minute, Conroy. Das Persönliche lassen wir vorerst mal beiseite. Tatsache ist, dass du im Augenblick eine wandelnde Zielscheibe bist und es absolut unverantwortlich von dir war, dich die halbe Nacht herumzutreiben, ohne dass jemand wusste, wo du steckst.«

»Ich bin für mich selbst verantwortlich und niemandem Rechenschaft schuldig.« Sie stieß den Schlüssel ins Schloss und öffnete die Tür. »Und wie du siehst, bin ich völlig unversehrt.«

Jed drückte mit einer Hand gegen die Tür, bevor Dora sie zuwerfen konnte. »Du hattest kein Recht …«

»Erzähl du mir nichts von Rechten«, unterbrach sie ihn kühl und betont ruhig. »Ich habe den Abend so verbracht, wie ich es für richtig hielt.«

Wut und Selbstverachtung hatten sich seiner bemächtigt. »Und wie, wenn ich fragen darf?«

»Allein.« Sie zog den Mantel aus und hängte ihn in den Schrank.

»Das hast du nur getan, um mich zu ärgern, stimmt's?«

»Nein.« Sie ging an ihm vorbei in die Küche, um sich ein Glas Wasser einzuschenken. »Ich habe es getan, weil ich es so wollte. Tut mir Leid, wenn du dir Sorgen gemacht hast. Damit habe ich nicht gerechnet.«

»So, damit hast du also nicht gerechnet,« Wutentbrannt riss er ihr das Glas aus der Hand und warf es ins Spülbecken. Es zersplitterte in tausend Scherben. »Scheiße, Conroy! Du wusstest verdammt gut, dass ich vor Angst die Wände hochgehen würde. Ich war nahe daran, eine VM aufzugeben.«

»Interessant, wie locker dir dieser Polizeijargon über die Lippen kommt. Ich denke, es war eine gute Entscheidung, in deinen Job zurückzukehren. Du gibst nämlich einen lausigen Zivilisten ab. Sind Gratulationen angebracht, Captain, oder nur gute Wünsche?« Da er nichts erwiderte, nickte sie nur. »Gut, du kannst beides haben.«

»Es wird erst nächste Woche offiziell.« Er wählte seine Worte mit Bedacht und ließ sie nicht aus den Augen. Noch nie hatte sie ihn so kalt, so teilnahmslos angesehen. »Wie hast du es herausgefunden?«

»Spielt das eine Rolle? Wichtig ist doch nur, dass ich es nicht von dir erfahren habe, oder? Entschuldige mich.« Sie ließ ihn stehen und marschierte ins Wohnzimmer.

Jed schloss für einen Moment die Augen und nannte sich im Stillen einen Vollidioten. »Du bist also sauer auf mich. Okay. Aber das …«

»Nein«, unterbrach sie ihn. »Es ist nicht okay. Und ich bin auch nicht sauer.« Weil sie müde war, unendlich müde, gab sie nach und ließ sich auf die nächste Stuhllehne fallen. »Man könnte sagen, mir ist ein Licht aufgegangen. Man könnte sogar sagen, ich bin überwältigt, aber sauer, nein, sauer bin ich nicht, Jed.«

Die Resignation in ihrer Stimme traf Jed wie ein Schlag ins Gesicht. »Dora, ich habe es dir nicht verschwiegen, um dich zu kränken.«

»Das weiß ich. Deshalb ist mir ja auch ein Licht aufgegangen. Du hast es mir verschwiegen, weil du meinst, dass es mich nichts angeht. Du wolltest nicht, dass es mich etwas angeht – das ist wahrscheinlich treffender ausgedrückt. Es war eine ganz wichtige Entscheidung in deinem Leben. In deinem Leben«, wiederholte sie mit besonderem Nachdruck, »nicht in meinem. Warum solltest du dir also die Mühe machen, mir davon zu erzählen?«

Sie entglitt ihm. Er stand zwei Schritte von ihr entfernt und spürte, wie der Abstand zwischen ihnen von Sekunde zu Sekunde größer wurde. Und das machte ihm Angst. »Du stellst es so dar, als ob ich es dir verheimlichen wollte. Ich musste mir erst richtig darüber klar werden, das ist alles. Und ich habe angenommen, dass du das nicht verstehen würdest.«

»Du hast mir ja gar nicht die Chance gegeben, Jed«, erwiderte sie ruhig. »Glaubtest du denn, ich hätte dir solche Gefühle entgegenbringen können, ohne zu begreifen, wie viel dir deine Arbeit bedeutet?«

Die Vergangenheitsform, die sie verwendete, versetzte ihn in Panik. »Das hatte nichts mit dir zu tun.« Die Worte waren noch nicht ausgesprochen, da wusste er schon, dass es die falschen waren. Ihre Augen blieben trocken, doch der Schmerz darin war unübersehbar. »So habe ich es nicht gemeint.«

»Doch, hast du schon. Ich wünschte, ich würde es dir nicht verübeln, aber ich tue es. Ich weiß, dass du es nicht leicht hattest, doch du hast immer deine eigenen Entscheidungen getroffen. Du willst meine Gefühle, die ich dir entgegenbringe, nicht annehmen, und du willst keine Gefühle mir gegenüber zulassen. Und das nehme ich dir übel, Jed.«

Ihre Stimme blieb fest und sie erwiderte seinen Blick, doch ihre Hände hielt sie zusammengepresst. »Ich nehme dir das sehr übel, du hast mich damit verletzt. Du bist der erste Mann, der mir so wehgetan hat, und ich bin der Meinung, dass du das ruhig wissen sollst.«

»Um Himmels willen, Dora.« Er machte einen Schritt auf sie zu, doch die Art, wie sie aufsprang und zurückwich, entmutigte ihn.

»Ich möchte nicht, dass du mich jetzt anfasst.« Sie sagte das ganz ruhig. »Nein, wirklich nicht. Es ist verdammt demütigend zu begreifen, dass das alles war, was uns verband.«

»Das ist nicht wahr.« Er ballte die Hände zu Fäusten, wusste jedoch, dass er die Mauer, die sie zwischen ihnen aufgebaut hatte, nicht würde durchbrechen können. »Du machst aus einer Mücke einen Elefanten, Dora. Es ist doch nur ein Job.«

»Schön wär's. Aber wir wissen beide, dass das nicht stimmt. Du hast ihn aufgegeben, um dich zu bestrafen, und du gehst zurück, weil du ohne ihn nicht glücklich bist. Ich freue mich für dich, Jed. Ehrlich.«

»Auf derartige Analysen kann ich verzichten. Es wäre mir sehr recht, wenn du damit jetzt aufhören und endlich vernünftig würdest.«

»Ich bin vernünftig, glaub mir. So vernünftig, dass ich es uns beiden ganz leicht machen werde. Übermorgen solltest du in der Lage sein, die Sache mit dem Gemälde endgültig zu klären. Oder zumindest größtenteils. Danach wirst du mich nicht mehr brauchen.«

»Verdammt nochmal, du weißt genau, dass ich dich brauche.«

Jetzt kamen die Tränen, und sie bekämpfte sie wie erbitterte Feinde. »Du kannst dir nicht vorstellen, was ich dafür gegeben hätte, das früher von dir zu hören. Wenn du mir nur einmal gesagt hättest, dass du mich brauchst. Aber ich bin keine mutige Frau, Jed, und ich muss mich schützen.«

Nein, er konnte die Mauer zwischen ihnen nicht durchbrechen. Er aber spürte ihren Schmerz, der ihn zutiefst berührte. »Was willst du, Dora?«

»Wenn wir am Donnerstag das alles hinter uns gebracht

haben, werde ich den Laden für ein paar Wochen schließen und an einen Ort fliegen, wo es warm ist. Das sollte dir genügend Zeit geben, eine andere Wohnung zu finden und auszuziehen.«

»Das ist nicht der richtige Weg, mit dieser Situation umzugehen.«

»Es ist mein Weg. Und ich glaube, in meinem Haus habe ich das Sagen. Es tut mir Leid, aber ich möchte dich hier nicht mehr sehen, wenn ich zurückkomme.«

»Einfach so?«

»Ja.«

»Gut.« Er hatte auch seinen Stolz. Es war nicht das erste Mal, dass er abgewiesen wurde. Und wenn es ihn diesmal auch sehr schmerzte, so würde er etwas finden, um diesen Schmerz zu verdrängen. Er würde nicht betteln. Verdammt sollte er sein, wenn er das täte. »Ich werde ausziehen, sobald die Sache abgeschlossen ist.« Weil dieser Schmerz in seinem Herzen wehtat, sehr, sehr wehtat, versorgte er die Wunde mit einem professionellen Pflaster. »Morgen Abend nach Ladenschluss wird ein Team von Spezialisten kommen und die Abhöranlage installieren. Anschließend besprechen wir beide den Ablauf.«

»In Ordnung. Ich bin sehr müde und möchte, dass du jetzt gehst.« Sie ging zur Tür, und öffnete sie auffordernd. »Bitte.«

Jetzt erst merkte Jed, dass seine Hände zitterten. Als er die Tür hinter sich ins Schloss fallen hörte, überkam ihn die schreckliche Gewissheit, dass gerade der glücklichste Teil seines Lebens beendet war.

29. Kapitel

»Was ist mit euch beiden?«, erkundigte Brent sich verwundert, als Jed zu ihm in den Überwachungswagen kletterte.

Jed überhörte die Frage und fummelte eine Zigarette aus der Packung. »Wie ist der Ton?«

»Laut und deutlich.« Brent hielt Jed die Kopfhörer hin, doch war er weit davon entfernt, sich so einfach abspeisen zu lassen. »Laut und deutlich genug, um euch beide wie zwei völlig Fremde miteinander reden zu hören. Meinst du nicht, sie hätte statt deinen Anweisungen ein wenig moralische Unterstützung gebraucht?«

»Vergiss es.« Jed setzte sich die Kopfhörer auf und warf einen prüfenden Blick aus dem Rückfenster des Kastenwagens, um sicherzustellen, dass er eine klare Sicht auf den Laden hatte. »Ist jeder auf seinem Platz?«

»Wir sind bereit«, versicherte ihm Brent. »Aber vielleicht fühlst du dich besser, wenn du dich im Haus aufhältst.«

»Für sie wird es angenehmer sein, wenn ich hier bin. Hör zu, ich kümmere mich um meinen Teil und du um den deinen.«

»Noch bist du nicht am Ball, Captain.« Der scharfe Ton in Brents Stimme brachte Jeds Blut augenblicklich zum Sieden. Doch ehe er ihm noch eine passende Antwort ins Gesicht schleudern konnte, meldete sich der Lautsprecher mit einem schrillen Pfeifen.

»Hier Wagen eins. Ein Mann, auf den die Beschreibung passt, stieg soeben an der Ecke South und Front Street aus einem Taxi und geht jetzt in westliche Richtung.«

»Sieht so aus, als ob die Show beginnt«, murmelte Brent, doch Jed griff bereits nach dem Funktelefon. Dora antwortete nach dem ersten Klingeln. »Doras Antiquitäten- und Trödelladen, guten Tag.«

»Er kommt, ist noch einen halben Block entfernt«, meldete Jed. »Ich habe ihn schon im Blickfeld.«

»Gut. Hier ist so weit alles bereit.«

»Bleib ganz locker, Dora.«

»Klar.«

»Und, Dora …« Aber sie hatte bereits die Verbindung unterbrochen. »Scheiße.« Der Fluch kam leise, klang hilflos.

»Sie kriegt das schon hin, Jed.«

»Ja. Aber bei mir bin ich da nicht so sicher.« Er beobachtete, wie Winesap mit hochgezogenen Schultern den Gehsteig entlangeilte. »Ich weiß jetzt, dass ich mich in sie verliebt habe.« Er ignorierte das Pochen in seinem Hinterkopf, setzte sich die Kopfhörer wieder auf und hörte gerade noch die Türglocke läuten, als Winesap den Laden betrat.

»Guten Tag.« Dora kam hinter dem Ladentisch hervor, das freundlich professionelle Begrüßungslächeln auf den Lippen, das sie jedem neuen Kunden entgegenbrachte. »Kann ich Ihnen behilflich sein?«

»Miss Conroy? Ich bin Francis Petroy.«

Sie ließ ihr Lächeln noch etwas breiter werden. »Ja, Mr. Petroy. Ich habe Sie bereits erwartet.« Sie ging zur Tür und schloss ab. »Ich freue mich, dass Sie kommen konnten. Darf ich Ihnen eine Tasse Kaffee anbieten? Oder Tee?«

»Ich möchte Ihnen keine Umstände machen.«

»Aber nicht doch. Ich halte für meine Kunden stets eine Erfrischung bereit. Die Geschäfte gestalten sich so sehr viel angenehmer.«

»Ja, dann nehme ich gerne eine Tasse Tee.« Tee würde seinem Magen vielleicht besser bekommen als das Alka-Seltzer, das er vor einer Stunde eingenommen hatte. »Ihr Laden ist sehr eindrucksvoll.«

»Vielen Dank.« Ihre Hand, die nach der Teekanne griff, war vollkommen ruhig. »Ich umgebe mich gerne mit schönen Dingen, was Sie gewiss verstehen.«

»Verzeihung?«

»Nun, als Kunstsammler.« Sie servierte ihm den Tee mit einem strahlenden Lächeln. »Sahne? Zitrone?«

»Nein, nein. Nichts, danke.«

»Sie erwähnten, dass Sie sich auf abstrakte Malerei spezialisiert haben, aber vielleicht finden Sie auch an einigen meiner nostalgischen Drucke Gefallen.« Sie deutete auf ein altes Reklameposter der Firma Bugatti, das neben einer Vargas-Schönheit hing.

»Ja, äh, sehr hübsch. Wirklich sehr hübsch.«

»Ich habe auch ein paar sehr schöne Vanity-Fair-Karikaturen nebenan.« Sie nippte an ihrem Tee, während sie ihn beobachtete. »Aber als Liebhaber abstrakter Malerei sind Sie wahrscheinlich eher an einem, sagen wir … einem Bothby oder einem Klippingdale interessiert.« Die Namen hatte sie sich gerade ausgedacht.

»Ja, natürlich. Ganz außergewöhnliche Talente.« Der Tee brannte wie Essig in Winesaps Magen. Er hatte sich wirklich allergrößte Mühe gegeben, den Stapel Bücher über abstrakte Malerei sorgfältigst zu studieren, aber jetzt purzelten die vielen Namen und Bilder durch seinen Kopf. »Meine Sammlung ist nicht sehr umfangreich, müssen Sie wissen. Deshalb richte ich mein Augenmerk hauptsächlich auf junge Künstler, die noch am Beginn ihrer Laufbahn stehen.«

»Wie Billingsly.«

»Genau«, bestätigte er mit einem erleichterten Seufzer. »Ich bin schon sehr gespannt auf das Gemälde, Miss Conroy.«

»Nun, dann will ich Sie nicht länger auf die Folter spannen.« Sie ging ihm voraus in den Nebenraum. Jeds Malerfreundin hatte einige Nächte damit verbracht, das fragliche Gemälde nachzumalen. Jetzt prangte es, wie ein frivoler Exhibitionist, zwischen den Porträts zugeknöpfter viktorianischer Damen.

»Ah.« Das Gefühl der Erleichterung war so überwältigend, dass Winesap beinahe die Tränen kamen. Es war scheußlich, absolut scheußlich, doch es entsprach genau der Beschreibung.

»Dieser lässige, beinahe arrogante Stil«, bemerkte Dora, »hat mich sofort für den Künstler eingenommen.«

»Ja, ja, gewiss. Es ist genau das, was ich mir erhofft hatte.« Er studierte angelegentlich die einzelnen Pinselstriche.

»Ja, dieses Gemälde würde ich nur zu gerne meiner Sammlung hinzufügen.«

»Ich bin sicher, dass sich das arrangieren lässt.« Sie ließ einen amüsierten Unterton in ihre Stimme einfließen. »Haben Sie bereits über ein Angebot nachgedacht, Mr. Petroy?«

»Selbstverständlich«, erwiderte er und versuchte dabei professionell zu klingen. »Aber ich würde es vorziehen, wenn Sie die Verhandlungsbasis festsetzten.«

»Mit Vergnügen.« Dora ließ sich in einem voluminösen Ohrensessel nieder und schlug elegant die Beine übereinander. »Beginnen wir doch bei zweihundertfünfzigtausend.«

Winesap blieb der Mund offen stehen. Aus den Tiefen seiner Kehle löste sich ein erstickter Laut, ehe es ihm gelang, seiner Stimme wieder Herr zu werden. »Miss Conroy. Miss Conroy, das kann doch nicht Ihr Ernst sein!«

»Aber gewiss doch. Mir scheint, Mr. Petroy, Sie brauchen einen Stuhl.« Sie wies mit einer einladenden Handbewegung auf einen zierlichen Hocker. »So, und jetzt lassen Sie uns mal ganz offen miteinander sprechen«, begann sie und wartete, bis er auf den Hocker gesunken war. »Sie sind nicht all zu bewandert, was bildende Kunst betrifft, nicht wahr?«

»Nun, ja.« Er zupfte an seiner Krawatte, die ihn zu ersticken drohte. »Wie ich schon sagte, ich besitze nur eine sehr kleine Sammlung.«

»Aber Sie haben gelogen, Mr. Petroy«, gab sie sanft zurück. »Sie haben nicht die geringste Ahnung von abstrakter Malerei. Wäre es daher nicht zeitsparender, und auch fairer, wenn wir beide zugeben, dass wir – im Augenblick – eher an Impressionisten als an Expressionisten interessiert sind?«

Zunächst konnte er ihr nicht folgen. Doch dann wich auch der letzte Rest Farbe aus seinem teigigen Gesicht. »Sie wissen über das Bild Bescheid.«

»Ich habe es schließlich gekauft, oder?«

»Ja, aber … das war ein Versehen.« Seine unruhigen Augen wurden zusehends größer. »Oder etwa nicht? Wussten Sie – wussten Sie von Anfang an über den Monet Bescheid?

Haben Sie mit DiCarlo zusammengearbeitet? Sie – Sie haben ein falsches Spiel gespielt«, warf er ihr vor. Ihm war hundeelend.

Dora gönnte ihm nur ein Schmunzeln und beugte sich vor. »Sie brauchen gar nicht so betroffen zu tun. Schließlich haben Sie DiCarlo doch hierher geschickt, nicht wahr?«

»Es war seine Schuld.« Verzweifelt warf Winesap die Hände in die Höhe. »Diese ganze Verwirrung ist allein seine Schuld. Ich weiß gar nicht, warum mir sein Tod so Leid getan hat.«

Die Polizeifotos standen Dora auf einmal wieder in ihrer ganzen Scheußlichkeit vor Augen. »Also haben Sie ihn umgebracht«, murmelte sie. »Deswegen.«

Aber Winesap hörte ihr gar nicht zu. »Und jetzt bleibt es wieder an mir hängen, die ganze Misere ins Lot zu bringen. Über die zweihundertfünfzigtausend bin ich gar nicht glücklich, Miss Conroy, ganz und gar nicht.«

Er stand auf. Als er nach seinem Mantel greifen wollte, stürmten zwei Polizeibeamte durch die hintere Tür.

»Keine Bewegung!«

Mit starrem Blick fixierte Winesap die zwei auf ihn gerichteten Pistolenläufe und sank dann ohnmächtig zu Boden. Das Scheckbuch, das ihm dabei aus der Hand fiel, blieb aufgeschlagen neben ihm liegen.

»Er wollte dafür bezahlen«, flüsterte Dora benommen. Wie durch einen Nebel sah sie zu, wie zwei Polizisten den stammelnden Winesap in Handschellen abführten. »Er war dabei, mir einen Scheck auszuschreiben.« Sie ließ ein leicht hysterisches Lachen hören. »Heilige Maria, ich frage mich, ob ich den Mut aufgebracht hätte, ihn um die Nummer seiner ID-Karte zu bitten.«

»Hier.« Jed schob ihr eine Tasse zwischen die Hände.

»Was ist das?«

»Dein Tee mit einem Schuss Brandy.«

»Gute Idee.« Sie stürzte den Inhalt hinunter, als sei es Wasser. Die Wärme und der Brandy taten ihrem nervösen Magen gut. »Ich schätze, ihr habt alles, was ihr braucht.«

»Oh, ja. Eine ganze Menge.« Er wollte ihr Haar berühren, fürchtete aber, sie würde ihm ausweichen. »Du hast dich wacker geschlagen, Nancy.«

»Ja, habe ich.« Sie hob jetzt erstmals den Blick, zwang sich, dem seinen zu begegnen. »In dieser Sache haben wir eigentlich gar kein so schlechtes Team abgegeben, finde ich.«

Er starrte eine lange Weile auf sie herab. »Das Ganze hat dich arg mitgenommen.«

»Ich bin aus ziemlich hartem Holz geschnitzt, Skimmerhorn. Die Conroys wirft so leicht nichts um.«

»Sie waren großartig.« Brent kam mit großen Schritten auf Dora zu, zog sie an den Ellbogen aus dem Sessel, hob sie hoch und drückte ihr einen innigen Kuss auf die Wange. »Astreine Arbeit, Dora. Wenn Sie bei uns anfangen wollen, meine Empfehlung haben Sie.«

»Vielen Dank. Aber ich denke, ich werde mein Vergrößerungsglas und meinen Umhang einmotten.«

»Wie war das?«

»Nancy Drew«, murmelte Jed und spürte, wie sein Herz schmerzte. »Ich begleite Brent zum Verhör. Bist du so weit in Ordnung?«

»Absolut in Ordnung. Genau genommen geht es mir fantastisch.« Sie setzte ein sonniges Lächeln auf, ließ sich aber vorsichtshalber wieder auf der Armlehne nieder. »Ich kann immer noch nicht glauben, dass dieses erbärmliche kleine Männchen all das in die Wege geleitet und DiCarlo umgebracht hat.«

Brent machte den Mund auf, klappte ihn aber auf den warnenden Blick von Jed hin sofort wieder zu. »Wir haben genug auf dem Tonband, um ihm auch noch den Rest der Geschichte aus der Nase zu ziehen.« Da er nicht wusste, wohin mit seinen Händen, vergrub er sie in den Jackentaschen. »Bist du ganz sicher, dass du in Ordnung bist?«

»Habe ich doch schon gesagt. Jetzt geh und tu deine Pflicht als Cop.« Sie unterlegte ihre Worte mit einem Lächeln. »Das steht dir gut«, meinte sie und strich sich das

Haar zurück. »Es wäre nett, wenn du mich kurz anrufst und mir erzählst, was die Verhöre ergeben haben.«

»Sie werden einen ausführlichen Bericht erhalten«, versprach ihr Brent.

»Morgen früh.« Etwas gefasster erhob sie sich wieder. »Ich gehe jetzt nach oben und werde zwölf Stunden durchschlafen. Wenn ihr hier so weit fertig seid, schließe ich gleich hinter euch ab.«

Sie brachte die beiden zur Tür. Jed blieb neben ihr stehen, drehte sich zu ihr um und legte seine Hand auf ihre, als sie den Türknopf umdrehen wollte. Er konnte nicht anders. »Ich möchte mich morgen kurz mit dir unterhalten, wenn du dich dazu in der Lage fühlst.«

Sie war knapp davor nachzugeben. Sehr knapp davor. In seinen Augen las sie den gleichen Schmerz, den sie in ihrem Herzen fühlte. Aber ein schnelles Ende ist ein sauberes Ende, überlegte sie. »Mein Zeitplan ist ein bisschen knapp, Jed. Ich fliege morgen mit der ersten Maschine nach Aruba. Und ich muss noch packen.«

Weder ihre Stimme noch ihre Miene ließen das leiseste Anzeichen eines Entgegenkommens erkennen. »Du machst wirklich Nägel mit Köpfen.«

»Es scheint mir so am besten zu sein. Ich werde dir eine Postkarte schicken.« Um ihre Worte etwas abzuschwächen, drückte sie kurz seine Hand. »Mach ihnen die Hölle heiß, Captain.«

Sie zog schnell die Tür zu und sperrte ab.

»Warum hast du ihr denn nicht gesagt, dass wir die Kollegen in Los Angeles auf Finley angesetzt haben?«, wollte Brent wissen, als er mit Jed draußen auf dem Gehsteig stand.

Jeds ganzer Körper schmerzte, als ob ihn jemand gnadenlos und ganz methodisch mit Fäusten bearbeitet hätte. »Glaubst du, das hätte ihr zu einem ruhigeren Schlaf verholfen?«

»Nein«, murmelte Brent. »Wahrscheinlich nicht.«

Dora redete sich ein, jetzt schlafen zu müssen. Seit über einer Woche hatte sie Schlafprobleme. Sie zog die Jalousie an der Ladentür herunter und nahm noch einmal alle Kraft zusammen, um das Tablett mit den Tee- und Kaffeetassen wegzuräumen. Wenn sie erst einmal in Aruba war, würde sie nichts anderes tun als schlafen. Im Bett, am Strand, im Meer. Sie würde sich diese quälenden Depressionen von der karibischen Sonne aus dem Leib und aus dem Kopf brennen lassen, diesem behäbigen Winter-Blues den Garaus machen und sonnengebräunt und energiegeladen zurückkommen.

Sie stellte das Tablett auf ihrem Schreibtisch ab, um die Tür zum Lager abzusperren und die Alarmanlage einzuschalten, ehe sie nach oben in ihre Wohnung ging.

Es geschah eher aus Gewohnheit denn aus Ordnungsliebe, dass sie das Tablett hinauf in die Küche trug, um die Tassen dort abzuspülen. Und als sie sich vom Spülbecken abwandte, stand Finley vor ihr.

Er lächelte und ergriff ihre Hand. »Ich habe Sie und Ihr gastfreundliches Angebot beim Wort genommen, Isadora. Und ich möchte Ihnen sagen, dass Sie wirklich ein reizendes Zuhause haben.«

»Ich glaube, ich sollte ohne einen Anwalt keinerlei Aussage machen.« Winesap kaute an seinen Nägeln herum, während er Jed und Brent mit unstetem Blick ansah. »Nein, das sollte ich wirklich nicht.«

»Ganz wie Sie wünschen«, meinte Brent achselzuckend und setzte sich rittlings auf einen Stuhl. »Wir haben viel Zeit. Möchten Sie einen Anwalt Ihrer Wahl anrufen, oder sollen wir Ihnen einen Pflichtverteidiger besorgen?«

»Einen Pflichtverteidiger?« Dieses Angebot verletzte Winesap derart in seinem Stolz, dass er sich kerzengerade hinsetzte. »Oh, nein, ich kann mir einen eigenen Rechtsbeistand leisten. Ich habe eine sehr gute Position.« Aber sein Anwalt war in Los Angeles, überlegte er. »Wenn Sie mir freundlicherweise noch einmal erklären möchten, weshalb ich eigentlich hier bin, könnten wir uns möglicherweise die Mühe mit einem Anwalt ersparen.«

»Sie befinden sich hier, weil Sie des Diebstahls, des Schmuggels, der Anstiftung zum Mord an einem Polizisten und des Mordes verdächtigt werden.«

»Das ist doch absurd.« Winesap, dessen Stolz sich zusehends verflüchtigte, sackte wieder in seinem Stuhl zusammen. »Ich weiß gar nicht, wie Sie auf diese lächerliche Idee kommen.«

»Vielleicht möchten Sie die Tonbandaufzeichnung von Ihrer Unterhaltung mit Miss Conroy hören?«, schlug Jed vor und war schon auf dem Weg zum Kassettenrekorder.

»Das war eine rein geschäftliche Unterredung.« Winesap versuchte die Angst in seiner Stimme zu verbergen. Doch als Jed den Rekorder anschaltete, war ihm schon nach wenigen Minuten mit beschämender Deutlichkeit klar, dass er keineswegs sorgfältig gearbeitet und sich zudem noch bemerkenswert dumm angestellt hatte.

Während Winesaps Gehirn auf Hochtouren arbeitete, saugte er nervös an seinen Fingerknöcheln. Er hatte nicht die Absicht, ins Gefängnis zu gehen. Nein, keineswegs. Winesap dachte an Finley und wusste, dass dieser die Bestrafung eines seiner Angestellten noch viel weniger gutheißen würde.

»Vielleicht können wir uns irgendwie arrangieren. Könnte ich bitte ein Glas Wasser haben?«

»Sicher.« Hilfsbereit reichte ihm Brent einen gefüllten Pappbecher.

»Vielen Dank.« Winesap trank in kleinen Schlucken und überdachte seine Forderungen. »Ich glaube, ich beantrage strafrechtliche Immunität und Aufnahme in das Zeugenschutzprogramm. Ich glaube, das würde mir sehr gut passen.«

»Ich glaube, es würde mir sehr gut passen, Sie für die nächsten fünfzig Jahre in einer Zelle verschimmeln zu sehen«, erwiderte Jed aufgeräumt.

»Captain.« Brent wollte ein klassisches Verhör durchführen. »Geben wir dem Burschen eine Chance. Vielleicht hat er uns ja etwas Interessantes anzubieten.«

»Das kann ich Ihnen versprechen. Wenn Sie mir versichern, dass meine Zusammenarbeit entsprechend honoriert wird, werde ich Ihnen alle nötigen Beweise liefern, damit Ihnen ein ganz dicker Fisch ins Netzt geht.« Die Loyalität, die acht lange Jahre wie eine Kette um seinen Hals gelegen hatte, fiel von ihm ab wie ein welkes Blatt vom Baum. »Ein ganz dicker Fisch«, wiederholte er.

Jed nickte Brent kaum merklich zu, als ihre Blicke sich trafen. »Ich werde den Staatsanwalt verständigen.«

»Warum setzen wir uns nicht?« Finley lockerte den Griff seiner Hand um Doras Arm nicht, als er sie ins Wohnzimmer zerrte. »Und unterhalten uns ein bisschen?

»Wie sind Sie hereingekommen?«

»Heute Abend ging es hier sehr hektisch zu, nicht wahr?« Lächelnd schubste er sie in einen Sessel. »Ich war mir keineswegs sicher, ob Abel – Mr. Winesap – in der Lage sein würde, diese Angelegenheit alleine und zu meiner Zufriedenheit zu regeln. Deshalb kam ich vorsichtshalber als stiller Beobachter mit. Und das war auch gut so.«

Finley ließ sich in dem Sessel neben ihr nieder und faltete entspannt die Hände im Schoß. Als er sah, wie Doras Blick verstohlen zur Tür wanderte, schüttelte er den Kopf. »Unternehmen Sie bitte keine Fluchtversuche, Isadora. Ich bin sehr stark und ausgesprochen fit. Und ich verabscheue es, auf körperliche Gewalt zurückgreifen zu müssen.«

Sie würde es ebenfalls verabscheuen. Besonders da sie wusste, dass sie bei ihm keinen Treffer würde landen können. Am besten war es, die Zeit für sich arbeiten zu lassen und auf Hilfe zu warten. »Sie waren es, der DiCarlo geschickt hat.«

»Das ist eine lange, traurige Geschichte. Aber da ich mich in Ihrer Gesellschaft so wohl fühle, sollen Sie sie erfahren.« Er lehnte sich bequem zurück und begann zu erzählen. Von den sorgfältig geplanten Diebstählen in verschiedenen Ländern; dem Netzwerk von Vertrauensleuten und den finanziellen Mitteln, die erforderlich waren, um ein Unternehmen in dieser Größenordnung erfolgreich zu führen – legal und illegal. Als er dann auf DiCarlos Rolle zu sprechen kam, legte er eine Pause ein und seufzte geziert.

»Aber das brauche ich ja nicht noch einmal vor Ihnen auszubreiten, nicht wahr, meine Teuerste? Sie sind eine hervorragende Schauspielerin. Man muss sich wirklich fragen, weshalb Sie diesen Beruf aufgegeben haben. Mir ist sehr bald nach Ihrem Besuch klar geworden, dass Sie und DiCarlo gemeinsame Sache gemacht haben.«

Dora war einen Augenblick lang so verblüfft, dass sie zunächst keine Worte fand. »Sie glauben, DiCarlo und ich waren Partner?«

»Ich bin sicher, Sie fanden in ihm auch einen adäquaten Liebhaber.« Ernsthaft enttäuscht von ihr, zupfte Finley an seinen Manschetten. »Und ich kann mir sehr genau vorstellen, wie sie ihn dazu überredet haben, mich zu hintergehen. Traurig, traurig«, fügte Finley betrübt hinzu. »Der Mann hatte Potential.«

»Was ich Ihnen in Ihrem Büro erzählt habe, war die reine Wahrheit. Er ist hier in meine Wohnung eingebrochen und hat mich angegriffen.«

Seine Augen unter den gesenkten Wimpern starrten sie ausdruckslos an. »Haben Sie einen anderen, fantasievolleren Mann gefunden, Isadora, einen, den Sie leichter manipulieren konnten und der dem armen DiCarlo derart zusetzte, dass dieser es wagte, sich mit fadenscheinigen Ausflüchten bei mir herauszureden, weshalb er mir mein Eigentum nicht zurückgeben konnte?«

»Das Gemälde war nicht Ihr Eigentum. Sie haben es gestohlen. Und ich hatte niemals etwas mit DiCarlo zu schaffen.«

»Und als er zurückkam«, spann Finley den Faden weiter, als habe er ihren Einwand nicht gehört, »wurden Sie unsicher und beschlossen, mich lieber persönlich auszuhorchen. Oh, und clever haben Sie das angestellt. Wie entzückend und ängstlich Sie sich gaben. Ich habe Ihnen beinahe geglaubt. Nur ein klitzekleiner Zweifel blieb, der sich, nach den Ereignissen heute Nachmittag, leider als nur allzu berechtigt herausstellte. Ich bin sehr enttäuscht, dass Sie sich an die Polizei gewandt haben, Isadora. Nur wegen eines lächerlichen Finderlohns.« Er erhob anklagend den Zeigefinger. »Ich hätte mehr von Ihnen erwartet. Wegen Ihnen habe ich zwei meiner besten Leute verloren und ein Gemälde, auf das ich mich sehr gefreut hatte. Nun, wie bringen wir das wieder in Ordnung?«

Viel zu verängstigt, um still sitzen zu bleiben, sprang Dora auf. »Ihr Mr. Winesap wird im Augenblick von der Polizei verhört. Und er wird ihnen alles erzählen, was er weiß.«

»Glauben Sie, dass er das wagt?« Finley dachte einen Moment darüber nach, zuckte aber dann betont lässig die Schultern. »Möglich, ja. Aber das soll Sie nicht beunruhigen. Mr. Winesap wird ohnehin in Kürze einem tragischen Unfall zum Opfer fallen. Ich möchte mich viel lieber mit Ihnen über mein Gemälde unterhalten und erfahren, wie es Ihrer Meinung nach in meinen Besitz gelangen kann.«

»Das wird es nicht.«

»Aber gewiss doch. Da Sie der Polizei so behilflich waren, hat man Ihnen sicher gesagt, wo es aufbewahrt wird.«

Dora antwortete nicht, denn sie hatte vergessen, danach zu fragen.

»Dachte ich es mir doch.« Finley erhob sich mit einem befriedigten Lächeln. »Sagen Sie mir einfach, wo das Bild ist, Isadora, und überlassen Sie alles Weitere getrost mir.«

»Ich weiß nicht, wo es ist.«

»Bitte, lügen Sie mich nicht an.« Er griff in die Innentasche seiner Jacke und zog eine auf Hochglanz polierte Luger heraus. »Ein Prachtexemplar, nicht wahr?«, meinte er stolz, als Doras Augen sich an der Waffe festsaugten. »Ein deutsches Fabrikat, das im Zweiten Weltkrieg verwendet wurde. Ich kann mir gut vorstellen, wie irgendein Nazi-Offizier einige Menschen damit getötet hat. Nun, Isadora, wo ist mein Bild?«

Sie starrte ihn hilflos an. »Ich weiß es nicht.«

Die Wucht der Kugel schleuderte sie rückwärts gegen die Wand. Und obwohl sie den sengenden Schmerz in ihrer Schulter spürte, konnte sie nicht glauben, dass er auf sie geschossen hatte. Wie in Trance betastete sie die Stelle, wo der Schmerz am intensivsten war, und starrte auf ihre blutverschmierten Finger. Dann gaben ihre Beine nach, und sie rutschte langsam an der Wand zu Boden.

»Ich glaube wirklich, Sie sollten mir jetzt sagen, wo es ist.« Entschlossen baute sich Finley vor Dora auf, die hilflos vor ihm lag. »Sie verlieren sehr viel Blut.« Er ging vor ihr in die Hocke, wobei er darauf achtete, seinen Anzug nicht zu beschmutzen. »Ich möchte Ihnen nicht unnötig Qualen bereiten. Bei DiCarlo dauerte es Stunden, bis er meinen Schüssen schließlich erlag. Diese Leiden möchte ich Ihnen gern ersparen.« Als Dora nur ein schwaches Wimmern von sich gab, wandte er sich seufzend ab. »Na gut, ich gebe Ihnen noch ein wenig Zeit, sich zu sammeln.«

Während Dora blutend auf dem Boden lag, machte sich Finley daran, ihre Kunstschätze zu betrachten.

»Und wie die kleine Ratte gesungen hat.« Brent hätte am liebsten selbst ein fröhliches Lied angestimmt, als er den Wagen durch den abendlichen Verkehr Richtung South Street steuerte.

»Ich mache nicht gerne Geschäfte mit diesen Ratten«, brummte Jed verächtlich.

»Auch nicht für einen so dicken fetten Fisch wie Finley?«

»Auch für den nicht.« Er warf einen Blick auf seine Armbanduhr. »Mir geht es erst besser, wenn ich weiß, dass die Kollegen in L.A. ihn dingfest gemacht haben.«

»Keine Sorge, mein Freund, der Haftbefehl ist bereits ausgestellt. Finley wird heute Nacht nicht in seinem eigenen Bett schlafen.«

Dieser Gedanke hatte etwas Tröstliches. Doch Jed wäre glücklicher gewesen, wenn er den Mann selbst hätte stellen können. »Du hättest nicht den weiten Umweg machen müssen, Brent. Ich hätte mir ebenso gut ein Taxi nehmen können.«

»Für meinen Captain ist mir kein Weg zu weit. Nicht heute Abend. Und wenn ich du wäre, würde ich nicht bis morgen früh warten, um einer gewissen hinreißenden Brünetten die frohe Kunde zu überbringen.«

»Sie muss jetzt erst einmal ausschlafen.«

»Ich glaube, sie braucht in ersten Linie ihren Seelenfrieden.«

»Davon sollte sie in Aruba mehr als genug bekommen.«

»Was war das?«

»Nichts.« Jed sah grimmig durch sein Seitenfenster in den Schneeregen hinaus, der gerade einsetzte, als sie in die South Street einbogen.

»Also dann.« Mit einem zufriedenen Lächeln nahm Finley wieder Platz, als er sah, dass Dora die Kraft aufgebracht hatte, sich aufrecht an die Wand zu setzen. Das Blut, das anfangs in Strömen aus ihrer Schulterwunde geflossen war, gerann allmählich zu einem träge tropfenden Rinnsal. »Zurück zu dem Gemälde.«

Ihre Zähne schlugen aneinander. Ihr war noch nie so kalt gewesen, so ungeheuer kalt. Während ihr Arm und ihre Schulter wie Feuer brannten, fehlte ihrem übrigen Körper jegliche Wärme. Sie versuchte zu sprechen, doch die Worte blieben ihr im Hals stecken. Dann stammelte sie: »Die Polizei … die Polizei hat es mitgenommen.«

»Das weiß ich bereits.« Seine Stimme klang jetzt ärgerlich. »Ich bin kein Idiot, Isadora, wie Sie sicherlich bereits festgestellt haben. Das Gemälde mag ja bei der Polizei sein, aber ich will es trotzdem zurückhaben. Schließlich habe ich dafür bezahlt.«

»Sie haben es mitgenommen.« Vor ihren Augen verschwamm alles, ihr fehlte jegliche Kraft. »In Großmutters Haus«, sie hatte große Mühe zu sprechen. »Und wieder abgeholt … mehr weiß ich nicht.«

»Wie ich sehe, bedarf es noch eines letzten Ansporns.« Er legte die Luger beiseite und lockerte seine Krawatte. Benommen beobachtete Dora, wie er seine Jacke auszog. Und als er sich an der goldenen Schnalle seines Gürtels zu schaffen machte, spürte sie große Angst in sich aufsteigen.

»Rühren Sie mich nicht an!« Sie versuchte wegzukriechen, doch um sie herum begann sich alles zu drehen. Betäubt sank sie zu Boden. »Bitte.«

»Nein, nein. Im Gegensatz zu DiCarlo habe ich nicht vor, mich Ihnen gewaltsam zu nähern. Doch ein paar Schläge mit diesem Ledergürtel werden gewiss helfen, Ihre Zunge zu lösen. Sie mögen es vielleicht nicht glauben, aber es macht mir in der Tat einen Höllenspaß, Menschen zu züchtigen.« Er wickelte das eine Ende des Gürtels um seine Hand, ließ das andere Ende, an dem die Schnalle befestigt war herunterbaumeln, um seinen Schlägen mehr Kraft zu verleihen. »Nun, Isadora, wo ist es?«

Sie sah, wie er nach der Luger griff und gleichzeitig die Hand mit dem Gürtel in die Höhe riss. Dora konnte nur noch entsetzt die Augen schließen.

»Du kannst mich an der Straße herauslassen«, sagte Jed.
»Kommt nicht in Frage. Tür-zu-Tür-Service. Wenn schon, denn schon.« Er bog mit rasantem Schwung in den Parkplatz ein, dass die Kiesel nur so auseinander stoben. »Wenn du ein Herz hättest, würdest du mich auf ein Bier nach oben bitten.«

»Ich habe kein Herz.« Jed stieß die Tür auf und drehte sich zu Brent um, der ihn herausfordernd angrinste.« Aber komm trotzdem mit rauf.« Ein paar Biere mit Brent würden ihm wenigstens die langen Stunden bis zum Morgen verkürzen, die er sonst alleine hätte verbringen müssen.

»Du hast nicht zufällig eine Flasche von diesem köstlichen Importbier im Kühlschrank?«, erkundigte sich Brent und legte Jed freundschaftlich den Arm um die Schulter, als sie auf die Treppe zugingen. »Ein Corona vielleicht? Mir wäre jetzt …«

Als sie den dünnen Schrei hörten, rissen sie gleichzeitig ihre Waffen aus dem Holster. Mit einem Satz waren sie im Haus. Die langen Jahre gemeinsamer Einsätze hatten sie zu einem eingespielten Team zusammengeschweißt. Kaum hatte Jed Doras Tür mit einem gezielten Fußtritt geöffnet, stürzten sie auch schon beide ins Zimmer, Jed aufrecht, Brent in gebückter Haltung.

Nur ein winziges, irritiertes Zucken huschte über Finleys Gesicht, als er herumwirbelte. Die beiden Männer schossen gleichzeitig. Zwei Geschosse trafen Finley in Herzhöhe.

»Mein Gott, o mein Gott.« Er spürte Panik in sich aufsteigen, als Jed auf Dora zustürzte. Immer wieder murmelte er ihren Namen, während er ihre Bluse in Stücke riss, um damit die Blutung an der Schulter zu stoppen. »Halt durch, Liebling. Nicht aufgeben.«

So viel Blut, dachte er verzweifelt. Viel zu viel Blut. Und weil es bereits geronnen war, wusste er, dass schon sehr viel Zeit vergangen war. Als er in ihr stilles, leichenblasses Gesicht blickte, glaubte er einen schrecklichen Moment lang, sie sei tot. Doch sie zitterte. Jed zog seine Jacke aus, um sie damit zuzudecken.

»Alles wird wieder gut. Dora, Liebes, kannst du mich hören?«

Ihre weit aufgerissenen Augen starrten ins Leere.

»Nimm das.« Brent drückte Jed ein Handtuch in die zitternden Hände und faltete ein zweites zusammen, um es Dora unter den Kopf zu schieben. »Der Krankenwagen ist unterwegs.« Sein Blick streifte den leblosen Körper, der ausgestreckt auf dem Teppich lag. »Er ist tot.«

»Dora, hör mir zu. Verdammt, hör mir zu.« Jed arbeitete schnell und routiniert, während er pausenlos auf sie einsprach. Er stillte mit dem Handtuch die blutende Schulterwunde und machte aus dem Rest ihrer Bluse einem provisorischen Verband. »Bleib wach. Ich will, dass du wach bleibst.« Dann konnte er nicht mehr für sie tun, als sie an sich zu drücken und in den Armen zu wiegen. »Bitte. Bleib bei mir. Ich brauche dich. Verlass mich nicht.«

Er spürte wie ihre Hand ganz leicht über seine Wange strich. Als er auf ihr Gesicht herabsah, öffneten sich ihre zitternden Lippen. »Bitte … erzähl meinen Eltern nichts«, wisperte sie kaum hörbar. »Sie sollen sich nicht beunruhigen.«

30. Kapitel

Er hätte auch geweint, wenn es etwas geholfen hätte. Alles andere hatte er bereits versucht. Er hatte geflucht, gebetet, war im Flur auf und ab gegangen. Jetzt konnte er nur noch dasitzen, und warten. Die Conroys warteten mit ihm. Jed fragte sich, ob Dora wohl wußte, wie stark ihre Familie war. Er bezweifelte es. Es hatte natürlich Tränen gegeben, sie hatten maßlose Angst, aber sie nahmen sich zusammen, bildeten eine enge Gemeinschaft, die gemeinsam im Warteraum die Minuten zählte, während Dora auf dem Operationstisch lag.

Jed hatte Vorwürfe erwartet, doch sie waren ausgeblieben. Er hätte die Schuld auf sich genommen. Nicht einmal in dem Moment waren anklagende Worte gefallen, als er zugeben musste, sie alleine gelassen zu haben, ohne Schutz und Hilfe.

Und er wünschte bei Gott, sie hätten etwas gesagt.

Stattdessen hatte John für alle Kaffee geholt, Lea war zum Haupteingang des Krankenhauses gegangen, um dort auf Will zu warten, der von New York angereist kam, und Trixie und Quentin hatten nebeneinander auf der Besuchercouch gesessen und sich an den Händen gehalten.

Nachdem eine weitere Stunde vergangen war, flüsterte Trixie ihrem Mann etwas zu. Auf sein zustimmendes Nicken hin erhob sie sich und setzte sich neben Jed.

»Sie war schon immer ein tapferes kleines Mädchen«, begann sie. »Wie oft hat sie sich in der Schule geprügelt – nun, sie hat den Streit nicht direkt gesucht, aber wenn sie in eine Prügelei verwickelt war, ist sie anschließend stets mit stolz erhobenem Haupt davonmarschiert. Es hat mich immer wieder verblüfft, dass sie laut schrie, wenn sie hingefallen und sich das Knie angeschlagen hatte. Kam sie aber mit einer aufgeplatzten Lippe oder einem blauen

Auge nach Hause, hörte man keinen Laut von ihr. Eine Sache des Stolzes, nehme ich an.«

»Das war nicht ihr Kampf. Es war nicht ihre Sache, ihn auszufechten«, sagte Jed.

»Das sieht sie vielleicht anders. Aber machen Sie sich darauf gefasst, dass sie verwöhnt werden will. Sie war nicht oft krank, aber wenn …« Trixies Stimme ließ sie kurzzeitig im Stich. »Aber wenn sie einmal krank war, erwartete sie ganz selbstverständlich die ungeteilte Aufmerksamkeit aller Familienmitglieder. Dora gehört nicht zu den Menschen, die schweigend und gottergeben vor sich hinleiden.«

Sanft berührte sie seine Hand. »Alleine zu warten, ist so viel schwerer.«

»Mrs. Conroy …«, begann er, doch ihm fehlten die Worte. Er lehnte sich einfach an sie und ließ sich von ihr halten.

Eilige Schritte auf dem Flur waren das lang ersehnte Signal, auf das hin alle gleichzeitig aufsprangen. Mary Pat erschien in der Tür, sie war immer noch in ihrer Schwesterntracht. »Man hat sie gerade aus dem OP gefahren«, berichtete sie rasch. »Es sieht gut aus. Der Doktor muss auch jeden Augenblick herauskommen.«

Jetzt erst begann Trixie zu weinen, wurde von heftigen Schluchzern geschüttelt, sodass Jed einen Arm um sie legte. Dann sah er Mary Pat an.

»Wann können sie zu ihr?«

»Das muss der Arzt entscheiden. Sie ist unglaublich zäh, das kann ich dir jedenfalls versichern.«

»Habe ich es nicht gesagt?«, schluchzte Trixie und taumelte in Quentins Arme, um gemeinsam mit ihm ihre Erleichterung herauszuweinen.

Erst als er allein vor dem Krankenhaus stand, begann Jed wie Espenlaub zu zittern. Er hatte beschlossen, nach Hause zu fahren. Die nächsten Stunden gehörten der Familie, hatte er sich eingeredet. Und nachdem er jetzt wusste, dass sie durchkommen würde, gab es keinen Grund mehr, im Wartezimmer herumzusitzen.

Doch er schaffte es nicht, auf die andere Straßenseite hinüberzugehen, um ein Taxi anzuhalten. Seufzend ließ er sich auf den Stufen vor dem Haupteingang nieder und beschloss zu warten, bis sich seine Nerven beruhigt hatten. Der Graupelschauer war inzwischen zu Schnee geworden, der in dicken, feuchten Flocken aus dem grauschwarzen Himmel fiel. Die Art, wie die Flocken im Schein der Straßenlaternen zu Boden tanzten, hatte etwas Faszinierendes an sich. Jed starrte unverwandt in einen der Lichtkegel, während er eine Zigarette nach der anderen rauchte. Dann ging er zurück ins Krankenhaus und fuhr mit dem Fahrstuhl wieder hinauf. Die Familie war inzwischen gegangen.

»Dachte ich mir's doch, dass du zurückkommst.« Mary Pat lächelte ihn aus müden Augen an. »Verdammt, Jed, du bist ja klatschnass. Soll ich dich auch gleich ins Bett stecken?«

»Ich will sie nur kurz sehen. Ich weiß, dass sie noch unter dem Einfluss der Narkose steht, dass sie gar nicht mitkriegt, dass ich da bin. Aber ich will sie sehen.«

»Warte, ich hole dir ein Handtuch.«

»MP.«

»Du wirst dich erst mal abtrocknen«, beschied sie ihm. »Dann bringe ich dich zu ihr.«

Bei Mary Pat war jeder Widerspruch zwecklos. Erst nachdem sie sich vergewissert hatte, dass er wieder einigermaßen trocken war, führte sie ihn in Doras Zimmer.

Ihr Anblick, wie sie totenbleich und bewegungslos in dem schmalen Krankenhausbett lag, zerriss ihm fast das Herz. »Bist du sicher, dass sie wieder gesund wird?«

»Ihr Blutdruck ist stabil, und es gab keine Komplikationen. Dr. Forsythe ist ein guter Arzt. Glaub mir.« Sie wollte nicht an die zahlreichen Blutkonserven denken, die man ihr verabreicht hatte, und auch nicht daran, wie lange es gedauert hatte, bis es den Ärzten endlich gelungen war, ihren Puls zu stabilisieren. »Die Kugel ist raus und die Gewebe- und Muskelverletzungen werden verheilen. Eine Weile wird sie allerdings schwach sein und leider auch Schmerzen haben.«

»Ich will aber nicht, dass sie Schmerzen hat.« Seine Beherrschung ließ langsam nach. »Du wirst dafür sorgen, dass sie genügend Schmerzmittel bekommt, damit sie nicht leiden muss.«

»Bleib doch ein Weilchen hier bei ihr sitzen«, meinte Mary Pat und strich ihm tröstend über den Rücken. »Das wird dir gut tun.«

»Danke.«

»In einer Stunde ist meine Schicht zu Ende. Ich hole dich dann ab.«

Doch als sie eine Stunde später ins Zimmer trat, genügte ein Blick von ihm, um leise die Tür zu schließen und die beiden allein zu lassen. Er blieb die ganze Nacht.

Sie kam nur ganz langsam zu sich, und Jed beobachtete sie dabei, registrierte jedes Zucken ihrer Augenlider. Einmal schloss sich ihre Hand kraftlos um die seine und blieb dann wieder still liegen.

»Komm, Dora, nicht gleich wieder wegtauchen.« Er streichelte ihr Haar, ihre Wange. Sie war immer noch zu blass, dachte er, viel zu blass. Ihre Lider flatterten unruhig, endlich schlug sie blinzelnd die Augen auf. Er wartete, bis sie richtig sehen konnte.

»Jed?« Ihre kraftlose Stimme ging ihm durch und durch.

»Ja, Liebes. Ich bin bei dir.«

»Ich hatte einen Albtraum.« Er drückte ihr einen Kuss auf die Hand, kämpfte gegen den Wunsch an, seinen Kopf neben sie aufs Kissen zu legen und die Augen zuzumachen.

»Es ist alles wieder gut, Liebes.«

»Er war so schrecklich real. Ich – o Gott!« Sie hatte sich ein wenig bewegt, und sofort schoss ihr ein stechender Schmerz durch den Arm.

»Du musst dich ganz ruhig halten.«

Mit dem Schmerz kehrte auch die Erinnerung zurück. »Er hat auf mich geschossen!« Langsam tastete sie nach der brennenden Wunde an ihrer Schulter, doch Jed hielt ihre Hand fest. »Es war Finley.«

»Jetzt ist alles vorbei. Und du bist bald wieder auf den Beinen.«

»Ich liege im Krankenhaus.« Panik überfiel sie. »Wie … wie schlimm ist es?«

»Sie haben dich wieder prima zusammengeflickt. Du brauchst jetzt nur noch Ruhe.« Er sah, dass sie große Schmerzen hatte. »Ich hole die Schwester.«

»Jetzt erinnere ich mich wieder.« Mit zitternden Fingern griff sie nach seiner Hand, um ihn zurückzuhalten. »Er war in meiner Wohnung, hat dort auf mich gewartet. Er wollte das Gemälde zurückhaben. Ich sagte ihm, dass ich nicht wüsste, wo es sei, und dann hat er auf mich geschossen.«

»Er wird dir nie wieder etwas antun, Liebes. Das schwöre ich dir. Es tut mir so Leid, Liebes. So entsetzlich Leid.«

Aber sie tauchte bereits wieder in die dunklen Tiefen des Schlafs hinab, um ihren Schmerzen zu entfliehen. »Lass mich nicht allein.«

»Nein, ich bleibe bei dir.«

Als er sie das nächste Mal bei Bewusstsein antraf, war ihr Zimmer ein einziges Blumenmeer. Auf dem Fensterbrett und dem Nachttisch standen kleine, bunte Sträuße und riesige Gestecke aus exotischen Blüten. Anstatt des langweiligen Krankenhausnachthemds trug sie jetzt ein duftiges, pinkfarbenes Negligee, ihr Haar war gewaschen, und sie hatte Make-up aufgelegt.

Doch Jed fand, dass sie immer noch unheimlich elend aussah.

»Na, wie geht's, Conroy?«

»Hallo.« Sie lächelte und streckte ihm die Hand entgegen. »Wie hast du es denn geschafft, hier einzubrechen? Die nehmen es doch sehr genau mit den Besuchszeiten.«

»Beziehungen.« Er zögerte. Ihre Hand fühlte sich so zerbrechlich an. »Wenn du zu müde bist, kann ich später noch einmal wiederkommen.«

»Nein, bleib nur, dann kannst du die Schwestern verscheuchen, wenn sie mit den Spritzen kommen.«

»Mit Vergnügen.« Verlegen wandte sich Jed ab, um die

Blumenarrangements zu betrachten. »Sieht so aus, als ob du einen Blumenladen aufgemacht hättest.«

»Toll, nicht wahr? Ich liebe es, verwöhnt zu werden.« Sie versuchte sich aufzusetzen, stöhnte dabei leise auf und war froh, dass Jed ihr den Rücken zukehrte. »Du hast mich verpfiffen, Skimmerhorn.«

»Was habe ich?«

»Du hast meiner Familie alles erzählt.«

»Ich dachte, es wäre besser so, als wenn sie es aus der Zeitung erführen.«

»Da hast du wahrscheinlich Recht. Nun, was gibt's Neues in der weiten Welt? Mary Pat hat mir erzählt, dass du Goldman rausgeworfen und wieder deinen alten Platz eingenommen hast.«

»Ja.« Er hatte seine Tage mit Arbeit ausfüllen müssen, sonst wäre er verrückt geworden.

»Kann ich deine Dienstmarke sehen?«

»Was?«

»Im Ernst.« Wieder stahl sich ein Lächeln auf ihr Gesicht. »Kann ich sie sehen?«

»Klar.« Er zog seinen Ausweis heraus und ging zu ihr ans Bett. Sie studierte ihn eingehend, indem sie ihn etliche Male auf- und zuklappte.

»Nicht schlecht. Wie fühlt man sich damit?«

»Gut«, meinte er knapp und steckte den Ausweis wieder ein. Es fiel ihm schwer, länger hier an ihrem Bett zu stehen und höfliche Konversation zu machen, denn er fühlte sich schuldig. »Dora, ich bin nur kurz vorbeigekommen, um zu sehen, wie es dir geht. Ich muss gleich wieder ins Büro zurück.«

»Noch bevor du mir mein Geschenk gegeben hast?« Als er darauf nichts erwiderte, lächelte sie unter Schmerzen. »Das Päckchen in deiner Hand, ist das nicht für mich?«

»Doch, es ist für dich.« Er legte es ihr auf den Schoß. »Ich war etliche Male hier, während du noch im Traumland herumgegeistert bist. Und nachdem ich den Blumenladen hier sah, dachte ich mir, dass du keinen weiteren Strauß mehr brauchst.«

»Davon kann man nie genug haben.« Sie griff nach der winzigen Schleife, lehnte sich aber gleich wieder zurück. »Sei so lieb und hilf mir, ja? Ich habe noch etwas Schwierigkeiten, meinen Arm zu bewegen.«

Er rührte sich nicht vom Fleck, doch seine Augen sprachen Bände. »Sie versicherten mir, dass du keine bleibenden Schäden zurückbehalten würdest.«

»Hmm.« Sie machte eine Schnute. »Als ob eine Narbe kein bleibender Schaden wäre. Ich werde im Bikini nie wieder so aussehen wie früher.«

Das war mehr, als er ertragen konnte. Mit einer abrupten Drehung ging er ans Fenster und starrte hinaus, während der schwere Duft der Rosen ihm den Hals zuschnürte.

»Ich hätte bei dir sein müssen«, presste er dann heraus, »du hättest nicht alleine im Haus sein dürfen.«

In seiner Stimme lag so viel verzweifelte Wut, seine Schultern waren so verspannt, dass Dora unwillkürlich auf einen Ausbruch wartete. Als nichts geschah, zupfte sie mit den Fingern des gesunden Arms an der Schleife. »Nach dem, was Brent mir erzählt hat, ist Finley den Kollegen in Los Angeles geradewegs durchs Netz geschlüpft. Keiner dort wusste, dass er Kalifornien verlassen hatte. Ich glaube, niemand konnte damit rechnen, dass Finley die Dreistigkeit besitzen würde, in meine Wohnung zu spazieren, um mich zu erschießen.«

»Es ist mein Job, mit so was zu rechnen.«

»So, dann steigt er dir also schon zu Kopf. Wie nennen sie diese Krankheit der Supercops – John-Wayne-Syndrom, richtig?« Sie schaffte es schließlich, die Schleife aufzuknoten, und hob gerade den Deckel von dem Kästchen, als Jed sich umdrehte. »Nun, alter Freund«, versuchte sie eine sehr dürftige Wayne-Imitation. »Man kann nicht überall zugleich sein.« Obwohl ihr Arm heftig schmerzte, griff sie gespannt in das raschelnde Seidenpapier. »Ich liebe Präsente und schäme mich auch nicht, das ganz offen zuzugeben. Ich bin zwar nicht sonderlich scharf drauf, dass man auf mich schießt, aber … Oh, Jed, ist die schön!«

Überwältigt und völlig hingerissen betrachtete sie die

kleine Spieldose, die mit goldenen Einlegearbeiten verziert und wunderschön bemalt war. Als sie den Deckel aufklappte, ertönte leise die ›Greensleeves‹-Melodie.

»Sie war unter den Sachen, die ich im Lager eingemottet hatte.« Er vergrub seine Hände in den Taschen und kam sich ungeheuer tölpelhaft vor. »Ich dachte, sie könnte dir gefallen.«

»Sie ist wunderschön«, wiederholte sie ehrfürchtig, und der verblüffte Blick, den sie ihm dabei zuwarf, verstärkte Jeds Unsicherheit noch mehr. »Vielen Dank.«

»Ach, nichts zu danken. Ich dachte mir, du kannst deinen Kleinkram darin verstauen, solange du hier festsitzt. Aber jetzt muss ich wirklich los. Äh, brauchst du etwas?«

Ihre Finger strichen immer noch zärtlich über die Spieldose, als sie zu ihm hochsah. »Ja, du könntest mir einen Gefallen tun.«

»Sprich.«

»Kannst du deine Beziehungen spielen lassen und mich hier rausholen?« Sie schämte sich der Tränen, die plötzlich in ihren Augen brannten. »Ich möchte nach Hause.«

Nach etlichen Stunden zäher Verhandlungen und unter Aufbietung all seiner Überredungskunst konnte Dora schließlich in ihrem eigenen Bett liegen.

»Dem Himmel sei Dank.« Dora schloss kurz die Augen und stieß einen tiefen Seufzer aus, dann lächelte sie Mary Pat an. »Nichts gegen Ihren Arbeitsplatz, MP, aber ich persönlich verabscheue ihn.«

»Sie waren auch nicht gerade die pflegeleichteste Patientin, meine Liebe. Mund auf.« Sie schob Dora das Fieberthermometer zwischen die Lippen.

»Ich war ein Juwel«, maulte Dora.

»Ein Rohdiamant vielleicht. Mit sehr scharfen Kanten. Aber ich will mich nicht beklagen; ein paar Tage Privatpflegedienst tun mir ganz gut.« Routiniert legte sie die Blutdruckmanschette um Doras unverletzten Arm. »Alles im schwarzen Bereich«, verkündete sie, nachdem sie die Temperatur abgelesen hatte. Doch ihr Blick auf den Anzeiger des Blutdruckgeräts und das darauf folgende Zucken ihrer Brauen war Dora nicht entgangen.

»Etwas nicht in Ordnung?«

»Nichts, was ein paar Tage absolute Ruhe nicht ins Lot bringen könnten.«

»Ich habe mich aber doch ruhiggehalten. Hätte nie gedacht, dass mir das gelingen würde, aber ich bin es allmählich leid, im Bett zu liegen.«

»Damit müssen Sie noch eine Weile leben.« Mary Pat, die auf Doras Bettkante saß, fühlte ihren Puls. »Ich will ganz offen sein, Dora. Mit der entsprechenden Ruhe und Pflege werden Sie bald wieder fit sein. Aber Sie müssen sich darüber im Klaren sein, dass Sie sich nicht nur das Knie aufgeschürft haben. Wenn Jed Sie etwas später zu uns gebracht hätte, würden Sie jetzt nicht hier liegen und sich beklagen. Es war knapp. Verdammt knapp.«

»Ich weiß. Mir steht das alles noch viel zu deutlich vor Augen.«

»Maulen und meckern Sie ruhig, Sie haben allen Grund dazu. Und keine Sorge, mir macht das nichts aus. Aber Sie werden alle meine Anweisungen wortwörtlich befolgen, oder ich verpetze Sie beim Captain.«

Dora musste lächeln. »Ihr Schwestern habt auch einen Captain?«

»Ich spreche von Jed, Dummerchen. Er finanziert die ganze Geschichte.«

»Was soll das heißen?«

»Das soll heißen, dass Sie, solange wie nötig, 24-Stunden-Home-Service genießen, und zwar auf Anweisung und Rechnung von Captain J. T. Skimmerhorn.«

»Aber … ich dachte, das übernimmt die Versicherung.«

»Dann lesen Sie mal Ihren Vertrag genau durch.« Schmunzelnd schüttelte Mary Pat Doras Kopfkissen auf und strich die Laken glatt. »So, und jetzt ruhen Sie sich ein bisschen aus. Ich werde Ihnen inzwischen etwas zu essen kochen.«

»Er muss sich nicht schuldig fühlen«, murmelte Dora, als Mary Pat zur Tür ging.

Mary Pat hielt inne und drehte sich um. »Was Sie betrifft, so empfindet er weit mehr für Sie als Schuld. Wussten Sie, dass er die ersten achtundvierzig Stunden keinen Fuß aus dem Krankenhaus gesetzt hat?«

»Nein«, flüsterte Dora betroffen und starrte auf ihre Hände. »Das wusste ich nicht.«

»Oder dass er jeden Abend vorbeigekommen ist?«

Dora schüttelte nur mit dem Kopf.

»Eine Menge Frauen warten ihr ganzes Leben auf einen Mann, der sich so schuldig fühlt.«

Sobald sie allein war, nahm Dora die Spieluhr vom Nachttisch. Sie öffnete den Deckel, schloss die Augen und fragte sich, was sie tun sollte.

Am Ende ihrer Schicht überreichte Mary Pat den Krankenbericht der Schwester, die sie ablöste. Aber damit betrachtete sie ihren Dienst noch nicht als beendet. Energisch marschierte sie über den Flur und klopfte laut an Jeds Wohnungstür. Als er aufmachte, tippte sie ihm gegen die Brust.

»Konntest du dich nicht dazu aufraffen, deinen Luxuskörper diese gottverdammten zwei Schritte über den Flur zu schleppen und …« Sie verstummte und starrte ihn argwöhnisch an. »Was tust du denn da?«

»Ich packe.«

Der Blick, mit dem sie ihn fixierte, sprach Bände. »Einen Teufel wirst du tun.« Wutschnaubend stapfte sie in seine Wohnung, griff sich eine der Bücherkisten und kippte sie aus. »Du wirst sie nicht sitzen lassen, solange sie hilflos ans Bett gefesselt ist.«

»Ich lasse sie nicht sitzen.« Jed rang um Beherrschung. Er hatte sich nach langen Überlegungen zu der Erkenntnis durchgerungen, dies nur für Dora zu tun. »Sie hat mich gebeten auszuziehen. Und es wird sie nur unnötig verärgern, wenn sie herausfindet, dass ich noch nicht weg bin.«

Mary Pat stemmte die Hände in die Hüften. »Du bist ein Idiot. Gut, damit kann ich leben. Aber dass du dich wie ein Feigling benimmst, das hätte ich nicht von dir gedacht.«

»Halt dich da raus, Mary Pat.«

»Nein, mein Lieber. Kannst du mir offen ins Gesicht sagen, dass du sie nicht liebst?«

Er fummelte eine Zigarette aus der Packung. Mary Pat riss sie ihm aus der Hand und brach sie auseinander. Beide sahen sich wütend an.

»Nein, kann ich nicht. Aber darum geht es auch nicht. Der Doktor hat darauf bestanden, jeglichen Stress von ihr fern zu halten. Es tut ihr nicht gut, wenn ich hier rumhänge, und sie sich über mich ärgert.«

»Setz dich. Setz dich verdammt noch mal hin.« Sie gab ihm einen Schubs. »Ich werde dir jetzt ganz genau sagen, was ihr gut tut.«

»Fein.« Er ließ sich in einen Sessel fallen. »Ich sitze.«

»Hast du ihr je gesagt, dass du sie liebst?«

»Ich glaube nicht, dass dich das etwas angeht.«

»Habe ich auch nicht geglaubt.« Innerlich auf Hundertachtzig, stapfte sie einmal quer durchs Zimmer, wobei sie sich gerade noch beherrschen konnte, Jeds Fitnessbank einen wütenden Fußtritt zu versetzen. »Hast du ihr je einen Blumenstrauß gepflückt?«

»Verflucht nochmal, es ist Februar!«

»Du weißt genau, wovon ich spreche.« Sie drehte sich um, baute sich vor ihm auf, die Hände auf seine Armlehnen gestüzt, damit er nicht davonlaufen konnte. »Ich verwette meinen Kopf, dass du abends noch nie Kerzen angezündet hast, mit ihr am Fluss spazieren gegangen bist oder ihr kleine Geschenke gemacht hast.«

»Ich habe ihr diese Spieldose geschenkt.«

»Das reicht nicht. Sie muss richtig verwöhnt werden.«

Verblüfft stellte er fest, dass er sich schämte. »Lass es gut sein.«

»Gut sein? Ich würde dir am liebsten den Hals brechen, aber ich habe geschworen, den Menschen zu helfen. Du hast sie beinahe verloren.«

Der Blick, den er ihr daraufhin zuwarf, war scharf wie eine Schwertklinge. »Glaubst du nicht, dass ich das weiß? Jede Nacht wache ich schweißgebadet auf und denke daran, wie knapp sie dem Tod entronnen ist.«

»Dann tu etwas. Zeig ihr, wie viel sie dir bedeutet.«

»Ich will sie nicht überrumpeln, solange sie noch so schwach ist.«

Mary Pat verdrehte die Augen. »Dann bist du wirklich ein Idiot.« Weil er ihr aber Leid tat, gab sie ihm einen Kuss. »Sieh zu, dass du ihr ein paar Wiesenblumen pflückst, Jed. Ich zähle auf dich.«

Das Paket kam am folgenden Nachmittag an.

»Noch mehr Geschenke«, verkündete Lea und schleppte die schwere Fracht ins Wohnzimmer, wo Dora auf der Couch saß. »Ich bin wirklich am Überlegen, ob ich nicht auch auf mich schießen lassen soll – solange es nur eine Fleischwunde gibt.«

»Glaub mir, das lohnt sich nicht. Hol mir lieber eine Schere, sei so lieb. Dann wollen wir das Baby hier mal auspacken.« Sie beugte über den Karton. »Hm, kein Absender.«

»Aha, ein heimlicher Verehrer.« Lea machte sich daran, das Klebeband aufzureißen. »Ooh«, meinte sie enttäuscht, als sie ächzend den Karton aufklappte. »Nur Bücher.«

»Was heißt nur Bücher? Carolyn Keene.« Dora war schon auf den Knien und begann eifrig in dem Karton zu wühlen. »Nancy Drew – wie es aussieht, die komplette Reihe. Und erste Auflage. Schau, Lea. Schau dir das an. *The Clue of the Leaning Chimney* und *The Hidden Staircase*«, jubelte Dora, um dann unvermittelt die Bücher an die Brust zu drücken und in Tränen auszubrechen.

»Dora. Oh, Dora, Liebling, hast du dir wehgetan? Komm, ich bringe dich ins Bett.«

»Nein«, wehrte ihre Schwester ab, *Password to Larkspur Lane* an ihre Wange pressend. »Die sind von Jed.«

»Aha, verstehe«, sagte Lea vorsichtig und ließ sich wieder zurück auf die Fersen sinken.

»Er hat sich so viel Mühe gegeben, um mir eine Freude zu machen. Aber warum ist er plötzlich so lieb zu mir? Schau, erst vor ein paar Tagen hat er mir dieses Armband geschenkt.« Sie streckte ihren Arm aus und hörte nicht auf zu jubilieren, als Lea unter Aah- und Ooh-Rufen das Armband bewunderte. »Und diese witzige Kuh. Und das Aquarell. Warum tut er das nur? Was ist los mit ihm?«

»Er ist verliebt in dich, wenn du mich fragst.«

Schniefend wischte sich Dora mit dem Ärmel ihres Morgenrocks die Tränen ab. »Das ist doch lächerlich.«

»Schätzchen, merkst du denn nicht, wenn dir jemand den Hof macht?« Lea nahm eines der Bücher aus dem Karton, drehte es um und schüttelte den Kopf. »Ich persönlich bevorzuge ja eine etwas andere Lektüre, aber bei dir hat Jed damit offensichtlich genau ins Schwarze getroffen.«

»Nein, er hat nur Mitleid mit mir. Und ihn plagen Schuldgefühle.« Entschlossen blinzelte sie sich die letzten Tränen aus den Augenwinkeln. »Meinst du nicht?«

»Meine Liebe, den Mann, der mir im Krankenhaus ständig über den Weg geschlichen ist, haben nicht nur Schuldgefühle geplagt.« Sie strich Dora eine Haarsträhne hinters Ohr. »Wirst du ihm eine Chance geben?«

Sie legte das Buch in den Schoß und strich liebevoll über den Einband. »Kurz bevor das hier passierte, habe ich mit ihm Schluss gemacht und ihm gesagt, er solle ausziehen. Er hat mich verletzt, Lea. Und ich will nicht, dass er mir noch einmal wehtut.«

»Ich kann dir nicht vorschreiben, was du tun sollst, Dora, aber ich finde es ziemlich unfair von dir, ihn so leiden zu lassen.« Sie gab ihrer Schwester einen Kuss auf die Stirn und stand auf, um die Tür aufzumachen, denn es hatte geklopft. »Hallo, Jed«, begrüßte ihn Lea mit einem Lächeln und gab auch ihm einen Kuss. »Die Überraschung ist gelungen. Sie sitzt im Wohnzimmer und heult wie ein Schlosshund.«

Jed machte instinktiv einen Schritt zurück, doch Lea fasste ihn an der Hand und zog ihn herein. »Schau, wer gekommen ist.«

»Hallo.« Dora wischte sich rasch über die Augen und brachte ein zaghaftes Lächeln zustande. »Die sind toll.« Und schon rollten die Tränen wieder. »Wirklich toll.«

»Wasserschäden mindern den Wert von Büchern erheblich«, versuchte er zu scherzen.

»Das stimmt. Aber Erstausgaben treiben mir immer Tränen der Ergriffenheit in die Augen.«

»Ich wollte gerade gehen«, verkündete Lea und schnappte sich ihren Mantel, doch keiner der beiden schenkte ihrem diskreten Rückzug die geringste Aufmerksamkeit.

»Ich weiß nicht, was ich sagen soll.« Dora drückte *The Hidden Staircase* wie ein geliebtes Kind an die Brust.

»Sag einfach danke«, schlug er ihr vor.

»Danke. Aber, Jed …«

»Hör zu, ich habe von höchster Stelle grünes Licht bekommen, dich für eine Weile zu entführen. Wie wär's mit einer kleinen Spazierfahrt?«

»Machst du Witze?« Sie war bereits aufgestanden. »Spazierfahrt? Eine richtige Spazierfahrt – und nicht ins Krankenhaus?«

»Hol deinen Mantel, Conroy.«

»Ich kann es kaum glauben«, hauchte sie glücklich, als sie sich wenige Minuten später elegant auf den Beifahrersitz von Jeds Wagen gleiten ließ. »Keine Krankenschwestern. Keine Fieberthermometer, die einem bedrohlich vor dem Mund schweben, keine Blutdruckmanschetten.«

»Wie geht's deiner Schulter?«

»Tut noch weh.« Sie kurbelte das Fenster eine Hand breit herunter, um sich den Fahrtwind ins Gesicht blasen zu lassen, und bemerkte daher nicht, wie Jeds Finger sich fester um das Lenkrad schlossen. »Sie haben mir diese Krankengymnastik verordnet, die milde ausgedrückt – ziemlich unangenehm, aber wirkungsvoll ist.« Zum Beweis winkelte sie ihren Ellbogen ab. »Nicht schlecht, wie?«

»Ja, prima«, erwiderte er mit so viel unterdrückter Heftigkeit in der Stimme, dass Dora verwundert die Stirn in Falten legte.

»Alles in Ordnung im Büro?«

»Ja, alles läuft bestens. Du hattest absolut Recht. Ich hätte nicht aufhören sollen.«

»Du hast nur etwas Zeit gebraucht.« Sie berührte sachte seinen Arm, ließ ihre Hand aber sofort sinken, als er zusammenzuckte. Es war höchste Zeit, beschloss sie, endlich die Situation zu klären. »Jed, ich weiß, dass wir in einer schwierigen Phase waren, vor … nun, bevor er auf mich geschossen hat. Und ich weiß, dass ich unfreundlich war.«

»Nein, nicht doch.« Er würde es nicht ertragen können. »Du hattest Recht. Alles, was du gesagt hast, war richtig. Ich wollte nicht, dass du mir zu nahe kommst, ich habe alles darangesetzt, um das zu verhindern. Wegen dir habe ich meinen Job wieder aufgenommen, aber ich habe es dir verheimlicht, weil ich dann hätte zugeben müssen, dass mir mein Job doch etwas bedeutet. Ich hätte zugeben müssen, dass es mir nicht gleichgültig ist, was du von mir denkst. Ich habe es dir absichtlich verschwiegen.«

Sie kurbelte das Fenster wieder hoch. Der Wind war zu kalt. »Wir brauchen das Ganze nicht noch einmal durchzukauen.«

»Ich schätze, es würde besser klingen, wenn ich dir sagte, dass ich dich um Verzeihung bitten, dich anflehen wollte, mir noch eine Chance zu geben – bevor das Unglück passierte.« Er warf ihr einen schnellen Seitenblick zu, sah, dass sie ihn mit kugelrunden Augen anstarrte. Er wandte sich wieder ab und richtete den Blick auf den Verkehr. »Ja, genau die Antwort habe ich von dir erwartet«, knurrte er.

»Ich bin nicht sicher«, begann sie vorsichtig, »was eine zweite Chance hätte bringen können.«

Genau das wollte er ihr zeigen. Er lenkte den Wagen in die Auffahrt, hielt an, stieg aus und ging zu ihrer Tür, um ihr beim Aussteigen zu helfen. Da sie wie hypnotisiert auf das Haus starrte, stieß sie sich den verletzten Arm an der Wagentür an.

»Verdammt!« Ihr gequältes Aufstöhnen gab Jed den Rest.

»Ich kann es nicht ertragen, dich leiden zu sehen.« Ihren Arm stützend, zog er sie an sich. »Ich halte es einfach nicht aus. Jedes Mal, wenn ich daran denke, Dora, zerreißt es mir das Herz. Ständig sehe ich dich am Boden liegen, fühle

520

noch immer dein Blut an meinen Händen.« Er begann zu zittern. »Ich hielt dich für tot.«

»Nicht doch«, tröstete sie ihn. »Mir geht es doch wieder gut.«

»Ich habe es nicht verhindert«, fuhr er lauter fort. »Ich kam zu spät.«

»Nein, kamst du nicht. Du hast mir das Leben gerettet. Er hätte mich umgebracht. Er war entschlossen, mich umzubringen, war genauso gierig darauf wie auf das Bild. Du hast ihn daran gehindert.«

»Das ist nicht genug.« Um Beherrschung ringend, löste er seinen festen Griff und trat einen Schritt zurück.

»Für mich ist es mehr als genug, Jed.« Sie legte eine Hand an seine Wange. Er griff danach und presste sie an seine Lippen.

»Lass mir eine Minute Zeit.« Er blieb einen Moment bewegungslos stehen, lauschte dem frischen Wind, der leise durch die kahlen Baumkronen und über das erfrorene Gras strich. »Du solltest nicht in der Kälte stehen.«

»Ach, es tut aber so gut.«

»Ich möchte, dass du mit reinkommst. Ich möchte unser Gespräch drinnen beenden.«

»Na gut.« Obwohl sie sich gar nicht mehr so schwach fühlte, ließ sie sich auf dem Weg zum Haus von ihm stützen. Sie hatte das Gefühl, dass sie das brauchte.

Doch es war Jed, der sich schwach fühlte, als er die Haustür aufsperrte und sie ins Haus führte. Seine Nerven schlugen Purzelbäume, als sie einen leisen Freudenschrei ausstieß. Sie machte einen Schritt auf den Buchara-Teppich in der Diele. »Du hast das Haus wieder eingerichtet.«

»Teilweise.« Mit angehaltenem Atem beobachtete er, wie sie mit den Fingerspitzen über den Rosenholztisch und die Rückenlehne eines dazu passenden Stuhls strich, wie sie lächelnd den Spiegel in dem verschnörkelten Goldrahmen bewunderte. »Meine Vermieterin hat mich rausgeschmissen, deshalb habe ich mir ein paar Sachen aus dem Lager geholt.«

»Und dabei einen sicheren Geschmack bewiesen.« Sie

ging ihm in den vorderen Salon voran. Dort stand jetzt ein kleines Sofa mit geschwungener Lehne und Nadelstreifenbezug, auf dem Holztischchen daneben eine entzückende Tiffany-Lampe. Im Kamin knisterte ein gemütliches Feuer. Dora spürte, wie sich ein Gefühl der Freude in ihr ausbreitete, in das sich ein Funken Wehmut mischte. »Du willst wieder hier einziehen.«

»Das kommt darauf an.« Er half ihr vorsichtig aus dem Mantel und legte ihn über die Sofalehne. »Ich bin vergangene Woche noch einmal hierher gekommen und durchs Haus gegangen. Aber es war nicht wie beim letzten Mal. Ich konnte dich die Treppe hinaufsteigen sehen, sah dich an meinem Fenster sitzen, aus dem Küchenfenster schauen. Du hast das Haus verändert«, sagte er, als sie sich langsam zu ihm umdrehte. »Du hast mich verändert. Ich möchte gerne wieder hier wohnen, das Haus wieder zum Leben erwecken. Mit dir zusammen, wenn du das möchtest.«

Dora wusste, dass ihre plötzliche Benommenheit nichts mit ihren Verletzungen zu tun hatte. »Ich glaube, ich möchte mich erst einmal hinsetzen.« Sie ließ sich auf den gestreiften Polstern nieder und atmete tief durch. »Du hast vor, hier wieder einzuziehen? Du willst hier wieder einziehen?«

»Ja, das ist richtig.«

»Und du willst, dass ich mit dir hier lebe?«

»Damit würde ich mich zufrieden geben.« Er holte ein kleines Samtkästchen aus seiner Jackentasche und drückte es ihr in die Hand. »Lieber wäre es mir, wenn du mich heiraten würdest.«

»Kann ich …« Ihre Stimme gehorchte ihr auf einmal nicht mehr. »Kann ich ein Glas Wasser haben?«

Frustriert fuhr er sich mit der Hand durch die Haare. »Verdammt, Conroy klar.« Er biss die Zähne zusammen und bemühte sich um Beherrschung. »Selbstverständlich. Ich hole es dir.«

Sie wartete, bis er durch die Tür verschwunden war. Dann öffnete sie das Kästchen. Und sie war froh, dass sie gewartet hatte. Die Überraschung war mehr als gelungen.

Sie starrte immer noch wie betäubt auf den Ring, als Jed mit einem Glas lauwarmem Leitungswasser zurückkam.

»Danke.« Sie griff danach und trank es mit gierigen Schlucken aus. »Das ist ja ein Mordsklunker.«

Zutiefst verunsichert, fummelte er eine Zigarette aus der Packung. »Ich fürchte, der ist ein bisschen zu protzig.«

»Keineswegs. Kein Diamant der Welt kann zu protzig sein.« Sie legte das Kästchen auf ihren Schoß, ließ aber besitzergreifend eine Hand darauf liegen. »Jed, ich glaube, diese letzten Wochen waren für dich genauso schwer wie für mich. Das habe ich mir vielleicht nicht klar gemacht, aber ...«

»Ich liebe dich, Dora.«

Dora war wie betäubt. Ehe sie sich noch fassen konnte, saß Jed neben ihr auf dem Sofa und drückte ihre Hand so fest, dass es fast wehtat. »Verflucht, schick mich jetzt bloß nicht wieder zum Wasserholen. Wenn du nicht gleich antworten willst, werde ich warten. Bitte, gib mir wenigstens die Chance, dich dazu zu bringen, mich zu lieben.«

»War das der Sinn der ganzen Übung? Die Geschenke, die Telefonate? Du hast versucht, meine Verteidigung zu untergraben, während ich krank war.«

Nachdenklich blickte er auf ihre verschränkten Hände. »Ja, das kommt so ziemlich hin.«

Dora nickte, erhob sich dann und ging zum Fenster. Im Frühling hätte sie gerne Tulpen im Garten, überlegte sie, und ganz und viele Narzissen.

»Gute Arbeit«, murmelte sie leise. »Verdammt gute Arbeit, Skimmerhorn. Es waren die Bücher, die mich schließlich rumgekriegt haben. Wie hätte ich auch einer kompletten Erstausgabe von Nancy Drew widerstehen können?« Dann senkte sie den Blick auf den großen, viereckig geschliffenen Brillanten, den sie immer noch fest in der Hand hielt. »Du hast es wirklich prächtig verstanden, meine Schwäche für Nostalgie, Abenteuer und Geschäftemacherei auszunutzen.«

»Mit mir machst du kein so schlechtes Geschäft.« Seine Nerven liefen Amok, als er langsam hinter sie trat und schüchtern ihr Haar berührte. »Sicher, ich habe meine Fehler, aber ich bin nicht mittellos.«

Ein überlegenes Lächeln lag auf ihrem Gesicht. »Mit diesem Argument hättest du früher vielleicht einen Blumentopf gewinnen können, aber reich bin ich bald selbst, nachdem man mir für den Monet einen fetten Finderlohn in Aussicht gestellt hat. Ich mag ja gierig sein, Skimmerhorn, aber ich stelle auch sonstige Anforderungen.«

»Ich bin verrückt nach dir.«

»Das ist schon besser.«

»Du bist die einzige Frau, mit der ich jemals mein Leben verbringen wollte.« Er hauchte einen scheuen Kuss auf die Rundung ihrer Schulter, einen zweiten auf ihren Nacken und entlockte ihr damit einen Seufzer. »Die einzige Frau, die ich je geliebt habe und jemals lieben werde.«

»Das ist exzellent.«

»Ich glaube, dass ich ohne dich nicht leben kann, Dora.«

Aufsteigende Tränen erstickten ihre Stimme. »Volltreffer.«

»Soll das heißen, dass du dich wieder in mich verlieben wirst?«

»Was veranlasst dich zu der Annahme, dass ich je damit aufgehört habe?«

»Und das mit dem Heiraten? Willst du es auf einen Versuch ankommen lassen?«

Sie lächelte. Das mochte zwar nicht der romantischste Heiratsantrag aller Zeiten gewesen sein, doch ihr gefiel er. Er gefiel ihr sogar außerordentlich.

»Wir werden Spitzenbordüren für die Vorhänge aussuchen müssen, Jed. Und ich habe eine Chippendale-Bank, die darauf wartet, ihren Platz dort vor dem Kamin einzunehmen.«

Er drehte sie zu sich herum, strich ihr das Haar zurück, sodass er ihr Gesicht in seine Hände nehmen konnte. Ein Blick in ihre Augen genügte, und seine Nervosität war wie weggeblasen.

»Kinder?«

»Drei.«

»Gute Zahl.« Überwältigt legte er seine Stirn an ihre. »Oben im Schlafzimmer steht ein Bett, George-III.-Periode, glaube ich.«

»Ein Himmelbett?«

»Na klar, mit vier Pfosten und einem Baldachin. Bitte, bleib heute Nacht hier.«

Lachend suchten ihre Lippen seinen Mund. »Na endlich, Skimmerhorn. Ich dachte schon, die Frage kommt gar nicht mehr.«

Nora Roberts

Heiße Affären, gefährliche
Abenteuer. Bestsellerautorin
Nora Roberts schreibt
Romane der anderen Art:
Nervenkitzel mit Herz
und Pfiff!

01/9872

HEYNE-TASCHENBÜCHER

HEYNE BÜCHER

Linda Davies

Linda Davies schreibt
Thriller in der Tradition von
John Grishams ›Die Firma‹.

»Ein furioses Debüt.«
BRIGITTE

Das Schlangennest
01/10095

Die Drachenhöhle
01/10636

01/10095

HEYNE-TASCHENBÜCHER

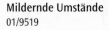
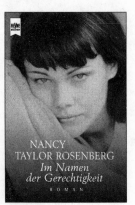